LES ROUGON-MACQUART

HISTOIRE NATURELLE ET SOCIALE
D'UNE FAMILLE SOUS LE SECOND EMPIRE

III

Émile Zola

Le Ventre
de Paris

Préface
d'Henri Guillemin

Édition présentée, établie et annotée
par Henri Mitterand
Professeur émérite
à la Sorbonne nouvelle

Gallimard

PRÉFACE

Zola avait publié sa Curée *en 1872. Le troisième tome des* Rougon-Macquart *parut l'année suivante, chez Charpentier, en avril 1873. C'était* Le Ventre de Paris *(publication préalable en feuilleton, dans le quotidien de gauche,* L'État, *du 12 janvier au 17 mars 1873). Le* Journal *des Goncourt nous apprend qu'en juin 1872, Zola n'avait encore qu'à peine entrepris son livre. Il l'aura donc bâti en six mois, au cours du deuxième semestre 1872.*

Émile Zola a eu trente-deux ans, le 2 avril de cette année-là. Ne l'imaginons pas tel que, bientôt, nous le montreront des photographies souvent reproduites : large, massif, assuré. Ce 3 juin 1872, quand il déjeune chez Edmond de Goncourt qui le dévisage et l'observe, il est « malingre », et, comme dit son hôte, « névrosifié ». Un paquet de nerfs. Un garçon fébrile. Sa main tremble. Il se persuade qu'il ne fera pas de vieux os, qu'il est guetté par trois maladies pour le moins ; ça ne va pas, côté cœur, articulations, prostate, et Goncourt regarde, vaguement ironique, ce geignard qui travaille comme un fou furieux, penché sur sa table du matin au soir,

« *de neuf heures à midi et demi et de trois heures à huit heures* », *et qui vous raconte qu'il est paresseux de tempérament, profondément paresseux* (« *Ne croyez pas que j'aie de la volonté ! Je suis l'être le plus faible* [etc.] »). *Seulement il a une* « *idée fixe* » : *écrire, écrire.* « *La volonté est remplacée chez moi par l'idée fixe, l'idée fixe qui me rendrait malade si je n'obéissais pas à son obsession* » (Journal des Goncourt, *t. X, p. 94*). *Et il confie à Goncourt qu'il est* « *en train de chercher un roman sur les Halles* », *qu'il est* « *tenté de peindre le plantureux de ce monde* ». *Avec cette phrase même, voilà le contresens qui s'amorce. Zola a bien dû prononcer, devant Goncourt, à peu près exactement les mots ci-dessus, mais il s'en est tenu là. Ses idées-de-derrière-la-tête, qu'il gardait pour lui et qui n'étaient point, en tout cas, pour M. de Goncourt, nous les connaissons très bien maintenant, grâce à ses Notes de travail. Il suffit, du reste, de bien lire son livre et de faire attention au récit pour en comprendre la leçon.*

Le Ventre de Paris, *qu'est-ce que c'est, dans la tradition ? Réponse : le roman des Halles. Zola le naturaliste apportant une grande démonstration de sa manière ; Zola qui* « *fait du Courbet* » *en littérature ; Zola qui veut prouver qu'avec des sujets dédaignés, prétendument indignes de l'art, l'artiste véritable peut créer un chef-d'œuvre.* Le Ventre de Paris, *cette* « *immense nature morte* », *comme écrira Louis Desprez en 1884 dans son* Évolution naturaliste. *Lepelletier, en 1908, dira de ce* « *curieux roman* » *qu'il est (trouvaille d'écrivain !) une sorte de* « *poème gastrique* ». *Et un M. Bernard (Léopold) consacrera une thèse, à Montpellier, aux* Odeurs dans les romans de Zola, *avec* Le Ventre de Paris *pour mine principale de références. Joignez à tout cela l'inévitable évocation de la « symphonie des fromages », et* Le Ventre de Paris *est classé. On sait de quoi on parle. Le bouquin est mis à sa place dans l'histoire littéraire. L'histoire littéraire, il est vrai, telle qu'avec des générations de petits Français je l'ai apprise dans mes classes, entretient à peu près avec la réalité authentique les mêmes déconcertants rapports qu'entretient l'Histoire tout court, l'officielle Histoire, avec la réalité du passé. Jean-Jacques Rousseau, par exemple, au lycée, et pour le bachot, que devions-nous savoir de lui, avant tout ? Qu'il était le restaurateur, en France, du « sentiment de la nature », le premier des pré-romantiques. Drôle, tout de même, non ? L'homme du* Contrat social *et de la* Profession *de foi du* Vicaire savoyard, *le penseur, le chrétien qui, au beau milieu du* XVIIIe *siècle encyclopédiste, contre les nantis à la Voltaire, les athées à la Diderot et toute la « secte » (le mot est de Robespierre) des ennemis des « gueux » et des « christicoles », l'homme qui poussa un tel cri et engendra une pareille secousse, tout ce que nous étions autorisés à savoir de lui – le reste n'étant qu'épisodique et négligeable – c'est qu'il avait « remis du vert » dans nos Lettres. Et c'était vrai, je ne le nie pas. Vrai, mais « à côté ». Vrai, mais d'une importance infime. L'infime nous était donné pour capital, et l'essentiel pour super- flu. De même pour Zola. Mais oui, d'accord, il est « naturaliste », il aime Courbet, il croit et affirme (comme fera le Claudel des* Conversations*) qu'il peut y avoir une poésie de l'architecture utilitaire,*

qu'une bâtisse de métal et de verre peut être belle,
que si Victor Hugo avait le droit de choisir Notre-
Dame pour symbole d'un roman, il a le même droit,
quant à lui, de choisir les Halles, que les amoncellements de légumes, les bataillons de fromages,
les montagnes de viandes fournissent à l'artiste,
peintre ou écrivain, des « sujets » aussi légitimes
que le sont des Nativités, des batailles ou des vues
agrestes. D'accord, il a sa théorie du « milieu » et
ses idées, enracinées, sérieuses, sur l'influence de ce
« milieu », la détermination, au moins partielle, des
comportements humains par l'ambiance. D'accord,
en un certain sens, les Halles sont le « personnage
principal » du livre, comme l'alambic dans L'Assommoir, comme la mine dans Germinal, comme
la locomotive dans La Bête humaine. Oui, tout
cela existe, chez Zola, et participe à l'élaboration de
son œuvre. Mais il y a derrière, mais il y a dedans,
mais il y a dessous, à l'origine de l'œuvre et comme
premier moteur, une intention qui déborde infini-
ment la littérature, des préoccupations d'un autre
ordre, une idée-force fondamentale, un mouvement
intérieur, un élan, un engagement de l'être entier.
Ne pas le voir, c'est passer à côté du vrai Zola, de
ce qui constitue sa substance.

*

Prenons ses *Notes préalables* pour Le Ventre de
Paris et nous y verrons clair tout de suite :
    « L'idée générale est : le ventre [...], le ventre
de l'humanité [...] ; la bourgeoisie digérant, ruminant, cuvant en paix ses joies » ; la bourgeoisie du

Second Empire ; « la bedaine pleine et heureuse se ballonnant au soleil et roulant jusqu'au charnier de Sedan ».

Il s'agit d'une autre face de La Curée *(Zola écrit explicitement : « un pendant à* La Curée *»). Dans son livre précédent, on a vu, après le 2 décembre, grâce au 2 décembre, « l'éréthisme » d'un Saccard, « lancé à la chasse des millions » ; Saccard, c'est l'aventurier mondain, le fauve sous le masque de l'homme élégant. Aucune loi morale. Ceux-là mêmes qui l'accueillent et lui font fête parce qu'il est riche savent que c'est un forban et que sa vie est un perpétuel attentat à l'honnêteté, à la droiture. On sourit, parce qu'il est « du monde », mais on fait, entre soi, profession de le mépriser ; les « honnêtes gens » le tolèrent, l'utilisent, cherchent à partager ses profits, mais eux – le nom qu'ils se donnent le proclame – eux, ils ont le respect du Bien. Les « honnêtes gens » des salons ne sont que la fleur et l'élite, la cime sociale de cette bourgeoisie modeste, de toute cette classe moyenne des petits commerçants, petits propriétaires, petits rentiers, qui font l'armature d'un pays, la solidité de ses assises, le réceptacle de ses vertus. C'est là, sur cette sainte cohorte, que Zola braque maintenant son projecteur. Dans* La Curée, *Saccard et son « museau de fouine fouillant l'or » ; dans* Le Ventre de Paris, *« la bête broyant le foin au râtelier », le « contentement large » et tranquille ; la paix du cœur et la sécurité de la conscience. L'ordre règne. Ceux qui ont mangent et jouissent. Ils prospèrent ; ils prennent du poids. Je cite : « Cet engraissement, cet entripaillement est le côté philosophique et historique de* l'œuvre. » *Entre Saccard le bandit et Lisa Quenu la charcutière, un abîme, n'est-ce pas ? Un monstre, Saccard ; bien vêtu, bien disant, mais un monstre. Tandis que Lisa, la paisible Lisa, la vertueuse, l'irréprochable Lisa, quel bon « sourire honnête » est le sien !* « Je veux lui donner – écrit Zola – l'honnêteté de sa classe et montrer quels dessous formidables de lâcheté et de cruauté il y a sous la chair calme d'une bourgeoise » ; « au fond, même avachissement, même décomposition morale » ; « la chute à la digestion épaisse et satisfaite ».

Interrogez autour de vous ; faites l'expérience (je l'ai faite). Parmi les gens qui savent un peu ce que c'est, Le Ventre de Paris, *vous n'en trouverez pas un sur dix qui soit capable de vous en indiquer la trame. Vous entendrez :* « Halles, fromages, charcuterie » ; *peut-être, quelquefois :* « ces gosses qui s'aiment dans les détritus ; comment s'appellent-ils donc ? Ah ! oui : Cadine et Marjolin » ; *et parfois aussi, plus rarement :* « Et il y a de la police là-dedans » ; *ou encore, de la part des lettrés :* « C'est là, hein ? que Zola fait apparaître son peintre ? Celui qu'on retrouvera, au premier plan, dans* L'Œuvre *: Claude Lantier, une transposition de Cézanne... » Mais le scénario, l'affaire elle-même, ce qui donne au livre sa charpente, ce que le romancier nous raconte et qu'il tient à nous raconter, bien rares ceux qui vous le résument. Tant nous avons été, tous, par notre formation scolaire et les bavardages que nous avons pu lire sur Zola, habitués à ne pas l'entendre, à ne voir chez lui que ce qui compte le moins.*

La trame du Ventre de Paris, *c'est ceci : Quenu*

le charcutier a un frère, Florent, qui a été « compro-
mis au 2 décembre ». Déporté en Guyane, Florent
s'est évadé. Il est parvenu à rentrer en France, se
cachant. Il a retrouvé son frère. Il n'a pas changé.
Ce qu'il aimait, ce qu'il voulait jadis, il l'aime tou-
jours, il le veut toujours. Et Quenu inclinerait
presque à penser comme lui. Lisa, sa femme, est
beaucoup plus sage. Elle a vu tout de suite, en la
personne de ce beau-frère intempestif, un danger
pour leur repos et leur aisance. Et puis il y a cette
part d'héritage qu'il faut bien – l'honnêteté avant
tout – remettre à Florent. Douce, ferme (elle a hor-
reur des cris et des violences ; cette femme est la
pondération même), persuasive, grande sœur avec
son mari un peu faible, Lisa chapitre son Quenu et
lui ouvre les yeux. Puis insensiblement, et en toute
bonne conscience, poussant le scrupule jusqu'à
consulter d'abord un prêtre, Lisa Quenu, la char-
cutière, s'arrangera pour que Florent disparaisse.
Florent, par le discret office de Lisa, retournera au
bagne. C'est ça, Le Ventre de Paris.

*

Nous avons déjà eu l'occasion de constater à quel
point est menteuse la légende qui prive de « psycho-
logie » le romancier Émile Zola. Il dit ce qu'il ne faut
pas dire. D'où la réaction des critiques-sentinelles :
ce Zola n'est qu'un lourd gâcheur. Ses gros doigts
sont bien impuissants à ces tâches si fines, à ces
pesées d'âmes sur des balances immatérielles, où
excellait un Paul Bourget et qu'aura si longtemps
poursuivies, pour le ravissement des paroisses,

*M. Henry Bordeaux. Déconsidérer le gêneur, s'effor-
cer d'interdire toute audience à qui vous désoblige,
c'est une très vieille méthode, et qui n'est pas sans
efficacité. Voltaire en fit contre Jean-Jacques un
emploi soutenu ; Guizot contre Lamartine ; Veuil-
lot, Lemaître et Faguet contre Victor Hugo. N'est-il
pas encore entendu que, certes, ce Victor Hugo, il
avait le « génie du verbe », mais sa « pensée », mon
Dieu ! Quel pauvre homme ! Quel primaire !*

Lisa Quenu est une des plus puissantes réus-
sites de Zola, une de ses créations humaines les
plus irrécusables. On ne connaît guère les lignes
que voici, extraites des Notes du romancier dessinant son cadre et ses personnages. Lisa : « Type
d'égoïste arrangeant son nid avec des soins jaloux ;
considérant l'honnêteté comme une plume douce où
l'on est mieux pour dormir à l'aise ; acceptant les
compromis qui ne la blesseront pas ; calme et sans
nerfs ; pouvant travailler, sans secousse, à conquérir la plus grande somme de félicité possible ; pratique surtout, visant aux joies palpables et rêvant
plus le confortable que le luxe [...] ; arrivant à la
monstruosité par ses calculs d'équilibre et poussant
son mari au crime par ses idées d'honnêteté utile. »
Autres fragments sur elle : « Elle est douce, parce
qu'il faut être douce pour bien digérer » ; « femme
excellente », mais, en elle, le tempérament Macquart
« reparaît lorsqu'elle sent la pointe d'une aiguille » ;
« elle va au succès et cajole les heureux » ; le mari
est « plus inégal », avec « des velléités » de sentiments altruistes ; sa femme « le plie peu à peu » ;
Lisa devant Florent : « Cet homme a eu faim. Il
est dangereux. Peut-on avoir faim ? Cela n'est pas

honnête » ; Lisa « inculque à son mari [...] l'amour
des saines doctrines », le « respect du clergé » et des
« gouvernements forts ».

Lisa écoute Florent qui raconte son évasion, les
jours de sa pire détresse, ces trois jours pendant lesquels il n'avait pas pu se nourrir. Elle réprouve. Elle
se tait, mais elle réprouve. Elle déplore qu'une telle
confession soit faite devant la petite Pauline, sa fille,
qui s'émeut. Loin de s'émouvoir, Lisa condamne.
Elle estime dans son cœur qu'il n'y a que les « misérables » et les gens « sans aveu » pour en venir à un
« jeûne » aussi complètement « désordonné ».

Lisa insiste auprès de Florent pour qu'il accepte
cette place aux Halles, qu'on lui propose, d' « inspecteur de la marée ». Il s'enchâsserait dans l'ordre
établi. Il deviendrait, du coup, rassurant : Voyons,
dit-elle, « à votre âge, les enfantillages ne sont plus
permis. Vous avez fait des folies ? Eh bien ! on les
oubliera [...]. Vous rentrerez dans votre classe, dans
la classe des honnêtes gens. Vous vivrez comme
tout le monde, enfin... » Lisa sermonne son mari,
gentiment, en femme raisonnable. Elle s'adresse à
son bon sens. Elle n'est pas inquiète. Elle sait qu'il
finira par se ranger à ses avis, tant ils vont de soi :
« On a tort de croire que les femmes n'entendent
rien à la politique... Veux-tu que je te la dise, ma
politique à moi ? [...] C'est la politique des honnêtes gens... Je suis reconnaissante au gouvernement, quand mon commerce va bien [...]. C'était
du propre, n'est-ce pas, en 48 ? L'oncle Gradelle a
perdu plus de six mille francs... Maintenant tout
marche, tout se vend [...]. Alors, qu'est-ce que vous
voulez ? » Et devant Gavard l'anticlérical, Lisa sera

simple et péremptoire : « Moi, je ne vis pas avec les curés ; mais je dis qu'il en faut, parce qu'il en faut. »

Des scènes, dans ce roman, deux ou trois scènes admirables. Lisa a découvert au fond d'un saloir le « magot » de l'oncle Gradelle : de l'or, de l'argent, des billets dans un étui de fer. Elle a mis le tout dans son tablier de charcutière, comme dans une grosse poche de sarigue, et la voici (elle n'est pas mariée, encore) dans sa chambre de jeune fille. Pour la première fois, elle y a laissé entrer Quenu, afin d'inventorier avec lui, et lui seul, ce trésor. Ils vont se marier ; c'est conclu, « sans qu'il eût jamais été question entre eux d'amour ». Lisa a jeté en vrac sur le lit ce qu'elle a trouvé dans la cave, et tous deux sont assis au bord de la couche, comptant les pièces dont les entassements répartis font des creux dans le drap. « Le crépuscule les surprit » dans cette complicité à voix basse. Ils sont là, les joues en feu, les mains tremblantes. Ils savent le compte à présent : quarante mille francs en pièces d'or, trois mille en pièces d'argent, quarante-deux mille en billets. Ils ne parlent qu'à peine, suffoqués par leur joie cupide. « Ce lit défait, avec tout cet argent, les accusait d'une joie défendue qu'ils avaient goûtée, la porte close [...]. Lisa rattachait ses vêtements comme si elle avait fait le mal [...]. Le mariage eut lieu le mois suivant. »

Plus loin, la fâcherie, sans dureté – une fâcherie tout de même – de Lisa contre son mari, à cause de Florent et des idées folles de ce galvaudeux, mal repoussées par Quenu. Lisa boude. Le couple est au lit, silencieux. Quenu « ne voyait que le dos de Lisa [...] ; mais il sentait bien qu'elle ne dormait pas,

*qu'elle devait avoir les yeux tout grands ouverts,
sur le mur. Ce dos énorme, très gras aux épaules,
blême [...], se renflait, gardait l'immobilité et le
poids d'une accusation sans réplique ». Au matin,
tout ira mieux ; et voici les lignes finales du chapitre III : Quenu se lève ; « en chemise, les pieds
dans la douceur du tapis de mousse, encore tout
chaud de la bonne chaleur de l'édredon », il n'ose
pas revenir sur la discussion de la veille et il se
sent malheureux de la « mésintelligence » qui règne
entre sa femme et son frère. « Mais Lisa eut un de
ses beaux sourires. Elle le toucha beaucoup en lui
donnant ses chaussettes. »*

*Trois personnages secondaires, et néanmoins
concrets, vivants, qui s'inscrivent dans notre
mémoire : la vieille et menue Mlle Saget (notes
de travail : « Mlle Saget ; toute blanche, un peu
dévote ; il y a trente ans qu'elle habite le quartier » ;
elle est méchante « pour passer le temps »). « Tous
les matins [cet hiver-là] elle entrait à la charcuterie [...], ratatinée, rapetissée par la gelée ; elle
posait ses mains bleues sur l'étuve, se chauffant
les doigts, n'achetant rien », distillant « de sa voix
fluette » des médisances calculées. Et quand enfin
elle était partie, Lisa regardait, sans voir et pleine
de pensées, « le couvercle de l'étuve, où la vieille
avait laissé, sur le luisant du métal, la salissure
terne de ses deux petites mains ». L'abbé Roustan,
de Saint-Eustache, lucide, prudent, « d'une complaisance inépuisable » ; un homme de bon conseil,
que Lisa, souvent, interroge ; « il feuilletait le code
pour elle, lui indiquait les bons placements [...],
avait une reponse prête à toutes les demandes [...]*

*sans mettre Dieu de l'affaire, sans chercher à en tirer
un bénéfice quelconque à son profit ou au profit de
la religion ». Il sait ce qui se prépare contre Florent,
mais il se garde de tout geste, de toute intervention,
ne retenant point, n'encourageant pas davantage
Lisa qui n'est même pas sa pénitente. Et Claude
Lantier, le peintre, chargé par Zola d'être un instant
son porte-parole, Claude avec sa théorie du « positivisme de l'art » : l'art moderne doit être, dit-il, « tout
expérimental, tout matérialiste » ; et il célèbre avec
ardeur la beauté brutale et neuve qu'on peut tirer
d'une devanture de charcuterie, rien qu'en organi-
sant ces rapports de teintes que permettent les terrines blanches, les boudins noirs, les jambonneaux
vermeils, les langues écarlates.*

*Au-dessus du grouillement humain, les Halles.
Canevas du romancier, plan général : « Le drame
doit être dans les Halles et tenir à l'Empire » – à
l'Empire, pour l'Histoire, aux Halles pour l'intention plus haute. « Le ventre domine l'action », « le
ventre flamboie au-dessus » ; « les Halles jettent à
Paris la nourriture à la pelle, pour que la bête reste
tranquille dans sa cage. » « C'est par le ventre que la
bourgeoisie peureuse est prise. C'est le ventre qui a
peur et qui rejette le proscrit sur son rocher. »*

*Dès avant d'écrire une seule ligne de son livre,
Zola en a fixé le mot de la fin. Saisissant de la
découvrir, cette petite phrase, qui est là, rédigée, en
attente, dans les feuillets préalables tels qu'ils dor-
ment aujourd'hui, reliés avec le manuscrit du livre,
sur un rayon de la Bibliothèque nationale. « J'ai
mon peintre, purement épisodique. Il se lie avec Florent. C'est lui qui, au dénouement, passant devant*

*la charcuterie illuminée, gronde en serrant sa cein-
ture : – Quels gredins que ces honnêtes gens ! »*

« *Ces* » disait l'ébauche. Ces « *honnêtes gens* »-là,
façon Quenu. Le livre ira beaucoup plus loin, par le
changement d'une seule lettre, le démonstratif mué
en article : « *Quels gredins que* les *honnêtes gens !* »

*

Dans les manuels de littérature, Le Ventre de
Paris, *dûment émasculé, et devenu à notre usage
un exercice de style, ne subsiste qu'en qualité de
document « naturaliste », d'une « écriture » particulière. Je comprends que Huysmans proclame
son « exultation » ; le développement que je vais
transcrire, avec sa chute sur un verbe, détaché et
à l'imparfait, c'est le type même de ces jeux dont
l'auteur d'*À rebours *et de* L'Oblat *fera sa spécialité.
« [...] Il y avait encore des rougets de roche, à la
chair exquise, du rouge enluminé des cyprins, des
caisses de merlans aux reflets d'opale, des paniers
d'éperlans [...]. Les crevettes [...], dans des bourriches, mettaient, au milieu de la douceur effacée
de leur tas, les imperceptibles boutons de jais de
leurs milliers d'yeux ; les langoustes épineuses, les
homards tigrés de noir, vivant encore, se traînant
sur leurs pattes cassées, craquaient. »*
*Zola s'amuse, et il s'applique. De toute évidence,
il veut prouver quelque chose. Quoi ? Qu'il est du
métier, que le style, ça le connaît, qu'il est extraordinaire, s'il le veut bien, et que, quand il s'en donne
la peine, il vous aveugle de merveilles. Dirai-je
que je l'en dispenserais ? Il est jeune. Il vise trop*

à l'estime, à l'approbation de Goncourt. Sa force réelle n'est pas là. La chose comme dit Claudel, la « chose à dire », comme chaque écrivain-né « pour laquelle il est fait », ce n'est pas, ce n'est pas du tout, ces performances d'esthète. On lui pardonne parce qu'il jubile, parce qu'en effet, pour de bon, il est un artiste, qu'il a le sens des vocables, la joie du mot, ce discernement gustatif des syllabes où se révèle le poète. Mais enfin il a mieux à faire qu'à s'attarder à des prouesses. Cette manie lui passera. Peut-être tenait-il simplement à « clouer » quelques adversaires : « Vous voyez bien ! » Son numéro et sa preuve faite, Zola ne pensera plus qu'à d'autres travaux, les siens propres. Allons, bravo, une fois pour toutes, pour ces « zébrures de bronze florentin » qu'il voit sur le dos des raies (Zola sait son histoire de l'art) ; bravo pour les « saumons d'argent guilloché » (le vocabulaire technique n'a pas de secrets pour lui), pour les équilles pareilles à des « rognures d'étain ». Un applaudissement plus retenu (avec toux discrète et dubitative) pour ces chiens de mer, « horribles [...] monstres qui doivent garder de leurs abois les trésors des grottes marines ». Après les poissons, les fruits, où le succès du peintre en prose est inégal (« les prunes transparentes montraient des douceurs chlorotiques »), où il s'époumone à ces transferts constants du visuel à l'auditif : les bigarreaux « au rire à la fois joyeux et fâché », les groseilles qui « riaient avec des mines délurées »... Et quant à la célèbre symphonie des fromages, comme elle eût gagné à être plus brève ! Va pour les bries et leurs « tambourins humides » ; mais ces « râles du limbourg », mais ces « ronflements sourds du cantal » *traversés*, « *en notes piquées* », *des* « *fumées brusques* » *des neufchâtels et des monts-d'or, mais cette* « *phrase vigoureuse* » *qui sort du camembert, et ce parmesan qui jette un* « *filet de flûte champêtre* » ! *On crie grâce. L'œil écoutait, tout à l'heure ; c'est le nez, maintenant, qui entend.*

Divertissement un peu forain et tout conditionné, sans que l'auteur s'en doutât, pour la pâture bienheureuse, lorsqu'il serait mort, des jurys de licence et d'agrégation, attentifs à orienter la jeunesse universitaire en des voies décentes. Zola écrivain est autrement lui, cependant, et autrement fort, quand, à la page ultime de son livre, il fait rutiler sous nos yeux la charcuterie Quenu – devant laquelle, à la dernière ligne, passera Claude –, la charcuterie dans sa splendeur (Florent l'intrus, pendant ce temps-là, regagne Cayenne) : « *un gros rire sonnait au fond, dans la cuisine* » ; *le magasin,* « *de nouveau, suait la santé* » ; « *des moitiés de cochon pendaient contre les marbres* » ; *dans la vitrine, comme en* « *triomphe* », *croulaient saucisses, jambons, pâtés, rillettes. Et* « *la belle Lisa* », *sur le seuil,* « *tenait toute la largeur de la porte* ». « *Jamais son linge n'avait eu une telle blancheur ; jamais sa chair reposée, sa face rose, ne s'était encadrée de bandeaux mieux lissés. Elle montrait un grand calme repu, une tranquillité énorme, que rien ne troublait, pas même un sourire.* »

Le voilà, en plein fonctionnement, le Michel-Ange de l'Ordre moral, l'homme des Rougon-Macquart.

La police de Mac-Mahon commence à le surveiller.

Déjà, le 10 septembre 1872, un journal conser-
vateur, Le Pays, *avait signalé aux gens de bien ce*
personnage presque ignoré, mais qui s'annonçait
redoutable, « le citoyen Émile Zola ». Ce « jeune
républicain » travaille dans l'« immoralité », ou,
pour mieux dire, dans le « sadisme » ; il est l'au-
teur de « deux romans dégoûtants », « deux œuvres
ignobles, ordurières, fangeuses » ; ses livres se ven-
dant mal, « il s'est rejeté sur le journalisme » et c'est
dans La Cloche *qu'il « élucubre ses obscénités ».*
Conclusion en mode d'invite, adressée à qui-de-
droit : « La police correctionnelle condamne tous les
jours des gens coupables d'attentats à la pudeur, qui
sont moins coupables que le citoyen Zola. » Le Pays
avait récidivé en date du 23 décembre 1872, après
un article : « Le lendemain de la crise », où Zola,
parlant du chômage, exposait avec précision ce que
c'était, l'inaction forcée, quand le travail manque à
ceux qui n'ont pour vivre que leurs bras. Et Le Pays
de s'écrier, impérieux : « Des juges pour M. Zola ! »

Ce fut le 8 septembre 1873 seulement qu'une fiche
prit naissance, à la préfecture de police, concernant
le romancier. Il faut rappeler qu'entre-temps Paul
Bourget s'était fait entendre, réglant le compte de
l'importun dans la Revue des Deux Mondes *du*
15 juillet 1873. M. Zola, déclarait Bourget, est
quelqu'un pour qui « le monde intérieur n'existe
pas » ; et le monde extérieur même, paraît-il, cette
espèce de brute ou d'analphabète est incapable de
l'observer : « jamais il ne voit, jamais il ne fait voir
les objets » ; il « ignore absolument ce que peut être
le dessin ». Un style d'une répugnante bassesse ; « il
serait malaisé d'imaginer une façon d'écrire plus

sensuelle et plus dépravée » ; toutes ses descriptions « aboutissent à des comparaisons sensuelles
qui révoltent ». « Jamais un mot qui parte de l'âme,
qui atteste la présence d'une pensée. »

Fiche établie par la police, pour l'Intérieur (8 septembre 1873) sur le « sieur Zola (Émile, Édouard,
Charles, Antoine) », journaliste, auteur de La Fortune des Rougon, de La Curée, et du Ventre de
Paris, et « signalé » (par une dénonciation dont
la trace, malheureusement, n'a pas été conservée
dans les archives du Quai des Orfèvres) « comme
affilié à l'Internationale ». « Né à Paris, le 2 avril
1840. Marié, sans enfants, il demeure depuis cinq
ans rue de la Condamine, n° 14, avec sa femme
et sa mère. » « Nombreuses relations dans le parti
avancé » ; mais « l'enquête n'a pu établir son affi-
liation à l'Internationale, que rendent peu vraisemblable les opinions connues du dénommé, lesquelles
ne dépassent pas celles du Rappel, journal qu'il lit
habituellement ».

*

Ce « sieur Zola », dont la police sait si peu de
chose, et si mal, Le Ventre de Paris nous aide à
l'entrevoir, à le deviner dans ses secrets.

Comme, dans La Fortune des Rougon, Zola
avait donné quelque chose de lui-même à deux de
ses personnages, le docteur Pascal et Silvère, ainsi,
dans Le Ventre de Paris, deux personnages également le représentent, pour une part : Claude et
Florent. Florent, dit-il dans son ébauche d'ensemble,
c'est « l'illuminisme républicain ». Et l'on voit Flo-

rent, dans le livre, marcher inlassablement à travers Paris, le Paris des quartiers pauvres, comme
a fait, si souvent, le Zola de vingt ans, 1860-1862,
sans métier, sans le sou, irrégulier, déclassé, indigné ; « il remontait la rue Saint-Jacques jusqu'aux
boulevards extérieurs [...], revenait par la barrière
d'Italie, et, tout le long de la route, les yeux sur le
quartier Mouffetard étalé à ses pieds, il arrangeait
[...] des projets de lois humanitaires » pour sauver « cette ville souffrante ». Et il y a ceci encore,
sur Florent, que nous ne saurions oublier : il était
« laid, médiocre et pauvre » ; « voulant échapper
aux tentations de la méchanceté, il se jeta en pleine
bonté idéale, il se créa un refuge de justice et de
vérité absolues ». Et ceci de même : ses « emportements d'homme révolté aboutissaient toujours à de
grandes douceurs » – attention ! la fin de la phrase
est ce qui en dit le plus – « à des besoins d'aimer
qu'il cachait avec une honte d'enfant ».

Bourget, dans son agression haineuse du 15 juillet 1873, attribuait à Zola, pour le piétiner mieux,
je ne sais quels « étonnements enfantins devant les
objets les plus vulgaires ». L'année suivante, Ban-
ville pouffera : devant tout ce qu'il voit, et de plus
banal, M. Zola est « impressionné comme le serait
un sauvage ou un enfant ». Trois fois le même mot :
un ridicule infantilisme, un incurable esprit d'enfance. Et rappelons-nous qu'en 1898, lorsque Péguy,
encore étudiant, voudra, après J'accuse, avoir
d'Émile Zola cette connaissance « du face à face »
dont rien ne peut jamais tenir lieu, ce qui le frap-
pera d'abord et plus que tout chez cet homme vieil-
lissant, presque sexagénaire, c'est la « fraîcheur »

*presque incroyable que lui a laissée une vie longue
et lourde, une faculté intacte, comme chez l'enfant,
de s'étonner, d'accueillir toutes ces choses avec un
cœur neuf, une certaine façon, poignante, devant le
monde tel qu'il est, de n'en pas revenir.*

*Il se proclame « matérialiste » et tout son livre
de 73 n'est que soulèvement contre cet univers
englouti dans la matière. Rien de plus significatif
à cet égard que la page où l'on voit Claude Lantier
faire la vitrine des Quenu, disposant selon leurs
couleurs et pour combiner accords et contrastes,
tous ces échantillons de nourritures. Mais l'artiste
n'est pas seul au travail. Un autre, au-dedans de lui,
veille et commande. Sous l'enthousiasme, une rage
et comme un sanglot. C'est fait. L'étalage est com-
posé, éclatant, sinistre. Au sommet de la pyramide
comestible, Claude a choisi de placer une dinde,
blanche, dodue, tendue, « marbrée, sous la peau,
des taches noires des truffes ». « C'était barbare et
superbe ; quelque chose comme un ventre aperçu
dans une gloire » ; et tout cela, écrit Zola, Claude
l'avait arrangé dans une fougue sombre, « avec une
cruauté de touche » où il se déchirait lui-même,
avec « un emportement de raillerie », désespéré.*

*Au Moyen Âge, Notre-Dame. À présent, les Halles.
La pauvre église Saint-Eustache n'est plus, à l'ombre
du ventre, qu'un vestige désert. Zola y est entré, à
Saint-Eustache, et plus d'une fois sans doute, pendant cette fréquentation du quartier qu'il s'est impo-
sée avant d'écrire, pour en apprendre les dédales, en
respirer, de jour et de nuit, l'atmosphère, en sentir
battre la vie. Il aime et il hait les églises. Il n'y est
jamais à l'aise ; mécontent, divisé. Ce demi-jour est*

*méphitique. Malsaine, cette religion doloriste. Per-
verses, ces effusions où chavirent, où se donnent
le change, les cœurs féminins. « Des femmes sont
là, pâmées sur des chaises [...], abîmées dans cette
volupté noire » ; « il y avait une indécence dans cette
ombre [...], un souffle d'alcôve ». Mais, en même
temps, le rêve ; toutes les vieilles « espérances du
rêve ». C'était un « enfoncement crépusculaire du
paradis » ; et, sur les vitraux, les robes des saints, « à
larges pans rouges et violets », brûlaient « comme
des flammes d'amour mystique dans le recueillement, dans l'adoration muette des ténèbres ». Où
est-elle donc la vie, la vraie vie, la santé ? Pas là,
non ; c'est fini ; la science a assez montré que tous
ces songes ne sont qu'illusion. Mais alors, la vie,
c'est les Halles ? La santé, c'est celle des Quenu ?
La vérité, c'est le Ventre ? Horreur.*

　　*La part Claude Lantier de Zola regarde la part
Florent avec le même scepticisme attendri, la même
connivence combattue que nous avons trouvée,
dans* La Fortune des Rougon, *chez le docteur Pascal en présence de Silvère. Claude écoute Florent
prêcher la République, s'enivrer de ses visions d'avenir. Il sourit. Comme ce serait bien, si les hommes
n'étaient pas les hommes ! « Jamais Florent ne put
enrégimenter Claude. » Et Claude lui disait : « Vous
vous chatouillez avec vos idées de justice et de vérité
[...]. Ah ! poète ! [...] » Claude pourtant est d'une
autre race que ceux qui l'entourent, submergés par
leurs appétits. Parce qu'il est peintre, on le taquine
sur ses « désordres ». Est-ce qu'on ne sait pas, c'est
bien connu, comment vivent les artistes ? Leurs
faciles amours. Toutes ces filles qu'ils prennent.*

Claude « *haussa les épaules. – Ah bien ! vous vous trompez* […]. *Il ne me faut pas de femmes, à moi ; ça me dérangerait trop. Je ne sais seulement pas à quoi ça sert, une femme. J'ai toujours eu peur d'essayer.* » *De la même race que Florent, au fond, ce Claude, quoi qu'il en ait. Et qui ment par respect humain, et qui cache ses candeurs* « *avec une honte d'enfant* ».

Il y a, dans Le Ventre de Paris, *trois petits mots formant nom propre, que Zola écrivit en 1872 sans pouvoir un instant se douter qu'il les verrait un jour reparaître et qu'ils auraient, dans son destin, un rôle immense. Il les avait relevés dans les* Souvenirs de Delescluze, *qui raconte ce qu'était, dans les péni-tenciers de la Guyane, l'existence des déportés du 2 décembre. Beaucoup moururent aux îles du Salut. Dans cet archipel, l'île du Diable. À cause du nom, qui va bien dans un livre, Zola avait imaginé son Florent comme un ancien captif de l'île du Diable. Viendra le temps – un quart de siècle, et nous y serons – où, quand Zola dira de nouveau :* « *Île du Diable* », *il ne sera plus assis, mais debout ; la Vérité et la Justice ne lui paraîtront plus des termes de* « *poète* » *; Florent aura réussi à* « *enrégimenter* » *Claude.*

On avait raison, au Pays *et à la* Revue des Deux Mondes, *de le tenir à l'œil, ce gaillard. C'est dix ans avant l'Affaire qu'il aura déjà, dans une lettre ouverte à Sarcey (2 mars 1887), écrit cette phrase menaçante :* « *La passion est encore ce qui aide le mieux à vivre.* »

HENRI GUILLEMIN

LE VENTRE DE PARIS

I

Au milieu du grand silence, et dans le désert de l'avenue, les voitures de maraîchers montaient vers Paris, avec les cahots rythmés de leurs roues, dont les échos battaient les façades des maisons, endormies aux deux bords, derrière les lignes confuses des ormes. Un tombereau de choux et un tombereau de pois, au pont de Neuilly, s'étaient joints aux huit voitures de navets et de carottes qui descendaient de Nanterre ; et les chevaux allaient tout seuls, la tête basse, de leur allure continue et paresseuse, que la montée ralentissait encore. En haut, sur la charge des légumes, allongés à plat ventre, couverts de leur limousine à petites raies noires et grises, les charretiers sommeillaient, les guides aux poignets. Un bec de gaz, au sortir d'une nappe d'ombre, éclairait les clous d'un soulier, la manche bleue d'une blouse, le bout d'une cas-quette, entrevus dans cette floraison énorme des bouquets rouges des carottes, des bouquets blancs des navets, des verdures débordantes des pois et des choux. Et, sur la route, sur les routes voisines, en avant et en arrière, des ronflements lointains de

charrois annonçaient des convois pareils, tout un
arrivage traversant les ténèbres et le gros sommeil
de deux heures du matin, berçant la ville noire du
bruit de cette nourriture qui passait.

Balthazar, le cheval de Mme François, une bête
trop grasse, tenait la tête de la file. Il marchait,
dormant à demi, dodelinant des oreilles, lorsque,
à la hauteur de la rue de Longchamp, un sursaut
de peur le planta net sur ses quatre pieds. Les
autres bêtes vinrent donner de la tête contre le cul
des voitures, et la file s'arrêta, avec la secousse des
ferrailles, au milieu des juremens des charretiers
réveillés. Mme François, adossée à une planchette
contre ses légumes, regardait, ne voyait rien, dans
la maigre lueur jetée à gauche par la petite lanterne carrée, qui n'éclairait guère qu'un des flancs
luisants de Balthazar.

« Eh ! la mère, avançons ! cria un des hommes,
qui s'était mis à genoux sur ses navets... C'est
quelque cochon d'ivrogne. »

Elle s'était penchée, elle avait aperçu, à droite,
presque sous les pieds du cheval, une masse noire
qui barrait la route.

« On n'écrase pas le monde », dit-elle, en sautant à terre.

C'était un homme vautré tout de son long, les
bras étendus, tombé la face dans la poussière. Il
paraissait d'une longueur extraordinaire, maigre
comme une branche sèche ; le miracle était que
Balthazar ne l'eût pas cassé en deux d'un coup de
sabot. Mme François le crut mort ; elle s'accroupit
devant lui, lui prit une main, et vit qu'elle était
chaude.

« Eh ! l'homme ! » dit-elle doucement.

Mais les charretiers s'impatientaient. Celui qui était agenouillé dans ses légumes, reprit de sa voix enrouée :

« Fouettez donc, la mère !... Il en a plein son sac, le sacré porc ! Poussez-moi ça dans le ruisseau ! »

Cependant, l'homme avait ouvert les yeux. Il regardait Mme François d'un air effaré, sans bouger. Elle pensa qu'il devait être ivre, en effet.

« Il ne faut pas rester là, vous allez vous faire écraser, lui dit-elle... Où alliez-vous ?

— Je ne sais pas... », répondit-il d'une voix très basse.

Puis, avec effort, et le regard inquiet :

« J'allais à Paris, je suis tombé, je ne sais pas... »

Elle le voyait mieux, et il était lamentable, avec son pantalon noir, sa redingote noire, tout effiloqués, montrant les sécheresses des os. Sa casquette, de gros drap noir, rabattue peureusement sur les sourcils, découvrait deux grands yeux bruns, d'une singulière douceur, dans un visage dur et tourmenté. Mme François pensa qu'il était vraiment trop maigre pour avoir bu.

« Et où alliez-vous, dans Paris ? » demanda-t-elle de nouveau.

Il ne répondit pas tout de suite ; cet interrogatoire le gênait. Il parut se consulter ; puis, en hésitant :

« Par là, du côté des Halles. »

Il s'était mis debout, avec des peines infinies, et il faisait mine de vouloir continuer son chemin. La maraîchère le vit qui s'appuyait en chancelant sur le brancard de la voiture.

« Vous êtes las ?

— Oui, bien las », murmura-t-il.

Alors elle prit une voix brusque et comme mécontente. Elle le poussa, en disant :

« Allons, vite, montez dans ma voiture ! Vous nous faites perdre un temps, là !... Je vais aux Halles, je vous déballerai avec mes légumes. »

Et, comme il refusait, elle le hissa presque, de ses gros bras, le jeta sur les carottes et les navets, tout à fait fâchée, criant :

« À la fin, voulez-vous nous ficher la paix ! Vous m'embêtez, mon brave... Puisque je vous dis que je vais aux Halles ! Dormez, je vous réveillerai. »

Elle remonta, s'adossa contre la planchette, assise de biais, tenant les guides de Balthazar, qui se remit en marche, se rendormant, dodelinant des oreilles. Les autres voitures suivirent, la file reprit son allure lente dans le noir, battant de nouveau du cahot des roues les façades endormies. Les charretiers recommencèrent leur somme sous leurs limousines. Celui qui avait interpellé la maraîchère s'allongea, en grondant :

« Ah ! malheur ! s'il fallait ramasser les ivrognes !... Vous avez de la constance, vous, la mère ! »

Les voitures roulaient, les chevaux allaient tout seuls, la tête basse. L'homme que Mme François venait de recueillir, couché sur le ventre, avait ses longues jambes perdues dans le tas des navets qui emplissaient le cul de la voiture ; sa face s'enfonçait au beau milieu des carottes, dont les bottes montaient et s'épanouissaient ; et, les bras élargis, exténué, embrassant la charge énorme des

légumes, de peur d'être jeté à terre par un cahot, il
regardait, devant lui, les deux lignes interminables
des becs de gaz qui se rapprochaient et se confon-
daient, tout là-haut, dans un pullulement d'autres
lumières. À l'horizon, une grande fumée blanche
flottait, mettait Paris dormant dans la buée lumineuse de toutes ces flammes.

« Je suis de Nanterre, je me nomme Mme François, dit la maraîchère, au bout d'un instant.
Depuis que j'ai perdu mon pauvre homme, je vais
tous les matins aux Halles. C'est dur, allez !... Et
vous ?

— Je me nomme Florent, je viens de loin...,
répondit l'inconnu avec embarras. Je vous
demande excuse ; je suis si fatigué, que cela m'est
pénible de parler. »

Il ne voulait pas causer. Alors, elle se tut,
lâchant un peu les guides sur l'échine de Balthazar, qui suivait son chemin en bête connaissant
chaque pavé. Florent, les yeux sur l'immense lueur
de Paris, songeait à cette histoire qu'il cachait.
Échappé de Cayenne, où les journées de Décembre
l'avaient jeté, rôdant depuis deux ans dans la
Guyane hollandaise, avec l'envie folle du retour et
la peur de la police impériale, il avait enfin devant
lui la chère grande ville, tant regrettée, tant désirée. Il s'y cacherait, il y vivrait de sa vie paisible
d'autrefois. La police n'en saurait rien. D'ailleurs,
il serait mort, là-bas. Et il se rappelait son arrivée
au Havre, lorsqu'il ne trouva plus que quinze francs
dans le coin de son mouchoir. Jusqu'à Rouen, il
put prendre la voiture. De Rouen, comme il lui
restait à peine trente sous, il repartit à pied. Mais,

à Vernon, il acheta ses deux derniers sous de pain.
Puis, il ne savait plus. Il croyait avoir dormi plusieurs heures dans un fossé. Il avait dû montrer
à un gendarme les papiers dont il s'était pourvu.
Tout cela dansait dans sa tête. Il était venu de Vernon sans manger, avec des rages et des désespoirs
brusques qui le poussaient à mâcher les feuilles
des haies qu'il longeait ; et il continuait à marcher, pris de crampes et de douleurs, le ventre
plié, la vue troublée, les pieds comme tirés, sans
qu'il en eût conscience, par cette image de Paris,
au loin, très loin, derrière l'horizon, qui l'appelait,
qui l'attendait. Quand il arriva à Courbevoie, la
nuit était très sombre. Paris, pareil à un pan de
ciel étoilé tombé sur un coin de la terre noire,
lui apparut sévère et comme fâché de son retour.
Alors, il eut une faiblesse, il descendit la côte, les
jambes cassées. En traversant le pont de Neuilly,
il s'appuyait au parapet, il se penchait sur la Seine
roulant des flots d'encre, entre les masses épaissies des rives ; un fanal rouge, sur l'eau, le suivait
d'un œil saignant. Maintenant, il lui fallait monter,
atteindre Paris, tout en haut. L'avenue lui paraissait démesurée. Les centaines de lieues qu'il venait
de faire n'étaient rien ; ce bout de route le désespérait, jamais il n'arriverait à ce sommet, couronné
de ces lumières. L'avenue plate s'étendait, avec
ses lignes de grands arbres et de maisons basses,
ses larges trottoirs grisâtres, tachés de l'ombre
des branches, les trous sombres des rues trans-
versales, tout son silence et toutes ses ténèbres ;
et les becs de gaz, droits, espacés régulièrement,
mettaient seuls la vie de leurs courtes flammes

jaunes, dans ce désert de mort. Florent n'avançait plus, l'avenue s'allongeait toujours, reculait Paris au fond de la nuit. Il lui sembla que les becs de gaz, avec leur œil unique, couraient à droite et à gauche, en emportant la route ; il trébucha, dans ce tournoiement ; il s'affaissa comme une masse sur les pavés[1].

À présent, il roulait doucement sur cette couche de verdure, qu'il trouvait d'une mollesse de plume. Il avait levé un peu le menton, pour voir la buée lumineuse qui grandissait, au-dessus des toits noirs devinés à l'horizon. Il arrivait, il était porté, il n'avait qu'à s'abandonner aux secousses ralenties de la voiture ; et cette approche sans fatigue ne le laissait plus souffrir que de la faim. La faim s'était réveillée, intolérable, atroce. Ses membres dormaient ; il ne sentait en lui que son estomac, tordu, tenaillé comme par un fer rouge. L'odeur fraîche des légumes dans lesquels il était enfoncé, cette senteur pénétrante des carottes, le troublait jusqu'à l'évanouissement. Il appuyait de toutes ses forces sa poitrine contre ce lit profond de nourriture, pour se serrer l'estomac, pour l'empêcher de crier. Et, derrière, les neuf autres tombereaux, avec leurs montagnes de choux, leurs montagnes de pois, leurs entassements d'artichauts, de salades, de céleris, de poireaux, semblaient rouler lentement sur lui et vouloir l'ensevelir, dans l'agonie de sa faim, sous un éboulement de mangeaille. Il y eut un arrêt, un bruit de grosses voix ; c'était la barrière, les douaniers sondaient les voitures. Puis, Florent entra dans Paris, évanoui, les dents serrées, sur les carottes.

« Eh ! l'homme, là-haut ! » cria brusquement Mme François.

Et, comme il ne bougeait pas, elle monta, le secoua. Alors, Florent se mit sur son séant. Il avait dormi, il ne sentait plus sa faim ; il était tout hébété. La maraîchère le fit descendre, en lui disant :

« Vous allez m'aider à décharger, hein ? »

Il l'aida. Un gros homme, avec une canne et un chapeau de feutre, qui portait une plaque au revers gauche de son paletot, se fâchait, tapait du bout de sa canne sur le trottoir.

« Allons donc, allons donc, plus vite que ça ! Faites avancer la voiture... Combien avez-vous de mètres ? Quatre, n'est-ce pas ? »

Il délivra un bulletin à Mme François, qui sortit des gros sous d'un petit sac de toile. Et il alla se fâcher et taper de sa canne un peu plus loin. La maraîchère avait pris Balthazar par la bride, le poussant, acculant la voiture, les roues contre le trottoir. Puis, la planche de derrière enlevée, après avoir marqué ses quatre mètres sur le trottoir avec des bouchons de paille, elle pria Florent de lui passer les légumes, bottes par bottes. Elle les rangea méthodiquement sur le carreau, parant la marchandise, disposant les fanes de façon à encadrer les tas d'un filet de verdure, dressant avec une singulière promptitude tout un étalage, qui ressemblait, dans l'ombre, à une tapisserie aux couleurs symétriques. Quand Florent lui eut donné une énorme brassée de persil, qu'il trouva au fond, elle lui demanda encore un service.

« Vous seriez bien gentil de garder ma mar-

chandise, pendant que je vais remiser la voiture...
C'est à deux pas, rue Montorgueil, au Compas
d'or[1]. »

Il lui assura qu'elle pouvait être tranquille. Le
mouvement ne lui valait rien ; il sentait sa faim se
réveiller, depuis qu'il se remuait. Il s'assit contre
un tas de choux, à côté de la marchandise de
Mme François, en se disant qu'il était bien là,
qu'il ne bougerait plus, qu'il attendrait. Sa tête
lui paraissait toute vide, et il ne s'expliquait pas
nettement où il se trouvait. Dès les premiers jours
de septembre, les matinées sont toutes noires. Des
lanternes, autour de lui, filaient doucement, s'arrêtaient dans les ténèbres. Il était au bord d'une
large rue, qu'il ne reconnaissait pas. Elle s'enfonçait en pleine nuit, très loin. Lui, ne distinguait
guère que la marchandise qu'il gardait. Au-delà,
confusément, le long du carreau, des amoncellements vagues moutonnaient. Au milieu de la
chaussée, de grands profils grisâtres de tombereaux barraient la rue ; et, d'un bout à l'autre, un
souffle qui passait faisait deviner une file de bêtes
attelées qu'on ne voyait point. Des appels, le bruit
d'une pièce de bois ou d'une chaîne de fer tombant sur le pavé, l'éboulement sourd d'une char-
retée de légumes, le dernier ébranlement d'une
voiture butant contre la bordure d'un trottoir,
mettaient dans l'air encore endormi le murmure
doux de quelque retentissant et formidable réveil,
dont on sentait l'approche, au fond de toute cette
ombre frémissante. Florent, en tournant la tête,
aperçut, de l'autre côté de ses choux, un homme
qui ronflait, roulé comme un paquet dans une

limousine, la tête sur des paniers de prunes. Plus près, à gauche, il reconnut un enfant d'une dizaine d'années, assoupi avec un sourire d'ange, dans le creux de deux montagnes de chicorées. Et, au ras du trottoir, il n'y avait encore de bien éveillé que les lanternes dansant au bout de bras invisibles, enjambant d'un saut le sommeil qui traînait là, gens et légumes en tas, attendant le jour. Mais ce qui le surprenait, c'était, aux deux bords de la rue, de gigantesques pavillons, dont les toits superposés lui semblaient grandir, s'étendre, se perdre, au fond d'un poudroiement de lueurs[1]. Il rêvait, l'esprit affaibli, à une suite de palais, énormes et réguliers, d'une légèreté de cristal, allumant sur leurs façades les mille raies de flammes de persiennes continues et sans fin. Entre les arêtes fines des piliers, ces minces barres jaunes mettaient des échelles de lumière, qui montaient jusqu'à la ligne sombre des premiers toits, qui gravissaient l'entassement des toits supérieurs, posant dans leur carrure les grandes carcasses à jour de salles immenses, où traînaient, sous le jaunissement du gaz, un pêle-mêle de formes grises, effacées et dormantes. Il tourna la tête, fâché d'ignorer où il était, inquiété par cette vision colossale et fragile ; et, comme il levait les yeux, il aperçut le cadran lumineux de Saint-Eustache, avec la masse grise de l'église. Cela l'étonna profondément. Il était à la pointe Saint-Eustache[2].

Cependant, Mme François était revenue. Elle discutait violemment avec un homme qui portait un sac sur l'épaule, et qui voulait lui payer ses carottes un sou la botte.

« Tenez, vous n'êtes pas raisonnable, Lacaille... Vous les revendez quatre et cinq sous aux Parisiens, ne dites pas non... À deux sous, si vous voulez. »

Et, comme l'homme s'en allait :

« Les gens croient que ça pousse tout seul, vraiment... Il peut en chercher, des carottes à un sou, cet ivrogne de Lacaille... Vous verrez qu'il reviendra. »

Elle s'adressait à Florent. Puis, s'asseyant près de lui :

« Dites donc, s'il y a longtemps que vous êtes absent de Paris, vous ne connaissez peut-être pas les nouvelles Halles ? Voici cinq ans au plus que c'est bâti... Là, tenez, le pavillon qui est à côté de nous, c'est le pavillon aux fruits et aux fleurs ; plus loin, la marée, la volaille, et, derrière, les gros légumes, le beurre, le fromage... Il y a six pavillons, de ce côté-là ; puis, de l'autre côté, en face, il y en a encore quatre : la viande, la triperie, la Vallée... C'est très grand, mais il y fait rudement froid, l'hiver. On dit qu'on bâtira encore deux pavillons, en démolissant les maisons, autour de la Halle au blé[1]. Est-ce que vous connaissiez tout ça ?

— Non, répondit Florent. J'étais à l'étranger... Et cette grande rue, celle qui est devant nous, comment la nomme-t-on ?

— C'est une rue nouvelle, la rue du Pont-Neuf, qui part de la Seine et qui arrive jusqu'ici, à la rue Montmartre et à la rue Montorgueil... S'il avait fait jour, vous vous seriez tout de suite reconnu. »

Elle se leva, en voyant une femme penchée sur ses navets.

« C'est vous, mère Chantemesse ? » dit-elle amicalement.

Florent regardait le bas de la rue Montorgueil.
C'était là qu'une bande de sergents de ville l'avait
pris, dans la nuit du 4 décembre. Il suivait le
boulevard Montmartre, vers deux heures, marchant doucement au milieu de la foule, souriant
de tous ces soldats que l'Élysée promenait sur le
pavé pour se faire prendre au sérieux, lorsque les
soldats avaient balayé les trottoirs, à bout portant, pendant un quart d'heure. Lui, poussé, jeté
à terre, tomba au coin de la rue Vivienne ; et il ne
savait plus, la foule affolée passait sur son corps,
avec l'horreur affreuse des coups de feu. Quand
il n'entendit plus rien, il voulut se relever. Il avait
sur lui une jeune femme, en chapeau rose, dont
le châle glissait, découvrant une guimpe plissée à
petits plis. Au-dessus de la gorge, dans la guimpe,
deux balles étaient entrées ; et, lorsqu'il repoussa
doucement la jeune femme, pour dégager ses
jambes, deux filets de sang coulèrent des trous sur
ses mains. Alors, il se releva d'un bond, il s'en alla,
fou, sans chapeau, les mains humides. Jusqu'au
soir, il rôda, la tête perdue, voyant toujours la
jeune femme, en travers sur ses jambes, avec sa
face toute pâle, ses grands yeux bleus ouverts, ses
lèvres souffrantes, son étonnement d'être morte,
là, si vite. Il était timide ; à trente ans, il n'osait
regarder en face les visages de femme, et il avait
celui-là, pour la vie, dans sa mémoire et dans son
cœur. C'était comme une femme à lui qu'il aurait
perdue. Le soir, sans savoir comment, encore dans
l'ébranlement des scènes horribles de l'après-midi,

il se trouva rue Montorgueil, chez un marchand de vin, où des hommes buvaient en parlant de faire des barricades. Il les accompagna, les aida à arracher quelques pavés, s'assit sur la barricade, las de sa course dans les rues, se disant qu'il se battrait, lorsque les soldats allaient venir. Il n'avait pas même un couteau sur lui ; il était toujours nu-tête. Vers onze heures, il s'assoupit ; il voyait les deux trous de la guimpe blanche à petits plis, qui le regardaient comme deux yeux rouges de larmes et de sang. Lorsqu'il se réveilla, il était tenu par quatre sergents de ville qui le bourraient de coups de poing. Les hommes de la barricade avaient pris la fuite. Mais les sergents de ville devinrent furieux et faillirent l'étrangler, quand ils s'aperçurent qu'il avait du sang aux mains. C'était le sang de la jeune femme.

Florent, plein de ces souvenirs, levait les yeux sur le cadran lumineux de Saint-Eustache, sans même voir les aiguilles. Il était près de quatre heures. Les Halles dormaient toujours. Mme François causait avec la mère Chantemesse, debout, discutant le prix de la botte de navets. Et Florent se rappelait qu'on avait manqué le fusiller là, contre le mur de Saint-Eustache. Un peloton de gendarmes venait d'y casser la tête à cinq malheureux, pris à une barricade de la rue Grenéta. Les cinq cadavres traînaient sur le trottoir, à un endroit où il croyait apercevoir aujourd'hui des tas de radis roses. Lui, échappa aux fusils, parce que les sergents de ville n'avaient que des épées. On le conduisit à un poste voisin, en laissant au chef du poste cette ligne écrite au crayon sur un chiffon

de papier : « Pris les mains couvertes de sang. Très
dangereux. » Jusqu'au matin, il fut traîné de poste
en poste. Le chiffon de papier l'accompagnait. On
lui avait mis les menottes, on le gardait comme un
fou furieux. Au poste de la rue de la Lingerie, des
soldats ivres voulurent le fusiller ; ils avaient déjà
allumé le falot, quand l'ordre vint de conduire les
prisonniers au Dépôt de la préfecture de police. Le
surlendemain, il était dans une casemate du fort de
Bicêtre. C'était depuis ce jour qu'il souffrait de la
faim ; il avait eu faim dans la casemate, et la faim
ne l'avait plus quitté. Ils se trouvaient une centaine
parqués au fond de cette cave, sans air, dévorant
les quelques bouchées de pain qu'on leur jetait,
ainsi qu'à des bêtes enfermées. Lorsqu'il parut
devant un juge d'instruction, sans témoins d'aucune sorte, sans défenseur, il fut accusé de faire
partie d'une société secrète ; et, comme il jurait que
ce n'était pas vrai, le juge tira de son dossier le chiffon de papier : « Pris les mains couvertes de sang.
Très dangereux. » Cela suffit[1]. On le condamna à
la déportation. Au bout de six semaines, en janvier, un geôlier le réveilla, une nuit, l'enferma dans
une cour, avec quatre cents et quelques autres prisonniers. Une heure plus tard, ce premier convoi
partait pour les pontons et l'exil, les menottes aux
poignets, entre deux files de gendarmes, fusils
chargés. Ils traversèrent le pont d'Austerlitz, suivirent la ligne des boulevards, arrivèrent à la gare
du Havre. C'était une nuit heureuse de carnaval ;
les fenêtres des restaurants du boulevard luisaient ;
à la hauteur de la rue Vivienne, à l'endroit où il
voyait toujours la morte inconnue dont il empor-

tait l'image, Florent aperçut, au fond d'une grande
calèche, des femmes masquées, les épaules nues, la
voix rieuse, se fâchant de ne pouvoir passer, faisant
les dégoûtées devant « ces forçats qui n'en finissaient plus ». De Paris au Havre, les prisonniers
n'eurent pas une bouchée de pain, pas un verre
d'eau ; on avait oublié de leur distribuer des rations
avant le départ. Ils ne mangèrent que trente-six
heures plus tard, quand on les eut entassés dans
la cale de la frégate *le Canada*.

Non, la faim ne l'avait plus quitté. Il fouillait ses
souvenirs, ne se rappelait pas une heure de plénitude. Il était devenu sec, l'estomac rétréci, la peau
collée aux os. Et il retrouvait Paris, gras, superbe,
débordant de nourriture, au fond des ténèbres ; il
y rentrait, sur un lit de légumes ; il y roulait, dans
un inconnu de mangeailles, qu'il sentait pulluler
autour de lui et qui l'inquiétait. La nuit heureuse
de carnaval avait donc continué pendant sept ans.
Il revoyait les fenêtres luisantes des boulevards,
les femmes rieuses, la ville gourmande qu'il avait
laissée par cette lointaine nuit de janvier ; et il lui
semblait que tout cela avait grandi, s'était épanoui
dans cette énormité des Halles, dont il commençait à entendre le souffle colossal, épais encore de
l'indigestion de la veille.

La mère Chantemesse s'était décidée à acheter douze bottes de navets. Elle les tenait dans
son tablier, sur son ventre, ce qui arrondissait
encore sa large taille ; et elle restait là, causant
toujours, de sa voix traînante. Quand elle fut partie, Mme François vint se rasseoir à côté de Florent, en disant :

« Cette pauvre mère Chantemesse, elle a au
moins soixante-douze ans. J'étais gamine, qu'elle
achetait déjà ses navets à mon père. Et pas un
parent avec ça, rien qu'une coureuse qu'elle a
ramassée je ne sais où, et qui la fait damner...
Eh bien, elle vivote, elle vend au petit tas[1], elle se
fait encore ses quarante sous par jour... Moi, je ne
pourrais pas rester dans ce diable de Paris, toute
la journée, sur un trottoir. Si l'on y avait quelques
parents, au moins ! »

Et, comme Florent ne causait guère :

« Vous avez de la famille à Paris, n'est-ce pas ? »
demanda-t-elle.

Il parut ne pas entendre. Sa méfiance revenait. Il avait la tête pleine d'histoires de police,
d'agents guettant à chaque coin de rue, de
femmes vendant les secrets qu'elles arrachaient
aux pauvres diables. Elle était tout près de lui,
elle lui semblait pourtant bien honnête, avec sa
grande figure calme, serrée au front par un foulard noir et jaune. Elle pouvait avoir trente-cinq
ans, un peu forte, belle de sa vie en plein air et
de sa virilité adoucie par des yeux noirs d'une
tendresse charitable. Elle était certainement très
curieuse, mais d'une curiosité qui devait être
toute bonne.

Elle reprit, sans s'offenser du silence de Florent :

« Moi, j'ai eu un neveu à Paris. Il a mal tourné,
il s'est engagé... Enfin, c'est heureux quand on
sait où descendre. Vos parents, peut-être, vont être
bien surpris de vous voir. Et c'est une joie quand
on revient, n'est-ce pas ? »

Tout en parlant, elle ne le quittait pas des

yeux, apitoyée sans doute par son extrême maigreur, sentant que c'était un « monsieur », sous sa
lamentable défroque noire, n'osant lui mettre une
pièce blanche dans la main.

Enfin, timidement :

« Si, en attendant, murmura-t-elle, vous aviez
besoin de quelque chose... »

Mais il refusa avec une fierté inquiète ; il dit
qu'il avait tout ce qu'il lui fallait, qu'il savait où
aller. Elle parut heureuse, elle répéta plusieurs
fois, comme pour se rassurer elle-même sur son
sort :

« Ah ! bien, alors, vous n'avez qu'à attendre le
jour. »

Une grosse cloche, au-dessus de la tête de
Florent, au coin du pavillon des fruits, se mit à
sonner. Les coups, lents et réguliers, semblaient
éveiller de proche en proche le sommeil traînant
sur le carreau. Les voitures arrivaient toujours ;
les cris des charretiers, les coups de fouet, les
écrasements du pavé sous le fer des roues et le
sabot des bêtes, grandissaient ; et les voitures
n'avançaient plus que par secousses, prenant la
file, s'étendant au-delà des regards, dans des profondeurs grises, d'où montait un brouhaha confus.
Tout le long de la rue du Pont-Neuf, on déchargeait, les tombereaux acculés aux ruisseaux, les
chevaux immobiles et serrés, rangés comme dans
une foire. Florent s'intéressa à une énorme voiture
de boueux, pleine de choux superbes, qu'on avait
eu grand-peine à faire reculer jusqu'au trottoir ;
la charge dépassait un grand diable de bec de
gaz planté à côté, éclairant en plein l'entassement

des larges feuilles, qui se rabattaient comme des pans de velours gros vert, découpé et gaufré. Une petite paysanne de seize ans, en casaquin et en bonnet de toile bleue, montée dans le tombereau, ayant des choux jusqu'aux épaules, les prenait un à un, les lançait à quelqu'un que l'ombre cachait, en bas. La petite, par moments, perdue, noyée, glissait, disparaissait sous un éboulement ; puis, son nez rose reparaissait au milieu des verdures épaisses ; elle riait, et les choux se remettaient à voler, à passer entre le bec de gaz et Florent. Il les comptait machinalement. Quand le tombereau fut vide, cela l'ennuya.

Sur le carreau, les tas déchargés s'étendaient maintenant jusqu'à la chaussée. Entre chaque tas, les maraîchers ménageaient un étroit sentier pour que le monde pût circuler. Tout le large trottoir, couvert d'un bout à l'autre, s'allongeait, avec les bosses sombres des légumes. On ne voyait encore, dans la clarté brusque et tournante des lanternes, que l'épanouissement charnu d'un paquet d'artichauts, les verts délicats des salades, le corail rose des carottes, l'ivoire mat des navets ; et ces éclairs de couleurs intenses filaient le long des tas, avec les lanternes. Le trottoir s'était peuplé ; une foule s'éveillait, allait entre les marchandises, s'arrêtant, causant, appelant. Une voix forte, au loin, criait : « Eh ! la chicorée ! » On venait d'ouvrir les grilles du pavillon aux gros légumes ; les revendeuses de ce pavillon, en bonnets blancs, avec un fichu noué sur leur caraco noir, et les jupes relevées par des épingles pour ne pas se salir, faisaient leur provision du jour, chargeaient de leurs achats les grandes hottes des porteurs posées à terre. Du pavillon à la chaussée, le va-et-vient des hottes s'animait, au milieu des têtes cognées, des mots gras, du tapage des voix s'enrouant à discuter un quart d'heure pour un sou. Et Florent s'étonnait du calme des maraîchères, avec leurs madras et leur teint hâlé, dans ce chipotage bavard des Halles.

Derrière lui, sur le carreau de la rue Rambuteau, on vendait les fruits. Des rangées de bourriches, de paniers bas, s'alignaient, couvertes de toile ou de paille ; et une odeur de mirabelles trop mûres traînait. Une voix douce et lente, qu'il entendait depuis longtemps, lui fit tourner la tête. Il vit une adorable petite femme brune, assise par terre, qui marchandait.

« Dis donc, Marcel, vends-tu pour cent sous, dis ? »

L'homme, enfoui dans une limousine, ne répondait pas, et la jeune femme, au bout de cinq grandes minutes, reprenait :

« Dis, Marcel, cent sous ce panier-là, et quatre francs l'autre, ça fait-il neuf francs qu'il faut te donner ? »

Un nouveau silence se fit :

« Alors qu'est-ce qu'il faut te donner ?

— Eh ! dix francs, tu le sais bien, je te l'ai dit... Et ton Jules, qu'est-ce que tu en fais, la Sarriette ? »

La jeune femme se mit à rire, en tirant une grosse poignée de monnaie.

« Ah bien ! reprit-elle, Jules dort sa grasse matinée... Il prétend que les hommes, ce n'est pas fait pour travailler. »

Elle paya, elle emporta les deux paniers dans le pavillon aux fruits qu'on venait d'ouvrir. Les Halles gardaient leur légèreté noire, avec les mille raies de flamme des persiennes ; sous les grandes rues couvertes, du monde passait, tandis que les pavillons, au loin, restaient déserts, au milieu du grouillement grandissant de leurs trottoirs. À la pointe Saint-Eustache, les boulangers et les marchands de vin ôtaient leurs volets, les boutiques rouges, avec leurs becs de gaz allumés, trouaient les ténèbres, le long des maisons grises. Florent regardait une boulangerie, rue Montorgueil, à gauche, toute pleine et toute dorée de la dernière cuisson, et il croyait sentir la bonne odeur du pain chaud. Il était quatre heures et demie.

Cependant, Mme François s'était débarrassée de sa marchandise. Il lui restait quelques bottes de carottes, quand Lacaille reparut, avec son sac.

« Eh bien, ça va-t-il à un sou ? dit-il.

— J'étais bien sûre de vous revoir, vous, répondit tranquillement la maraîchère. Voyons, prenez mon reste. Il y a dix-sept bottes.

— Ça fait dix-sept sous.

— Non, trente-quatre. »

Ils tombèrent d'accord à vingt-cinq. Mme François était pressée de s'en aller. Lorsque Lacaille se fut éloigné, avec ses carottes dans son sac :

« Voyez-vous, il me guettait, dit-elle à Florent. Ce vieux-là râle sur tout le marché ; il attend quelquefois le dernier coup de cloche, pour acheter quatre sous de marchandise... Ah ! ces Parisiens ! ça se chamaille pour deux liards et ça va boire le fond de sa bourse chez le marchand de vin. »

Quand Mme François parlait de Paris, elle était pleine d'ironie et de dédain ; elle le traitait en ville très éloignée, tout à fait ridicule et méprisable, dans laquelle elle ne consentait à mettre les pieds que la nuit.

« À présent, je puis m'en aller », reprit-elle en s'asseyant de nouveau près de Florent, sur les légumes d'une voisine.

Florent baissait la tête, il venait de commettre un vol. Quand Lacaille s'en était allé, il avait aperçu une carotte par terre. Il l'avait ramassée, il la tenait serrée dans sa main droite. Derrière lui, des paquets de céleris, des tas de persil mettaient des odeurs irritantes qui le prenaient à la gorge.

« Je vais m'en aller », répéta Mme François.

Elle s'intéressait à cet inconnu, elle le sentait souffrir, sur ce trottoir, dont il n'avait pas remué. Elle lui fit de nouvelles offres de service ; mais il refusa encore, avec une fierté plus âpre. Il se leva même, se tint debout, pour prouver qu'il était gaillard. Et, comme elle tournait la tête, il mit la carotte dans sa bouche. Mais il dut la garder un instant, malgré l'envie terrible qu'il avait de serrer les dents ; elle le regardait de nouveau en face, elle l'interrogeait, avec sa curiosité de brave femme. Lui, pour ne pas parler, répondait par des signes de tête. Puis, doucement, lentement, il mangea la carotte.

La maraîchère allait décidément partir, lorsqu'une voix forte dit tout à côté d'elle :

« Bonjour, madame François. »

C'était un garçon maigre, avec de gros os, une grosse tête, barbu, le nez très fin, les yeux minces et clairs. Il portait un chapeau de feutre

noir, roussi, déformé, et se boutonnait au fond
d'un immense paletot, jadis marron tendre, que
les pluies avaient déteint en larges traînées verdâtres. Un peu courbé, agité d'un frisson d'inquiétude nerveuse qui devait lui être habituel, il restait
planté dans ses gros souliers lacés ; et son pantalon trop court montrait ses bas bleus[1].

« Bonjour, monsieur Claude, répondit gaiement
la maraîchère. Vous savez, je vous ai attendu,
lundi ; et comme vous n'êtes pas venu, j'ai garé
votre toile ; je l'ai accrochée à un clou, dans ma
chambre.

— Vous êtes trop bonne, madame François,
j'irai terminer mon étude, un de ces jours... Lundi,
je n'ai pas pu... Est-ce que votre grand prunier a
encore toutes ses feuilles ?

— Certainement.

— C'est que, voyez-vous, je le mettrai dans un
coin du tableau. Il fera bien, à gauche du poulailler. J'ai réfléchi à ça toute la semaine... Hein !
les beaux légumes, ce matin. Je suis descendu de
bonne heure, me doutant qu'il y aurait un lever de
soleil superbe sur ces gredins de choux. »

Il montrait du geste toute la longueur du carreau. La maraîchère reprit :

« Eh bien, je m'en vais. Adieu... À bientôt, monsieur Claude ! »

Et comme elle partait, présentant Florent au
jeune peintre :

« Tenez, voilà monsieur qui revient de loin,
paraît-il. Il ne se reconnaît plus dans votre gueux
de Paris. Vous pourriez peut-être lui donner un
bon renseignement. »

Elle s'en alla enfin, heureuse de laisser les deux hommes ensemble. Claude regardait Florent avec intérêt ; cette longue figure, mince et flottante, lui semblait originale. La présentation de Mme François suffisait ; et, avec la familiarité d'un flâneur habitué à toutes les rencontres de hasard, il lui dit tranquillement :

« Je vous accompagne. Où allez-vous ? »

Florent resta gêné. Il se livrait moins vite ; mais, depuis son arrivée, il avait une question sur les lèvres. Il se risqua, il demanda, avec la peur d'une réponse fâcheuse :

« Est-ce que la rue Pirouette existe toujours[1] ?

— Mais oui, dit le peintre. Un coin bien curieux du vieux Paris, cette rue-là ! Elle tourne comme une danseuse, et les maisons y ont des ventres de femme grosse... J'en ai fait une eau-forte pas trop mauvaise. Quand vous viendrez chez moi, je vous la montrerai... C'est là que vous allez ? »

Florent, soulagé, ragaillardi par la nouvelle que la rue Pirouette existait, jura que non, assura qu'il n'avait nulle part à aller. Toute sa méfiance se réveillait devant l'insistance de Claude.

« Ça ne fait rien, dit celui-ci, allons tout de même rue Pirouette. La nuit, elle est d'une couleur !... Venez donc, c'est à deux pas. »

Il dut le suivre. Ils marchaient côte à côte, comme deux camarades, enjambant les paniers et les légumes. Sur le carreau de la rue Rambuteau, il y avait des tas gigantesques de choux-fleurs, rangés en piles comme des boulets, avec une régularité surprenante. Les chairs blanches et tendres des choux s'épanouissaient, pareilles à d'énormes

roses, au milieu des grosses feuilles vertes, et les
tas ressemblaient à des bouquets de mariée, alignés dans des jardinières colossales. Claude s'était
arrêté, en poussant de petits cris d'admiration.

Puis, en face, rue Pirouette, il montra, expliqua
chaque maison. Un seul bec de gaz brûlait dans
un coin. Les maisons, tassées, renflées, avançaient
leurs auvents comme « des ventres de femme
grosse », selon l'expression du peintre, penchaient
leurs pignons en arrière, s'appuyaient aux épaules
les unes des autres. Trois ou quatre, au contraire,
au fond de trous d'ombre, semblaient près de tomber sur le nez. Le bec de gaz en éclairait une,
très blanche, badigeonnée à neuf, avec sa taille
de vieille femme cassée et avachie, toute poudrée
à blanc, peinturlurée comme une jeunesse. Puis
la file bossuée des autres s'en allait, s'enfonçant
en plein noir, lézardée, verdie par les écoulements
des pluies, dans une débandade de couleurs et
d'attitudes telle, que Claude en riait d'aise. Florent s'était arrêté au coin de la rue de Mondétour,
en face de l'avant-dernière maison, à gauche. Les
trois étages dormaient, avec leurs deux fenêtres
sans persiennes, leurs petits rideaux blancs bien
tirés derrière les vitres ; en haut, sur les rideaux
de l'étroite fenêtre du pignon, une lumière allait
et venait. Mais la boutique, sous l'auvent, paraissait lui causer une émotion extraordinaire. Elle
s'ouvrait. C'était un marchand d'herbes cuites ; au
fond, des bassines luisaient ; sur la table d'étalage,
des pâtés d'épinards et de chicorée, dans des terrines, s'arrondissaient, se terminaient en pointe,
coupés, derrière, par de petites pelles, dont on

ne voyait que le manche de métal blanc. Cette vue clouait Florent de surprise ; il devait ne pas reconnaître la boutique ; il lut le nom du marchand, Godebœuf, sur une enseigne rouge, et resta consterné. Les bras ballants, il examinait les pâtés d'épinards, de l'air désespéré d'un homme auquel il arrive quelque malheur suprême.

Cependant, la fenêtre du pignon s'était ouverte, une petite vieille se penchait, regardait le ciel, puis les Halles, au loin.

« Tiens ! mademoiselle Saget est matinale », dit Claude qui avait levé la tête.

Et il ajouta, en se tournant vers son compagnon :

« J'ai eu une tante, dans cette maison-là. C'est une boîte à cancans… Ah ! voilà les Méhudin qui se remuent ; il y a de la lumière au second. »

Florent allait le questionner, mais il le trouva inquiétant, dans son grand paletot déteint ; il le suivit, sans mot dire, tandis que l'autre lui parlait des Méhudin. C'étaient des poissonnières ; l'aînée était superbe ; la petite, qui vendait du poisson d'eau douce, ressemblait à une vierge de Murillo, toute blonde au milieu de ses carpes et de ses anguilles. Et il en vint à dire, en se fâchant, que Murillo peignait comme un polisson. Puis, brusquement, s'arrêtant au milieu de la rue :

« Voyons, où allez-vous, à la fin !

— Je ne vais nulle part, à présent, dit Florent accablé. Allons où vous voudrez. »

Comme il sortait de la rue Pirouette, une voix appela Claude, du fond de la boutique d'un marchand de vin, qui faisait le coin. Claude entra,

traînant Florent à sa suite. Il n'y avait qu'un côté
des volets enlevé. Le gaz brûlait dans l'air encore
endormi de la salle ; un torchon oublié, les cartes
de la veille, traînaient sur les tables, et le courant
d'air de la porte grande ouverte mettait sa pointe
fraîche au milieu de l'odeur chaude et renfermée
du vin. Le patron, M. Lebigre, servait les clients,
en gilet à manches, son collier de barbe tout chiffonné, sa grosse figure régulière toute blanche
de sommeil. Des hommes, debout, par groupes,
buvaient devant le comptoir, toussant, crachant,
les yeux battus, achevant de s'éveiller dans le
vin blanc et dans l'eau-de-vie. Florent reconnut
Lacaille, dont le sac, à cette heure, débordait de
légumes. Il en était à la troisième tournée, avec un
camarade, qui racontait longuement l'achat d'un
panier de pommes de terre. Quand il eut vidé son
verre, il alla causer un instant avec M. Lebigre,
dans un petit cabinet vitré, au fond, où le gaz
n'était pas allumé.

« Que voulez-vous prendre ? » demanda Claude
à Florent.

En entrant, il avait serré la main de l'homme
qui l'invitait. C'était un fort, un beau garçon de
vingt-deux ans au plus, rasé, ne portant que de
petites moustaches, l'air gaillard, avec son vaste
chapeau enduit de craie et son colletin de tapisserie, dont les bretelles serraient son bourgeron
bleu[1]. Claude l'appelait Alexandre, lui tapait sur
les bras, lui demandait quand ils iraient à Charen-
tonneau. Et ils parlaient d'une grande partie qu'ils
avaient faite ensemble, en canot, sur la Marne. Le
soir, ils avaient mangé un lapin.

« Voyons, que prenez-vous ? » répéta Claude.

Florent regardait le comptoir, très embarrassé. Au bout, des théières de punch et de vin chaud, cerclées de cuivre, chauffaient sur les courtes flammes bleues et roses d'un appareil à gaz. Il confessa enfin qu'il prendrait volontiers quelque chose de chaud. M. Lebigre leur servit trois verres de punch. Il y avait, près des théières, dans une corbeille, des petits pains au beurre qu'on venait d'apporter et qui fumaient. Mais les autres n'en prirent pas, et Florent but son verre de punch ; il le sentit qui tombait dans son estomac vide, comme un filet de plomb fondu. Ce fut Alexandre qui paya.

« Un bon garçon, cet Alexandre, dit Claude, quand ils se retrouvèrent tous les deux sur le trottoir de la rue Rambuteau. Il est très amusant à la campagne ; il fait des tours de force ; puis, il est superbe, le gredin ; je l'ai vu nu, et s'il voulait me poser des académies, en plein air... Maintenant, si cela vous plaît, nous allons faire un tour dans les Halles. »

Florent le suivait, s'abandonnait. Une lueur claire, au fond de la rue Rambuteau, annonçait le jour. La grande voix des Halles grondait plus haut ; par instants, des volées de cloche, dans un pavillon éloigné, coupaient cette clameur roulante et montante. Ils entrèrent sous une des rues couvertes, entre le pavillon de la marée et le pavillon de la volaille. Florent levait les yeux, regardait la haute voûte, dont les boiseries intérieures luisaient, entre les dentelles noires des charpentes de fonte. Quand il déboucha dans la grande rue du milieu, il songea à quelque ville étrange, avec ses quartiers distincts, ses faubourgs, ses villages, ses promenades et ses routes, ses places et ses carrefours, mise tout entière sous un hangar, un jour de pluie, par quelque caprice gigantesque[1]. L'ombre, sommeillant dans les creux des toitures, multipliait la forêt des piliers, élargissait à l'infini les nervures délicates, les galeries découpées, les persiennes transparentes ; et c'était, au-dessus de la ville, jusqu'au fond des ténèbres, toute une végétation, toute une floraison, monstrueux épanouissement de métal, dont les tiges qui montaient en fusée, les branches qui se tordaient et se nouaient, couvraient un monde avec les légèretés de feuillage d'une futaie séculaire. Des quartiers dormaient encore, clos de leurs grilles. Les pavillons du beurre et de la volaille alignaient leurs petites boutiques treillagées, allongeaient leurs ruelles désertes sous les files des becs de gaz. Le pavillon de la marée venait d'être ouvert ; des femmes traversaient les rangées de pierres blanches, tachées de l'ombre des paniers et des linges oubliés. Aux gros légumes, aux fleurs et aux fruits, le vacarme allait grandissant. De proche en proche, le réveil gagnait la ville, des quartiers populeux où les choux s'entassent dès quatre heures du matin, au quartier paresseux et riche qui n'accroche des poulardes et des faisans à ses maisons que vers les huit heures.

Mais, dans les grandes rues couvertes, la vie affluait. Le long des trottoirs, aux deux bords, des maraîchers étaient encore là, de petits cultivateurs, venus des environs de Paris, étalant

sur des paniers leur récolte de la veille au soir,
bottes de légumes, poignées de fruits. Au milieu
du va-et-vient incessant de la foule, des voitures
entraient sous les voûtes, en ralentissant le trot
sonnant de leurs chevaux. Deux de ces voitures,
laissées en travers, barraient la rue. Florent, pour
passer, dut s'appuyer contre un des sacs grisâtres,
pareils à des sacs de charbon, et dont l'énorme
charge faisait plier les essieux ; les sacs, mouillés,
avaient une odeur fraîche d'algues marines ; un
d'eux, crevé par un bout, laissait couler un tas
noir de grosses moules. À tous les pas, maintenant, ils devaient s'arrêter. La marée arrivait, les
camions se succédaient, charriant les hautes cages
de bois pleines de bourriches, que les chemins de
fer apportent toutes chargées de l'Océan. Et, pour
se garer des camions de la marée de plus en plus
pressés et inquiétants, ils se jetaient sous les roues
des camions du beurre, des œufs et des fromages,
de grands chariots jaunes, à quatre chevaux, à lanternes de couleur ; des forts enlevaient les caisses
d'œufs, les paniers de fromages et de beurre,
qu'ils portaient dans le pavillon de la criée, où des
employés en casquette écrivaient sur des calepins,
à la lueur du gaz. Claude était ravi de ce tumulte ;
il s'oubliait à un effet de lumière, à un groupe de
blouses, au déchargement d'une voiture. Enfin,
ils se dégagèrent. Comme ils longeaient toujours
la grande rue, ils marchèrent dans une odeur
exquise qui traînait autour d'eux et semblait les
suivre. Ils étaient au milieu du marché des fleurs
coupées. Sur le carreau, à droite et à gauche, des
femmes assises avaient devant elles des corbeilles

carrées, pleines de bottes de roses, de violettes, de dahlias, de marguerites. Les bottes s'assombrissaient, pareilles à des taches de sang, pâlissaient doucement avec des gris argentés d'une grande délicatesse. Près d'une corbeille, une bougie allumée mettait là, sur tout le noir d'alentour, une chanson aiguë de couleur, les panachures vives des marguerites, le rouge saignant des dahlias, le bleuissement des violettes, les chairs vivantes des roses. Et rien n'était plus doux ni plus printanier que les tendresses de ce parfum rencontrées sur un trottoir, au sortir des souffles âpres de la marée et de la senteur pestilentielle des beurres et des fromages.

Claude et Florent revinrent sur leurs pas, flânant, s'attardant au milieu des fleurs. Ils s'arrêtèrent curieusement devant des femmes qui vendaient des bottes de fougère et des paquets de feuilles de vigne, bien réguliers, attachés par quarterons. Puis ils tournèrent dans un bout de rue couverte, presque désert, où leurs pas sonnaient comme sous la voûte d'une église. Ils y trouvèrent, attelé à une voiture grande comme une brouette, un tout petit âne qui s'ennuyait sans doute, et qui se mit à braire en les voyant, d'un ronflement si fort et si prolongé, que les vastes toitures des Halles en tremblaient. Des hennissements de chevaux répondirent ; il y eut des piétinements, tout un vacarme au loin, qui grandit, roula, alla se perdre. Cependant, en face d'eux, rue Berger, les boutiques nues des commissionnaires, grandes ouvertes, montraient, sous la clarté vive du gaz, des amas de paniers et de fruits, entre les trois murs sales couverts d'additions au crayon. Et comme ils étaient là, ils aperçurent une dame bien mise, pelotonnée d'un air de lassitude heureuse dans le coin d'un fiacre, perdu au milieu de l'encombrement de la chaussée, et filant sournoisement.

« C'est Cendrillon qui rentre sans pantoufles », dit Claude avec un sourire.

Ils causaient maintenant, en retournant sous les Halles. Claude, les mains dans les poches, sifflant, racontait son grand amour pour ce débordement de nourriture, qui monte au beau milieu de Paris, chaque matin. Il rôdait sur le carreau des nuits entières, rêvant des natures mortes colossales, des tableaux extraordinaires. Il en avait même commencé un ; il avait fait poser son ami Marjolin et cette gueuse de Cadine ; mais c'était dur, c'était trop beau, ces diables de légumes, et les fruits, et les poissons, et la viande ! Florent écoutait, le ventre serré, cet enthousiasme d'artiste. Et il était évident que Claude, en ce moment-là, ne songeait même pas que ces belles choses se mangeaient. Il les aimait pour leur couleur. Brusquement, il se tut, serra d'un mouvement qui lui était habituel la longue ceinture rouge qu'il portait sous son paletot verdâtre, et reprit d'un air fin :

« Puis, je déjeune ici, par les yeux au moins, et cela vaut encore mieux que de ne rien prendre. Quelquefois, quand j'oublie de dîner, la veille, je me donne une indigestion, le lendemain, à regarder arriver toutes sortes de bonnes choses. Ces matins-là, j'ai encore plus de tendresses pour mes légumes... Non, tenez, ce qui est exaspérant, ce

qui n'est pas juste, c'est que ces gredins de bourgeois mangent tout ça ! »

Il raconta un souper qu'un ami lui avait payé
chez Baratte, un jour de splendeur ; ils avaient eu
des huîtres, du poisson, du gibier Mais Baratte
était bien tombé ; tout le carnaval de l'ancien
marché des Innocents[1] se trouvait enterré, à
cette heure ; on en était aux Halles centrales, à ce
colosse de fonte, à cette ville nouvelle, si originale.
Les imbéciles avaient beau dire, toute l'époque
était là. Et Florent ne savait plus s'il condamnait
le côté pittoresque ou la bonne chère de Baratte.
Puis, Claude déblatéra contre le romantisme ; il
préférait ses tas de choux aux guenilles du Moyen
Âge. Il finit par s'accuser de son eau-forte de la
rue Pirouette comme d'une faiblesse. On devait
flanquer les vieilles cambuses par terre et faire
du moderne.

« Tenez, dit-il en s'arrêtant, regardez, au coin
du trottoir. N'est-ce pas un tableau tout fait, et
qui serait plus humain que leurs sacrées peintures
poitrinaires ? »

Le long de la rue couverte, maintenant, des
femmes vendaient du café, de la soupe. Au coin du
trottoir, un large rond de consommateurs s'était
formé autour d'une marchande de soupe aux
choux. Le seau de fer-blanc étamé, plein de bouillon, fumait sur le petit réchaud bas, dont les trous
jetaient une lueur pâle de braise. La femme, armée
d'une cuiller à pot, prenant de minces tranches
de pain au fond d'une corbeille garnie d'un linge,
trempait la soupe dans des tasses jaunes. Il y avait
là des marchandes très propres, des maraîchers

en blouse, des porteurs sales, le paletot gras des
charges de nourriture qui avaient traîné sur les
épaules, de pauvres diables déguenillés, toutes les
faims matinales des Halles, mangeant, se brûlant,
écartant un peu le menton pour ne pas se tacher
de la bavure des cuillers. Et le peintre ravi clignait
des yeux, cherchait le point de vue, afin de com-
poser le tableau dans un bon ensemble. Mais cette
diablesse de soupe aux choux avait une odeur terrible. Florent tournait la tête, gêné par ces tasses
pleines, que les consommateurs vidaient sans mot
dire, avec un regard de côté d'animaux méfiants.
Alors, comme la femme servait un nouvel arrivé,
Claude lui-même fut attendri par la vapeur forte
d'une cuillerée qu'il reçut en plein visage.

Il serra sa ceinture, souriant, fâché ; puis, se
remettant à marcher, faisant allusion au verre de
punch d'Alexandre, il dit à Florent d'une voix un
peu basse :

« C'est drôle, vous avez dû remarquer cela,
vous ?... On trouve toujours quelqu'un pour vous
payer à boire, on ne rencontre jamais personne
qui vous paye à manger. »

Le jour se levait. Au bout de la rue de la Cossonnerie, les maisons du boulevard Sébastopol
étaient toutes noires ; et, au-dessus de la ligne
nette des ardoises, le cintre élevé de la grande rue
couverte taillait, dans le bleu pâle, une demi-lune
de clarté. Claude, qui s'était penché au-dessus de
certains regards, garnis de grilles, s'ouvrant, au
ras du trottoir, sur des profondeurs de cave où
brûlaient des lueurs louches de gaz, regardait en
l'air maintenant, entre les hauts piliers, cherchant

sur les toits bleuis, au bord du ciel clair. Il finit
par s'arrêter encore, les yeux levés sur une des
minces échelles de fer qui relient les deux étages
de toitures et permettent de les parcourir. Florent
lui demanda ce qu'il voyait là-haut.

« C'est ce diable de Marjolin, dit le peintre sans
répondre. Il est, pour sûr, dans quelque gouttière,
à moins qu'il n'ait passé la nuit avec les bêtes de
la cave aux volailles… J'ai besoin de lui pour une
étude. »

Et il raconta que son ami Marjolin fut trouvé, un
matin, par une marchande, dans un tas de choux,
et qu'il poussa sur le carreau, librement. Quand
on voulut l'envoyer à l'école, il tomba malade, il
fallut le ramener aux Halles. Il en connaissait les
moindres recoins, les aimait d'une tendresse de
fils, vivait avec des agilités d'écureuil, au milieu
de cette forêt de fonte[1]. Ils faisaient un joli couple,
lui et cette gueuse de Cadine, que la mère Chantemesse avait ramassée, un soir, au coin de l'ancien marché des Innocents. Lui, était splendide,
ce grand bêta, doré comme un Rubens, avec un
duvet roussâtre qui accrochait le jour ; elle, la
petite, futée et mince, avait un drôle de museau,
sous la broussaille noire de ses cheveux crépus.

Claude, tout en causant, hâtait le pas. Il ramena
son compagnon à la pointe Saint-Eustache.
Celui-ci se laissa tomber sur un banc, près du
bureau des omnibus, les jambes cassées de nouveau. L'air fraîchissait. Au fond de la rue Rambuteau, des lueurs roses marbraient le ciel laiteux,
sabré, plus haut, par de grandes déchirures grises.
Cette aube avait une odeur si balsamique, que

Florent se crut un instant en pleine campagne, sur quelque colline. Mais Claude lui montra, de l'autre côté du banc, le marché aux aromates. Le long du carreau de la triperie, on eût dit des champs de thym, de lavande, d'ail, d'échalote ; et les marchandes avaient enlacé, autour des jeunes platanes du trottoir, de hautes branches de laurier qui faisaient des trophées de verdure. C'était l'odeur puissante du laurier qui dominait.

Le cadran lumineux de Saint-Eustache pâlissait, agonisait, pareil à une veilleuse surprise par le matin. Chez les marchands de vin, au fond des rues voisines, les becs de gaz s'éteignaient un à un, comme des étoiles tombant dans de la lumière. Et Florent regardait les grandes Halles sortir de l'ombre, sortir du rêve, où il les avait vues, allongeant à l'infini leurs palais à jour. Elles se solidifiaient, d'un gris verdâtre, plus géantes encore, avec leur mâture prodigieuse, supportant les nappes sans fin de leurs toits. Elles entassaient leurs masses géométriques ; et, quand toutes les clartés intérieures furent éteintes, qu'elles baignèrent dans le jour levant, carrées, uniformes, elles apparurent comme une machine moderne, hors de toute mesure, quelque machine à vapeur, quelque chaudière destinée à la digestion d'un peuple, gigantesque ventre de métal, boulonné, rivé, fait de bois, de verre et de fonte, d'une élégance et d'une puissance de moteur mécanique, fonctionnant là, avec la chaleur du chauffage, l'étourdissement, le branle furieux des roues.

Mais Claude était monté debout sur le banc, d'enthousiasme. Il força son compagnon à admi-

rer le jour se levant sur les légumes. C'était une
mer. Elle s'étendait de la pointe Saint-Eustache à
la rue des Halles, entre les deux groupes de pavillons. Et, aux deux bouts, dans les deux carrefours,
le flot grandissait encore, les légumes submer-
geaient les pavés. Le jour se levait lentement, d'un
gris très doux, lavant toutes choses d'une teinte
claire d'aquarelle. Ces tas moutonnants comme
des flots pressés, ce fleuve de verdure qui semblait
couler dans l'encaissement de la chaussée, pareil
à la débâcle des pluies d'automne, prenaient des
ombres délicates et perlées, des violets attendris,
des roses teintés de lait, des verts noyés dans des
jaunes, toutes les pâleurs qui font du ciel une soie
changeante au lever du soleil ; et, à mesure que
l'incendie du matin montait en jets de flammes
au fond de la rue Rambuteau, les légumes s'éveillaient davantage, sortaient du grand bleuissement
traînant à terre. Les salades, les laitues, les sca-
roles, les chicorées, ouvertes et grasses encore
de terreau, montraient leurs cœurs éclatants ; les
paquets d'épinards, les paquets d'oseille, les bouquets d'artichauts, les entassements de haricots
et de pois, les empilements de romaines, liées
d'un brin de paille, chantaient toute la gamme du
vert, de la laque verte des cosses au gros vert des
feuilles ; gamme soutenue qui allait en se mourant, jusqu'aux panachures des pieds de céleris
et des bottes de poireaux. Mais les notes aiguës,
ce qui chantait plus haut, c'étaient toujours les
taches vives des carottes, les taches pures des
navets, semées en quantité prodigieuse le long
du marché, l'éclairant du bariolage de leurs deux

couleurs. Au carrefour de la rue des Halles, les
choux faisaient des montagnes ; les énormes
choux blancs, serrés et durs comme des boulets
de métal pâle ; les choux frisés, dont les grandes
feuilles ressemblaient à des vasques de bronze ; les
choux rouges, que l'aube changeait en des floraisons superbes, lie-de-vin, avec des meurtrissures
de carmin et de pourpre sombre. À l'autre bout,
au carrefour de la pointe Saint-Eustache, l'ouverture de la rue Rambuteau était barrée par une
barricade de potirons orangés, sur deux rangs,
s'étalant, élargissant leurs ventres. Et le vernis
mordoré d'un panier d'oignons, le rouge saignant
d'un tas de tomates, l'effacement jaunâtre d'un
lot de concombres, le violet sombre d'une grappe
d'aubergines, çà et là, s'allumaient ; pendant que
de gros radis noirs, rangés en nappes de deuil,
laissaient encore quelques trous de ténèbres au
milieu des joies vibrantes du réveil.

Claude battait des mains, à ce spectacle. Il
trouvait « ces gredins de légumes » extravagants,
fous, sublimes. Et il soutenait qu'ils n'étaient pas
morts, qu'arrachés de la veille, ils attendaient le
soleil du lendemain pour lui dire adieu sur le pavé
des Halles. Il les voyait vivre, ouvrir leurs feuilles,
comme s'ils eussent encore les pieds tranquilles et
chauds dans le fumier. Il disait entendre là le râle
de tous les potagers de la banlieue. Cependant,
la foule des bonnets blancs, des caracos noirs,
des blouses bleues, emplissait les étroits sentiers,
entre les tas. C'était toute une campagne bour-
donnante. Les grandes hottes des porteurs filaient
lourdement au-dessus des têtes. Les revendeuses,

les marchands des quatre-saisons, les fruitiers, achetaient, se hâtaient. Il y avait des caporaux et des bandes de religieuses autour des montagnes de choux ; tandis que des cuisiniers de collège flairaient, cherchant les bonnes aubaines[1]. On déchargeait toujours ; des tombereaux jetaient leur charge à terre, comme une charge de pavés, ajoutant un flot aux autres flots, qui venaient maintenant battre le trottoir opposé. Et, du fond de la rue du Pont-Neuf, des files de voitures arrivaient, éternellement.

« C'est crânement beau tout de même », murmurait Claude en extase.

Florent souffrait. Il croyait à quelque tentation surhumaine. Il ne voulait plus voir, il regardait Saint-Eustache, posé de biais, comme lavé à la sépia sur le bleu du ciel, avec ses rosaces, ses larges fenêtres cintrées, son clocheton, ses toits d'ardoises. Il s'arrêtait à l'enfoncement sombre de la rue Montorgueil, où éclataient des bouts d'enseignes violentes, au pan coupé de la rue Montmartre, dont les balcons luisaient, chargés de lettres d'or. Et, quand il revenait au carrefour, il était sollicité par d'autres enseignes, des *Droguerie et pharmacie*, des *Farines et légumes secs*, aux grosses majuscules rouges ou noires, sur des fonds déteints. Les maisons des angles, à fenêtres étroites, s'éveillaient, mettaient, dans l'air large de la nouvelle rue du Pont-Neuf, quelques jaunes et bonnes vieilles façades de l'ancien Paris. Au coin de la rue Rambuteau, debout au milieu des vitrines vides du grand magasin de nouveautés, des commis bien mis, en gilet, avec leur pantalon

collant et leurs larges manchettes éblouissantes,
faisaient l'étalage. Plus loin, la maison Guillout,
sévère comme une caserne, étalait délicatement,
derrière ses glaces, des paquets dorés de biscuits
et des compotiers pleins de petits fours. Toutes
les boutiques s'étaient ouvertes. Des ouvriers en
blouses blanches, tenant leurs outils sous le bras,
pressaient le pas, traversaient la chaussée.

Claude n'était pas descendu de son banc. Il
se grandissait, pour voir jusqu'au fond des rues.
Brusquement, il aperçut, dans la foule qu'il dominait, une tête blonde aux larges cheveux, suivie
d'une petite tête noire, toute crépue et ébouriffée.

« Eh ! Marjolin ! eh ! Cadine ! » cria-t-il.

Et, comme sa voix se perdait au milieu du
brouhaha, il sauta à terre, il prit sa course. Puis,
il songea qu'il oubliait Florent ; il revint d'un saut ;
il dit rapidement :

« Vous savez, au fond de l'impasse des Bourdonnais... Mon nom est écrit à la craie sur la
porte, Claude Lantier... Venez voir l'eau-forte de
la rue Pirouette. »

Il disparut. Il ignorait le nom de Florent ; il le
quittait comme il l'avait pris, au bord d'un trottoir, après lui avoir expliqué ses préférences artis-
tiques.

Florent était seul. Il fut d'abord heureux de
cette solitude. Depuis que Mme François l'avait
recueilli, dans l'avenue de Neuilly, il marchait au
milieu d'une somnolence et d'une souffrance qui
lui ôtaient l'idée exacte des choses. Il était libre
enfin, il voulut se secouer, secouer ce rêve intolérable de nourritures gigantesques dont il se sen-

tait poursuivi. Mais sa tête restait vide, il n'arriva
qu'à retrouver au fond de lui une peur sourde. Le
jour grandissait, on pouvait le voir maintenant ;
et il regardait son pantalon et sa redingote lamen-
tables. Il boutonna la redingote, épousseta le pantalon, essaya un bout de toilette, croyant entendre
ces loques noires dire tout haut d'où il venait. Il
était assis au milieu du banc, à côté de pauvres
diables, de rôdeurs échoués là, en attendant le
soleil. Les nuits des Halles sont douces pour les
vagabonds. Deux sergents de ville, encore en tenue
de nuit, avec la capote et le képi, marchant côte à
côte, les mains derrière le dos, allaient et venaient
le long du trottoir ; chaque fois qu'ils passaient
devant le banc, ils jetaient un coup d'œil sur le
gibier qu'ils y flairaient. Florent s'imagina qu'ils le
reconnaissaient, qu'ils se consultaient pour l'arrêter. Alors l'angoisse le prit. Il eut une envie folle de
se lever, de courir. Mais il n'osait plus, il ne savait
de quelle façon s'en aller. Et les coups d'œil réguliers des sergents de ville, cet examen lent et froid
de la police, le mettaient au supplice. Enfin, il quitta
le banc, se retenant pour ne pas fuir de toute la
longueur de ses grandes jambes, s'éloignant pas
à pas, serrant les épaules, avec l'horreur de sentir
les mains rudes des sergents de ville le prendre au
collet, par derrière.

Il n'eut plus qu'une pensée, qu'un besoin, s'éloigner des Halles. Il attendrait, il chercherait encore,
plus tard, quand le carreau serait libre. Les trois
rues du carrefour, la rue Montmartre, la rue
Montorgueil, la rue Turbigo, l'inquiétèrent : elles
étaient encombrées de voitures de toutes sortes ;

des légumes couvraient les trottoirs. Alors, il alla devant lui, jusqu'à la rue Pierre-Lescot, où le marché au cresson et le marché aux pommes de terre lui parurent infranchissables. Il préféra suivre la rue Rambuteau. Mais, au boulevard Sébastopol, il se heurta contre un tel embarras de tapissières, de charrettes, de chars à bancs, qu'il revint prendre la rue Saint-Denis. Là, il rentra dans les légumes. Aux deux bords, les marchands forains venaient d'installer leurs étalages, des planches posées sur de hauts paniers, et le déluge de choux, de carottes, de navets, recommençait. Les Halles débordaient. Il essaya de sortir de ce flot qui l'atteignait dans sa fuite ; il tenta la rue de la Cossonnerie, la rue Berger, le square des Innocents, la rue de la Ferronnerie, la rue des Halles. Et il s'arrêta, découragé, effaré, ne pouvant se dégager de cette infernale ronde d'herbes qui finissaient par tourner autour de lui en le liant aux jambes de leurs minces verdures. Au loin, jusqu'à la rue de Rivoli, jusqu'à la place de l'Hôtel-de-Ville, les éternelles files de roues et de bêtes attelées se perdaient dans le pêle-mêle des marchandises qu'on chargeait ; de grandes tapissières emportaient les lots des fruitiers de tout un quartier ; des chars à bancs, dont les flancs craquaient, partaient pour la banlieue. Rue du Pont-Neuf, il s'égara tout à fait ; il vint trébucher au milieu d'une remise de voitures à bras ; des marchands des quatre-saisons y paraient leur étalage roulant. Parmi eux, il reconnut Lacaille, qui prit la rue Saint-Honoré, en poussant devant lui une brouettée de carottes et de choux-fleurs. Il le suivit, espérant qu'il l'ai-

derait à sortir de la cohue. Le pavé était devenu
gras, bien que le temps fût sec ; des tas de queues
d'artichauts, des feuilles et des fanes, rendaient
la chaussée périlleuse. Il butait à chaque pas. Il
perdit Lacaille, rue Vauvilliers. Du côté de la Halle
au blé, les bouts de rue se barricadaient d'un nouvel obstacle de charrettes et de tombereaux. Il ne
tenta plus de lutter, il était repris par les Halles, le
flot le ramenait. Il revint lentement, il se retrouva
à la pointe Saint-Eustache.

Maintenant il entendait le long roulement qui
partait des Halles. Paris mâchait les bouchées à
ses deux millions d'habitants. C'était comme un
grand organe central battant furieusement, jetant
le sang de la vie dans toutes les veines. Bruit de
mâchoires colossales, vacarme fait du tapage de
l'approvisionnement, depuis les coups de fouet
des gros revendeurs partant pour les marchés de
quartier, jusqu'aux savates traînantes des pauvres
femmes qui vont de porte en porte offrir des
salades, dans des paniers.

Il entra sous une rue couverte, à gauche, dans
le groupe des quatre pavillons, dont il avait remarqué la grande ombre silencieuse pendant la nuit.
Il espérait s'y réfugier, y trouver quelque trou.
Mais, à cette heure, ils s'étaient éveillés comme les
autres. Il alla jusqu'au bout de la rue. Des camions
arrivaient au trot, encombrant le marché de la
Vallée de cageots pleins de volailles vivantes, et
de paniers carrés où des volailles mortes étaient
rangées par lits profonds. Sur le trottoir opposé,
d'autres camions déchargeaient des veaux entiers,
emmaillotés d'une nappe, couchés tout du long,

comme des enfants, dans des mannes qui ne laissaient passer que les quatre moignons, écartés et
saignants. Il y avait aussi des moutons entiers,
des quartiers de bœuf, des cuisseaux, des épaules.
Les bouchers, avec de grands tabliers blancs, marquaient la viande d'un timbre, la voituraient, la
pesaient, l'accrochaient aux barres de la criée ;
tandis que, le visage collé aux grilles, il regardait
ces files de corps pendus, les bœufs et les moutons
rouges, les veaux plus pâles, tachés de jaune par
la graisse et les tendons, le ventre ouvert. Il passa
au carreau de la triperie, parmi les têtes et les
pieds de veau blafards, les tripes proprement roulées en paquets dans des boîtes, les cervelles rangées délicatement sur des paniers plats, les foies
saignants, les rognons violâtres. Il s'arrêta aux
longues charrettes à deux roues, couvertes d'une
bâche ronde, qui apportent des moitiés de cochon,
accrochées des deux côtés aux ridelles, au-dessus
d'un lit de paille ; les culs des charrettes ouverts
montraient des chapelles ardentes, des enfoncements de tabernacle, dans les lueurs flambantes
de ces chairs régulières et nues ; et, sur le lit de
paille, il y avait des boîtes de fer-blanc, pleines
du sang des cochons. Alors Florent fut pris d'une
rage sourde ; l'odeur fade de la boucherie, l'odeur
âcre de la triperie, l'exaspéraient. Il sortit de la rue
couverte, il préféra revenir une fois encore sur le
trottoir de la rue du Pont-Neuf.

C'était l'agonie. Le frisson du matin le prenait ;
il claquait des dents, il avait peur de tomber là et
de rester par terre. Il chercha, ne trouva pas un
coin sur un banc ; il y aurait dormi, quitte à être

réveillé par les sergents de ville. Puis, comme un
éblouissement l'aveuglait, il s'adossa à un arbre,
les yeux fermés, les oreilles bourdonnantes. La
carotte crue qu'il avait avalée, sans presque la
mâcher, lui déchirait l'estomac, et le verre de
punch l'avait grisé. Il était gris de misère, de
lassitude, de faim. Un feu ardent le brûlait de
nouveau au creux de la poitrine ; il y portait les
deux mains, par moments, comme pour boucher
un trou par lequel il croyait sentir tout son être
s'en aller. Le trottoir avait un large balancement ;
sa souffrance devenait si intolérable, qu'il voulut marcher encore pour la faire taire. Il marcha
devant lui, entra dans les légumes. Il s'y perdit. Il
prit un étroit sentier, tourna dans un autre, dut
revenir sur ses pas, se trompa, se trouva au milieu
des verdures. Certains tas étaient si hauts, que les
gens circulaient entre deux murailles, bâties de
paquets et de bottes. Les têtes dépassaient un peu ;
on les voyait filer avec la tache blanche ou noire
de la coiffure ; et les grandes hottes, balancées,
ressemblaient, au ras des feuilles, à des nacelles
d'osier nageant sur un lac de mousse. Florent se
heurtait à mille obstacles, à des porteurs qui se
chargeaient, à des marchandes qui discutaient de
leurs voix rudes ; il glissait sur le lit épais d'épluchures et de trognons qui couvrait la chaussée, il
étouffait dans l'odeur puissante des feuilles écra-
sées. Alors, stupide, il s'arrêta, il s'abandonna aux
poussées des uns, aux injures des autres ; il ne fut
plus qu'une chose battue, roulée, au fond de la
mer montante.

Une grande lâcheté l'envahissait. Il aurait mendié. Sa sotte fierté de la nuit l'exaspérait. S'il avait accepté l'aumône de Mme François, s'il n'avait point eu peur de Claude comme un imbécile, il ne se trouverait pas là, à râler parmi ces choux. Et il s'irritait surtout de ne pas avoir questionné le peintre, rue Pirouette. À cette heure, il était seul, il pouvait crever, sur le pavé, comme un chien perdu.

Il leva une dernière fois les yeux, il regarda les Halles. Elles flambaient dans le soleil. Un grand rayon entrait par le bout de la rue couverte, au fond, trouant la masse des pavillons d'un portique de lumière ; et, battant la nappe des toitures, une pluie ardente tombait. L'énorme charpente de fonte se noyait, bleuissait, n'était plus qu'un profil sombre sur les flammes d'incendie du levant. En haut, une vitre s'allumait, une goutte de clarté roulait jusqu'aux gouttières, le long de la pente des larges plaques de zinc. Ce fut alors une cité tumultueuse dans une poussière d'or volante. Le réveil avait grandi, du ronflement des maraîchers, couchés sous leurs limousines, au roulement plus vif des arrivages. Maintenant, la ville entière repliait ses grilles ; les carreaux bourdonnaient, les pavillons grondaient ; toutes les voix donnaient, et l'on eût dit l'épanouissement magistral de cette phrase que Florent, depuis quatre heures du matin, entendait se traîner et se grossir dans l'ombre. À droite, à gauche, de tous côtés, des glapissements de criée mettaient des notes aiguës de petite flûte, au milieu des basses sourdes de la foule. C'était la marée, c'étaient les beurres, c'était la volaille, c'était la viande. Des volées de

cloche passaient, secouant derrière elles le murmure des marchés qui s'ouvraient. Autour de lui,
le soleil enflammait les légumes. Il ne reconnaissait plus l'aquarelle tendre des pâleurs de l'aube.
Les cœurs élargis des salades brûlaient, la gamme
du vert éclatait en vigueurs superbes, les carottes
saignaient, les navets devenaient incandescents,
dans ce brasier triomphal. À sa gauche, de nom-
breux tombereaux de choux s'éboulaient encore.
Il tourna les yeux, il vit, au loin, des camions qui
débouchaient toujours de la rue Turbigo. La mer
continuait à monter. Il l'avait sentie à ses che-
villes, puis à son ventre ; elle menaçait, à cette
heure, de passer par-dessus sa tête. Aveuglé, noyé,
les oreilles sonnantes, l'estomac écrasé par tout ce
qu'il avait vu, devinant de nouvelles et incessan-
tes profondeurs de nourriture, il demanda grâce,
et une douleur folle le prit, de mourir ainsi de
faim, dans Paris gorgé, dans ce réveil fulgurant
des Halles. De grosses larmes chaudes jaillirent
de ses yeux.

Il était arrivé à une allée plus large. Deux
femmes, une petite vieille et une grande sèche,
passèrent devant lui, causant, se dirigeant vers
les pavillons.

« Et vous êtes venue faire vos provisions, mademoiselle Saget ? demanda la grande sèche.

— Oh ! madame Lecœur, si on peut dire...
Vous savez, une femme seule... Je vis de rien...
J'aurais voulu un petit chou-fleur, mais tout est
si cher... Et le beurre, à combien, aujourd'hui ?

— Trente-quatre sous... J'en ai du bien bon. Si
vous voulez venir me voir...

— Oui, oui, je ne sais pas, j'ai encore un peu de graisse... »

Florent, faisant un effort suprême, suivait les deux femmes. Il se souvenait d'avoir entendu nommer la petite vieille par Claude, rue Pirouette ; il se disait qu'il la questionnerait, quand elle aurait quitté la grande sèche.

« Et votre nièce ? demanda Mlle Saget.

— La Sarriette fait ce qu'il lui plaît, répondit aigrement Mme Lecœur. Elle a voulu s'établir. Ça ne me regarde plus. Quand les hommes l'auront grugée, ce n'est pas moi qui lui donnerai un morceau de pain.

— Vous étiez si bonne pour elle... Elle devrait gagner de l'argent ; les fruits sont avantageux, cette année... Et votre beau-frère ?

— Oh ! lui... »

Mme Lecœur pinça les lèvres et parut ne pas vouloir en dire davantage.

« Toujours le même, hein ? continua Mlle Saget. C'est un bien brave homme... Je me suis laissé dire qu'il mangeait son argent d'une façon...

— Est-ce qu'on sait s'il mange son argent ! dit brutalement Mme Lecœur. C'est un cachottier, c'est un ladre, c'est un homme, voyez-vous, mademoiselle, qui me laisserait crever plutôt que de me prêter cent sous... Il sait parfaitement que les beurres, pas plus que les fromages et les œufs, n'ont marché cette saison. Lui, vend toute la volaille qu'il veut... Eh bien, pas une fois, non, pas une fois, il ne m'aurait offert ses services. Je suis bien trop fière pour accepter, vous comprenez, mais ça m'aurait fait plaisir.

— Eh ! le voilà, votre beau-frère », reprit Mlle Saget, en baissant la voix.

Les deux femmes se tournèrent, regardèrent quelqu'un qui traversait la chaussée pour entrer sous la grande rue couverte.

« Je suis pressée, murmura Mme Lecœur, j'ai laissé ma boutique toute seule. Puis, je ne veux pas lui parler. »

Florent s'était aussi retourné, machinalement. Il vit un petit homme, carré, l'air heureux, les cheveux gris et taillés en brosse, qui tenait sous chacun de ses bras une oie grasse, dont la tête pendait et lui tapait sur les cuisses. Et, brusquement, il eut un geste de joie ; il courut derrière cet homme, oubliant sa fatigue. Quand il l'eut rejoint :

« Gavard ! » dit-il en lui frappant sur l'épaule.

L'autre leva la tête, examina d'un air surpris cette longue figure noire qu'il ne reconnaissait pas. Puis, tout d'un coup :

« Vous ! vous ! s'écria-t-il au comble de la stupéfaction. Comment, c'est vous ! »

Il manqua laisser tomber ses oies grasses. Il ne se calmait pas. Mais, ayant aperçu sa belle-sœur et Mlle Saget, qui assistaient curieusement de loin à leur rencontre, il se remit à marcher, en disant :

« Ne restons pas là, venez... Il y a des yeux et des langues de trop. »

Et, sous la rue couverte, ils causèrent. Florent raconta qu'il était allé rue Pirouette. Gavard trouva cela très drôle ; il rit beaucoup, il lui apprit que son frère Quenu avait déménagé et rouvert sa charcuterie à deux pas, rue Rambuteau, en face des Halles. Ce qui l'amusa encore prodigieusement, ce fut d'entendre que Florent s'était promené tout le matin avec Claude Lantier, un drôle de corps, qui était justement le neveu de Mme Quenu. Il allait le conduire à la charcuterie. Puis, quand il sut qu'il était rentré en France avec de faux papiers, il prit toutes sortes d'airs mystérieux et graves. Il voulut marcher devant lui, à cinq pas de distance, pour ne pas éveiller l'attention. Après avoir passé par le pavillon de la volaille, où il accrocha ses deux oies à son étalage, il traversa la rue Rambuteau, toujours suivi par Florent. Là, au milieu de la chaussée, du coin de l'œil, il lui désigna une grande et belle boutique de charcuterie.

Le soleil enfilait obliquement la rue Rambuteau, allumant les façades, au milieu desquelles l'ouverture de la rue Pirouette faisait un trou noir. À l'autre bout, le grand vaisseau de Saint-Eustache était tout doré dans la poussière du soleil, comme une immense châsse. Et, au milieu de la cohue, du fond du carrefour, une armée de balayeurs s'avançait, sur une ligne, à coups réguliers de balai ; tandis que des boueux jetaient les ordures à la fourche dans des tombereaux qui s'arrêtaient, tous les vingt pas, avec des bruits de vaisselles cassées. Mais Florent n'avait d'attention que pour la grande charcuterie, ouverte et flambante au soleil levant.

Elle faisait presque le coin de la rue Pirouette. Elle était une joie pour le regard. Elle riait, toute claire, avec des pointes de couleurs vives qui chantaient au milieu de la blancheur de ses marbres. L'enseigne, où le nom de QUENU-GRADELLE luisait en grosses lettres d'or, dans un encadrement de branches et de feuilles, dessiné sur un fond tendre, était faite d'une peinture recouverte d'une glace. Les deux panneaux latéraux de la devanture, également peints et sous verre, représentaient de petits Amours joufflus, jouant au milieu de hures, de côtelettes de porc, de guirlandes de saucisses ; et ces natures mortes, ornées d'enroulements et de rosaces, avaient une telle tendresse d'aquarelle, que les viandes crues y prenaient des tons roses de confitures. Puis, dans ce cadre aimable, l'étalage montait. Il était posé sur un lit de fines rognures de papier bleu ; par endroits, des feuilles de fougère, délicatement rangées, changeaient certaines assiettes en bouquets entourés de verdure. C'était un monde de bonnes choses, de choses fondantes, de choses grasses. D'abord, tout en bas, contre la glace, il y avait une rangée de pots de rillettes, entremêlés de pots de moutarde. Les jambonneaux désossés venaient au-dessus, avec leur bonne figure ronde, jaune de chapelure, leur manche terminé par un pompon vert. Ensuite arrivaient les grands plats : les langues fourrées de Strasbourg, rouges et vernies, saignantes à côté de la pâleur des saucisses et des pieds de cochon ; les boudins, noirs, roulés comme des couleuvres bonnes filles ; les andouilles, empilées deux à deux, crevant de santé ; les saucissons, pareils à des échines de chantre, dans leurs chapes d'argent ; les pâtés, tout chauds, portant les petits drapeaux de leurs étiquettes ; les gros jambons, les grosses pièces de veau et de porc, glacées, et dont la gelée avait des limpidités de sucre candi. Il y avait encore de larges terrines au fond desquelles dormaient des viandes et des hachis, dans des lacs de graisse figée. Entre les assiettes, entre les plats, sur le lit de rognures bleues, se trouvaient jetés des bocaux d'achards, de coulis, de truffes conservées, des terrines de foies gras, des boîtes moirées de thon et de sardines. Une caisse de fromages laiteux, et une autre caisse, pleine d'escargots bourrés de beurre persillé, étaient posées aux deux coins, négligemment. Enfin, tout en haut, tombant d'une barre à dents de loup, des colliers de saucisses, de saucissons, de cervelas, pendaient, symétriques, semblables à des cordons et à des glands de tentures riches ; tandis que, derrière, des lambeaux de crépine mettaient leur dentelle, leur fond de guipure blanche et charnue. Et là, sur le dernier gradin de cette chapelle du ventre, au milieu des bouts de la crépine, entre deux bouquets de glaïeuls pourpres, le reposoir se couronnait d'un aquarium carré, garni de rocailles, où deux poissons rouges nageaient, continuellement.

Florent sentit un frisson à fleur de peau ; et il aperçut une femme, sur le seuil de la boutique, dans le soleil. Elle mettait un bonheur de plus, une plénitude solide et heureuse, au milieu de toutes ces gaietés grasses. C'était une belle femme. Elle tenait la largeur de la porte, point trop grosse pourtant, forte de la gorge, dans la maturité de la trentaine. Elle venait de se lever, et déjà ses cheveux, lissés, collés et comme vernis, lui descendaient en petits bandeaux plats sur les tempes. Cela la rendait très propre. Sa chair, paisible, avait cette blancheur transparente, cette peau fine et

rosée des personnes qui vivent d'ordinaire dans
les graisses et les viandes crues. Elle était sérieuse
plutôt, très calme et très lente, s'égayant du regard,
les lèvres graves. Son col de linge empesé bridant
sur son cou, ses manches blanches qui lui montaient jusqu'aux coudes, son tablier blanc cachant
la pointe de ses souliers, ne laissaient voir que des
bouts de sa robe de cachemire noir, les épaules
rondes, le corsage plein, dont le corset tendait
l'étoffe, extrêmement. Dans tout ce blanc, le soleil
brûlait. Mais, trempée de clarté, les cheveux bleus,
la chair rose, les manches et la jupe éclatantes,
elle ne clignait pas les paupières, elle prenait en
toute tranquillité béate son bain de lumière matinale, les yeux doux, riant aux Halles débordantes.
Elle avait un air de grande honnêteté.

   « C'est la femme de votre frère, votre belle-sœur
Lisa », dit Gavard à Florent.

   Il l'avait saluée d'un léger signe de tête. Puis, il
s'enfonça dans l'allée, continuant à prendre des
précautions minutieuses, ne voulant pas que Florent entrât par la boutique, qui était vide, pourtant. Il était évidemment très heureux de se mettre
dans une aventure qu'il croyait compromettante.

   « Attendez, dit-il, je vais voir si votre frère est
seul… Vous entrerez, quand je taperai dans mes
mains. »

   Il poussa une porte, au fond de l'allée. Mais,
lorsque Florent entendit la voix de son frère,
derrière cette porte, il entra d'un bond. Quenu,
qui l'adorait, se jeta à son cou. Ils s'embrassaient
comme des enfants.

   « Ah ! saperlotte, ah ! c'est toi, balbutiait Quenu,

si je m'attendais, par exemple !… Je t'ai cru mort, je le disais hier encore à Lisa : "Ce pauvre Florent…" »

Il s'arrêta, il cria, en penchant la tête dans la boutique :

« Eh ! Lisa !… Lisa !… »

Puis, se tournant vers une petite fille qui s'était réfugiée dans un coin :

« Pauline, va donc chercher ta mère. »

Mais la petite ne bougea pas. C'était une superbe enfant de cinq ans, ayant une grosse figure ronde, d'une grande ressemblance avec la belle charcutière. Elle tenait, entre ses bras, un énorme chat jaune, qui s'abandonnait d'aise, les pattes pendantes ; et elle le serrait de ses petites mains, pliant sous la charge, comme si elle eût craint que ce monsieur si mal habillé ne le lui volât.

Lisa arriva lentement.

« C'est Florent, c'est mon frère », répétait Quenu.

Elle l'appela « monsieur », fut très bonne. Elle le regardait paisiblement, de la tête aux pieds, sans montrer aucune surprise malhonnête. Ses lèvres seules avaient un léger pli. Et elle resta debout, finissant par sourire des embrassades de son mari. Celui-ci pourtant parut se calmer. Alors il vit la maigreur, la misère de Florent.

« Ah ! mon pauvre ami, dit-il, tu n'as pas embelli, là-bas… Moi, j'ai engraissé, que veux-tu ! »

Il était gras, en effet, trop gras pour ses trente ans. Il débordait dans sa chemise, dans son tablier, dans ses linges blancs qui l'emmaillotaient comme un énorme poupon. Sa face rasée s'était allongée, avait pris à la longue une lointaine ressemblance avec le groin de ces cochons, de cette viande, où ses mains s'enfonçaient et vivaient, la journée entière[1]. Florent le reconnaissait à peine. Il s'était assis, il passait de son frère à la belle Lisa, à la petite Pauline. Ils suaient la santé ; ils étaient superbes, carrés, luisants ; ils le regardaient avec l'étonnement de gens très gras pris d'une vague inquiétude en face d'un maigre. Et le chat lui-même, dont la peau pétait de graisse, arrondissait ses yeux jaunes, l'examinait d'un air défiant.

« Tu attendras le déjeuner, n'est-ce pas ? demanda Quenu. Nous mangeons de bonne heure, à dix heures. »

Une odeur forte de cuisine traînait. Florent revit sa nuit terrible, son arrivée dans les légumes, son agonie au milieu des Halles, cet éboulement continu de nourriture auquel il venait d'échapper. Alors, il dit à voix basse, avec un sourire doux :

« Non, j'ai faim, vois-tu. »

II

Florent venait de commencer son droit à Paris, lorsque sa mère mourut. Elle habitait Le Vigan, dans le Gard. Elle avait épousé en secondes noces un Normand, un Quenu, d'Yvetot, qu'un sous-préfet avait amené et oublié dans le Midi. Il était resté employé à la sous-préfecture, trouvant le pays charmant, le vin bon, les femmes aimables. Une indigestion, trois ans après le mariage, l'emporta. Il laissait pour tout héritage à sa femme un gros garçon qui lui ressemblait. La mère payait déjà très difficilement les mois de collège de son aîné, Florent, l'enfant du premier lit. Il lui donnait de grandes satisfactions : il était très doux, travaillait avec ardeur, remportait les premiers prix. Ce fut sur lui qu'elle mit toutes ses tendresses, tous ses espoirs. Peut-être préférait-elle, dans ce garçon pâle et mince, son premier mari, un de ces Provençaux d'une mollesse caressante, qui l'avait aimée à en mourir. Peut-être Quenu, dont la bonne humeur l'avait d'abord séduite, s'était-il montré trop gras, trop satisfait, trop certain de tirer de lui-même ses meilleures joies. Elle décida que son dernier-né, le cadet, celui que les familles méridionales sacrifient souvent encore, ne ferait jamais rien de bon ; elle se contenta de l'envoyer à l'école, chez une vieille fille sa voisine, où le petit n'apprit guère qu'à galopiner. Les deux frères grandirent loin l'un de l'autre, en étrangers.

Quand Florent arriva au Vigan, sa mère était enterrée. Elle avait exigé qu'on lui cachât sa maladie jusqu'au dernier moment, pour ne pas le déranger dans ses études. Il trouva le petit Quenu, qui avait douze ans, sanglotant tout seul au milieu de la cuisine, assis sur une table. Un marchand de meubles, un voisin, lui conta l'agonie de la malheureuse mère. Elle en était à ses dernières ressources, elle s'était tuée au travail pour que son fils pût faire son droit. À un petit commerce de rubans d'un médiocre rapport, elle avait dû joindre d'autres métiers qui l'occupaient fort tard. L'idée fixe de voir son Florent avocat, bien posé dans la ville, finissait par la rendre dure, avare, impitoyable pour elle-même et pour les autres. Le petit Quenu allait avec des culottes percées, des blouses dont les manches s'effiloquaient ; il ne se servait jamais à table, il attendait que sa mère lui eût coupé sa part de pain. Elle se taillait des tranches tout aussi minces. C'était à ce régime qu'elle avait succombé, avec le désespoir immense de ne pas achever sa tâche.

Cette histoire fit une impression terrible sur le caractère tendre de Florent. Les larmes l'étouffaient. Il prit son frère dans ses bras, le tint serré, le baisa comme pour lui rendre l'affection dont il l'avait privé. Et il regardait ses pauvres souliers

crevés, ses coudes troués, ses mains sales, toute
cette misère d'enfant abandonné. Il lui répétait
qu'il allait l'emmener, qu'il serait heureux avec
lui. Le lendemain, quand il examina la situation,
il eut peur de ne pouvoir même réserver la somme
nécessaire pour retourner à Paris. À aucun prix, il
ne voulait rester au Vigan. Il céda heureusement
la petite boutique de rubans, ce qui lui permit
de payer les dettes que sa mère, très rigide sur
les questions d'argent, s'était pourtant laissé peu
à peu entraîner à contracter. Et comme il ne lui
restait rien, le voisin, le marchand de meubles, lui
offrit cinq cents francs du mobilier et du linge de
la défunte. Il faisait une bonne affaire. Le jeune
homme le remercia, les larmes aux yeux. Il habilla
son frère à neuf, l'emmena, le soir même.

À Paris, il ne pouvait plus être question de
suivre les cours de l'École de droit. Florent remit
à plus tard toute ambition. Il trouva quelques
leçons, s'installa avec Quenu, rue Royer-Collard,
au coin de la rue Saint-Jacques, dans une grande
chambre qu'il meubla de deux lits de fer, d'une
armoire, d'une table et de quatre chaises. Dès
lors, il eut un enfant. Sa paternité le charmait.
Dans les premiers temps, le soir, quand il rentrait,
il essayait de donner des leçons au petit ; mais
celui-ci n'écoutait guère ; il avait la tête dure, refusait d'apprendre, sanglotant, regrettant l'époque
où sa mère le laissait courir les rues. Florent,
désespéré, cessait la leçon, le consolait, lui promettait des vacances indéfinies. Et pour s'excuser
de sa faiblesse, il se disait qu'il n'avait pas pris le
cher enfant avec lui dans le but de le contrarier.

Ce fut sa règle de conduite, le regarder grandir en
joie. Il l'adorait, était ravi de ses rires, goûtait des
douceurs infinies à le sentir autour de lui, bien
portant, ignorant de tout souci. Florent restait
mince dans ses paletots noirs râpés, et son visage
commençait à jaunir, au milieu des taquineries
cruelles de l'enseignement. Quenu devenait un
petit bonhomme tout rond, un peu bêta, sachant à
peine lire et écrire, mais d'une belle humeur inal-
térable qui emplissait de gaieté la grande chambre
sombre de la rue Royer-Collard.

Cependant, les années passaient. Florent, qui
avait hérité des dévouements de sa mère, gardait
Quenu au logis comme une grande fille paresseuse. Il lui évitait jusqu'aux menus soins de l'intérieur ; c'était lui qui allait chercher les provisions,
qui faisait le ménage et la cuisine. Cela, disait-il,
le tirait de ses mauvaises pensées. Il était sombre
d'ordinaire, se croyait méchant. Le soir, quand
il rentrait, crotté, la tête basse de la haine des
enfants des autres, il était tout attendri par l'embrassade de ce gros et grand garçon, qu'il trouvait en train de jouer à la toupie, sur le carreau
de la chambre. Quenu riait de sa maladresse à
faire les omelettes et de la façon sérieuse dont il
mettait le pot-au-feu. La lampe éteinte, Florent
redevenait triste, parfois, dans son lit. Il songeait
à reprendre ses études de droit, il s'ingéniait pour
disposer son temps de façon à suivre les cours de
la Faculté. Il y parvint, fut parfaitement heureux.
Mais une petite fièvre, qui le retint huit jours à
la maison, creusa un tel trou dans leur budget et
l'inquiéta à un tel point, qu'il abandonna toute

idée de terminer ses études. Son enfant grandissait. Il entra comme professeur dans une pension de la rue de l'Estrapade, aux appointements de dix-huit cents francs. C'était une fortune. Avec de l'économie, il allait mettre de l'argent de côté pour établir Quenu. À dix-huit ans, il le traitait encore en demoiselle qu'il faut doter.

Pendant la courte maladie de son frère, Quenu, lui aussi, avait fait des réflexions. Un matin, il déclara qu'il voulait travailler, qu'il était assez grand pour gagner sa vie. Florent fut profondément touché. Il y avait, en face d'eux, de l'autre côté de la rue, un horloger en chambre que l'enfant voyait toute la journée, dans la clarté crue de la fenêtre, penché sur sa petite table, maniant des choses délicates, les regardant à la loupe, patiemment. Il fut séduit, il prétendit qu'il avait du goût pour l'horlogerie. Mais, au bout de quinze jours, il devint inquiet, il pleura comme un garçon de dix ans, trouvant que c'était trop compliqué, que jamais il ne saurait « toutes les petites bêtises qui entrent dans une montre ». Maintenant, il préférerait être serrurier. La serrurerie le fatigua. En deux années, il tenta plus de dix métiers. Florent pensait qu'il avait raison, qu'il ne faut pas se mettre dans un état à contre-cœur. Seulement, le beau dévouement de Quenu, qui voulait gagner sa vie, coûtait cher au ménage des deux jeunes gens. Depuis qu'il courait les ateliers, c'était sans cesse des dépenses nouvelles, des frais de vêtements, de nourriture prise au dehors, de bienvenue payée aux camarades. Les dix-huit cents francs de Florent ne suffisaient plus. Il avait dû prendre deux leçons qu'il donnait le soir. Pendant huit ans, il porta la même redingote.

Les deux frères s'étaient fait un ami. La maison avait une façade sur la rue Saint-Jacques, et là s'ouvrait une grande rôtisserie, tenue par un digne homme nommé Gavard, dont la femme se mourait de la poitrine, au milieu de l'odeur grasse des volailles. Quand Florent rentrait trop tard pour faire cuire quelque bout de viande, il achetait en bas un morceau de dinde ou un morceau d'oie de douze sous. C'était des jours de grand régal. Gavard finit par s'intéresser à ce garçon maigre, il connut son histoire, il attira le petit. Et bientôt Quenu ne quitta plus la rôtisserie. Dès que son frère partait, il descendait, il s'installait au fond de la boutique, ravi des quatre broches gigantesques qui tournaient avec un bruit doux, devant les hautes flammes claires.

Les larges cuivres de la cheminée luisaient, les volailles fumaient, la graisse chantait dans la lèchefrite, les broches finissaient par causer entre elles, par adresser des mots aimables à Quenu, qui, une longue cuiller à la main, arrosait dévotement les ventres dorés des oies rondes et des grandes dindes. Il restait des heures, tout rouge des clartés dansantes de la flambée, un peu abêti, riant vaguement aux grosses bêtes qui cuisaient ; et il ne se réveillait que lorsqu'on débrochait. Les volailles tombaient dans les plats ; les broches sortaient des ventres, toutes fumantes ; les ventres se vidaient, laissant couler le jus par les trous du derrière et de la gorge, emplissant la boutique d'une odeur forte de rôti. Alors, l'enfant, debout, suivant des yeux l'opération, battait des mains, parlait aux volailles, leur disait qu'elles étaient bien bonnes, qu'on les mangerait, que les chats n'auraient que les os. Et il tressautait, quand Gavard lui donnait une tartine de pain, qu'il mettait mijoter dans la lèchefrite, pendant une demi-heure.

Ce fut là sans doute que Quenu prit l'amour de la cuisine[1]. Plus tard, après avoir essayé de tous les métiers, il revint fatalement aux bêtes qu'on débroche, aux jus qui forcent à se lécher les doigts. Il craignait d'abord de contrarier son frère, petit mangeur parlant des bonnes choses avec un dédain d'homme ignorant. Puis, voyant Florent l'écouter, lorsqu'il lui expliquait quelque plat très compliqué, il lui avoua sa vocation, il entra dans un grand restaurant. Dès lors, la vie des deux frères fut réglée. Ils continuèrent à habiter la chambre de la rue Royer-Collard, où ils se retrouvaient chaque soir : l'un, la face réjouie par ses fourneaux ; l'autre, le visage battu de sa misère de professeur crotté. Florent gardait sa défroque noire, s'oubliait sur les devoirs de ses élèves, tandis que Quenu, pour se mettre à l'aise, reprenait son tablier, sa veste blanche et son bonnet blanc de marmiton, tournant autour du poêle, s'amusant à quelque friandise cuite au four. Et parfois ils souriaient de se voir ainsi, l'un tout blanc, l'autre tout noir. La vaste pièce semblait moitié fâchée, moitié joyeuse, de ce deuil et de cette gaieté. Jamais ménage plus disparate ne s'entendit mieux. L'aîné avait beau maigrir, brûlé par les ardeurs de son père ; le cadet avait beau engraisser, en digne fils de Normand ; ils s'aimaient dans leur mère commune, dans cette femme qui n'était que tendresse.

Ils avaient un parent, à Paris, un frère de leur mère, un Gradelle, établi charcutier, rue Pirouette, dans le quartier des Halles. C'était un gros avare, un homme brutal, qui les reçut comme des meurt-de-faim, la première fois qu'ils se présentèrent chez lui. Ils y retournèrent rarement. Le jour de la fête du bonhomme, Quenu lui portait un bouquet, et en recevait une pièce de dix sous. Florent, d'une fierté maladive, souffrait, lorsque Gradelle examinait sa redingote mince, de l'œil inquiet et soupçonneux d'un ladre qui flaire la demande d'un dîner ou d'une pièce de cent sous. Il eut la naïveté, un jour, de changer chez son oncle un billet de cent francs. L'oncle eut moins peur, en voyant venir les petits, comme il les appelait. Mais les amitiés en restèrent là.

Ces années furent pour Florent un long rêve doux et triste. Il goûta toutes les joies amères du dévouement. Au logis, il n'avait que des tendresses. Dehors, dans les humiliations de ses élèves, dans le coudoiement des trottoirs, il se sentait devenir mauvais. Ses ambitions mortes s'aigrissaient. Il lui fallut de longs mois pour plier les épaules et accepter ses souffrances d'homme laid, médiocre et pauvre. Voulant échapper aux tentations de méchanceté, il se jeta en pleine bonté idéale, il se créa un refuge de justice et de vérité absolues. Ce fut alors qu'il devint républicain ; il entra dans la république comme les filles désespérées entrent au couvent. Et ne trouvant pas une république assez tiède, assez silencieuse, pour endormir ses

maux, il s'en créa une. Les livres lui déplaisaient ;
tout ce papier noirci, au milieu duquel il vivait, lui
rappelait la classe puante, les boulettes de papier
mâché des gamins, la torture des longues heures
stériles. Puis, les livres ne lui parlaient que de
révolte, le poussaient à l'orgueil, et c'était d'oubli
et de paix dont il se sentait l'impérieux besoin. Se
bercer, s'endormir, rêver qu'il était parfaitement
heureux, que le monde allait le devenir, bâtir la
cité républicaine où il aurait voulu vivre : telle
fut sa récréation, l'œuvre éternellement reprise de
ses heures libres. Il ne lisait plus, en dehors des
nécessités de l'enseignement ; il remontait la rue
Saint-Jacques, jusqu'aux boulevards extérieurs,
faisait une grande course parfois, revenait par la
barrière d'Italie ; et, tout le long de la route, les
yeux sur le quartier Mouffetard étalé à ses pieds,
il arrangeait des mesures morales, des projets de
loi humanitaires, qui auraient changé cette ville
souffrante en une ville de béatitude[1]. Quand les
journées de février ensanglantèrent Paris, il fut
navré, il courut les clubs, demandant le rachat de
ce sang « par le baiser fraternel des républicains
du monde entier ». Il devint un de ces orateurs
illuminés qui prêchèrent la révolution comme une
religion nouvelle, toute de douceur et de rédemp-
tion. Il fallut les journées de décembre pour le
tirer de sa tendresse universelle. Il était désarmé.
Il se laissa prendre comme un mouton, et fut
traité en loup. Quand il s'éveilla de son sermon sur
la fraternité, il crevait la faim sur la dalle froide
d'une casemate de Bicêtre.

Quenu, qui avait alors vingt-deux ans, fut pris

d'une angoisse mortelle, en ne voyant pas rentrer son frère. Le lendemain, il alla chercher, au cimetière Montmartre, parmi les morts du boulevard, qu'on avait alignés sous de la paille ; les têtes passaient, affreuses. Le cœur lui manquait, les larmes l'aveuglaient, il dut revenir à deux reprises, le long de la file. Enfin, à la préfecture de police, au bout de huit grands jours, il apprit que son frère était prisonnier. Il ne put le voir. Comme il insistait, on le menaça de l'arrêter lui-même. Il courut alors chez l'oncle Gradelle, qui était un personnage pour lui, espérant le déterminer à sauver Florent. Mais l'oncle Gradelle s'emporta, prétendit que c'était bien fait, que ce grand imbécile n'avait pas besoin de se fourrer avec ces canailles de républicains ; il ajouta même que Florent devait mal tourner, que cela était écrit sur sa figure. Quenu pleurait toutes les larmes de son corps. Il restait là, suffoquant. L'oncle, un peu honteux, sentant qu'il lui fallait faire quelque chose pour ce pauvre garçon, lui offrit de le prendre avec lui. Il le savait bon cuisinier, et avait besoin d'un aide. Quenu redoutait tellement de rentrer seul dans la grande chambre de la rue Royer-Collard, qu'il accepta. Il coucha chez son oncle, le soir même, tout en haut, au fond d'un trou noir où il pouvait à peine s'allonger. Il y pleura moins qu'il n'aurait pleuré en face du lit vide de son frère.

Il réussit enfin à voir Florent. Mais, en revenant de Bicêtre, il dut se coucher ; une fièvre le tint pendant près de trois semaines dans une somnolence hébétée. Ce fut sa première et sa seule maladie. Gradelle envoyait son républicain de neveu à tous les diables. Quand il connut son départ pour Cayenne, un matin, il tapa dans les mains de Quenu, l'éveilla, lui annonça brutalement cette nouvelle, provoqua une telle crise, que le lendemain le jeune homme était debout. Sa douleur se fondit ; ses chairs molles semblèrent boire ses dernières larmes. Un mois plus tard, il riait, s'irritait, tout triste d'avoir ri ; puis la belle humeur l'emportait, et il riait sans savoir.

Il apprit la charcuterie. Il y goûtait plus de jouissances encore que dans la cuisine. Mais l'oncle Gradelle lui disait qu'il ne devait pas trop négliger ses casseroles, qu'un charcutier bon cuisinier était rare, que c'était une chance d'avoir passé par un restaurant avant d'entrer chez lui. Il utilisait ses talents, d'ailleurs ; il lui faisait faire des dîners pour la ville, le chargeait particulièrement des grillades et des côtelettes de porc aux cornichons. Comme le jeune homme lui rendait de réels services, il l'aima à sa manière, lui pinçant les bras, les jours de belle humeur. Il avait vendu le pauvre mobilier de la rue Royer-Collard, et en gardait l'argent, quarante et quelques francs, pour que ce farceur de Quenu, disait-il, ne le jetât pas par les fenêtres. Ii finit pourtant par lui donner chaque mois six francs pour ses menus plaisirs.

Quenu, serré d'argent, brutalisé parfois, était parfaitement heureux. Il aimait qu'on lui mâchât sa vie. Florent l'avait trop élevé en fille paresseuse. Puis, il s'était fait une amie chez l'oncle Gradelle. Quand celui-ci perdit sa femme, il dut prendre une fille, pour le comptoir. Il la choisit bien portante, appétissante, sachant que cela égaye le

client, fait honneur aux viandes cuites. Il connaissait, rue Cuvier, près du Jardin des Plantes, une
dame veuve, dont le mari avait eu la direction des
postes à Plassans, une sous-préfecture du Midi.
Cette dame, qui vivait d'une petite rente viagère,
très modestement, avait amené de cette ville une
grosse et belle enfant, qu'elle traitait comme sa
propre fille. Lisa la soignait d'un air placide, avec
une humeur égale, un peu sérieuse, tout à fait
belle quand elle souriait. Son grand charme venait
de la façon exquise dont elle plaçait son rare sourire. Alors, son regard était une caresse, sa gravité ordinaire donnait un prix inestimable à cette
science soudaine de séduction. La vieille dame
disait souvent qu'un sourire de Lisa la conduirait en enfer. Lorsqu'un asthme l'emporta, elle
laissa à sa fille d'adoption toutes ses économies,
une dizaine de mille francs. Lisa resta huit jours
seule dans le logement de la rue Cuvier ; ce fut
là que Gradelle vint la chercher. Il la connaissait
pour l'avoir souvent vue avec sa maîtresse, quand
celle-ci venait lui rendre visite, rue Pirouette.
Mais, à l'enterrement, elle lui parut si embellie,
si solidement bâtie, qu'il alla jusqu'au cimetière.
Pendant qu'on descendait le cercueil, il réfléchissait qu'elle serait superbe dans la charcuterie. Il
se tâtait, se disait qu'il lui offrirait bien trente
francs par mois, avec le logement et la nourriture.
Lorsqu'il lui fit des propositions, elle demanda
vingt-quatre heures pour lui rendre réponse. Puis,
un matin, elle arriva avec son petit paquet, et ses
dix mille francs, dans son corsage. Un mois plus
tard, la maison lui appartenait, Gradelle, Quenu,

jusqu'au dernier des marmitons. Quenu, surtout, se serait haché les doigts pour elle. Quand elle venait à sourire, il restait là, riant d'aise lui-même à la regarder.

Lisa, qui était la fille aînée des Macquart, de Plassans, avait encore son père[1]. Elle le disait à l'étranger, ne lui écrivait jamais. Parfois, elle laissait seulement échapper que sa mère était, de son vivant, une rude travailleuse, et qu'elle tenait d'elle. Elle se montrait, en effet, très patiente au travail. Mais elle ajoutait que la brave femme avait eu une belle constance de se tuer pour faire aller le ménage. Elle parlait alors des devoirs de la femme et des devoirs du mari, très sagement, d'une façon honnête, qui ravissait Quenu. Il lui affirmait qu'il avait absolument ses idées. Les idées de Lisa étaient que tout le monde doit travailler pour manger ; que chacun est chargé de son propre bonheur ; qu'on fait le mal en encourageant la paresse ; enfin, que, s'il y a des malheureux, c'est tant pis pour les fainéants. C'était là une condamnation très nette de l'ivrognerie, des flâneries légendaires du vieux Macquart. Et, à son insu, Macquart parlait haut en elle ; elle n'était qu'une Macquart rangée, raisonnable, logique avec ses besoins de bien-être, ayant compris que la meilleure façon de s'endormir dans une tiédeur heureuse est encore de se faire soi-même un lit de béatitude. Elle donnait à cette couche moelleuse toutes ses heures, toutes ses pensées. Dès l'âge de six ans, elle consentait à rester bien sage sur sa petite chaise, la journée entière, à la condition qu'on la récompenserait d'un gâteau le soir.

Chez le charcutier Gradelle, Lisa continua sa vie calme, régulière, éclairée par ses beaux sourires. Elle n'avait pas accepté l'offre du bonhomme à l'aventure ; elle savait trouver en lui un chaperon, elle pressentait peut-être, dans cette boutique sombre de la rue Pirouette, avec le flair des personnes chanceuses, l'avenir solide qu'elle rêvait, une vie de jouissances saines, un travail sans fatigue, dont chaque heure amenât la récompense. Elle soigna son comptoir avec les soins tranquilles qu'elle avait donnés à la veuve du directeur des postes. Bientôt la propreté des tabliers de Lisa fut proverbiale dans le quartier. L'oncle Gradelle était si content de cette belle fille, qu'il disait parfois à Quenu, en ficelant ses saucissons :

« Si je n'avais pas soixante ans passés, ma parole d'honneur, je ferais la bêtise de l'épouser... C'est de l'or en barre, mon garçon, une femme comme ça dans le commerce. »

Quenu renchérissait. Il rit pourtant à belles dents, un jour qu'un voisin l'accusa d'être amoureux de Lisa. Cela ne le tourmentait guère. Ils étaient très bons amis. Le soir, ils montaient ensemble se coucher. Lisa occupait, à côté du trou noir où s'allongeait le jeune homme, une petite chambre qu'elle avait rendue toute claire, en l'ornant partout de rideaux de mousseline. Ils restaient là, un instant, sur le palier, leur bougeoir à la main, causant, mettant la clef dans la serrure. Et ils refermaient leur porte, disant amicalement :

« Bonsoir, mademoiselle Lisa.

— Bonsoir, monsieur Quenu. »

Quenu se mettait au lit en écoutant Lisa faire

son petit ménage. La cloison était si mince, qu'il pouvait suivre chacun de ses mouvements. Il pensait : « Tiens, elle tire les rideaux de sa fenêtre. Qu'est-ce qu'elle peut bien faire devant sa commode ? La voilà qui s'assoit et qui ôte ses bottines. Ma foi, bonsoir, elle a soufflé sa bougie. Dormons. » Et, s'il entendait craquer le lit, il murmurait en riant : « Fichtre ! elle n'est pas légère, mademoiselle Lisa. » Cette idée l'égayait ; il finissait par s'endormir, en songeant aux jambons et aux bandes de petit salé qu'il devait préparer le lendemain.

Cela dura un an, sans une rougeur de Lisa, sans un embarras de Quenu. Le matin, au fort du travail, lorsque la jeune fille venait à la cuisine, leurs mains se rencontraient au milieu des hachis. Elle l'aidait parfois, elle tenait les boyaux de ses doigts potelés, pendant qu'il les bourrait de viandes et de lardons. Ou bien ils goûtaient ensemble la chair crue des saucisses, du bout de la langue, pour voir si elle était convenablement épicée. Elle était de bon conseil, connaissait des recettes du Midi, qu'il expérimenta avec succès. Souvent, il la sentait derrière son épaule, regardant au fond des marmites, s'approchant si près, qu'il avait sa forte gorge dans le dos. Elle lui passait une cuiller, un plat. Le grand feu leur mettait le sang sous la peau. Lui, pour rien au monde, n'aurait cessé de tourner les bouillies grasses qui s'épaississaient sur le fourneau ; tandis que, toute grave, elle discutait le degré de cuisson. L'après-midi, lorsque la boutique se vidait, ils causaient tranquillement, pendant des heures. Elle restait

dans son comptoir, un peu renversée, tricotant
d'une façon douce et régulière. Il s'asseyait sur
un billot, les jambes ballantes, tapant des talons
contre le bloc de chêne. Et ils s'entendaient à
merveille ; ils parlaient de tout, le plus ordinairement de cuisine, et puis de l'oncle Gradelle, et
encore du quartier. Elle lui racontait des histoires
comme à un enfant ; elle en savait de très jolies,
des légendes miraculeuses, pleines d'agneaux et de
petits anges, qu'elle disait d'une voix flûtée, avec
son grand air sérieux. Si quelque cliente entrait,
pour ne pas se déranger, elle demandait au jeune
homme le pot du saindoux ou la boîte des escargots. À onze heures, ils remontaient se coucher,
lentement, comme la veille. Puis, en refermant
leur porte, de leur voix calme :

« Bonsoir, mademoiselle Lisa.

— Bonsoir, monsieur Quenu. »

Un matin, l'oncle Gradelle fut foudroyé par une
attaque d'apoplexie, en préparant une galantine.
Il tomba le nez sur la table à hacher. Lisa ne perdit pas son sang-froid. Elle dit qu'il ne fallait pas
laisser le mort au beau milieu de la cuisine ; elle
le fit porter au fond, dans un cabinet où l'oncle
couchait. Puis, elle arrangea une histoire avec
les garçons ; l'oncle devait être mort dans son
lit, si l'on ne voulait pas dégoûter le quartier et
perdre la clientèle. Quenu aida à porter le mort,
stupide, très étonné de ne pas trouver de larmes.
Plus tard, Lisa et lui pleurèrent ensemble. Il était
seul héritier, avec son frère Florent. Les commères des rues voisines donnaient au vieux Gradelle une fortune considérable. La vérité fut qu'on

ne découvrit pas un écu d'argent sonnant. Lisa
resta inquiète. Quenu la voyait réfléchir, regarder
autour d'elle du matin au soir, comme si elle avait
perdu quelque chose. Enfin, elle décida un grand
nettoyage, prétendant qu'on jasait, que l'histoire
de la mort du vieux courait, qu'il fallait montrer
une grande propreté. Un après-midi, comme elle
était depuis deux heures à la cave, où elle lavait
elle-même les cuves à saler, elle reparut, tenant
quelque chose dans son tablier. Quenu hachait
des foies de cochon. Elle attendit qu'il eût fini,
causant avec lui d'une voix indifférente. Mais ses
yeux avaient un éclat extraordinaire, elle sourit
de son beau sourire, en lui disant qu'elle voulait
lui parler. Elle monta l'escalier, péniblement, les
cuisses gênées par la chose qu'elle portait, et qui
tendait son tablier à le crever. Au troisième étage,
elle soufflait, elle dut s'appuyer un instant contre
la rampe. Quenu, étonné, la suivit sans mot dire,
jusque dans sa chambre. C'était la première fois
qu'elle l'invitait à y entrer. Elle ferma la porte ; et,
lâchant les coins du tablier que ses doigts roidis
ne pouvaient plus tenir, elle laissa rouler doucement sur son lit une pluie de pièces d'argent et de
pièces d'or. Elle avait trouvé, au fond d'un saloir,
le trésor de l'oncle Gradelle. Le tas fit un grand
trou, dans ce lit délicat et moelleux de jeune fille.

La joie de Lisa et de Quenu fut recueillie. Ils
s'assirent sur le bord du lit, Lisa à la tête, Quenu
au pied, aux deux côtés du tas ; et ils comptèrent
l'argent sur la couverture, pour ne pas faire de
bruit. Il y avait quarante mille francs d'or, trois
mille francs d'argent, et, dans un étui de fer-blanc,

quarante-deux mille francs en billets de banque.
Ils mirent deux bonnes heures pour additionner
tout cela. Les mains de Quenu tremblaient un peu.
Ce fut Lisa qui fit le plus de besogne. Ils rangeaient
les piles d'or sur l'oreiller, laissant l'argent dans
le trou de la couverture. Quand ils eurent trouvé
le chiffre, énorme pour eux, de quatre-vingt-cinq
mille francs, ils causèrent. Naturellement, ils parlèrent de l'avenir, de leur mariage, sans qu'il eût
jamais été question d'amour entre eux. Cet argent
semblait leur délier la langue. Ils s'étaient enfoncés
davantage, s'adossant au mur de la ruelle, sous les
rideaux de mousseline blanche, les jambes un peu
allongées ; et comme, en bavardant, leurs mains
fouillaient l'argent, elles s'y étaient rencontrées,
s'oubliant l'une dans l'autre, au milieu des pièces
de cent sous. Le crépuscule les surprit. Alors seulement Lisa rougit de se voir à côté de ce garçon.
Ils avaient bouleversé le lit, les draps pendaient,
l'or, sur l'oreiller qui les séparait, faisait des creux,
comme si des têtes s'y étaient roulées, chaudes de
passion.

Ils se levèrent gênés, de l'air confus de deux
amoureux qui viennent de commettre une première faute. Ce lit défait, avec tout cet argent, les
accusait d'une joie défendue, qu'ils avaient goûtée,
la porte close. Ce fut leur chute, à eux. Lisa, qui
rattachait ses vêtements comme si elle avait fait
le mal, alla chercher ses dix mille francs. Quenu
voulut qu'elle les mît avec les quatre-vingt-cinq
mille francs de l'oncle ; il mêla les deux sommes
en riant, en disant que l'argent, lui aussi, devait
se fiancer ; et il fut convenu que ce serait Lisa qui

garderait « le magot » dans sa commode. Quand elle l'eut serré et qu'elle eut refait le lit, ils descendirent paisiblement. Ils étaient mari et femme.

Le mariage eut lieu le mois suivant. Le quartier le trouva naturel, tout à fait convenable. On connaissait vaguement l'histoire du trésor, la probité de Lisa était un sujet d'éloges sans fin ; après tout, elle pouvait ne rien dire à Quenu, garder les écus pour elle ; si elle avait parlé, c'était par honnêteté pure, puisque personne ne l'avait vue. Elle méritait bien que Quenu l'épousât. Ce Quenu avait de la chance, il n'était pas beau, et il trouvait une belle femme qui lui déterrait une fortune. L'admiration alla si loin, qu'on finit par dire tout bas que « Lisa était vraiment bête d'avoir fait ce qu'elle avait fait ». Lisa souriait, quand on lui parlait de ces choses à mots couverts. Elle et son mari vivaient comme auparavant, dans une bonne amitié, dans une paix heureuse. Elle l'aidait, rencontrait ses mains au milieu des hachis, se penchait au-dessus de son épaule pour visiter d'un coup d'œil les marmites. Et ce n'était toujours que le grand feu de la cuisine qui leur mettait le sang sous la peau.

Cependant, Lisa était une femme intelligente qui comprit vite la sottise de laisser dormir leurs quatre-vingt-quinze mille francs dans le tiroir de la commode. Quenu les aurait volontiers remis au fond du saloir, en attendant d'en avoir gagné autant ; ils se seraient alors retirés à Suresnes, un coin de la banlieue qu'ils aimaient. Mais elle avait d'autres ambitions. La rue Pirouette blessait ses idées de propreté, son besoin d'air, de lumière,

de santé robuste. La boutique, où l'oncle Gradelle
avait amassé son trésor, sou à sou, était une sorte
de boyau noir, une de ces charcuteries douteuses
des vieux quartiers, dont les dalles usées gardent
l'odeur forte des viandes, malgré les lavages ; et la
jeune femme rêvait une de ces claires boutiques
modernes, d'une richesse de salon, mettant la limpidité de leurs glaces sur le trottoir d'une large
rue. Ce n'était pas, d'ailleurs, l'envie mesquine de
faire la dame, derrière son comptoir ; elle avait
une conscience très nette des nécessités luxueuses
du nouveau commerce. Quenu fut effrayé, la première fois, quand elle lui parla de déménager et
de dépenser une partie de leur argent à décorer
un magasin. Elle haussait doucement les épaules,
en souriant.

Un jour, comme la nuit tombait et que la charcuterie était noire, les deux époux entendirent,
devant leur porte, une femme du quartier qui
disait à une autre :

« Ah bien ! non, je ne me fournis plus chez
eux, je ne leur prendrais pas un bout de boudin,
voyez-vous, ma chère... Il y a eu un mort dans
leur cuisine. »

Quenu en pleura. Cette histoire d'un mort dans
sa cuisine faisait du chemin. Il finissait par rougir
devant les clients, quand il les voyait flairer de
trop près sa marchandise. Ce fut lui qui reparla
à sa femme de son idée de déménagement. Elle
s'était occupée, sans rien dire, de la nouvelle boutique ; elle en avait trouvé une, à deux pas, rue
Rambuteau, située merveilleusement. Les Halles
centrales, qu'on ouvrait en face, tripleraient la

clientèle, feraient connaître la maison des quatre coins de Paris. Quenu se laissa entraîner à des dépenses folles ; il mit plus de trente mille francs en marbres, en glaces et en dorures. Lisa passait des heures avec les ouvriers, donnait son avis sur les plus minces détails. Quand elle put enfin s'installer dans son comptoir, on vint en procession acheter chez eux, uniquement pour voir la boutique. Le revêtement des murs était tout en marbre blanc ; au plafond, une immense glace carrée s'encadrait dans un large lambris doré et très orné, laissant pendre, au milieu, un lustre à quatre branches ; et, derrière le comptoir, tenant le panneau entier, à gauche encore, et au fond, d'autres glaces, prises entre les plaques de marbre, mettaient des lacs de clarté, des portes qui semblaient s'ouvrir sur d'autres salles, à l'infini, toutes emplies des viandes étalées. À droite, le comptoir, très grand, fut surtout trouvé d'un beau travail ; des losanges de marbre rose y dessinaient des médaillons symétriques. À terre, il y avait, comme dallage, des carreaux blancs et roses, alternés, avec une grecque rouge sombre pour bordure. Le quartier fut fier de sa charcuterie, personne ne songea plus à parler de la cuisine de la rue Pirouette, où il y avait eu un mort. Pendant un mois, les voisines s'arrêtèrent sur le trottoir, pour regarder Lisa, à travers les cervelas et les crépines de l'étalage. On s'émerveillait de sa chair blanche et rosée, autant que des marbres. Elle parut l'âme, la clarté vivante, l'idole saine et solide de la charcuterie ; et on ne la nomma plus que la belle Lisa.

À droite de la boutique, se trouvait la salle à

manger, une pièce très propre, avec un buffet, une table et des chaises cannées de chêne clair. La natte qui couvrait le parquet, le papier jaune tendre, la toile cirée imitant le chêne, la rendaient un peu froide, égayée seulement par les luisants d'une suspension de cuivre tombant du plafond, élargissant, au-dessus de la table, son grand abat-jour de porcelaine transparente. Une porte de la salle à manger donnait dans la vaste cuisine carrée. Et, au bout de celle-ci, il y avait une petite cour dallée, qui servait de débarras, encombrée de terrines, de tonneaux, d'ustensiles hors d'usage ; à gauche de la fontaine, les pots de fleurs fanées de l'étalage achevaient d'agoniser, le long de la gargouille où l'on jetait les eaux grasses[1].

Les affaires furent excellentes. Quenu, que les avances avaient épouvanté, éprouvait presque du respect pour sa femme, qui, selon lui, « était une forte tête ». Au bout de cinq ans, ils avaient près de quatre-vingt mille francs placés en bonnes rentes. Lisa expliquait qu'ils n'étaient pas ambitieux, qu'ils ne tenaient pas à entasser trop vite ; sans cela, elle aurait fait gagner à son mari « des mille et des cents », en le poussant dans le commerce en gros des cochons. Ils étaient jeunes encore, ils avaient du temps devant eux ; puis, ils n'aimaient pas le travail salopé, ils voulaient travailler à leur aise, sans se maigrir de soucis, en bonnes gens qui tiennent à bien vivre.

« Tenez, ajoutait Lisa, dans ses heures d'expansion, j'ai un cousin à Paris… Je ne le vois pas, les deux familles sont brouillées. Il a pris le nom de Saccard, pour faire oublier certaines choses… Eh bien, ce cousin, m'a-t-on dit, gagne des millions[1]. Ça ne vit pas, ça se brûle le sang, c'est toujours par voies et par chemins, au milieu de trafics d'enfer. Il est impossible, n'est-ce pas ? que ça mange tranquillement son dîner, le soir. Nous autres, nous savons au moins ce que nous mangeons, nous n'avons pas ces tracasseries. On n'aime l'argent que parce qu'il en faut pour vivre. On tient au bien-être, c'est naturel. Quant à gagner pour gagner, à se donner plus de mal qu'on ne goûtera ensuite de plaisir, ma parole, j'aimerais mieux me croiser les bras... Et puis, je voudrais bien les voir ses millions, à mon cousin. Je ne crois pas aux millions comme ça. Je l'ai aperçu, l'autre jour, en voiture ; il était tout jaune, il avait l'air joliment sournois. Un homme qui gagne de l'argent n'a pas une mine de cette couleur-là. Enfin, ça le regarde... Nous préférons ne gagner que cent sous, et profiter des cent sous. »

Le ménage profitait, en effet. Ils avaient eu une fille, dès la première année de leur mariage[2]. À eux trois, ils réjouissaient les yeux. La maison allait largement, heureusement, sans trop de fatigue, comme le voulait Lisa. Elle avait soigneusement écarté toutes les causes possibles de trouble, laissant couler les journées au milieu de cet air gras, de cette prospérité alourdie. C'était un coin de bonheur raisonné, une mangeoire confortable, où la mère, le père et la fille s'étaient mis à l'engrais. Quenu seul avait des tristesses parfois, quand il songeait à son pauvre Florent. Jusqu'en 1856, il reçut des lettres de lui, de loin en loin. Puis, les lettres cessèrent ; il apprit par un journal que trois déportés avaient voulu s'évader de l'île du Diable[1] et s'étaient noyés avant d'atteindre la côte. À la préfecture de police, on ne put lui donner de renseignements précis ; son frère devait être mort. Il conserva pourtant quelque espoir ; mais les mois se passèrent. Florent, qui battait la Guyane hollandaise, se gardait d'écrire, espérant toujours rentrer en France. Quenu finit par le pleurer comme un mort auquel on n'a pu dire adieu. Lisa ne connaissait pas Florent. Elle trouvait de très bonnes paroles toutes les fois que son mari se désespérait devant elle ; elle le laissait lui raconter pour la centième fois des histoires de jeunesse, la grande chambre de la rue Royer-Collard, les trente-six métiers qu'il avait appris, les friandises qu'il faisait cuire dans le poêle, tout habillé de blanc, tandis que Florent était tout habillé de noir. Elle l'écoutait tranquillement, avec des complaisances infinies.

Ce fut au milieu de ces joies sagement cultivées et mûries que Florent tomba, un matin de septembre, à l'heure où Lisa prenait son bain de soleil matinal, et où Quenu, les yeux gros encore de sommeil, mettait paresseusement les doigts dans les graisses figées de la veille. La charcuterie fut toute bouleversée. Gavard voulut qu'on cachât « le proscrit », comme il le nommait, en gonflant un peu les joues. Lisa, plus pâle et plus grave que d'ordinaire, le fit enfin monter au cinquième, où elle lui donna la chambre de sa fille de boutique. Quenu avait coupé du pain et du jambon. Mais Florent put à peine manger ; il était pris de vertiges et de nausées ; il se coucha, resta cinq jours au lit, avec un gros délire, un commencement de fièvre cérébrale, qui fut heureusement combattu avec énergie. Quand il revint à lui, il aperçut Lisa à son chevet, remuant sans bruit une cuiller dans une tasse. Comme il voulait la remercier, elle lui dit qu'il devait se tenir tranquille, qu'on causerait plus tard. Au bout de trois jours, le malade fut sur pied. Alors, un matin, Quenu monta le chercher en lui disant que Lisa les attendait, au premier, dans sa chambre.

Ils occupaient là un petit appartement, trois pièces et un cabinet. Il fallait traverser une pièce nue, où il n'y avait que des chaises, puis un petit salon, dont le meuble, caché sous des housses blanches, dormait discrètement dans le demi-jour des persiennes toujours tirées, pour que la clarté trop vive ne mangeât pas le bleu tendre du reps, et l'on arrivait à la chambre à coucher, la seule pièce habitée, meublée d'acajou, très confortable. Le lit surtout était surprenant, avec ses quatre matelas, ses quatre oreillers, ses épaisseurs de couvertures, son édredon, son assoupissement ventru au fond de l'alcôve moite. C'était un lit fait pour dormir. L'armoire à glace, la toilette-commode, le gué-ridon couvert d'une dentelle au crochet, les chaises protégées par des carrés de guipure, mettaient là un luxe bourgeois net et solide. Contre le mur de gauche, aux deux côtés de la cheminée, garnie de vases à paysages montés sur cuivre, et d'une pen-dule représentant un Gutenberg pensif, tout doré, le doigt appuyé sur un livre, étaient pendus les portraits à l'huile de Quenu et de Lisa, dans des cadres ovales, très chargés d'ornements. Quenu

souriait ; Lisa avait l'air comme il faut ; tous deux
en noir, la figure lavée, délayée, d'un rose fluide et
d'un dessin flatteur. Une moquette où des rosaces
compliquées se mêlaient à des étoiles cachait le
parquet. Devant le lit, s'allongeait un de ces tapis
de mousse, fait de longs brins de laine frisés,
œuvre de patience que la belle charcutière avait
tricotée dans son comptoir. Mais ce qui étonnait,
au milieu de ces choses neuves, c'était, adossé au
mur de droite, un grand secrétaire, carré, trapu,
qu'on avait fait revernir, sans pouvoir réparer les
ébréchures du marbre, ni cacher les éraflures de
l'acajou noir de vieillesse. Lisa avait voulu conserver ce meuble, dont l'oncle Gradelle s'était servi
pendant plus de quarante ans, elle disait qu'il leur
porterait bonheur. À la vérité, il avait des ferrures
terribles, une serrure de prison, et il était si lourd
qu'on ne pouvait le bouger de place.

Lorsque Florent et Quenu entrèrent, Lisa, assise
devant le tablier baissé du secrétaire, écrivait, alignait des chiffres, d'une grosse écriture ronde, très
lisible. Elle fit un signe pour qu'on ne la dérangeât
pas. Les deux hommes s'assirent. Florent, surpris,
regardait la chambre, les deux portraits, la pen-
dule, le lit.

« Voici, dit enfin Lisa, après avoir vérifié posé-
ment toute une page de calculs. Écoutez-moi…
Nous avons des comptes à vous rendre, mon cher
Florent. »

C'était la première fois qu'elle le nommait ainsi.
Elle prit la page de calculs et continua :

« Votre oncle Gradelle est mort sans testament ;
vous étiez, vous et votre frère, les deux seuls héri-

tiers... Aujourd'hui, nous devons vous donner votre part.

— Mais je ne demande rien, s'écria Florent, je ne veux rien ! »

Quenu devait ignorer les intentions de sa femme. Il était devenu un peu pâle, il la regardait d'un air fâché. Vraiment, il aimait bien son frère ; mais il était inutile de lui jeter ainsi l'héritage de l'oncle à la tête. On aurait vu plus tard.

« Je sais bien, mon cher Florent, reprit Lisa, que vous n'êtes pas revenu pour nous réclamer ce qui vous appartient. Seulement, les affaires sont les affaires ; il vaut mieux en finir tout de suite... Les économies de votre oncle se montaient à quatre-vingt-cinq mille francs. J'ai donc porté à votre compte quarante-deux mille cinq cents francs. Les voici. »

Elle lui montra le chiffre sur la feuille de papier.

« Il n'est pas aussi facile malheureusement d'évaluer la boutique, matériel, marchandises, clientèle. Je n'ai pu mettre que des sommes approximatives ; mais je crois avoir compté tout, très largement... Je suis arrivée au total de quinze mille trois cent dix francs, ce qui fait pour vous sept mille six cent cinquante-cinq francs, et en tout cinquante mille cent cinquante-cinq francs... Vous vérifierez, n'est-ce pas ? »

Elle avait épelé les chiffres d'une voix nette, et elle lui tendit la feuille de papier, qu'il dut prendre.

« Mais, cria Quenu, jamais la charcuterie du vieux n'a valu quinze mille francs ! Je n'en aurais pas donné dix mille, moi ! »

Sa femme l'exaspérait, à la fin. On ne pousse

pas l'honnêteté à ce point. Est-ce que Florent lui parlait de la charcuterie ? D'ailleurs, il ne voulait rien, il l'avait dit.

« La charcuterie valait quinze mille trois cent dix francs, répéta tranquillement Lisa... Vous comprenez, mon cher Florent, il est inutile de mettre un notaire là-dedans. C'est à nous de faire notre partage, puisque vous ressuscitez... Dès votre arrivée, j'ai nécessairement songé à cela, et pendant que vous aviez la fièvre, là-haut, j'ai tâché de dresser ce bout d'inventaire tant bien que mal... Vous voyez, tout y est détaillé. J'ai fouillé nos anciens livres, j'ai fait appel à mes souvenirs. Lisez à voix haute, je vous donnerai les renseigne-ments que vous pourriez désirer. »

Florent avait fini par sourire. Il était ému de cette probité aisée et comme naturelle. Il posa la page de calculs sur les genoux de la jeune femme ; puis, lui prenant la main :

« Ma chère Lisa, dit-il, je suis heureux de voir que vous faites de bonnes affaires ; mais je ne veux pas de votre argent. L'héritage est à mon frère et à vous, qui avez soigné l'oncle jusqu'à la fin... Je n'ai besoin de rien, je n'entends pas vous déranger dans votre commerce. »

Elle insista, se fâcha même, tandis que, sans parler, se contenant, Quenu mordait ses pouces.

« Eh ! reprit Florent en riant, si l'oncle Gradelle vous entendait, il serait capable de venir vous reprendre l'argent... Il ne m'aimait guère, l'oncle Gradelle.

— Ah ! pour ça, non, il ne t'aimait guère », murmura Quenu à bout de forces.

Mais Lisa discutait encore. Elle disait qu'elle ne voulait pas avoir dans son secrétaire de l'argent qui ne fût pas à elle, que cela la troublerait, qu'elle n'allait plus vivre tranquille avec cette pensée. Alors Florent, continuant à plaisanter, lui offrit de placer son argent chez elle, dans sa charcuterie. D'ailleurs, il ne refusait pas leurs services ; il ne trouverait sans doute pas du travail tout de suite ; puis, il n'était guère présentable, il lui faudrait un habillement complet.

« Pardieu ! s'écria Quenu, tu coucheras chez nous, tu mangeras chez nous, et nous allons t'acheter le nécessaire. C'est une affaire entendue... Tu sais bien que nous ne te laisserons pas sur le pavé, que diable ! »

Il était tout attendri. Il avait même quelque honte d'avoir eu peur de donner une grosse somme, en un coup. Il trouva des plaisanteries ; il dit à son frère qu'il se chargeait de le rendre gras. Celui-ci hocha doucement la tête. Cependant, Lisa pliait la page de calculs. Elle la mit dans un tiroir du secrétaire.

« Vous avez tort, dit-elle, comme pour conclure. J'ai fait ce que je devais faire. Maintenant, ce sera comme vous voudrez... Moi, voyez-vous, je n'aurais pas vécu en paix. Les mauvaises pensées me dérangent trop. »

Ils parlèrent d'autre chose. Il fallait expliquer la présence de Florent, en évitant de donner l'éveil à la police. Il leur apprit qu'il était rentré en France, grâce aux papiers d'un pauvre diable, mort entre ses bras de la fièvre jaune, à Surinam. Par une rencontre singulière, ce garçon se nommait éga-

lement Florent, mais de son prénom. Florent
Laquerrière n'avait laissé qu'une cousine à Paris,
dont on lui avait écrit la mort en Amérique ; rien
n'était plus facile que de jouer son rôle. Lisa s'offrit
d'elle-même pour être la cousine. Il fut entendu
qu'on raconterait une histoire de cousin revenu de
l'étranger, à la suite de tentatives malheureuses, et
recueilli par les Quenu-Gradelle, comme on nommait le ménage dans le quartier, en attendant qu'il
pût trouver une position. Quand tout fut réglé,
Quenu voulut que son frère visitât le logement ;
il ne lui fit pas grâce du moindre tabouret. Dans
la pièce nue, où il n'y avait que des chaises, Lisa
poussa une porte, lui montra un cabinet, en disant
que la fille de boutique coucherait là, et que lui
garderait la chambre du cinquième.

Le soir, Florent était tout habillé de neuf. Il
s'était entêté à prendre encore un patelot et un
pantalon noirs, malgré les conseils de Quenu, que
cette couleur attristait. On ne le cacha plus, Lisa
conta à qui voulut l'entendre l'histoire du cousin.
Il vivait dans la charcuterie, s'oubliait sur une
chaise de la cuisine, revenait s'adosser contre les
marbres de la boutique. À table, Quenu le bourrait de nourriture, se fâchait parce qu'il était petit
mangeur et qu'il laissait la moitié des viandes dont
on lui emplissait son assiette. Lisa avait repris ses
allures lentes et béates ; elle le tolérait, même le
matin, quand il gênait le service ; elle l'oubliait,
puis, lorsqu'elle le reconnaissait, noir devant elle,
elle avait un léger sursaut, et elle trouvait un de
ses beaux sourires pourtant, afin de ne point
le blesser. Le désintéressement de cet homme

maigre l'avait frappée ; elle éprouvait pour lui une sorte de respect, mêlé d'une peur vague. Florent ne sentait qu'une grande affection autour de lui.

À l'heure du coucher, il montait, un peu las de sa journée vide, avec les deux garçons de la charcuterie, qui occupaient des mansardes voisines de la sienne. L'apprenti, Léon, n'avait guère plus de quinze ans ; c'était un enfant, mince, l'air très doux, qui volait les entames de jambon et les bouts de saucissons oubliés ; il les cachait sous son oreiller, les mangeait, la nuit, sans pain. Plusieurs fois, Florent crut comprendre que Léon donnait à souper, vers une heure du matin ; des voix contenues chuchotaient, puis venaient des bruits de mâchoires, des froissements de papier, et il y avait un rire perlé, un rire de gamine qui ressemblait à un trille adouci de flageolet, dans le grand silence de la maison endormie. L'autre garçon, Auguste Landois, était de Troyes ; gras d'une mauvaise graisse, la tête trop grosse, et chauve déjà, il n'avait que vingt-huit ans. Le premier soir, en montant, il conta son histoire à Florent, d'une façon longue et confuse. Il n'était d'abord venu à Paris que pour se perfectionner et retourner ouvrir une charcuterie à Troyes, où sa cousine germaine, Augustine Landois, l'attendait. Ils avaient eu le même parrain, ils portaient le même prénom. Puis l'ambition le prit, il rêva de s'établir à Paris avec l'héritage de sa mère qu'il avait déposé chez un notaire, avant de quitter la Champagne. Là, comme ils étaient arrivés au cinquième, Auguste retint Florent, en lui disant beaucoup de bien de Mme Quenu. Elle avait consenti

à faire venir Augustine Landois, pour remplacer
une fille de boutique qui avait mal tourné. Lui,
savait son métier à présent ; elle, achevait d'apprendre le commerce. Dans un an, dix-huit mois,
ils s'épouseraient ; ils auraient une charcuterie,
sans doute à Plaisance, à quelque bout populeux
de Paris. Ils n'étaient pas pressés de se marier,
parce que les lards ne valaient rien, cette année-là.
Il raconta encore qu'ils s'étaient fait photographier
ensemble, à une fête de Saint-Ouen. Alors, il entra
dans la mansarde, désireux de revoir la photographie qu'elle n'avait pas cru devoir enlever de la
cheminée, pour que le cousin de Mme Quenu eût
une jolie chambre. Il s'oublia un instant, blafard
dans la lueur jaune de son bougeoir, regardant la
pièce encore toute pleine de la jeune fille, s'approchant du lit, demandant à Florent s'il était bien
couché. Elle, Augustine, couchait en bas, maintenant ; elle serait mieux, les mansardes étaient
très froides, l'hiver. Enfin, il s'en alla, laissant Florent seul avec le lit et en face de la photographie.
Auguste était un Quenu blême ; Augustine, une
Lisa pas mûre.

Florent, ami des garçons, gâté par son frère,
accepté par Lisa, finit par s'ennuyer terriblement.
Il avait cherché des leçons sans pouvoir en trouver. Il évitait, d'ailleurs, d'aller dans le quartier
des Écoles, où il craignait d'être reconnu. Lisa,
doucement, lui disait qu'il ferait bien de s'adresser aux maisons de commerce ; il pouvait faire la
correspondance, tenir les écritures. Elle revenait
toujours a cette idée, et finit par s'offrir pour lui
trouver une place. Elle s'irritait peu à peu de le

rencontrer sans cesse dans ses jambes, oisif, ne
sachant que faire de son corps. D'abord, ce ne fut
qu'une haine raisonnée des gens qui se croisent les
bras et qui mangent, sans qu'elle songeât encore à
lui reprocher de manger chez elle. Elle lui disait :

« Moi, je ne pourrais pas vivre à rêvasser toute
la journée. Vous ne devez pas avoir faim, le soir...
Il faut vous fatiguer, voyez-vous. »

Gavard, de son côté, cherchait une place pour
Florent. Mais il cherchait d'une façon extraordinaire et tout à fait souterraine. Il aurait voulu trouver quelque emploi dramatique ou simplement
d'une ironie amère, qui convînt à « un proscrit ».
Gavard était un homme d'opposition. Il venait de
dépasser la cinquantaine, et se vantait d'avoir déjà
dit leur fait à quatre gouvernements. Charles X, les
prêtres, les nobles, toute cette racaille qu'il avait
flanquée à la porte, lui faisaient encore hausser les
épaules ; Louis-Philippe était un imbécile, avec ses
bourgeois, et il racontait l'histoire des bas de laine,
dans lesquels le roi citoyen cachait ses gros sous ;
quant à la République de 48, c'était une farce,
les ouvriers l'avaient trompé ; mais il n'avouait
plus qu'il avait applaudi au Deux Décembre,
parce que, maintenant, il regardait Napoléon III
comme son ennemi personnel, une canaille qui
s'enfermait avec de Morny et les autres, pour faire
des « gueuletons ». Sur ce chapitre, il ne tarissait
pas ; il baissait un peu la voix, il affirmait que,
tous les soirs, des voitures fermées amenaient
des femmes aux Tuileries, et que lui, lui qui vous
parlait, avait, une nuit, de la place du Carrousel,
entendu le bruit de l'orgie. La religion de Gavard

était d'être le plus désagréable possible au gouvernement. Il lui faisait des farces atroces, dont
il riait en dessous pendant des mois. D'abord, il
votait pour le candidat qui devait « embêter les
ministres » au Corps législatif. Puis, s'il pouvait
voler le fisc, mettre la police en déroute, amener
quelque échauffourée, il travaillait à rendre l'aventure très insurrectionnelle. Il mentait, d'ailleurs,
se posait en homme dangereux, parlait comme
si la « séquelle des Tuileries » l'eût connu et eût
tremblé devant lui, disait qu'il fallait guillotiner
la moitié de ces gredins et déporter l'autre moitié
« au prochain coup de chien ». Toute sa politique
bavarde et violente se nourrissait de la sorte de
hâbleries, de contes à dormir debout, de ce besoin
goguenard de tapage et de drôleries qui pousse
un boutiquier parisien à ouvrir ses volets, un jour
de barricades, pour voir les morts. Aussi, quand
Florent revint de Cayenne, flaira-t-il un tour abominable, cherchant de quelle façon, particulièrement spirituelle, il allait pouvoir se moquer de
l'empereur, du ministère, des hommes en place,
jusqu'au dernier des sergents de ville.

L'attitude de Gavard devant Florent était pleine
d'une joie défendue. Il le couvait avec des clignements d'yeux, lui parlait bas pour lui dire les
choses les plus simples du monde, mettait dans ses
poignées de main des confidences maçonniques.
Enfin, il avait donc rencontré une aventure ; il
tenait un camarade réellement compromis ; il
pouvait, sans trop mentir, parler des dangers
qu'il courait. Il éprouvait certainement une peur
inavouée, en face de ce garçon qui revenait du

bagne, et dont la maigreur disait les longues souffrances ; mais cette peur délicieuse le grandissait
lui-même, lui persuadait qu'il faisait un acte très
étonnant, en accueillant en ami un homme des
plus dangereux. Florent devint sacré ; il ne jura
que par Florent ; il nommait Florent, quand les
arguments lui manquaient, et qu'il voulait écraser
le gouvernement une fois pour toutes.

Gavard avait perdu sa femme, rue Saint-
Jacques, quelques mois après le coup d'État. Il
garda la rôtisserie jusqu'en 1856. À cette époque,
le bruit courut qu'il avait gagné des sommes consi-
dérables en s'associant avec un épicier son voisin,
chargé d'une fourniture de légumes secs pour l'armée d'Orient[1]. La vérité fut qu'après avoir vendu
la rôtisserie, il vécut de ses rentes pendant un an.
Mais il n'aimait pas parler de l'origine de sa fortune ; cela le gênait, l'empêchait de dire tout net
son opinion sur la guerre de Crimée, qu'il traitait
d'expédition aventureuse, « faite uniquement pour
consolider le trône et emplir certaines poches ».
Au bout d'un an, il s'ennuya mortellement dans
son logement de garçon. Comme il rendait visite
aux Quenu-Gradelle presque journellement, il se
rapprocha d'eux, vint habiter rue de la Cossonnerie. Ce fut là que les Halles le séduisirent, avec
leur vacarme, leurs commérages énormes. Il se
décida à louer une place au pavillon de la volaille,
uniquement pour se distraire, pour occuper ses
journées vides des cancans du marché. Alors, il
vécut dans des jacasseries sans fin, au courant des
plus minces scandales du quartier, la tête bour-
donnante du continuel glapissement de voix qui

l'entourait. Il y goûtait mille joies chatouillantes,
béat, ayant trouvé son élément, s'y enfonçant avec
des voluptés de carpe nageant au soleil. Florent
allait parfois lui serrer la main, à sa boutique. Les
après-midi étaient encore très chauds. Le long des
allées étroites, les femmes, assises, plumaient. Des
rais de soleil tombaient entre les tentes relevées,
les plumes volaient sous les doigts, pareilles à une
neige dansante, dans l'air ardent, dans la poussière d'or des rayons. Des appels, toute une traînée d'offres et de caresses, suivaient Florent. « Un
beau canard, monsieur ?... Venez me voir... J'ai
de bien jolis poulets gras... Monsieur, monsieur,
achetez-moi cette paire de pigeons... » Il se dégageait, gêné, assourdi. Les femmes continuaient à
plumer en se le disputant, et des vols de fin duvet
s'abattaient, le suffoquaient d'une fumée, comme
chauffée et épaissie encore par l'odeur forte des
volailles. Enfin, au milieu de l'allée, près des fontaines, il trouvait Gavard, en manches de chemise, les bras croisés sur la bavette de son tablier
bleu, pérorant devant sa boutique. Là, Gavard
régnait, avec des mines de bon prince, au milieu
d'un groupe de dix à douze femmes. Il était le
seul homme du marché. Il avait la langue tellement longue, qu'après s'être fâché avec les cinq
ou six filles qu'il prit successivement pour tenir
sa boutique, il se décida à vendre sa marchandise
lui-même, disant naïvement que ces pécores passaient leur sainte journée à cancaner, et qu'il ne
pouvait en venir à bout. Comme il fallait pourtant
que quelqu'un gardât sa place, lorsqu'il s'absen-
tait, il recueillit Marjolin qui battait le pavé, après

avoir tenté tous les menus métiers des Halles. Et Florent restait parfois une heure avec Gavard, émerveillé de son intarissable commérage, de sa carrure et de son aisance parmi tous ses jupons, coupant la parole à l'une, se querellant avec une autre, à dix boutiques de distance, arrachant un client à une troisième, faisant plus de bruit à lui seul que les cent et quelques bavardes ses voisines, dont la clameur secouait les plaques de fonte du pavillon d'un frisson sonore de tam-tam.

Le marchand de volailles, pour toute famille, n'avait plus qu'une belle-sœur et une nièce. Quand sa femme mourut, la sœur aînée de celle-ci, Mme Lecœur, qui était veuve depuis un an, la pleura d'une façon exagérée, en allant presque chaque soir porter ses consolations au malheureux mari. Elle dut nourrir, à cette époque, le projet de lui plaire et de prendre la place encore chaude de la morte. Mais Gavard détestait les femmes maigres ; il disait que cela lui faisait de la peine de sentir les os sous la peau ; il ne caressait jamais que les chats et les chiens très gras, goûtant une satisfaction personnelle aux échines rondes et nourries. Mme Lecœur, blessée, furieuse de voir les pièces de cent sous du rôtisseur lui échapper, amassa une rancune mortelle. Son beau-frère fut l'ennemi dont elle occupa toutes ses heures. Lorsqu'elle le vit s'établir aux Halles, à deux pas du pavillon où elle vendait du beurre, des fromages et des œufs, elle l'accusa d'avoir « inventé ça pour la taquiner et lui porter mauvaise chance ». Dès lors, elle se lamenta, jaunit encore, se frappa tellement l'esprit, qu'elle finit réellement par perdre

sa clientèle et faire de mauvaises affaires. Elle
avait gardé longtemps avec elle la fille d'une de
ses sœurs, une paysanne qui lui envoya la petite,
sans plus s'en occuper. L'enfant grandit au milieu
des Halles. Comme elle se nommait Sarriet de
son nom de famille, on ne l'appela bientôt que la
Sarriette. À seize ans, la Sarriette était une jeune
coquine si délurée, que des messieurs venaient
acheter des fromages uniquement pour la voir.
Elle ne voulut pas des messieurs, elle était popu-
lacière, avec son visage pâle de vierge brune et
ses yeux qui brûlaient comme des tisons. Ce fut
un porteur qu'elle choisit, un garçon de Ménil-
montant qui faisait les commissions de sa tante.
Lorsque, à vingt ans, elle s'établit marchande de
fruits, avec quelques avances dont on ne connut
jamais bien la source, son amant, qui se faisait
appeler M. Jules, se soigna les mains, ne porta
plus que des blouses propres et une casquette de
velours, vint seulement aux Halles l'après-midi, en
pantoufles. Ils logeaient ensemble, rue Vauvilliers,
au troisième étage d'une grande maison, dont un
café borgne occupait le rez-de-chaussée[1]. L'ingra-
titude de la Sarriette acheva d'aigrir Mme Lecœur,
qui la traitait avec une furie de paroles ordurières. Elles se fâchèrent, la tante exaspérée, la
nièce inventant avec M. Jules des histoires que le
jeune homme allait raconter dans le pavillon aux
beurres. Gavard trouvait la Sarriette drôle ; il se
montrait plein d'indulgence pour elle, il lui tapait
sur les joues, quand il la rencontrait : elle était
dodue et exquise de chair.

Un après-midi, comme Florent était assis dans

la charcuterie, fatigué de courses vaines qu'il avait faites le matin à la recherche d'un emploi, Marjolin entra. Ce grand garçon, d'une épaisseur et d'une douceur flamandes, était le protégé de Lisa. Elle le disait pas méchant, un peu bêta, d'une force de cheval, tout à fait intéressant, d'ailleurs, puisqu'on ne lui connaissait ni père, ni mère. C'était elle qui l'avait placé chez Gavard.

Lisa était au comptoir, agacée par les souliers crottés de Florent, qui tachaient le dallage blanc et rose ; deux fois déjà elle s'était levée pour jeter de la sciure dans la boutique. Elle sourit à Marjolin.

« Monsieur Gavard, dit le jeune homme, m'envoie pour vous demander... »

Il s'arrêta, regarda autour de lui, et baissant la voix :

« Il m'a bien recommandé d'attendre qu'il n'y eût personne et de vous répéter ces paroles, qu'il m'a fait apprendre par cœur : "Demande-leur s'il n'y a aucun danger, et si je puis aller causer avec eux de ce qu'ils savent." »

— Eh bien, dis à monsieur Gavard que nous l'attendons », répondit Lisa, habituée aux allures mystérieuses du marchand de volailles.

Mais Marjolin ne s'en alla pas ; il restait en extase devant la belle charcutière, d'un air de soumission câline. Comme touchée de cette adoration muette, elle reprit :

« Est-ce que tu te plais chez monsieur Gavard ? Ce n'est pas un méchant homme, tu feras bien de le contenter

— Oui, madame Lisa.

— Seulement, tu n'es pas raisonnable, je t'ai

encore vu sur les toits des Halles, hier ; puis,
tu fréquentes un tas de gueux et de gueuses. Te
voilà homme, maintenant ; il faut pourtant que tu
songes à l'avenir.

— Oui, madame Lisa. »

Elle dut répondre à une dame qui venait commander une livre de côtelettes aux cornichons.
Elle quitta le comptoir, alla devant le billot, au
fond de la boutique. Là, avec un couteau mince,
elle sépara trois côtelettes d'un carré de porc ; et,
levant un couperet, de son poignet nu et solide,
elle donna trois coups secs. Derrière, à chaque
coup, sa robe de mérinos noir se levait légèrement,
tandis que les baleines de son corset marquaient
sur l'étoffe tendue du corsage. Elle avait un grand
sérieux, les lèvres pincées, les yeux clairs, ramassant les côtelettes et les pesant d'une main lente.

Quand la dame fut partie et qu'elle aperçut
Marjolin ravi de lui avoir vu donner ces trois
coups de couperet, si nets et si roides :

« Comment ! tu es encore là ? » cria-t-elle.

Et il allait sortir de la boutique, lorsqu'elle le
retint.

« Écoute, lui dit-elle, si je te revois avec ce petit
torchon de Cadine... Ne dis pas non. Ce matin,
vous étiez encore ensemble à la triperie, à regarder casser des têtes de mouton... Je ne comprends
pas comment un bel homme comme toi puisse se
plaire avec cette traînée, cette sauterelle... Allons,
va, dis à monsieur Gavard qu'il vienne tout de
suite, pendant qu'il n'y a personne. »

Marjolin s'en alla confus, l'air désespéré, sans
répondre.

La belle Lisa resta debout dans son comptoir, la
tête un peu tournée du côté des Halles ; et Florent
la contemplait, silencieux, surpris de la trouver
si belle. Il l'avait mal vue jusque-là, il ne savait
pas regarder les femmes. Elle lui apparaissait
au-dessus des viandes du comptoir. Devant elle,
s'étalaient, dans des plats de porcelaine blanche,
les saucissons d'Arles et de Lyon entamés, les langues et les morceaux de petit salé cuits à l'eau, la
tête de cochon noyée de gelée, un pot de rillettes
ouvert et une boîte de sardines dont le métal crevé
montrait un lac d'huile ; puis, à droite et à gauche,
sur des planches, des pains de fromage d'Italie, de
fromage de cochon, un jambon ordinaire d'un rose
pâle, un jambon d'York à la chair saignante, sous
une large bande de graisse. Et il y avait encore
des plats ronds et ovales, les plats de la langue
fourrée, de la galantine truffée, de la hure aux pistaches ; tandis que, tout près d'elle, sous sa main,
étaient le veau piqué, le pâté de foie, le pâté de
lièvre, dans des terrines jaunes. Comme Gavard
ne venait pas, elle rangea le lard de poitrine sur
la petite étagère de marbre, au bout du comptoir ;
elle aligna le pot de saindoux et le pot de graisse
de rôti, essuya les plateaux des deux balances de
melchior, tâta l'étuve dont le réchaud mourait ;
et, silencieuse, elle tourna la tête de nouveau, elle
se remit à regarder au fond des Halles. Le fumet
des viandes montait, elle était comme prise, dans
sa paix lourde, par l'odeur des truffes. Ce jour-là,
elle avait une fraîcheur superbe ; la blancheur de
son tablier et de ses manches continuait la blancheur des plats, jusqu'à son cou gras, à ses joues

rosées, où revivaient les tons tendres des jambons et les pâleurs des graisses transparentes. Intimidé à mesure qu'il la regardait, inquiété par cette carrure correcte, Florent finit par l'examiner à la dérobée, dans les glaces, autour de la boutique. Elle s'y reflétait de dos, de face, de côté ; même au plafond, il la retrouvait, la tête en bas, avec son chignon serré, ses minces bandeaux, collés sur les tempes. C'était toute une foule de Lisa, montrant la largeur des épaules, l'emmanchement puissant des bras, la poitrine arrondie, si muette et si tendue, qu'elle n'éveillait aucune pensée charnelle et qu'elle ressemblait à un ventre. Il s'arrêta, il se plut surtout à un de ses profils, qu'il avait dans une glace, à côté de lui, entre deux moitiés de porcs. Tout le long des marbres et des glaces, accrochés aux barres à dents de loup, des porcs et des bandes de lard à piquer pendaient ; et le profil de Lisa, avec sa forte encolure, ses lignes rondes, sa gorge qui avançait, mettait une effigie de reine empâtée, au milieu de ce lard et de ces chairs crues. Puis, la belle charcutière se pencha, sourit d'une façon amicale aux deux poissons rouges qui nageaient dans l'aquarium de l'étalage, continuellement.

Gavard entrait. Il alla chercher Quenu dans la cuisine, l'air important. Quand il se fut assis de biais sur une petite table de marbre, laissant Florent sur sa chaise, Lisa dans son comptoir, et Quenu adossé contre un demi-porc, il annonça enfin qu'il avait trouvé une place pour Florent, et qu'on allait rire, et que le gouvernement serait joliment pincé !

Mais il s'interrompit brusquement, en voyant

entrer Mlle Saget, qui avait poussé la porte de
la boutique, après avoir aperçu de la chaussée
la nombreuse société causant chez les Quenu-
Gradelle. La petite vieille, en robe déteinte accom-
pagnée de l'éternel cabas noir qu'elle portait au
bras, coiffée du chapeau de paille noire, sans
rubans, qui mettait sa face blanche au fond d'une
ombre sournoise, eut un léger salut pour les
hommes et un sourire pointu pour Lisa. C'était
une connaissance ; elle habitait encore la maison
de la rue Pirouette, où elle vivait depuis quarante
ans, sans doute d'une petite rente dont elle ne parlait pas. Un jour, pourtant, elle avait nommé Cher-
bourg, en ajoutant qu'elle y était née. On n'en sut
jamais davantage. Elle ne causait que des autres,
racontait leur vie jusqu'à dire le nombre de chemises qu'ils faisaient blanchir par mois, poussait
le besoin de pénétrer dans l'existence des voisins,
au point d'écouter aux portes et de décacheter les
lettres. Sa langue était redoutée, de la rue Saint-
Denis à la rue Jean-Jacques-Rousseau, et de la rue
Saint-Honoré à la rue Mauconseil. Tout le long du
jour, elle s'en allait avec son cabas vide, sous le
prétexte de faire des provisions, n'achetant rien,
colportant des nouvelles, se tenant au courant des
plus minces faits, arrivant ainsi à loger dans sa
tête l'histoire complète des maisons, des étages,
des gens du quartier. Quenu l'avait toujours accu-
sée d'avoir ébruité la mort de l'oncle Gradelle sur
la planche à hacher ; depuis ce temps, il lui tenait
rancune. Elle était très ferrée, d'ailleurs, sur l'oncle
Gradelle et sur les Quenu ; elle les détaillait, les
prenait par tous les bouts, les savait « par cœur ».

Mais depuis une quinzaine de jours, l'arrivée de Florent la désorientait, la brûlait d'une véritable fièvre de curiosité. Elle tombait malade, quand il se produisait quelque trou imprévu dans ses notes. Et pourtant elle jurait qu'elle avait déjà vu ce grand escogriffe quelque part.

Elle resta devant le comptoir, regardant les plats, les uns après les autres, disant de sa voix fluette :

« On ne sait plus que manger. Quand l'après-midi arrive, je suis comme une âme en peine pour mon dîner... Puis, je n'ai envie de rien... Est-ce qu'il vous reste des côtelettes panées, madame Quenu ? »

Sans attendre la réponse, elle souleva un des couvercles de l'étuve de melchior. C'était le côté des andouilles, des saucisses et des boudins. Le réchaud était froid, il n'y avait plus qu'une saucisse plate, oubliée sur la grille.

« Voyez de l'autre côté, mademoiselle Saget, dit la charcutière. Je crois qu'il reste une côtelette.

— Non, ça ne me dit pas, murmura la petite vieille, qui glissa toutefois son nez sous le second couvercle. J'avais un caprice, mais les côtelettes panées, le soir, c'est trop lourd... J'aime mieux quelque chose que je ne sois pas même obligée de faire chauffer. »

Elle s'était tournée du côté de Florent, elle le regardait, elle regardait Gavard, qui battait la retraite du bout de ses doigts, sur la table de marbre ; et elle les invitait d'un sourire à continuer la conversation.

« Pourquoi n'achetez-vous pas un morceau de petit salé ? demanda Lisa.

— Un morceau de petit salé, oui, tout de même... »

Elle prit la fourchette à manche de métal blanc posée au bord du plat, chipotant, piquant chaque morceau de petit salé. Elle donnait de légers coups sur les os pour juger de leur épaisseur, les retournait, examinait les quelques lambeaux de viande rose, en répétant :

« Non, non, ça ne me dit pas.

— Alors, prenez une langue, un morceau de tête de cochon, une tranche de veau piqué », dit la charcutière patiemment.

Mais Mlle Saget branlait la tête. Elle resta là encore un instant, faisant des mines dégoûtées au-dessus des plats ; puis, voyant que décidément on se taisait et qu'elle ne saurait rien, elle s'en alla, en disant :

« Non, voyez-vous, j'avais envie d'une côtelette panée, mais celle qui vous reste est trop grasse... Ce sera pour une autre fois. »

Lisa se pencha pour la suivre du regard, entre les crépines de l'étalage. Elle la vit traverser la chaussée et entrer dans le pavillon aux fruits.

« La vieille bique ! » grogna Gavard.

Et, comme ils étaient seuls, il raconta quelle place il avait trouvée pour Florent. Ce fut toute une histoire. Un de ses bons amis, M. Verlaque, inspecteur à la marée, était tellement souffrant, qu'il se trouvait forcé de prendre un congé. Le matin même, le pauvre homme lui disait qu'il serait bien aise de proposer lui-même son remplaçant, pour se ménager la place, s'il venait à guérir.

« Vous comprenez, ajouta Gavard, Verlaque

n'en a pas pour six mois, Florent gardera la place. C'est une jolie situation... Et nous mettons la police dedans ! La place dépend de la préfecture. Hein ! sera-ce assez amusant, quand Florent ira toucher l'argent de ces argousins ! »

Il riait d'aise, il trouvait cela profondément comique.

« Je ne veux pas de cette place, dit nettement Florent. Je me suis juré de ne rien accepter de l'Empire. Je crèverais de faim, que je n'entrerais pas à la préfecture. C'est impossible, entendez-vous, Gavard ! »

Gavard entendait et restait un peu gêné. Quenu avait baissé la tête. Mais Lisa s'était tournée, regardait fixement Florent, le cou gonflé, la gorge crevant le corsage. Elle allait ouvrir la bouche, quand la Sarriette entra. Il y eut un nouveau silence.

« Ah bien ! s'écria la Sarriette avec son rire tendre, j'allais oublier d'acheter du lard... Madame Quenu, coupez-moi douze bardes, mais bien minces, n'est-ce pas ? pour des alouettes... C'est Jules qui a voulu manger des alouettes... Tiens, vous allez bien, mon oncle ? »

Elle emplissait la boutique de ses jupes folles. Elle souriait à tout le monde, d'une fraîcheur de lait, décoiffée d'un côté par le vent des Halles. Gavard lui avait pris les mains ; et elle, avec son effronterie :

« Je parie que vous parliez de moi, quand je suis entrée. Qu'est-ce que vous disiez donc, mon oncle ? »

Lisa l'appela.

« Voyez, est-ce assez mince comme cela ? »

Sur un bout de planche, devant elle, elle coupait des bardes, délicatement. Puis, en les enveloppant :

« Il ne vous faut rien autre chose ?

— Ma foi, puisque je me suis dérangée, dit la Sarriette, donnez-moi une livre de saindoux... Moi, j'adore les pommes de terre frites, je fais un déjeuner avec deux sous de pommes de terre frites et une botte de radis... Oui, une livre de saindoux, madame Quenu. »

La charcutière avait mis une feuille de papier fort sur une balance. Elle prenait le saindoux dans le pot, sous l'étagère, avec une spatule de buis, augmentant à petits coups, d'une main douce, le tas de graisse qui s'étalait un peu. Quand la balance tomba, elle enleva le papier, le plia, le corna vivement, du bout des doigts.

« C'est vingt-quatre sous, dit-elle, et six sous de bardes, ça fait trente sous... Il ne vous faut rien autre chose ? »

La Sarriette dit que non. Elle paya, riant toujours, montrant ses dents, regardant les hommes en face, avec sa jupe grise qui avait tourné, son fichu rouge mal attaché, qui laissait voir une ligne blanche de sa gorge, au milieu. Avant de sortir, elle alla menacer Gavard en répétant :

« Alors vous ne voulez pas me dire ce que vous racontiez quand je suis entrée ? Je vous ai vu rire, du milieu de la rue... Oh ! le sournois. Tenez, je ne vous aime plus. »

Elle quitta la boutique, elle traversa la rue en courant. La belle Lisa dit sèchement :

« C'est mademoiselle Saget qui nous l'a envoyée. »

Puis le silence continua. Gavard était consterné de l'accueil que Florent faisait à sa proposition. Ce fut la charcutière qui reprit la première, d'une voix très amicale :

« Vous avez tort, Florent, de refuser cette place d'inspecteur à la marée... Vous savez combien les emplois sont pénibles à trouver. Vous êtes dans une position à ne pas vous montrer difficile.

— J'ai dit mes raisons », répondit-il.

Elle haussa les épaules.

« Voyons, ce n'est pas sérieux... Je comprends à la rigueur que vous n'aimiez pas le gouvernement. Mais ça n'empêche pas de gagner son pain, ce serait trop bête... Et puis, l'empereur n'est pas un méchant homme, mon cher. Je vous laisse dire quand vous racontez vos souffrances. Est-ce qu'il le savait seulement, lui, si vous mangiez du pain moisi et de la viande gâtée ? Il ne peut pas être à tout, cet homme... Vous voyez que, nous autres, il ne nous a pas empêchés de faire nos affaires... Vous n'êtes pas juste, non, pas juste du tout. »

Gavard était de plus en plus gêné. Il ne pouvait tolérer devant lui ces éloges de l'empereur.

« Ah ! non, non, madame Quenu, murmura-t-il, vous allez trop loin. C'est tout de la canaille...

— Oh ! vous, interrompit la belle Lisa en s'animant, vous ne serez content que le jour où vous vous serez fait voler et massacrer avec vos histoires. Ne parlons pas politique, parce que ça me mettrait en colère... Il ne s'agit que de Florent, n'est-ce pas ? Eh bien, je dis qu'il doit absolument accepter la place d'inspecteur. Ce n'est pas ton avis, Quenu ? »

Quenu, qui ne soufflait mot, fut très ennuyé de la question brusque de sa femme.

« C'est une bonne place », dit-il sans se compromettre.

Et, comme un nouveau silence embarrassé se faisait :

« Je vous en prie, laissons cela, reprit Florent. Ma résolution est bien arrêtée. J'attendrai.

— Vous attendrez ! » s'écria Lisa perdant patience.

Deux flammes roses étaient montées à ses joues. Les hanches élargies, plantée debout dans son tablier blanc, elle se contenait pour ne pas laisser échapper une mauvaise parole. Une nouvelle personne entra, qui détourna sa colère. C'était Mme Lecœur.

« Pourriez-vous me donner une assiette assortie d'une demi-livre, à cinquante sous la livre ? » demanda-t-elle.

Elle feignit d'abord de ne pas voir son beau-frère ; puis elle le salua d'un signe de tête, sans parler. Elle examinait les trois hommes de la tête aux pieds, espérant sans doute surprendre leur secret, à la façon dont ils attendaient qu'elle ne fût plus là. Elle sentait qu'elle les dérangeait ; cela la rendait plus anguleuse, plus aigre, dans ses jupes tombantes, avec ses grands bras d'araignée, ses mains nouées qu'elle tenait sous son tablier. Comme elle avait une légère toux :

« Est-ce que vous êtes enrhumée ? » dit Gavard gêné par le silence.

Elle répondit un non bien sec. Aux endroits où les os perçaient son visage, la peau, tendue, était

d'un rouge brique, et la flamme sourde qui brûlait ses paupières annonçait quelque maladie de
foie, couvant dans ses aigreurs jalouses. Elle se
retourna vers le comptoir, suivit chaque geste de
Lisa qui la servait, de cet œil méfiant d'une cliente
persuadée qu'on va la voler.

« Ne me donnez pas de cervelas, dit-elle, je
n'aime pas ça. »

Lisa avait pris un couteau mince et coupait des
tranches de saucisson. Elle passa au jambon fumé
et au jambon ordinaire, détachant des filets délicats, un peu courbée, les yeux sur le couteau. Ses
mains potelées, d'un rose vif, qui touchaient aux
viandes avec des légèretés molles, en gardaient une
sorte de souplesse grasse, des doigts ventrus aux
phalanges. Elle avança une terrine, en demandant :

« Vous voulez du veau piqué, n'est-ce pas ? »

Mme Lecœur parut se consulter longuement ;
puis elle accepta. La charcutière coupait maintenant dans des terrines. Elle prenait sur le bout
d'un couteau à large lame des tranches de veau
piqué et de pâté de lièvre. Et elle posait chaque
tranche au milieu de la feuille de papier, sur les
balances.

« Vous ne me donnez pas de la hure aux pistaches ? » fit remarquer Mme Lecœur, de sa voix
mauvaise.

Elle dut donner de la hure aux pistaches. Mais
la marchande de beurre devenait exigeante. Elle
voulut deux tranches de galantine ; elle aimait
ça, Lisa, irritée déjà, jouant d'impatience avec le
manche des couteaux, eut beau lui dire que la
galantine était truffée, qu'elle ne pouvait en mettre

que dans les assiettes assorties à trois francs la livre, l'autre continuait à fouiller les plats, cherchant ce qu'elle allait demander encore. Quand l'assiette assortie fut pesée, il fallut que la charcutière ajoutât de la gelée et des cornichons. Le bloc de gelée, qui avait la forme d'un gâteau de Savoie, au milieu d'une plaque de porcelaine, trembla sous sa main brutale de colère ; et elle fit jaillir le vinaigre, en prenant, du bout des doigts, deux gros cornichons dans le pot, derrière l'étuve.

« C'est vingt-cinq sous, n'est-ce pas ? » dit Mme Lecœur, sans se presser.

Elle voyait parfaitement la sourde irritation de Lisa. Elle en jouissait, tirant sa monnaie avec lenteur, comme perdue dans les gros sous de sa poche. Elle regardait Gavard en dessous, goûtait le silence embarrassé que sa présence prolongeait, jurant qu'elle ne s'en irait pas, puisqu'on faisait « des cachotteries » avec elle. La charcutière lui mit enfin son paquet dans la main, et elle dut se retirer. Elle s'en alla, sans dire un mot, avec un long regard, tout autour de la boutique.

Quand elle ne fut plus là, Lisa éclata :

« C'est encore la Saget qui nous l'a envoyée, celle-là ! Est-ce que cette vieille gueuse va faire défiler toutes les Halles ici, pour savoir ce que nous disons !... Et comme elles sont malignes ! A-t-on jamais vu acheter des côtelettes panées et des assiettes assorties à cinq heures du soir ! Elles se donneraient des indigestions, plutôt que de ne pas savoir... Par exemple, si la Saget m'en renvoie une autre, vous allez voir comme je la recevrai. Ce serait ma sœur, que je la flanquerais à la porte. »

Devant la colère de Lisa, les trois hommes se taisaient. Gavard était venu s'accouder sur la balustrade de l'étalage, à rampe de cuivre ; il s'absorbait, faisait tourner un des balustres de cristal taillé, détaché de sa tringle de laiton. Puis, levant la tête :

« Moi, dit-il, j'avais regardé ça comme une farce.

— Quoi donc ? demanda Lisa encore toute secouée.

— La place d'inspecteur à la marée. »

Elle leva les mains, regarda Florent une dernière fois, s'assit sur la banquette rembourrée du comptoir, ne desserra plus les dents. Gavard expliquait tout au long son idée : le plus attrapé, en somme, ce serait le gouvernement qui donnerait ses écus. Il répétait avec complaisance :

« Mon cher, ces gueux-là vous ont laissé crever de faim, n'est-ce pas ? Eh bien, il faut vous faire nourrir par eux, maintenant... C'est très fort, ça m'a séduit tout de suite. »

Florent souriait, disait toujours non. Quenu, pour faire plaisir à sa femme, tenta de trouver de bons conseils. Mais celle-ci semblait ne plus écouter. Depuis un instant, elle regardait avec attention du côté des Halles. Brusquement, elle se remit debout, en s'écriant :

« Ah ! c'est la Normande qu'on envoie maintenant. Tant pis ! la Normande payera pour les autres. »

Une grande brune poussait la porte de la boutique. C'était la belle poissonnière, Louise Méhudin, dite la Normande. Elle avait une beauté hardie, très blanche et délicate de peau, presque aussi forte que Lisa, mais d'œil plus effronté et de poitrine plus vivante. Elle entra, cavalière, avec sa chaîne d'or sonnant sur son tablier, ses cheveux nus peignés à la mode, son nœud de gorge, un nœud de dentelle qui faisait d'elle une des reines coquettes des Halles. Elle portait une vague odeur de marée ; et, sur une de ses mains, près du petit doigt, il y avait une écaille de hareng, qui mettait là une mouche de nacre. Les deux femmes, ayant habité la même maison, rue Pirouette, étaient des amies intimes, très liées par une pointe de rivalité qui les faisait s'occuper l'une de l'autre, continuellement. Dans le quartier, on disait la belle Normande, comme on disait la belle Lisa. Cela les opposait, les comparait, les forçait à soutenir chacune sa renommée de beauté. En se penchant un peu, la charcutière, de son comptoir, apercevait dans le pavillon, en face, la poissonnière, au milieu de ses saumons et de ses turbots. Elles se surveillaient toutes deux. La belle Lisa se serrait davantage dans ses corsets. La belle Normande ajoutait des bagues à ses doigts et des nœuds à ses épaules. Quand elles se rencontraient, elles étaient très douces, très complimenteuses, l'œil furtif sous la paupière à demi close, cherchant les défauts. Elles affectaient de se servir l'une chez l'autre et de s'aimer beaucoup.

« Dites, c'est bien demain soir que vous faites le boudin ? » demanda la Normande de son air riant.

Lisa resta froide. La colère, très rare chez elle, était tenace et implacable. Elle répondit oui, sèchement, du bout des lèvres.

« C'est que, voyez-vous, j'adore le boudin chaud, quand il sort de la marmite... Je viendrai vous en chercher. »

Elle avait conscience du mauvais accueil de sa rivale. Elle regarda Florent, qui semblait l'intéresser ; puis, comme elle ne voulait pas s'en aller sans dire quelque chose, sans avoir le dernier mot, elle eut l'imprudence d'ajouter :

« Je vous en ai acheté avant-hier, du boudin... Il n'était pas bien frais.

— Pas bien frais ! » répéta la charcutière, toute blanche, les lèvres tremblantes.

Elle se serait peut-être contenue encore, pour que la Normande ne crût pas qu'elle prenait du dépit, à cause de son nœud de dentelle. Mais on ne se contentait pas de l'espionner, on venait l'insulter, cela dépassait la mesure. Elle se courba, les poings sur son comptoir ; et, d'une voix un peu rauque :

« Dites donc, la semaine dernière, quand vous m'avez vendu cette paire de soles, vous savez, est-ce que je suis allée vous dire qu'elles étaient pourries devant le monde !

— Pourries !... mes soles pourries !... » s'écria la poissonnière, la face empourprée.

Elles restèrent un instant suffoquées, muettes et terribles, au-dessus des viandes. Toute leur belle amitié s'en allait ; un mot avait suffi pour montrer les dents aiguës sous le sourire.

« Vous êtes une grossière, dit la belle Normande. Si jamais je remets les pieds ici, par exemple !

— Allez donc, allez donc, dit la belle Lisa. On sait bien à qui on a affaire. »

La poissonnière sortit, sur un gros mot qui laissa la charcutière toute tremblante. La scène s'était passée si rapidement, que les trois hommes, abasourdis, n'avaient pas eu le temps d'intervenir. Lisa se remit bientôt. Elle reprenait la conversation, sans faire aucune allusion à ce qui venait de se passer, lorsque Augustine, la fille de boutique, rentra de course. Alors, elle dit à Gavard, en le prenant en particulier, de ne pas rendre encore réponse à M. Verlaque ; elle se chargeait de décider son beau-frère, elle demandait deux jours, au plus. Quenu retourna à la cuisine. Comme Gavard emmenait Florent, et qu'ils entraient prendre un vermout chez M. Lebigre, il lui montra un groupe de femmes, sous la rue couverte, entre le pavillon de la marée et le pavillon de la volaille.

« Elles en débitent ! » murmura-t-il, d'un air envieux.

Les Halles se vidaient, et il y avait là, en effet, Mlle Saget, Mme Lecœur et la Sarriette, au bord du trottoir. La vieille fille pérorait.

« Quand je vous le disais, madame Lecœur, votre beau-frère est toujours fourré dans leur boutique... Vous l'avez vu, n'est-ce pas ?

— Oh ! de mes yeux vu ! Il était assis sur une table. Il semblait chez lui.

— Moi, interrompit la Sarriette, je n'ai rien entendu de mal... Je ne sais pas pourquoi vous vous montez la tête. »

Mlle Saget haussa les épaules.

« Ah ! bien, reprit-elle, vous êtes encore d'une bonne pâte, vous, ma belle !... Vous ne voyez donc pas pourquoi les Quenu-Gradelle attirent mon-

sieur Gavard ?... Je parie, moi, qu'il laissera tout
ce qu'il possède à la petite Pauline.

— Vous croyez cela ! » s'écria Mme Lecœur,
blême de fureur.

Puis, elle reprit d'une voix dolente, comme si
elle venait de recevoir un grand coup :

« Je suis toute seule, je n'ai pas de défense,
il peut bien faire ce qu'il voudra, cet homme...
Vous avez entendu, sa nièce est pour lui. Elle a
oublié ce qu'elle m'a coûté, elle me livrerait pieds
et poings liés.

— Mais non, ma tante, dit la Sarriette, c'est
vous qui n'avez jamais eu que de vilaines paroles
pour moi. »

Elles se réconcilièrent sur-le-champ, elles
s'embrassèrent. La nièce promit de ne plus être
taquine ; la tante jura, sur ce qu'elle avait de
plus sacré, qu'elle regardait la Sarriette comme
sa propre fille. Alors Mlle Saget leur donna
des conseils sur la façon dont elles devaient se
conduire pour forcer Gavard à ne pas gaspiller
son bien. Il fut convenu que les Quenu-Gradelle
étaient des pas grand-chose, et qu'on les surveil-
lerait.

« Je ne sais quel micmac il y a chez eux, dit la
vieille fille, mais ça ne sent pas bon... Ce Florent,
ce cousin de Mme Quenu, qu'est-ce que vous en
pensez, vous autres ? »

Les trois femmes se rapprochèrent, baissant la
voix.

« Vous savez bien, reprit Mme Lecœur, que
nous l'avons vu, un matin, les souliers percés, les
habits couverts de poussière, avec l'air d'un voleur

qui a fait un mauvais coup... Il me fait peur, ce garçon-là.

— Non, il est maigre, mais il n'est pas vilain homme », murmura la Sarriette.

Mlle Saget réfléchissait. Elle pensait tout haut : « Je cherche depuis quinze jours, je donne ma langue aux chiens... M. Gavard le connaît certainement... J'ai dû le rencontrer quelque part, je ne me souviens plus... »

Elle fouillait encore sa mémoire, quand la Normande arriva comme une tempête. Elle sortait de la charcuterie.

« Elle est polie, cette grande bête de Quenu ! s'écria-t-elle, heureuse de se soulager. Est-ce qu'elle ne vient pas de me dire que je ne vendais que du poisson pourri ! Ah ! je vous l'ai arrangée !... En voilà une baraque, avec leurs cochonneries gâtées qui empoisonnent le monde !

— Qu'est-ce que vous lui aviez donc dit ? demanda la vieille, toute frétillante, enchantée d'apprendre que les deux femmes s'étaient disputées.

— Moi ! mais rien du tout ! pas ça, tenez !... J'étais entrée très poliment la prévenir que je prendrais du boudin demain soir, et alors elle m'a agonie de sottises... Fichue hypocrite, va, avec ses airs d'honnêteté ! Elle payera ça plus cher qu'elle ne pense. »

Les trois femmes sentaient que la Normande ne disait pas la vérité ; mais elles n'en épousèrent pas moins sa querelle avec un flot de paroles mauvaises. Elles se tournaient du côté de la rue Rambuteau, insultantes, inventant des histoires sur la saleté de la cuisine des Quenu, trouvant des accusations vraiment prodigieuses. Ils auraient vendu de la chair humaine que l'explosion de leur colère n'aurait pas été plus menaçante. Il fallut que la poissonnière recommençât trois fois son récit.

« Et le cousin, qu'est-ce qu'il a dit ? demanda méchamment Mlle Saget.

— Le cousin ! répondit la Normande d'une voix aiguë, vous croyez au cousin, vous !... Quelque amoureux, ce grand dadais ! »

Les trois autres commères se récrièrent. L'honnêteté de Lisa était un des actes de foi du quartier.

« Laissez donc ! est-ce qu'on sait jamais, avec ces grosses sainte-nitouche, qui ne sont que graisse ? Je voudrais bien la voir sans chemise, sa vertu !... Elle a un mari trop serin pour ne pas le faire cocu. »

Mlle Saget hochait la tête, comme pour dire qu'elle n'était pas éloignée de se ranger à cette opinion. Elle reprit doucement :

« D'autant plus que le cousin est tombé on ne sait d'où, et que l'histoire racontée par les Quenu est bien louche.

— Eh ! c'est l'amant de la grosse ! affirma de nouveau la poissonnière. Quelque vaurien, quelque rouleur qu'elle aura ramassé dans la rue. Ça se voit bien.

— Les hommes maigres sont de rudes hommes, déclara la Sarriette d'un air convaincu.

— Elle l'a habillé tout à neuf, fit remarquer Mme Lecœur. Il doit lui coûter bon.

— Oui, oui, vous pourriez avoir raison, murmura la vieille demoiselle. Il faudra savoir... »

Alors, elles s'engagèrent à se tenir au courant de ce qui se passerait dans la baraque des Quenu-Gradelle. La marchande de beurre prétendait qu'elle voulait ouvrir les yeux de son beau-frère sur les maisons qu'il fréquentait. Cependant, la Normande s'était un peu calmée ; elle s'en alla, bonne fille au fond, lassée d'en avoir trop conté. Quand elle ne fut plus là, Mme Lecœur dit sournoisement :

« Je suis sûre que la Normande aura été insolente ; c'est son habitude... Elle ferait bien de ne pas parler des cousins qui tombent du ciel, elle qui a trouvé un enfant dans sa boutique à poissons. »

Elles se regardèrent en riant toutes les trois. Puis, lorsque Mme Lecœur se fut éloignée à son tour :

« Ma tante a tort de s'occuper de ces histoires, ça la maigrit, reprit la Sarriette. Elle me battait quand les hommes me regardaient. Allez, elle peut chercher, elle ne trouvera pas de mioche sous son traversin, ma tante. »

Mlle Saget eut un nouveau rire. Puis, quand elle fut seule, comme elle retournait rue Pirouette, elle pensa que « ces trois pécores » ne valaient pas la corde pour les pendre. D'ailleurs, on avait pu la voir, il serait très mauvais de se brouiller avec les Quenu-Gradelle, des gens riches et estimés après tout. Elle fit un détour, alla rue Turbigo, à la boulangerie Taboureau, la plus belle boulangerie du quartier. Mme Taboureau, qui était une amie intime de Lisa, avait, sur toutes choses, une autorité incontestée. Quand on disait : « Mme Taboureau a dit ceci, Mme Taboureau a dit cela », il n'y avait plus qu'à s'incliner. La vieille demoiselle, sous prétexte, ce jour-là, de savoir à quelle heure le four était chaud, pour apporter un plat de poires, dit le plus grand bien de la charcu-tière, se répandit en éloges sur la propreté et sur l'excellence de son boudin. Puis, contente de cet alibi moral, enchantée d'avoir soufflé sur l'ardente bataille qu'elle flairait, sans s'être fâchée avec per-sonne, elle rentra décidément, l'esprit plus libre, retournant cent fois dans sa mémoire l'image du cousin de Mme Quenu.

Ce même jour, le soir, après le dîner, Florent sortit, se promena quelque temps, sous une des rues couvertes des Halles. Un fin brouilllard montait, les pavillons vides avaient une tristesse grise, piquée des larmes jaunes du gaz. Pour la première fois, Florent se sentait importun ; il avait conscience de la façon malapprise dont il était tombé au milieu de ce monde gras, en maigre naïf ; il s'avouait nettement qu'il dérangeait tout le quartier, qu'il devenait une gêne pour les Quenu, un cousin de contrebande, de mine par trop com-promettante. Ces réflexions le rendaient fort triste, non pas qu'il eût remarqué chez son frère ou chez Lisa la moindre dureté ; il souffrait de leur bonté même ; il s'accusait de manquer de déli-catesse en s'installant ainsi chez eux. Des doutes lui venaient. Le souvenir de la conversation dans la boutique, l'après-midi, lui causait un malaise vague. Il était comme envahi par cette odeur des viandes du comptoir, il se sentait glisser à une lâcheté molle et repue. Peut-être avait-il eu tort de refuser cette place d'inspecteur qu'on lui offrait.

Cette pensée mettait en lui une grande lutte ; il fallait qu'il se secouât pour retrouver ses roideurs de conscience. Mais un vent humide s'était levé, soufflant sous la rue couverte. Il reprit quelque calme et quelque certitude, lorsqu'il fut obligé de boutonner sa redingote. Le vent emportait de ses vêtements cette senteur grasse de la charcuterie, dont il était tout alangui.

Il rentrait, quand il rencontra Claude Lantier. Le peintre, renfermé au fond de son paletot verdâtre, avait la voix sourde, pleine de colère. Il s'emporta contre la peinture, dit que c'était un métier de chien, jura qu'il ne toucherait de sa vie à un pinceau. L'après-midi, il avait crevé d'un coup de pied une tête d'étude qu'il faisait d'après cette gueuse de Cadine. Il était sujet à ces emportements d'artiste impuissant en face des œuvres solides et vivantes qu'il rêvait. Alors, rien n'existait plus pour lui, il battait les rues, voyait noir, attendait le lendemain comme une résurrection. D'ordinaire, il disait qu'il se sentait gai le matin et horriblement malheureux le soir ; chacune de ses journées était un long effort désespéré. Florent eut peine à reconnaître le flâneur insouciant des nuits de la Halle. Ils s'étaient déjà retrouvés à la charcuterie. Claude, qui connaissait l'histoire du déporté, lui avait serré la main, en lui disant qu'il était un brave homme. Il allait, d'ailleurs, très rarement chez les Quenu.

« Vous êtes toujours chez ma tante ? dit Claude. Je ne sais pas comment vous faites pour rester au milieu de cette cuisine. Ça pue là-dedans. Quand j'y passe une heure, il me semble que j'ai assez

mangé pour trois jours. J'ai eu tort d'y entrer ce
matin ; c'est ça qui m'a fait manquer mon étude. »

Et, au bout de quelques pas faits en silence :

« Ah ! les braves gens ! reprit-il. Ils me font de la
peine, tant ils se portent bien. J'avais songé à faire
leurs portraits, mais je n'ai jamais su dessiner ces
figures rondes où il n'y a pas d'os... Allez, ce n'est
pas ma tante Lisa qui donnerait des coups de
pied dans ses casseroles. Suis-je assez bête d'avoir
crevé la tête de Cadine ! Maintenant, quand j'y
songe, elle n'était peut-être pas mal. »

Alors, ils causèrent de la tante Lisa. Claude dit
que sa mère ne voyait plus la charcutière depuis
longtemps. Il donna à entendre que celle-ci avait
quelque honte de sa sœur mariée à un ouvrier ;
d'ailleurs, elle n'aimait pas les gens malheureux.
Quant à lui, il raconta qu'un brave homme s'était
imaginé de l'envoyer au collège, séduit par les
ânes et les bonnes femmes qu'il dessinait, dès l'âge
de huit ans ; le brave homme était mort, en lui
laissant mille francs de rente, ce qui l'empêchait
de mourir de faim.

« N'importe, continua-t-il, j'aurais mieux aimé
être un ouvrier... Tenez, menuisier, par exemple.
Ils sont très heureux, les menuisiers. Ils ont une
table à faire, n'est-ce pas ? ils la font, et ils se
couchent, heureux d'avoir fini leur table, absolument satisfaits... Moi, je ne dors guère la nuit.
Toutes ces sacrées études que je ne peux achever
me trottent dans la tête. Je n'ai jamais fini, jamais,
jamais. »

Sa voix se brisait presque dans des sanglots.
Puis, il essaya de rire. Il jurait, cherchait des mots

orduriers, s'abîmait en pleine boue, avec la rage froide d'un esprit tendre et exquis qui doute de lui et qui rêve de se salir. Il finit par s'accroupir devant un des regards donnant sur les caves des Halles, où le gaz brûle éternellement. Là, dans ces profondeurs, il montra à Florent, Marjolin et Cadine qui soupaient tranquillement, assis sur une des pierres d'abattage des resserres aux volailles. Les gamins avaient des moyens à eux pour se cacher et habiter les caves, après la fermeture des grilles.

« Hein ! quelle brute, quelle belle brute ! répétait Claude en parlant de Marjolin avec une admiration envieuse. Et dire que cet animal-là est heureux !... Quand ils vont avoir achevé leurs pommes, ils se coucheront ensemble dans un de ces grands paniers pleins de plumes. C'est une vie, ça au moins !... Ma foi, vous avez raison de rester dans la charcuterie ; peut-être que ça vous engraissera. »

Il partit brusquement. Florent remonta à sa mansarde, troublé par ces inquiétudes nerveuses qui réveillaient ses propres incertitudes. Il évita, le lendemain, de passer la matinée à la charcuterie ; il fit une grande promenade le long des quais. Mais, au déjeuner, il fut repris par la douceur fondante de Lisa. Elle lui reparla de la place d'inspecteur à la marée, sans trop insister, comme d'une chose qui méritait réflexion. Il l'écoutait, l'assiette pleine, gagné malgré lui par la propreté dévote de la salle à manger ; la natte mettait une mollesse sous ses pieds ; les luisants de la suspension de cuivre, le jaune tendre du papier peint et du chêne

clair des meubles le pénétraient d'un sentiment
d'honnêteté dans le bien-être, qui troublait ses
idées du faux et du vrai. Il eut cependant la force
de refuser encore, en répétant ses raisons, tout en
ayant conscience du mauvais goût qu'il y avait à
faire un étalage brutal de ses entêtements et de
ses rancunes, en un pareil lieu. Lisa ne se fâcha
pas ; elle souriait au contraire, d'un beau sourire
qui embarrassait plus Florent que la sourde irritation de la veille. Au dîner, on ne causa que des
grandes salaisons d'hiver, qui allaient tenir tout le
personnel de la charcuterie sur pied.

Les soirées devenaient froides. Dès qu'on avait
dîné, on passait dans la cuisine. Il y faisait très
chaud. Elle était si vaste, d'ailleurs, que plusieurs
personnes y tenaient à l'aise, sans gêner le service,
autour d'une table carrée, placée au milieu. Les
murs de la pièce éclairée au gaz étaient recouverts de plaques de faïence blanches et bleues, à
hauteur d'homme. À gauche, se trouvait le grand
fourneau de fonte, percé de trois trous, dans lesquels trois marmites trapues enfonçaient leurs
culs noirs de la suie du charbon de terre ; au bout,
une petite cheminée, montée sur un four et garnie d'un fumoir, servait pour les grillades ; et, au-
dessus du fourneau, plus haut que les écumoires,
les cuillers, les fourchettes à longs manches, dans
une rangée de tiroirs numérotés, s'alignaient les
chapelures, la fine et la grosse, les mies de pain
pour paner, les épices, le girofle, la muscade, les
poivres. À droite, la table à hacher, énorme bloc
de chêne appuyé contre la muraille, s'appesantis-
sait, toute couturée et toute creusée ; tandis que

plusieurs appareils, fixés sur le bloc, une pompe à injecter, une machine à pousser, une hacheuse mécanique, mettaient là, avec leurs rouages et leurs manivelles, l'idée mystérieuse et inquiétante de quelque cuisine de l'enfer. Puis, tout autour des murs, sur des planches, et jusque sous les tables, s'entassaient des pots, des terrines, des seaux, des plats, des ustensiles de fer-blanc, une batterie de casseroles profondes, d'entonnoirs élargis, des râteliers de couteaux et de couperets, des files de lardoires et d'aiguilles, tout un monde noyé dans la graisse. La graisse débordait, malgré la propreté excessive, suintait entre les plaques de faïence, cirait les carreaux rouges du sol, donnait un reflet grisâtre à la fonte du fourneau, polissait les bords de la table à hacher d'un luisant et d'une transparence de chêne verni. Et, au milieu de cette buée amassée goutte à goutte, de cette évaporation continue des trois marmites, où fondaient les cochons, il n'était certainement pas, du plancher au plafond, un clou qui ne pissât la graisse.

Les Quenu-Gradelle fabriquaient tout chez eux. Ils ne faisaient guère venir du dehors que les terrines des maisons renommées, les rillettes, les bocaux de conserve, les sardines, les fromages, les escargots. Aussi, dès septembre, s'agissait-il de remplir la cave, vidée pendant l'été. Les veillées se prolongeaient même après la fermeture de la boutique. Quenu, aidé d'Auguste et de Léon, emballait les saucissons, préparait les jambons, fondait les saindoux, faisait les lards de poitrine, les lards maigres, les lards à piquer. C'était un bruit formidable de marmites et de hachoirs, des odeurs de cuisine qui montaient dans la maison entière. Cela sans préjudice de la charcuterie courante, de la charcuterie fraîche, les pâtés de foie et de lièvre, les galantines, les saucisses et les boudins.

Ce soir-là, vers onze heures, Quenu, qui avait mis en train deux marmites de saindoux, dut s'occuper du boudin. Auguste l'aida. À un coin de la table carrée, Lisa et Augustine raccommodaient du linge ; tandis que, devant elles, de l'autre côté de la table, Florent était assis, la face tournée vers le fourneau, souriant à la petite Pauline qui, montée sur ses pieds, voulait qu'il la fît « sauter en l'air ». Derrière eux, Léon hachait de la chair à saucisse, sur le bloc de chêne, à coups lents et réguliers.

Auguste alla d'abord chercher dans la cour deux brocs pleins de sang de cochon. C'était lui qui saignait à l'abattoir. Il prenait le sang et l'intérieur des bêtes, laissant aux garçons d'échaudoir le soin d'apporter, l'après-midi, les porcs tout préparés dans leur voiture. Quenu prétendait qu'Auguste saignait comme pas un garçon charcutier de Paris. La vérité était qu'Auguste se connaissait à merveille à la qualité du sang ; le boudin était bon, toutes les fois qu'il disait : « Le boudin sera bon. »

« Eh bien, aurons-nous du bon boudin ? » demanda Lisa.

Il déposa ses deux brocs, et, lentement :

« Je le crois, madame Quenu, oui, je le crois... Je vois d'abord ça à la façon dont le sang coule. Quand je retire le couteau, si le sang part trop doucement, ce n'est pas un bon signe, ça prouve qu'il est pauvre...

— Mais, interrompit Quenu, c'est aussi selon comme le couteau a été enfoncé. »

La face blême d'Auguste eut un sourire.

« Non, non, répondit-il, j'enfonce toujours quatre doigts du couteau ; c'est la mesure... Mais, voyez-vous, le meilleur signe, c'est encore lorsque le sang coule et que je le reçois en le battant avec la main, dans le seau. Il faut qu'il soit d'une bonne chaleur, crémeux, sans être trop épais. »

Augustine avait laissé son aiguille. Les yeux levés, elle regardait Auguste. Sa figure rougeaude, aux durs cheveux châtains, prenait un air d'attention profonde. D'ailleurs, Lisa, et la petite Pauline elle-même, écoutaient également avec un grand intérêt.

« Je bats, je bats, je bats, n'est-ce pas ? continua le garçon, en faisant aller sa main dans le vide, comme s'il fouettait une crème. Eh bien, quand je retire ma main et que je la regarde, il faut qu'elle soit comme graissée par le sang, de façon à ce que le gant rouge soit bien du même rouge partout... Alors, on peut dire sans se tromper : "Le boudin sera bon." »

Il resta un instant la main en l'air, complaisamment, l'attitude molle ; cette main qui vivait dans des seaux de sang était toute rose, avec des ongles vifs, au bout de la manche blanche. Quenu avait approuvé de la tête. Il y eut un silence. Léon hachait toujours. Pauline, qui était restée songeuse, remonta sur les pieds de son cousin, en criant de sa voix claire :

« Dis, cousin, raconte-moi l'histoire du monsieur qui a été mangé par les bêtes. »

Sans doute, dans cette tête de gamine, l'idée du sang des cochons avait éveillé celle « du monsieur mangé par les bêtes ». Florent ne comprenait pas, demandait quel monsieur. Lisa se mit à rire.

« Elle demande l'histoire de ce malheureux, vous savez, cette histoire que vous avez dite un soir à Gavard. Elle l'aura entendue. »

Florent était devenu tout grave. La petite alla prendre dans ses bras le gros chat jaune, l'apporta sur les genoux du cousin, en disant que Mouton, lui aussi, voulait écouter l'histoire. Mais Mouton sauta sur la table. Il resta là, assis, le dos arrondi, contemplant ce grand garçon maigre qui, depuis quinze jours, semblait être pour lui un continuel sujet de profondes réflexions. Cependant, Pauline se fâchait, elle tapait des pieds, elle voulait l'histoire. Comme elle était vraiment insupportable :

« Eh ! racontez-lui donc ce qu'elle demande, dit Lisa à Florent, elle nous laissera tranquilles. »

Florent garda le silence un instant encore. Il avait les yeux à terre. Puis, levant la tête lentement, il s'arrêta aux deux femmes qui tiraient leurs aiguilles, regarda Quenu et Auguste qui préparaient la marmite pour le boudin. Le gaz brûlait tranquille, la chaleur du fourneau était très douce, toute la graisse de la cuisine luisait dans un bien-être de digestion large. Alors, il posa la petite Pauline sur l'un de ses genoux, et, souriant d'un sourire triste, s'adressant à l'enfant :

« Il était une fois un pauvre homme. On l'envoya très loin, très loin, de l'autre côté de la mer… Sur le bateau qui l'emportait, il y avait quatre cents forçats avec lesquels on le jeta. Il dut vivre cinq

semaines au milieu de ces bandits, vêtu comme
eux de toile à voile, mangeant à leur gamelle. De
gros poux le dévoraient, des sueurs terribles le
laissaient sans force. La cuisine, la boulangerie,
la machine du bateau, chauffaient tellement les
faux-ponts, que dix des forçats moururent de chaleur. Dans la journée, on les faisait monter cinquante à la fois, pour leur permettre de prendre
l'air de la mer ; et, comme on avait peur d'eux,
deux canons étaient braqués sur l'étroit plancher
où ils se promenaient. Le pauvre homme était
bien content, quand arrivait son tour. Ses sueurs
se calmaient un peu. Il ne mangeait plus, il était
très malade. La nuit, lorsqu'on l'avait remis aux
fers, et que le gros temps le roulait entre ses deux
voisins, il se sentait lâche, il pleurait, heureux de
pleurer sans être vu… »

Pauline écoutait, les yeux agrandis, ses deux
petites mains croisées dévotement.

« Mais, interrompit-elle, ce n'est pas l'histoire
du monsieur qui a été mangé par les bêtes… C'est
une autre histoire, dis, mon cousin ?

— Attends, tu verras, répondit doucement Florent. J'y arriverai, à l'histoire du monsieur… Je te
raconte l'histoire tout entière.

— Ah ! bien », murmura l'enfant d'un air heureux.

Pourtant elle resta pensive, visiblement pré-
occupée par quelque grosse difficulté qu'elle ne
pouvait résoudre. Enfin, elle se décida.

« Qu'est-ce qu'il avait donc fait, le pauvre
homme, demanda-t-elle, pour qu'on le renvoyât
et qu'on le mît dans le bateau ? »

Lisa et Augustine eurent un sourire. L'esprit de l'enfant les ravissait. Et Lisa, sans répondre directement, profita de la circonstance pour lui faire la morale ; elle la frappa beaucoup, en lui disant qu'on mettait aussi dans le bateau les enfants qui n'étaient pas sages.

« Alors, fit remarquer judicieusement Pauline, c'était bien fait, si le pauvre homme de mon cousin pleurait la nuit. »

Lisa reprit sa couture, en baissant les épaules. Quenu n'avait pas entendu. Il venait de couper dans la marmite des rondelles d'oignon qui prenaient, sur le feu, des petites voix claires et aiguës de cigales pâmées de chaleur. Ça sentait très bon. La marmite, lorsque Quenu y plongeait sa grande cuiller de bois, chantait plus fort, emplissant la cuisine de l'odeur pénétrante de l'oignon cuit. Auguste préparait, dans un plat, des gras de lard. Et le hachoir de Léon allait à coups plus vifs, raclant la table par moments, pour ramener la chair à saucisse qui commençait à se mettre en pâte.

« Quand on fut arrivé, continua Florent, on conduisit l'homme dans une île nommée l'île du Diable. Il était là avec d'autres camarades qu'on avait aussi chassés de leur pays. Tous furent très malheureux. On les obligea d'abord à travailler comme des forçats. Le gendarme qui les gardait les comptait trois fois par jour, pour être bien sûr qu'il ne manquait personne. Plus tard, on les laissa libres de faire ce qu'ils voulaient ; on les enfermait seulement la nuit, dans une grande cabane de bois, où ils dormaient sur des hamacs tendus entre deux barres. Au bout d'un an, ils allaient nu-pieds, et leurs vêtements étaient si déchirés, qu'ils montraient leur peau. Ils s'étaient construit des huttes avec des troncs d'arbres, pour s'abriter contre le soleil, dont la flamme brûle tout dans ce pays-là ; mais les huttes ne pouvaient les préserver des moustiques qui, la nuit, les couvraient de boutons et d'enflures. Il en mourut plusieurs ; les autres devinrent tout jaunes, si secs, si abandonnés, avec leurs grandes barbes, qu'ils faisaient pitié[1]...

— Auguste, donnez-moi les gras », cria Quenu.

Et lorsqu'il tint le plat, il fit glisser doucement dans la marmite les gras de lard, en les délayant du bout de la cuiller. Les gras fondaient. Une vapeur plus épaisse monta du fourneau.

« Qu'est-ce qu'on leur donnait à manger ? demanda la petite Pauline profondément intéressée.

— On leur donnait du riz plein de vers et de la viande qui sentait mauvais, répondit Florent, dont la voix s'assourdissait. Il fallait enlever les vers pour manger le riz. La viande, rôtie et très cuite, s'avalait encore ; mais bouillie, elle puait tellement, qu'elle donnait souvent des coliques.

— Moi, j'aime mieux être au pain sec », dit l'enfant après s'être consultée.

Léon, ayant fini de hacher, apporta la chair à saucisse dans un plat, sur la table carrée. Mouton, qui était resté assis, les yeux sur Florent, comme extrêmement surpris par l'histoire, dut se reculer un peu, ce qu'il fit de très mauvaise grâce. Il se pelotonna, ronronnant, le nez sur la chair à saucisse. Cependant, Lisa paraissait ne pouvoir cacher son étonnement ni son dégoût ; le riz plein de vers et la viande qui sentait mauvais lui semblaient sûrement des saletés à peine croyables, tout à fait déshonorantes pour celui qui les avait mangées. Et, sur son beau visage calme, dans le gonflement de son cou, il y avait une vague épouvante, en face de cet homme nourri de choses immondes.

« Non, ce n'était pas un lieu de délices, reprit-il, oubliant la petite Pauline, les yeux vagues sur la marmite qui fumait. Chaque jour des vexations nouvelles, un écrasement continu, une violation de toute justice, un mépris de la charité humaine, qui exaspéraient les prisonniers et les brûlaient lentement d'une fièvre de rancune maladive. On vivait en bête, avec le fouet éternellement levé sur les épaules. Ces misérables voulaient tuer l'homme… On ne peut pas oublier, non, ce n'est pas possible. Ces souffrances crieront vengeance un jour. »

Il avait baissé la voix, et les lardons qui sifflaient joyeusement dans la marmite la couvraient de leur bruit de friture bouillante. Mais Lisa l'entendait, effrayée de l'expression implacable que son visage avait prise brusquement. Elle le jugea hypocrite, avec cet air doux qu'il savait feindre.

Le ton sourd de Florent avait mis le comble au plaisir de Pauline. Elle s'agitait sur le genou du cousin, enchantée de l'histoire.

« Et l'homme, et l'homme ? » murmurait-elle.

Florent regarda la petite Pauline, parut se souvenir, retrouva son sourire triste.

« L'homme, dit-il, n'était pas content d'être dans l'île. Il n'avait qu'une idée, s'en aller, traverser la mer pour atteindre la côte, dont on voyait, par les beaux temps, la ligne blanche à l'horizon. Mais ce n'était pas commode. Il fallait construire un radeau. Comme des prisonniers s'étaient sauvés déjà, on avait abattu tous les arbres de l'île, afin que les autres ne pussent se procurer du bois. L'île était toute pelée, si nue, si aride sous les grands soleils, que le séjour en devenait plus dangereux et plus affreux encore. Alors l'homme eut l'idée, avec deux de ses camarades, de se servir des troncs d'arbres de leurs huttes. Un soir, ils partirent sur quelques mauvaises poutres qu'ils avaient liées avec des branches sèches. Le vent les portait vers la côte. Le jour allait paraître, quand leur radeau échoua sur un banc de sable, avec une telle violence, que les troncs d'arbres détachés furent emportés par les vagues. Les trois malheureux faillirent rester dans le sable ; ils enfonçaient jusqu'à la ceinture ; même il y en eut un qui disparut jusqu'au menton, et que les deux autres durent retirer. Enfin ils atteignirent un rocher, où ils avaient à peine assez de place pour s'asseoir. Quand le soleil se leva, ils aperçurent en face d'eux la côte, une barre de falaises grises tenant tout un côté de l'horizon. Deux, qui savaient nager, se décidèrent à gagner ces falaises. Ils aimaient mieux risquer de se noyer tout de suite que de mourir lentement de faim sur leur écueil. Ils promirent à leur compagnon de venir le chercher, lorsqu'ils auraient touché terre et qu'ils se seraient procuré une barque.

— Ah ! voilà, je sais maintenant ! cria la petite Pauline, tapant de joie dans ses mains. C'est l'histoire du monsieur qui a été mangé par les bêtes.

— Ils purent atteindre la côte, poursuivit Florent ; mais elle était déserte, ils ne trouvèrent une barque qu'au bout de quatre jours... Quand ils revinrent à l'écueil, ils virent leur compagnon étendu sur le dos, les pieds et les mains dévorés, la face rongée, le ventre plein d'un grouillement de crabes qui agitaient la peau des flancs, comme si un râle furieux eût traversé ce cadavre à moitié mangé et frais encore. »

Un murmure de répugnance échappa à Lisa et à Augustine. Léon, qui préparait des boyaux de porc pour le boudin, fit une grimace. Quenu s'arrêta dans son travail, regarda Auguste pris de nausées. Et il n'y avait que Pauline qui riait. Ce ventre, plein d'un grouillement de crabes, s'étalait étrangement au milieu de la cuisine, mêlait des odeurs suspectes aux parfums du lard et de l'oignon.

« Passez-moi le sang ! » cria Quenu, qui, d'ailleurs, ne suivait pas l'histoire.

Auguste apporta les deux brocs. Et, lentement, il versa le sang dans la marmite, par minces filets rouges, tandis que Quenu le recevait, en tournant furieusement la bouillie qui s'épaississait. Lorsque les brocs furent vides, ce dernier, atteignant un à un les tiroirs, au-dessus du fourneau, prit des pincées d'épices. Il poivra surtout fortement.

« Ils le laissèrent là, n'est-ce pas ? demanda Lisa. Ils revinrent sans danger ?

— Comme ils revenaient, répondit Florent,

le vent tourna, ils furent poussés en pleine mer. Une vague leur enleva une rame, et l'eau entrait à chaque souffle, si furieusement, qu'ils n'étaient occupés qu'à vider la barque avec leurs mains. Ils roulèrent ainsi en face des côtes, emportés par une rafale, ramenés par la marée, ayant achevé leurs quelques provisions, sans une bouchée de pain. Cela dura trois jours.

— Trois jours ! s'écria la charcutière stupéfaite, trois jours sans manger !

— Oui, trois jours sans manger. Quand le vent d'est les poussa enfin à terre, l'un d'eux était si affaibli, qu'il resta sur le sable toute une matinée. Il mourut le soir. Son compagnon avait vainement essayé de lui faire mâcher des feuilles d'arbre. »

À cet endroit, Augustine eut un léger rire ; puis, confuse d'avoir ri, ne voulant pas qu'on pût croire qu'elle manquait de cœur :

« Non, non, balbutia-t-elle, ce n'est pas de ça que je ris. C'est de Mouton... Regardez donc Mouton, madame. »

Lisa, à son tour, s'égaya. Mouton, qui avait toujours sous le nez le plat de chair à saucisse, se trouvait probablement incommodé et dégoûté par toute cette viande. Il s'était levé, grattant la table de la patte, comme pour couvrir le plat, avec la hâte des chats qui veulent enterrer leurs ordures. Puis il tourna le dos au plat, il s'allongea sur le flanc, en s'étirant, les yeux demi-clos, la tête roulée dans une caresse béate. Alors tout le monde complimenta Mouton ; on affirma que jamais il ne volait, qu'on pouvait laisser la viande à sa portée. Pauline racontait très confusément qu'il lui léchait les doigts et qu'il la débarbouillait, après le dîner, sans la mordre.

Mais Lisa revint à la question de savoir si l'on peut rester trois jours sans manger. Ce n'était pas possible.

« Non ! dit-elle, je ne crois pas ça... D'ailleurs, il n'y a personne qui soit resté trois jours sans manger. Quand on dit : "Un tel crève de faim", c'est une façon de parler. On mange toujours, plus ou moins... Il faudrait des misérables tout à fait abandonnés, des gens perdus... »

Elle allait dire sans doute « des canailles sans aveu » ; mais elle se retint, en regardant Florent. Et la moue méprisante de ses lèvres, son regard clair avouaient carrément que les gredins seuls jeûnaient de cette façon désordonnée. Un homme capable d'être resté trois jours sans manger était pour elle un être absolument dangereux. Car, enfin, jamais les honnêtes gens ne se mettent dans des positions pareilles.

Florent étouffait maintenant. En face de lui, le fourneau, dans lequel Léon venait de jeter plusieurs pelletées de charbon, ronflait comme un chantre dormant au soleil. La chaleur devenait très forte. Auguste, qui s'était chargé des marmites de saindoux, les surveillait, tout en sueur ; tandis que, s'épongeant le front avec sa manche, Quenu attendait que le sang se fût bien délayé. Un assoupissement de nourriture, un air chargé d'indigestion flottait.

« Quand l'homme eut enterré son camarade dans le sable, reprit Florent lentement, il s'en alla seul, droit devant lui. La Guyane hollandaise, où il se trouvait, est un pays de forêts, coupé de fleuves et de marécages. L'homme marcha pendant plus de huit jours, sans rencontrer une habitation. Tout autour de lui, il sentait la mort qui l'attendait. Souvent, l'estomac tenaillé par la faim, il n'osait mordre aux fruits éclatants qui pendaient des arbres ; il avait peur de ces baies aux reflets métalliques, dont les bosses noueuses suaient le poison. Pendant des journées entières, il marchait sous des voûtes de branches épaisses, sans apercevoir un coin de ciel, au milieu d'une ombre verdâtre, toute pleine d'une horreur vivante. De grands oiseaux s'envolaient sur sa tête, avec un bruit d'ailes terrible et des cris subits qui ressemblaient à des râles de mort ; des sauts de singes, des galops de bêtes traversaient les fourrés, devant lui, pliant les tiges, faisant tomber une pluie de feuilles, comme sous un coup de vent ; et c'était surtout les serpents qui le glaçaient, quand il posait le pied sur le sol mouvant de feuilles sèches, et qu'il voyait des têtes minces filer entre les enlacements monstrueux des racines. Certains coins, les coins d'ombre humide, grouillaient d'un pullulement de reptiles, noirs, jaunes, violacés, zébrés, tigrés, pareils à des herbes mortes, brusquement réveillées et fuyantes. Alors, il s'arrêtait, il cherchait une pierre pour sortir de cette terre molle où il enfonçait ; il restait là des heures, avec l'épouvante de quelque boa, entrevu au fond d'une clairière, la queue roulée, la tête droite, se balançant comme un tronc énorme, taché de plaques d'or. La nuit, il dormait sur les arbres, inquiété par le moindre frôlement, croyant entendre des

écailles sans fin glisser dans les ténèbres. Il étouffait sous ces feuillages interminables ; l'ombre y
prenait une chaleur renfermée de fournaise, une
moiteur d'humidité, une sueur pestilentielle, chargée des arômes rudes des bois odorants et des
fleurs puantes. Puis, lorsqu'il se dégageait enfin,
lorsque, au bout de longues heures de marche,
il revoyait le ciel, l'homme se trouvait en face de
larges rivières qui lui barraient la route ; il les descendait, surveillant les échines grises des caïmans,
fouillant du regard les herbes charriées, passant
à la nage, quand il avait trouvé des eaux plus
rassurantes. Au-delà, les forêts recommençaient.
D'autres fois, c'était de vastes plaines grasses, des
lieues couvertes d'une végétation drue, bleuies de
loin en loin du miroir clair d'un petit lac. Alors,
l'homme faisait un grand détour, il n'avançait plus
qu'en tâtant le terrain, ayant failli mourir, ense-
veli sous une de ces plaines riantes qu'il entendait
craquer à chaque pas. L'herbe géante, nourrie par
l'humus amassé, recouvre des marécages empes-
tés, des profondeurs de boue liquide ; et il n'y a,
parmi les nappes de verdure, s'allongeant sur l'im-
mensité glauque, jusqu'au bord de l'horizon, que
d'étroites jetées de terre ferme, qu'il faut connaître
si l'on ne veut pas disparaître à jamais. L'homme,
un soir, s'était enfoncé jusqu'au ventre. À chaque
secousse qu'il tentait pour se dégager, la boue
semblait monter à sa bouche. Il resta tranquille
pendant près de deux heures. Comme la lune se
levait, il put heureusement saisir une branche
d'arbre, au-dessus de sa tête. Le jour où il arriva à
une habitation, ses pieds et ses mains saignaient,

meurtris, gonflés par des piqûres mauvaises. Il était si pitoyable, si affamé, qu'on eut peur de lui. On lui jeta à manger à cinquante pas de la maison, pendant que le maître gardait sa porte avec un fusil. »

Florent se tut, la voix coupée, les regards au loin. Il semblait ne plus parler que pour lui. La petite Pauline, que le sommeil prenait, s'abandonnait, la tête renversée, faisant des efforts pour tenir ouverts ses yeux émerveillés. Et Quenu se fâchait.

« Mais, animal ! criait-il à Léon, tu ne sais donc pas tenir un boyau... Quand tu me regarderas ! Ce n'est pas moi qu'il faut regarder, c'est le boyau... Là, comme cela. Ne bouge plus, maintenant. »

Léon, de la main droite, soulevait un long bout de boyau vide, dans l'extrémité duquel un entonnoir très évasé était adapté ; et, de la main gauche, il enroulait le boudin autour d'un bassin, d'un plat rond de métal, à mesure que le charcutier emplissait l'entonnoir à grandes cuillerées. La bouillie coulait, toute noire et toute fumante, gonflant peu à peu le boyau, qui retombait ventru, avec des courbes molles. Comme Quenu avait retiré la marmite du feu, ils apparaissaient tous deux, lui et Léon, l'enfant, d'un profil mince, lui, d'une face large, dans l'ardente lueur du brasier, qui chauffait leurs visages pâles et leurs vêtements blancs d'un ton rose.

Lisa et Augustine s'intéressaient à l'opération, Lisa surtout, qui gronda à son tour Léon, parce qu'il pinçait trop le boyau avec les doigts, ce qui produisait des nœuds, disait-elle. Quand le boudin fut emballé, Quenu le glissa doucement dans une marmite d'eau bouillante. Il parut tout soulagé, il n'avait plus qu'à le laisser cuire.

« Et l'homme, et l'homme ? » murmura de nouveau Pauline, rouvrant les yeux, surprise de ne plus entendre le cousin parler.

Florent la berçait sur son genou, ralentissant encore son récit, le murmurant comme un chant de nourrice.

« L'homme, dit-il, parvint à une grande ville. On le prit d'abord pour un forçat évadé ; il fut retenu plusieurs mois en prison... Puis on le relâcha, il fit toutes sortes de métiers, tint des comptes, apprit à lire aux enfants ; un jour même, il entra, comme homme de peine, dans des travaux de terrassement... L'homme rêvait toujours de revenir dans son pays. Il avait économisé l'argent nécessaire, lorsqu'il eut la fièvre jaune. On le crut mort, on s'était partagé ses habits ; et quand il en réchappa, il ne retrouva pas même une chemise... Il fallut recommencer. L'homme était très malade. Il avait peur de rester là-bas... Enfin, l'homme put partir, l'homme revint. »

La voix avait baissé de plus en plus. Elle mourut, dans un dernier frisson des lèvres. La petite Pauline dormait, ensommeillée par la fin de l'histoire, la tête abandonnée sur l'épaule du cousin. Il la soutenait du bras, il la berçait encore du genou, insensiblement, d'une façon douce. Et, comme on ne faisait plus attention à lui, il resta là, sans bouger, avec cette enfant endormie.

C'était le grand coup de feu, comme disait Quenu. Il retirait le boudin de la marmite. Pour ne point crever ni nouer les bouts ensemble, il les prenait avec un bâton, les enroulait, les portait dans la cour, où ils devaient sécher rapidement sur des claies. Léon l'aidait, soutenait les bouts trop longs. Ces guirlandes de boudin, qui traversaient la cuisine, toutes suantes, laissaient des traînées d'une fumée forte qui achevaient d'épaissir l'air. Auguste, donnant un dernier coup d'œil à la fonte du saindoux, avait, de son côté, découvert les deux marmites, où les graisses bouillaient lourdement, en laissant échapper, de chacun de leurs bouillons crevés, une légère explosion d'âcre vapeur. Le flot gras avait monté depuis le commencement de la veillée ; maintenant il noyait le gaz, emplissait la pièce, coulait partout, mettant dans un brouillard les blancheurs roussies de Quenu et de ses deux garçons. Lisa et Augustine s'étaient levées. Tous soufflaient comme s'ils venaient de trop manger.

Augustine monta sur ses bras Pauline endormie. Quenu, qui aimait à fermer lui-même la cuisine, congédia Auguste et Léon, en disant qu'il rentrerait le boudin. L'apprenti se retira très rouge ; il avait glissé dans sa chemise près d'un mètre de boudin, qui devait le griller. Puis, les Quenu et Florent, restés seuls, gardèrent le silence. Lisa, debout, mangeait un morceau de boudin tout chaud, qu'elle mordait à petits coups de dents, écartant ses belles lèvres pour ne pas les brûler ; et le bout noir s'en allait peu à peu dans tout ce rose.

« Ah bien ! dit-elle, la Normande a eu tort d'être mal polie... Il est bon, aujourd'hui, le boudin. »

On frappa à la porte de l'allée, Gavard entra. Il restait tous les soirs chez M. Lebigre jusqu'à minuit. Il venait pour avoir une réponse définitive, au sujet de la place d'inspecteur à la marée.

« Vous comprenez, expliqua-t-il, M. Verlaque ne peut attendre davantage, il est vraiment trop malade... Il faut que Florent se décide. J'ai promis de donner une réponse demain, à la première heure.

— Mais Florent accepte », répondit tranquillement Lisa, en donnant un nouveau coup de dents dans son boudin.

Florent, qui n'avait pas quitté sa chaise, pris d'un étrange accablement, essaya vainement de se lever et de protester.

« Non, non, reprit la charcutière, c'est chose entendue... Voyons, mon cher Florent, vous avez assez souffert. Ça fait frémir, ce que vous racontiez tout à l'heure... Il est temps que vous vous rangiez. Vous appartenez à une famille honorable, vous avez reçu de l'éducation, et c'est peu convenable, vraiment, de courir les chemins, en véritable gueux... À votre âge, les enfantillages ne sont plus permis... Vous avez fait des folies, eh bien, on les oubliera, on vous les pardonnera. Vous rentrerez dans votre classe, dans la classe des honnêtes gens, vous vivrez comme tout le monde, enfin. »

Florent l'écoutait, étonné, ne trouvant pas une parole. Elle avait raison, sans doute. Elle était si saine, si tranquille, qu'elle ne pouvait vouloir le mal. C'était lui, le maigre, le profil noir et louche, qui devait être mauvais et rêver des choses inavouables. Il ne savait plus pourquoi il avait résisté jusque-là.

Mais elle continua, abondamment, le gourmandant comme un petit garçon qui a fait des fautes et qu'on menace des gendarmes. Elle était très maternelle, elle trouvait des raisons très convaincantes. Puis, comme dernier argument :

« Faites-le pour nous, Florent, dit-elle. Nous tenons une certaine position dans le quartier, qui nous force à beaucoup de ménagements... J'ai peur qu'on ne jase, là, entre nous. Cette place arrangera tout, vous serez quelqu'un, même vous nous ferez honneur. »

Elle devenait caressante. Une plénitude emplissait Florent ; il était comme pénétré par cette odeur de la cuisine, qui le nourrissait de toute la nourriture dont l'air était chargé ; il glissait à la lâcheté heureuse de cette digestion continue du milieu gras où il vivait depuis quinze jours. C'était, à fleur de peau, mille chatouillements de graisse naissante, un lent envahissement de l'être entier, une douceur molle et boutiquière. À cette heure avancée de la nuit, dans la chaleur de cette pièce, ses âpretés, ses volontés se fondaient en lui ; il se sentait si alangui par cette soirée calme, par les parfums du boudin et du saindoux, par cette grosse Pauline endormie sur ses genoux, qu'il se surprit à vouloir passer d'autres soirées semblables, des soirées sans fin, qui l'engraisseraient. Mais ce fut surtout Mouton qui le détermina. Mouton dormait profondément, le ventre en l'air, une patte sur son nez, la queue ramenée contre ses flancs comme pour lui servir d'édredon ; et il dormait avec un tel bonheur de chat, que Florent murmura, en le regardant :

« Non ! c'est trop bête, à la fin... J'accepte. Dites que j'accepte, Gavard. »

Alors, Lisa acheva son boudin, s'essuyant les doigts, doucement, au bord de son tablier. Elle voulut préparer le bougeoir de son beau-frère, pendant que Gavard et Quenu le félicitaient de sa détermination. Il fallait faire une fin après tout ; les casse-cou de la politique ne nourrissent pas. Et elle, debout, le bougeoir allumé, regardait Florent d'un air satisfait, avec sa belle face tranquille de vache sacrée[1].

III

Trois jours plus tard, les formalités étaient faites, la préfecture acceptait Florent des mains de M. Verlaque, presque les yeux fermés, à simple titre de remplaçant, d'ailleurs[1]. Gavard avait voulu les accompagner. Quand il se retrouva seul avec Florent, sur le trottoir, il lui donna des coups de coude dans les côtes, riant sans rien dire, avec des clignements d'yeux goguenards. Les sergents de ville qu'il rencontra sur le quai de l'Horloge[2] lui parurent sans doute très ridicules ; car, en passant devant eux, il eut un léger renflement de dos, une moue d'homme qui se retient pour ne pas éclater au nez des gens.

Dès le lendemain, M. Verlaque commença à mettre le nouvel inspecteur au courant de la besogne. Il devait, pendant quelques matinées, le guider au milieu du monde turbulent qu'il allait avoir à surveiller. Ce pauvre Verlaque, comme le nommait Gavard, était un petit homme pâle, toussant beaucoup, emmailloté de flanelle, de foulards, de cache-nez, se promenant dans l'humidité fraîche et dans les eaux courantes de la

poissonnerie, avec des jambes maigres d'enfant
maladif.

Le premier matin, lorsque Florent arriva à sept
heures, il se trouva perdu, les yeux effarés, la tête
cassée. Autour des neuf bancs de criée, rôdaient
déjà des revendeuses, tandis que les employés
arrivaient avec leurs registres, et que les agents
des expéditeurs, portant en sautoir des gibe-
cières de cuir, attendaient la recette, assis sur des
chaises renversées, contre les bureaux de vente.
On déchargeait, on déballait la marée, dans l'enceinte fermée des bancs, et jusque sur les trottoirs.
C'était, le long du carreau, des amoncellements de
petites bourriches, un arrivage continu de caisses
et de paniers, des sacs de moules empilés laissant
couler des rigoles d'eau. Les compteurs-verseurs,
très affairés, enjambant les tas, arrachaient d'une
poignée la paille des bourriches, les vidaient,
les jetaient, vivement ; et, sur les larges mannes
rondes, en un seul coup de main, ils distribuaient
les lots, leur donnaient une tournure avantageuse.
Quand les mannes s'étalèrent, Florent put croire
qu'un banc de poissons venait d'échouer là, sur ce
trottoir, râlant encore, avec les nacres roses, les
coraux saignants, les perles laiteuses, toutes les
moires et toutes les pâleurs glauques de l'Océan.

Pêle-mêle, au hasard du coup de filet, les algues
profondes, où dort la vie mystérieuse des grandes
eaux, avaient tout livré : les cabillauds, les aigle-
fins, les carrelets, les plies, les limandes, bêtes
communes, d'un gris sale, aux taches blanchâtres ;
les congres, ces grosses couleuvres d'un bleu de
vase, aux minces yeux noirs, si gluantes qu'elles

semblent ramper, vivantes encore ; les raies élargies, à ventre pâle bordé de rouge tendre, dont les dos superbes, allongeant les nœuds saillants de l'echine, se marbrent, jusqu'aux baleines tendues des nageoires, de plaques de cinabre coupées par des zébrures de bronze florentin, d'une bigarrure assombrie de crapaud et de fleur malsaine ; les chiens de mer, horribles, avec leurs têtes rondes, leurs bouches largement fendues d'idoles chinoises, leurs courtes ailes de chauvessouris charnues, monstres qui doivent garder de leurs abois les trésors des grottes marines. Puis, venaient les beaux poissons, isolés, un sur chaque plateau d'osier : les saumons, d'argent guilloché, dont chaque écaille semble un coup de burin dans le poli du métal ; les mulets, d'écailles plus fortes, de ciselures plus grossières ; les grands turbots, les grandes barbues, d'un grain serré et blanc comme du lait caillé ; les thons, lisses et vernis, pareils à des sacs de cuir noirâtre ; les bars arrondis, ouvrant une bouche énorme, faisant songer à quelque âme trop grosse, rendue à pleine gorge, dans la stupéfaction de l'agonie. Et, de toutes parts, les soles, par paires, grises ou blondes, pullulaient ; les équilles minces, raidies, ressemblaient à des rognures d'étain ; les harengs, légèrement tordus, montraient tous, sur leurs robes lamées, la meurtrissure de leurs ouïes saignantes ; les dorades grasses se teintaient d'une pointe de carmin, tandis que les maquereaux, dorés, le dos strié de brunissures verdâtres, faisaient luire la nacre changeante de leurs flancs, et que les grondins roses, à ventres blancs, les têtes rangées au centre des mannes, les queues rayonnantes, épanouissaient d'étranges floraisons, panachées de blanc de perle et de vermillon vif. Il y avait encore des rougets de roche, à la chair exquise, du rouge enluminé des cyprins, des caisses de merlans aux reflets d'opale, des paniers d'éperlans, de petits paniers propres, jolis comme des paniers de fraises, qui laissaient échapper une odeur puissante de violette. Cependant, les crevettes roses, les crevettes grises, dans des bourriches, mettaient, au milieu de la douceur effacée de leurs tas, les imperceptibles boutons de jais de leurs milliers d'yeux ; les langoustes épineuses, les homards tigrés de noir, vivants encore, se traînant sur leurs pattes cassées, craquaient.

Florent écoutait mal les explications de M. Verlaque. Une barre de soleil, tombant du haut vitrage de la rue couverte, vint allumer ces couleurs précieuses, lavées et attendries par la vague, irisées et fondues dans les tons de chair des coquillages, l'opale des merlans, la nacre des maquereaux, l'or des rougets, la robe lamée des harengs, les grandes pièces d'argenterie des saumons. C'était comme les écrins, vidés à terre, de quelque fille des eaux, des parures inouïes et bizarres, un ruissellement, un entassement de colliers, de bracelets monstrueux, de broches gigantesques, de bijoux barbares, dont l'usage échappait. Sur le dos des raies et des chiens de mer, de grosses pierres sombres, violâtres, verdâtres, s'enchâssaient dans un métal noirci ; et les minces barres des équilles, les queues et les nageoires des éperlans, avaient des délicatesses de bijouterie fine.

Mais ce qui montait à la face de Florent, c'était un souffle frais, un vent de mer qu'il reconnaissait, amer et salé. Il se souvenait des côtes de la Guyane, des beaux temps de la traversée. Il lui semblait qu'une baie était là, quand l'eau se retire et que les algues fument au soleil ; les roches mises à nu s'essuient, le gravier exhale une haleine forte de marée. Autour de lui, le poisson, d'une grande fraîcheur, avait un bon parfum, ce parfum un peu âpre et irritant qui déprave l'appétit.

M. Verlaque toussa. L'humidité le pénétrait, il se serrait plus étroitement dans son cache-nez.

« Maintenant, dit-il, nous allons passer au poisson d'eau douce. »

Là, du côté du pavillon aux fruits, et le dernier vers la rue Rambuteau, le banc de la criée est entouré de deux viviers circulaires, séparés en cases distinctes par des grilles de fonte. Des robinets de cuivre, à col de cygne, jettent de minces filets d'eau. Dans chaque case, il y a des grouillements confus d'écrevisses, des nappes mouvantes de dos noirâtres de carpes, des nœuds vagues d'anguilles, sans cesse dénoués et renoués. M. Verlaque fut repris d'une toux opiniâtre. L'humidité était plus fade, une odeur molle de rivière, d'eau tiède endormie sur le sable.

L'arrivage des écrevisses d'Allemagne, en boîtes et en paniers, était très fort ce matin-là. Les poissons blancs de Hollande et d'Angleterre encombraient aussi le marché. On déballait les carpes du Rhin, mordorées, si belles avec leurs roussissures métalliques, et dont les plaques d'écailles ressemblent à des émaux cloisonnés et bronzés ;

les grands brochets, allongeant leurs becs féroces, brigands des eaux, rudes, d'un gris de fer ; les tanches, sombres et magnifiques, pareilles à du cuivre rouge taché de vert-de-gris. Au milieu de ces dorures sévères, les mannes de goujons et de perches, les lots de truites, les tas d'ablettes communes, de poissons plats pêchés à l'épervier, prenaient des blancheurs vives, des échines bleuâtres d'acier peu à peu amollies dans la douceur transparente des ventres ; et de gros barbillons, d'un blanc de neige, étaient la note aiguë de lumière de cette colossale nature morte. Doucement, dans les viviers, on versait des sacs de jeunes carpes ; les carpes tournaient sur elles-mêmes, restaient un instant à plat, puis filaient, se perdaient. Des paniers de petites anguilles se vidaient d'un bloc, tombaient au fond des cases comme un seul nœud de serpents ; tandis que les grosses, celles qui avaient l'épaisseur d'un bras d'enfant, levant la tête, se glissaient d'elles-mêmes sous l'eau, du jet souple des couleuvres qui se cachent dans un buisson. Et couchés sur l'osier sali des mannes, des poissons dont le râle durait depuis le matin, achevaient longuement de mourir, au milieu du tapage des criées ; ils ouvraient la bouche, les flancs serrés, comme pour boire l'humidité de l'air, et ces hoquets silencieux, toutes les trois secondes, bâillaient démesurément.

Cependant M. Verlaque avait ramené Florent aux bancs de la marée. Il le promenait, lui donnait des détails très compliqués. Aux trois côtés intérieurs du pavillon, autour des neuf bureaux, des flots de foule s'étaient massés, qui faisaient sur chaque bord des tas de têtes moutonnantes, dominées par des employés, assis et haut perchés, écrivant sur des registres.

« Mais, demanda Florent, est-ce que ces employés appartiennent tous aux facteurs ? »

Alors, M. Verlaque, faisant le tour par le trottoir, l'amena dans l'enceinte d'un des bancs de criée. Il lui expliqua les cases et le personnel du grand bureau de bois jaune, puant le poisson, maculé par les éclaboussures des mannes. Tout en haut, dans la cabine vitrée, l'agent des perceptions municipales prenait les chiffres des enchères. Plus bas, sur des chaises élevées, les poignets appuyés à d'étroits pupitres, étaient assises les deux femmes qui tenaient les tablettes de vente pour le compte du facteur. Le banc est double ; de chaque côté, à un bout de la table de pierre qui s'allonge devant le bureau, un crieur posait les mannes, mettait à prix les lots et les grosses pièces ; tandis que la tablettière, au-dessus de lui, la plume aux doigts, attendait l'adjudication. Et il lui montra, en dehors de l'enceinte, en face, dans une autre cabine de bois jaune, la caissière, une vieille et énorme femme, qui rangeait des piles de sous et de pièces de cinq francs.

« Il y a deux contrôles, disait-il, celui de la préfecture de la Seine et celui de la préfecture de police. Cette dernière, qui nomme les facteurs, prétend avoir la charge de les surveiller. L'administration de la Ville, de son côté, entend assister à des transactions qu'elle frappe d'une taxe. »

Il continua de sa petite voix froide, racontant tout au long la querelle des deux préfectures.

Florent ne l'écoutait guère. Il regardait la tablettière qu'il avait en face de lui, sur une des hautes chaises. C'était une grande fille brune, de trente ans, avec de gros yeux noirs, l'air très posé ; elle écrivait, les doigts allongés, en demoiselle qui a reçu de l'instruction.

Mais son attention fut détournée par le glapissement du crieur, qui mettait un magnifique turbot aux enchères.

« Il y a marchand à trente francs !... à trente francs !... à trente francs ! »

Il répétait ce chiffre sur tous les tons, montant une gamme étrange, pleine de soubresauts. Il était bossu, la face de travers, les cheveux ébouriffés, avec un grand tablier bleu à bavette. Et le bras tendu, violemment, les yeux jetant des flammes :

« Trente-un ! trente-deux ! trente-trois ! trente-trois cinquante !... trente-trois cinquante !... »

Il reprit haleine, tournant la manne, l'avançant sur la table de pierre, tandis que des poissonnières se penchaient, touchaient le turbot, légèrement, du bout du doigt. Puis, il repartit, avec une furie nouvelle, jetant un chiffre de la main à chaque enchérisseur, surprenant les moindres signes, les doigts levés, les haussements de sourcils, les avancements de lèvres, les clignements d'yeux ; et cela avec une telle rapidité, un tel bredouillement, que Florent, qui ne pouvait le suivre, resta déconcerté quand le bossu, d'une voix plus chantante, psalmodia d'un ton de chantre qui achève un verset :

« Quarante-deux ! quarante-deux !... à quarante-deux francs le turbot ! »

C'était la belle Normande qui avait mis la der-

nière enchère. Florent la reconnut, sur la ligne
des poissonnières, rangées contre les tringles de
fer qui fermaient l'enceinte de la criée. La matinée
était fraîche. Il y avait là une file de palatines[1], un
étalage de grands tabliers blancs, arrondissant des
ventres, des gorges, des épaules énormes. Le chignon haut, tout garni de frisons, la chair blanche
et délicate, la belle Normande montrait son nœud
de dentelle, au milieu des tignasses crépues,
coiffées d'un foulard, des nez d'ivrognesses, des
bouches insolemment fendues, des faces égueu-
lées comme des pots cassés. Elle aussi reconnut
le cousin de Mme Quenu, surprise de le voir là, au
point d'en chuchoter avec ses voisines.

Le vacarme des voix devenait tel, que M. Verlaque renonça à ses explications. Sur le carreau,
des hommes annonçaient les grands poissons,
avec des cris prolongés qui semblaient sortir de
porte-voix gigantesques ; un surtout qui hurlait :
« La moule ! la moule ! » d'une clameur rauque et
brisée, dont les toitures des Halles tremblaient.
Les sacs de moules, renversés, coulaient dans
des paniers ; on en vidait d'autres à la pelle. Les
mannes défilaient, les raies, les soles, les maquereaux, les congres, les saumons, apportés et rem-
portés par les compteurs-verseurs, au milieu des
bredouillements qui redoublaient, et de l'écrasement des poissonnières qui faisaient craquer les
barres de fer. Le crieur, le bossu, allumé, battant
l'air de ses bras maigres, tendait les mâchoires en
avant. À la fin, il monta sur un escabeau, fouetté
par les chapelets de chiffres qu'il lançait à toute
volée, la bouche tordue, les cheveux en coup de

vent, n'arrachant plus à son gosier séché qu'un sifflement inintelligible. En haut, l'employé des perceptions municipales, un petit vieux tout emmitouflé dans un collet de faux astrakan, ne montrait que son nez, sous sa calotte de velours noir ; et la grande tablettière brune, sur sa haute chaise de bois, écrivait paisiblement, les yeux calmes dans sa face un peu rougie par le froid, sans seulement battre des paupières, aux bruits de crécelle du bossu, qui montaient le long de ses jupes.

« Ce Logre est superbe, murmura M. Verlaque en souriant. C'est le meilleur crieur du marché... Il vendrait des semelles de bottes pour des paires de soles. »

Il revint avec Florent dans le pavillon. En passant de nouveau devant la criée du poisson d'eau douce, où les enchères étaient plus froides, il lui dit que cette vente baissait, que la pêche fluviale en France se trouvait fort compromise. Un crieur, de mine blonde et chafouine, sans un geste, adjugeait d'une voix monotone des lots d'anguilles et d'écrevisses ; tandis que, le long des viviers, les compteurs-verseurs allaient, pêchant avec des filets à manches courts.

Cependant, la cohue augmentait autour des bureaux de vente. M. Verlaque remplissait en toute conscience son rôle d'instructeur, s'ouvrant un passage à coups de coude, continuant à promener son successeur au plus épais des enchères. Les grandes revendeuses étaient là, paisibles, attendant les belles pièces, chargeant sur les épaules des porteurs les thons, les turbots, les saumons. À terre, les marchandes des rues se partageaient des mannes de harengs et de petites limandes, achetées en commun. Il y avait encore des bourgeois, quelques rentiers des quartiers lointains, venus à quatre heures du matin pour faire l'emplette d'un poisson frais, et qui finissaient par se laisser adjuger tout un lot énorme, quarante à cinquante francs de marée, qu'ils mettaient ensuite la journée entière à céder aux personnes de leurs connaissances. Des poussées enfonçaient brusquement des coins de foule. Une poissonnière, trop serrée, se dégagea, les poings levés, le cou gonflé d'ordures. Puis, des murs compacts se formaient. Alors, Florent qui étouffait, déclara qu'il avait assez vu, qu'il avait compris.

Comme M. Verlaque l'aidait à se dégager, ils se trouvèrent face à face avec la belle Normande. Elle resta plantée devant eux ; et, de son air de reine :

« Est-ce que c'est bien décidé, monsieur Verlaque, vous nous quittez ?

— Oui, oui, répondit le petit homme. Je vais me reposer à la campagne, à Clamart. Il paraît que l'odeur du poisson me fait mal... Tenez, voici monsieur qui me remplace. »

Il s'était tourné, en montrant Florent. La belle Normande fut suffoquée. Et comme Florent s'éloignait, il crut l'entendre murmurer à l'oreille de ses voisines, avec des rires étouffés : « Ah bien ! nous allons nous amuser, alors ! »

Les poissonnières faisaient leur étalage. Sur tous les bancs de marbre, les robinets des angles coulaient à la fois, à grande eau. C'était un bruit

d'averse, un ruissellement de jets roides qui sonnaient et rejaillissaient ; et du bord des bancs incli-
nés, de grosses gouttes filaient, tombant avec un
murmure adouci de source, s'éclaboussant dans
les allées, où de petits ruisseaux couraient, emplissaient d'un lac certains trous, puis repartaient en
mille branches, descendaient la pente, vers la
rue Rambuteau. Une buée d'humidité montait,
une poussière de pluie, qui soufflait au visage de
Florent cette haleine fraîche, ce vent de mer qu'il
reconnaissait, amer et salé ; tandis qu'il retrouvait,
dans les premiers poissons étalés, les nacres roses,
les coraux saignants, les perles laiteuses, toutes les
moires et toutes les pâleurs glauques de l'Océan.

Cette première matinée le laissa très hésitant.
Il regrettait d'avoir cédé à Lisa. Dès le lendemain,
échappé à la somnolence grasse de la cuisine, il
s'était accusé de lâcheté avec une violence qui
avait presque mis des larmes dans ses yeux. Mais
il n'osa revenir sur sa parole, Lisa l'effrayait un
peu ; il voyait le pli de ses lèvres, le reproche muet
de son beau visage. Il la traitait en femme trop
sérieuse et trop satisfaite pour être contrariée.
Gavard, heureusement, lui inspira une idée qui le
consola. Il le prit à part, le soir même du jour où
M. Verlaque l'avait promené au milieu des criées,
lui expliquant, avec beaucoup de réticences, que
« ce pauvre diable » n'était pas heureux. Puis,
après d'autres considérations sur ce gredin de
gouvernement qui tuait ses employés à la peine,
sans leur assurer seulement de quoi mourir, il
se décida à faire entendre qu'il serait charitable
d'abandonner une partie des appointements à l'an-

cien inspecteur. Florent accueillit cette idée avec joie. C'était trop juste, il se considérait comme le remplaçant intérimaire de M. Verlaque ; d'ailleurs, lui, n'avait besoin de rien, puisqu'il couchait et qu'il mangeait chez son frère. Gavard ajouta que, sur les cent cinquante francs mensuels, un abandon de cinquante francs lui paraissait très joli, et, en baissant la voix, il fit remarquer que ça ne durerait pas longtemps, car le malheureux était vraiment poitrinaire jusqu'aux os. Il fut convenu que Florent verrait la femme, s'entendrait avec elle, pour ne pas blesser le mari. Cette bonne action le soulageait, il acceptait maintenant l'emploi avec une pensée de dévouement, il restait dans le rôle de toute sa vie. Seulement, il fit jurer au marchand de volailles de ne parler à personne de cet arrangement. Comme celui-ci avait aussi une vague terreur de Lisa, il garda le secret, chose très méritoire.

Alors, toute la charcuterie fut heureuse. La belle Lisa se montrait très amicale pour son beau-frère ; elle l'envoyait se coucher de bonne heure, afin qu'il pût se lever matin ; elle lui tenait son déjeuner bien chaud ; elle n'avait plus honte de causer avec lui sur le trottoir, maintenant qu'il portait une casquette galonnée. Quenu, ravi de ces bonnes dispositions, ne s'était jamais si carrément attablé, le soir, entre son frère et sa femme. Le dîner se prolongeait souvent jusqu'à neuf heures, pendant qu'Augustine restait au comptoir. C'était une longue digestion, coupée des histoires du quartier, des jugements positifs portés par la charcutière sur la politique. Florent devait dire

comment avait marché la vente de la marée. Il
s'abandonnait peu à peu, arrivait à goûter la béatitude de cette vie réglée. La salle à manger jaune
clair avait une netteté et une tiédeur bourgeoises
qui l'amollissaient dès le seuil. Les bons soins
de la belle Lisa mettaient autour de lui un duvet
chaud, où tous ses membres enfonçaient. Ce fut
une heure d'estime et de bonne entente absolues.

Mais Gavard jugeait l'intérieur des Quenu-
Gradelle trop endormi. Il pardonnait à Lisa ses
tendresses pour l'empereur, parce que, disait-il, il
ne faut jamais causer politique avec les femmes,
et que la belle charcutière était, après tout, une
femme très honnête qui faisait aller joliment son
commerce. Seulement, par goût, il préférait passer
ses soirées chez M. Lebigre, où il retrouvait tout
un petit groupe d'amis qui avaient ses opinions.
Quand Florent fut nommé inspecteur de la marée,
il le débaucha, il l'emmena pendant des heures,
le poussant à vivre en garçon, maintenant qu'il
avait une place.

M. Lebigre tenait un fort bel établissement, d'un
luxe tout moderne. Placé à l'encoignure droite de
la rue Pirouette, sur la rue Rambuteau[1], flanqué
de quatre petits pins de Norvège dans des caisses
peintes en vert, il faisait un digne pendant à la
grande charcuterie des Quenu-Gradelle. Les glaces
claires laissaient voir la salle, ornée de guirlandes
de feuillages, de pampres et de grappes, sur un
fond vert tendre. Le dallage était blanc et noir, à
grands carreaux. Au fond, le trou béant de la cave
s'ouvrait sous l'escalier tournant, à draperie rouge,
qui menait au billard du premier étage. Mais le

comptoir surtout, à droite, était très riche, avec son large reflet d'argent poli. Le zinc retombant sur le soubassement de marbre blanc et rouge, en une haute bordure gondolée, l'entourait d'une moire, d'une nappe de métal, comme un maître-autel chargé de ses broderies. À l'un des bouts, les théières de porcelaine pour le vin chaud et le punch, cerclées de cuivre, dormaient sur le fourneau à gaz ; à l'autre bout, une fontaine de marbre, très élevée, très sculptée, laissait tomber perpétuellement dans une cuvette un fil d'eau si continu, qu'il semblait immobile ; et, au milieu, au centre des trois pentes du zinc, se creusait un bassin à rafraîchir et à rincer, où des litres entamés alignaient leurs cols verdâtres. Puis, l'armée des verres, rangée par bandes, occupait les deux côtés : les petits verres pour l'eau-de-vie, les gobelets épais pour les canons, les coupes pour les fruits, les verres à absinthe, les chopes, les grands verres à pied, tous renversés, le cul en l'air, reflétant dans leur pâleur les luisants du comptoir. Il y avait encore, à gauche, une urne de melchior montée sur un pied qui servait de tronc ; tandis que, à droite, une urne semblable se hérissait d'un éventail de petites cuillers.

D'ordinaire, M. Lebigre trônait derrière le comptoir, assis sur une banquette de cuir rouge capitonné. Il avait sous la main les liqueurs, des flacons de cristal taillé, à moitié enfoncés dans les trous d'une console ; et il appuyait son dos rond à une immense glace tenant tout le panneau, traversée par deux étagères, deux lames de verre qui supportaient des bocaux et des bouteilles. Sur l'une, les bocaux de fruits, les cerises, les prunes, les pêches, mettaient leurs taches assombries ; sur l'autre, entre des paquets de biscuits symétriques, des fioles claires, vert tendre, rouge tendre, jaune tendre, faisaient rêver à des liqueurs inconnues, à des extraits de fleurs d'une limpidité exquise. Il semblait que ces fioles fussent suspendues en l'air, éclatantes et comme allumées, dans la grande lueur blanche de la glace.

Pour donner à son établissement un air de café, M. Lebigre avait placé, en face du comptoir, contre le mur, deux petites tables de fonte vernie, avec quatre chaises. Un lustre à cinq becs et à globes dépolis pendait du plafond. L'œil-de-bœuf, une horloge toute dorée, était à gauche, au-dessus d'un tourniquet scellé dans la muraille. Puis, au fond, il y avait le cabinet particulier, un coin de la boutique que séparait une cloison, aux vitres blanchies par un dessin à petits carreaux ; pendant le jour, une fenêtre qui s'ouvrait sur la rue Pirouette l'éclairait d'une clarté louche ; le soir, un bec de gaz y brûlait, au-dessus de deux tables peintes en faux marbre. C'était là que Gavard et ses amis politiques se réunissaient après leur dîner, chaque soir. Ils s'y regardaient comme chez eux, ils avaient habitué le patron à leur réserver la place. Quand le dernier venu avait tiré la porte de la cloison vitrée, ils se savaient si bien gardés, qu'ils parlaient très carrément « du grand coup de balai ». Pas un consommateur n'aurait osé entrer.

Le premier jour, Gavard donna à Florent quelques détails sur M. Lebigre. C'était un brave homme qui venait parfois prendre son café avec eux. On ne se gênait pas devant lui, parce qu'il avait dit un jour qu'il s'était battu en 48. Il causait peu, paraissait bêta. En passant, avant d'entrer dans le cabinet, chacun de ces messieurs lui donnait une poignée de main silencieuse, par-dessus les verres et les bouteilles. Le plus souvent, il avait à côté de lui, sur la banquette de cuir rouge, une petite femme blonde, une fille qu'il avait prise pour le service du comptoir, outre le garçon à tablier blanc qui s'occupait des tables et du billard. Elle se nommait Rose, était très douce, très soumise. Gavard, clignant de l'œil, raconta à Florent qu'elle poussait la soumission fort loin avec le patron. D'ailleurs, ces messieurs se faisaient servir par Rose, qui entrait et qui sortait, de son air humble et heureux, au milieu des plus orageuses discussions politiques.

Le jour où le marchand de volailles présenta Florent à ses amis, ils ne trouvèrent, en entrant dans le cabinet vitré, qu'un monsieur d'une cinquantaine d'années, à l'air pensif et doux, avec un chapeau douteux et un grand pardessus marron. Le menton appuyé sur la pomme d'ivoire d'un gros jonc, en face d'une chope pleine, il avait la bouche tellement perdue au fond d'une forte barbe, que sa face semblait muette et sans lèvres.

« Comment va, Robine ? » demanda Gavard.

Robine allongea silencieusement une poignée de main, sans répondre, les yeux adoucis encore par un vague sourire de salut ; puis, il remit le menton sur la pomme de sa canne, et regarda Florent par-dessus sa chope. Celui-ci avait fait jurer à Gavard de ne pas conter son histoire, pour évi-

ter les indiscrétions dangereuses ; il ne lui déplut
pas de voir quelque méfiance dans l'attitude pru-
dente de ce monsieur à forte barbe. Mais il se
trompait. Jamais Robine ne parlait davantage.
Il arrivait toujours le premier, au coup de huit
heures, s'asseyait dans le même coin, sans lâcher
sa canne, sans ôter ni son chapeau, ni son pardessus ; personne n'avait vu Robine sans chapeau sur
la tête. Il restait là, à écouter les autres, jusqu'à
minuit, mettant quatre heures à vider sa chope,
regardant successivement ceux qui parlaient,
comme s'il eût entendu avec les yeux. Quand Florent, plus tard, questionna Gavard sur Robine,
celui-ci parut en faire un grand cas ; c'était un
homme très fort ; sans pouvoir dire nettement où
il avait fait ses preuves, il le donna comme un des
hommes d'opposition les plus redoutés du gouvernement. Il habitait, rue Saint-Denis, un logement où personne ne pénétrait. Le marchand de
volailles racontait pourtant y être allé une fois.
Les parquets cirés étaient garantis par des chemins de toile verte ; il y avait des housses et une
pendule d'albâtre à colonnes. Mme Robine, qu'il
croyait avoir vue de dos, entre deux portes, devait
être une vieille dame très comme il faut, coiffée
avec des anglaises, sans qu'il pût pourtant l'affirmer. On ignorait pourquoi le ménage était venu se
loger dans le tapage d'un quartier commerçant ; le
mari ne faisait absolument rien, passait ses journées on ne savait où, vivait d'on ne savait quoi, et
apparaissait chaque soir, comme las et ravi d'un
voyage sur les sommets de la haute politique.

« Eh bien, et ce discours du trône, vous l'avez

lu[1] ? » demanda Gavard, en prenant un journal sur la table.

Robine haussa les épaules. Mais la porte de la cloison vitrée claqua violemment, un bossu parut. Florent reconnut le bossu de la criée, les mains lavées, proprement mis, avec un grand cache-nez rouge, dont un bout pendait sur sa bosse, comme le pan d'un manteau vénitien.

« Ah ! voici Logre, reprit le marchand de volailles. Il va nous dire ce qu'il pense du discours du trône, lui. »

Mais Logre était furieux. Il faillit arracher la patère en accrochant son chapeau et son cache-nez. Il s'assit violemment, donna un coup de poing sur la table, rejeta le journal, en disant :

« Est-ce que je lis ça, moi, leurs sacrés mensonges ! »

Puis il éclata.

« A-t-on jamais vu des patrons se ficher du monde comme ça ! Il y a deux heures que j'attends mes appointements. Nous étions une dizaine dans le bureau. Ah bien, oui ! faites le pied de grue, mes agneaux… M. Manoury est enfin arrivé, en voiture, de chez quelque gueuse, bien sûr. Ces facteurs, ça vole, ça se goberge[2]… Et encore, il m'a tout donné en grosse monnaie, ce cochon-là. »

Robine épousait la querelle de Logre, d'un léger mouvement de paupières. Le bossu, brusquement, trouva une victime.

« Rose ! Rose ! » appela-t-il, en se penchant hors du cabinet.

Et, quand la jeune femme fut en face de lui, toute tremblante :

« Eh bien, quoi ! quand vous me regarderez !...
Vous me voyez entrer et vous ne m'apportez pas
mon mazagran[1] ! »

Gavard commanda deux autres mazagrans.
Rose se hâta de servir les trois consommations,
sous les yeux sévères de Logre, qui semblait étudier les verres et les petits plateaux de sucre. Il but
une gorgée, il se calma un peu.

« C'est Charvet, dit-il au bout d'un instant, qui
doit en avoir assez... Il attend Clémence sur le
trottoir. »

Mais Charvet entra, suivi de Clémence. C'était
un grand garçon osseux, soigneusement rasé, avec
un nez maigre et des lèvres minces, qui demeurait
rue Vavin, derrière le Luxembourg. Il se disait professeur libre. En politique, il était hébertiste[2]. Les
cheveux longs et arrondis, les revers de sa redingote râpée extrêmement rabattus, il jouait d'ordinaire au conventionnel, avec un flot de paroles
aigres, une érudition si étrangement hautaine,
qu'il battait d'ordinaire ses adversaires. Gavard
en avait peur, sans l'avouer ; il déclarait, quand
Charvet n'était pas là, qu'il allait véritablement
trop loin. Robine approuvait tout, des paupières.
Logre seul tenait quelquefois tête à Charvet, sur
la question des salaires. Mais Charvet restait le
despote du groupe, étant le plus autoritaire et le
plus instruit. Depuis plus de dix ans, Clémence
et lui vivaient maritalement, sur des bases débat-
tues, selon un contrat strictement observé de part
et d'autre. Florent, qui regardait la jeune femme
avec quelque étonnement, se rappela enfin où il
l'avait vue ; elle n'était autre que la grande tablet-

tière brune qui écrivait, les doigts très allongés, en demoiselle ayant reçu de l'instruction.

Rose parut sur les talons des deux nouveaux venus ; elle posa, sans rien dire, une chope devant Charvet, et un plateau devant Clémence, qui se mit à préparer posément son grog, versant l'eau chaude sur le citron, qu'elle écrasait à coups de cuiller, sucrant, mettant le rhum en consultant le carafon, pour ne pas dépasser le petit verre réglementaire. Alors, Gavard présenta Florent à ces messieurs, particulièrement à Charvet. Il les donna l'un à l'autre comme des professeurs, des hommes très capables, qui s'entendraient. Mais il était à croire qu'il avait déjà commis quelque indiscrétion, car tous échangèrent des poignées de main, en se serrant les doigts fortement, d'une façon maçonnique. Charvet lui-même fut presque aimable. On évita, d'ailleurs, de faire aucune allusion.

« Est-ce que Manoury vous a payée en monnaie ? » demanda Logre à Clémence.

Elle répondit oui, elle sortit des rouleaux de pièces d'un franc et de deux francs, qu'elle déplia. Charvet la regardait ; il suivait les rouleaux qu'elle remettait un à un dans sa poche, après en avoir vérifié le contenu.

« Il faudra faire nos comptes, dit-il à demi-voix.

— Certainement, ce soir, murmura-t-elle. D'ailleurs, ça doit se balancer J'ai déjeuné avec toi quatre fois, n'est-ce pas ? mais je t'ai prêté cent sous, la semaine dernière. »

Florent, surpris, tourna la tête pour ne pas être indiscret. Et, comme Clémence avait fait dispa-

raître le dernier rouleau, elle but une gorgée de
grog, s'adossa à la cloison vitrée, et écouta tranquillement les hommes qui parlaient politique.
Gavard avait repris le journal, lisant, d'une voix
qu'il cherchait à rendre comique, des lambeaux du
discours du trône prononcé le matin, à l'ouverture
des Chambres. Alors Charvet eut beau jeu, avec
cette phraséologie officielle ; il n'en laissa pas une
ligne debout. Une phrase surtout les amusa énor-
mément : « Nous avons la confiance, messieurs,
qu'appuyé sur vos lumières et sur les sentiments
conservateurs du pays, nous arriverons à augmen-
ter de jour en jour la prospérité publique. » Logre,
debout, déclama cette phrase ; il imitait très bien
avec le nez la voix pâteuse de l'empereur.

« Elle est belle, sa prospérité, dit Charvet. Tout
le monde crève la faim.

— Le commerce va très mal, affirma Gavard.

— Et puis, qu'est-ce que c'est que ça, un monsieur "appuyé sur des lumières" » ? reprit Clémence, qui se piquait de littérature.

Robine lui-même laissa échapper un petit rire,
du fond de sa barbe. La conversation s'échauffait.
On en vint au Corps législatif, qu'on traita très
mal. Logre ne décolérait pas, Florent retrouvait
en lui le beau crieur du pavillon de la marée, la
mâchoire en avant, les mains jetant les mots dans
le vide, l'attitude ramassée et aboyante ; il causait
ordinairement politique de l'air furibond dont il
mettait une manne de soles aux enchères. Charvet,
lui, devenait plus froid, dans la buée des pipes et
du gaz, dont s'emplissait l'étroit cabinet ; sa voix
prenait des sécheresses de couperet, pendant que

Robine dodelinait doucement de la tête, sans que son menton quittât l'ivoire de sa canne. Puis, sur un mot de Gavard, on arriva à parler des femmes.

« La femme, déclara nettement Charvet, est l'égale de l'homme ; et, à ce titre, elle ne doit pas le gêner dans la vie. Le mariage est une association... Tout par moitié, n'est-ce pas, Clémence ?

— Évidemment », répondit la jeune femme, la tête contre la cloison, les yeux en l'air.

Mais Florent vit entrer le marchand des quatre-saisons, Lacaille, et Alexandre, le fort, l'ami de Claude Lantier. Ces deux hommes étaient long-temps restés à l'autre table du cabinet ; ils n'appar-tenaient pas au même monde que ces messieurs. Puis, la politique aidant, leurs chaises se rappro-chèrent, ils firent partie de la société. Charvet, aux yeux duquel ils représentaient le peuple, les endoctrina fortement, tandis que Gavard faisait le boutiquier sans préjugés en trinquant avec eux. Alexandre avait une belle gaieté ronde de colosse, un air de grand enfant heureux. Lacaille, aigri, grisonnant déjà, courbaturé chaque soir par son éternel voyage dans les rues de Paris, regardait parfois d'un œil louche la placidité bourgeoise, les bons souliers et le gros paletot de Robine. Ils se firent servir chacun un petit verre, et la conversa-tion continua, plus tumultueuse et plus chaude, maintenant que la société était au complet.

Ce soir-là, Florent, par la porte entrebâillée de la cloison, aperçut encore Mlle Saget, debout devant le comptoir. Elle avait tiré une bouteille de dessous son tablier, elle regardait Rose, qui l'emplissait d'une grande mesure de cassis et d'une mesure d'eau-de-vie, plus petite. Puis, la bouteille disparut de nouveau sous le tablier ; et, les mains cachées, Mlle Saget causa, dans le large reflet blanc du comptoir, en face de la glace, où les bocaux et les bouteilles de liqueur semblaient accrocher des files de lanternes vénitiennes. Le soir, l'établissement surchauffé s'allumait de tout son métal et de tous ses cristaux. La vieille fille, avec ses jupes noires, faisait une étrange tache d'insecte, au milieu de ces clartés crues. Florent, en voyant qu'elle tentait de faire parler Rose, se douta qu'elle l'avait aperçu par l'entrebâillement de la porte. Depuis qu'il était entré aux Halles, il la rencontrait à chaque pas, arrêtée sous les rues couvertes, le plus souvent en compagnie de Mme Lecœur et de la Sarriette, l'examinant toutes trois à la dérobée, paraissant profondément sur-prises de sa nouvelle position d'inspecteur. Rose sans doute resta lente de paroles, car Mlle Saget tourna un instant, parut vouloir s'approcher de M. Lebigre, qui faisait un piquet avec un consom-mateur, sur une des tables de fonte vernie. Douce-ment, elle avait fini par se placer contre la cloison, lorsque Gavard la reconnut. Il la détestait.

« Fermez donc la porte, Florent, dit-il brutale-ment. On ne peut pas être chez soi. »

À minuit, en sortant, Lacaille échangea quelques mots à voix basse avec M. Lebigre. Celui-ci, dans une poignée de main, lui glissa quatre pièces de cinq francs, que personne ne vit, en murmurant à son oreille :

« Vous savez, c'est vingt-deux francs pour demain. La personne qui prête ne veut plus à moins... N'oubliez pas aussi que vous devez trois jours de voiture. Il faudra tout payer. »

M. Lebigre souhaita le bonsoir à ces messieurs. Il allait bien dormir, disait-il ; et il bâillait légèrement, en montrant de fortes dents, tandis que Rose le contemplait, de son air de servante soumise. Il la bouscula, il lui commanda d'aller éteindre le gaz, dans le cabinet.

Sur le trottoir, Gavard trébucha, faillit tomber. Comme il était en veine d'esprit :

« Fichtre ! dit-il, je ne suis pas appuyé sur des lumières, moi ! »

Cela parut très drôle, et l'on se sépara. Florent revint, s'acoquina à ce cabinet vitré, dans les silences de Robine, les emportements de Logre, les haines froides de Charvet. Le soir, en rentrant, il ne se couchait pas tout de suite. Il aimait son grenier, cette chambre de jeune fille, où Augustine avait laissé des bouts de chiffon, des choses tendres et niaises de femme, qui traînaient. Sur la cheminée, il y avait encore des épingles à cheveux, des boîtes de carton doré pleines de boutons et de pastilles, des images découpées, des pots de pommade vides sentant toujours le jasmin ; dans le tiroir de la table, une méchante table de bois blanc, étaient restés du fil, des aiguilles, un paroissien, à côté d'un exemplaire maculé de *la Clef des songes* ; et une robe d'été, blanche, à pois jaunes, pendait, oubliée à un clou, tandis que, sur la planche qui servait de toilette, derrière le pot à eau, un flacon de bandoline renversé avait laissé une grande tache. Florent eût souffert dans une alcôve de femme ; mais, de toute la pièce, de l'étroit lit de fer, des deux chaises de paille, jusque du papier peint, d'un gris effacé, ne montait qu'une odeur de bêtise naïve, une odeur de grosse fille puérile. Et il était heureux de cette pureté des rideaux, de cet enfantillage des boîtes dorées et de *la Clef des songes*, de cette coquetterie maladroite qui tachait les murs. Cela le rafraîchissait, le ramenait à des rêves de jeunesse. Il aurait voulu ne pas connaître Augustine, aux durs cheveux châtains, croire qu'il était chez une sœur, chez une brave fille, mettant autour de lui, dans les moindres choses, sa grâce de femme naissante.

Mais, le soir, un grand soulagement pour lui était encore de s'accouder à la fenêtre de sa mansarde. Cette fenêtre taillait dans le toit un étroit balcon, à haute rampe de fer, où Augustine soignait un grenadier en caisse. Florent, depuis que les nuits devenaient froides, faisait coucher le grenadier dans la chambre, au pied de son lit. Il restait là quelques minutes, aspirant fortement l'air frais qui lui venait de la Seine, par-dessus les maisons de la rue de Rivoli. En bas, confusément, les toitures des Halles étalaient leurs nappes grises. C'était comme des lacs endormis, au milieu desquels le reflet furtif de quelque vitre allumait la lueur argentée d'un flot. Au loin, les toits des pavillons de la boucherie et de la Vallée s'assombrissaient encore, n'étaient plus que des entassements de ténèbres reculant l'horizon. Il jouissait du grand morceau de ciel qu'il avait en face de lui, de cet immense développement des Halles, qui lui donnait, au milieu des rues étranglées de Paris, la vision vague d'un bord de mer, avec les

eaux mortes et ardoisées d'une baie, à peine frissonnantes du roulement lointain de la houle. Il
s'oubliait, il rêvait chaque soir une côte nouvelle.
Cela le rendait très triste et très heureux à la fois,
de retourner dans ces huit années de désespoir
qu'il avait passées hors de France. Puis, tout frissonnant, il refermait la fenêtre. Souvent, lorsqu'il
ôtait son faux col devant la cheminée, la photographie d'Auguste et d'Augustine l'inquiétait ; ils le
regardaient se déshabiller, de leur sourire blême,
la main dans la main.

Les premières semaines que Florent passa au
pavillon de la marée furent très pénibles. Il avait
trouvé dans les Méhudin une hostilité ouverte qui
le mit en lutte avec le marché entier. La belle Normande entendait se venger de la belle Lisa, et le
cousin était une victime toute trouvée.

Les Méhudin venaient de Rouen. La mère de
Louise racontait encore comment elle était arrivée
à Paris, avec des anguilles dans un panier. Elle
ne quitta plus la poissonnerie Elle y épousa un
employé de l'octroi, qui mourut en lui laissant
deux petites filles. Ce fut elle, jadis, qui mérita,
par ses larges hanches et sa fraîcheur superbe,
ce surnom de la belle Normande, dont sa fille
aînée avait hérité. Aujourd'hui, tassée, avachie,
elle portait ses soixante-cinq ans en matrone dont
la marée humide avait enroué la voix et bleui la
peau. Elle était énorme de vie sédentaire, la taille
débordante, la tête rejetée en arrière par la force
de la gorge et le flot montant de la graisse. Jamais,
d'ailleurs, elle ne voulut renoncer aux modes de
son temps ; elle conserva la robe à ramages, le

fichu jaune, la marmotte des poissonnières classiques, avec la voix haute, le geste prompt, les
poings aux côtes, l'engueulade du catéchisme
poissard coulant des lèvres. Elle regrettait le
marché des Innocents, parlait des anciens droits
des dames de la Halle, mêlait à des histoires de
coups de poings échangés avec des inspecteurs de
police, des récits de visite à la cour, du temps de
Charles X et de Louis-Philippe, en toilette de soie,
et de gros bouquets à la main. La mère Méhudin, comme on la nommait, était longtemps restée porte-bannière de la confrérie de la Vierge, à
Saint-Leu. Aux processions, dans l'église, elle avait
une robe et un bonnet de tulle, à rubans de satin,
tenant très haut, de ses doigts enflés, le bâton doré
de l'étendard de soie à frange riche, où était bro-
dée une Mère de Dieu.

La mère Méhudin, selon les commérages du
quartier, devait avoir fait une grosse fortune. Il
n'y paraissait guère qu'aux bijoux d'or massif dont
elle se chargeait le cou, les bras et la taille, dans
les grands jours. Plus tard, ses deux filles ne s'entendirent pas. La cadette, Claire, une blonde paresseuse, se plaignait des brutalités de Louise, disait
de sa voix lente qu'elle ne serait jamais la bonne de
sa sœur. Comme elles auraient certainement fini
par se battre, la mère les sépara. Elle céda à Louise
son banc de marée. Claire, que l'odeur des raies et
des harengs faisait tousser, s'installa à un banc de
poissons d'eau douce. Et, tout en ayant juré de se
retirer, la mère allait d'un banc à l'autre, se mêlant
encore de la vente, causant de continuels ennuis à
ses filles par ses insolences trop grasses.

Claire était une créature fantasque, très douce, et en continuelle querelle. Elle n'en faisait jamais qu'à sa tête, disait-on. Elle avait, avec sa figure rêveuse de vierge, un entêtement muet, un esprit d'indépendance qui la poussait à vivre à part, n'acceptant rien comme les autres, d'une droiture absolue un jour, d'une injustice révoltante le lendemain. À son banc, elle révolutionnait parfois le marché, haussant ou baissant les prix, sans qu'on s'expliquât pourquoi. Vers la trentaine, sa finesse de nature, sa peau mince que l'eau des viviers rafraîchissait éternellement, sa petite face d'un dessin noyé, ses membres souples, devaient s'épaissir, tomber à l'avachissement d'une sainte de vitrail, encanaillée dans les Halles. Mais, à vingt-deux ans, elle restait un Murillo, au milieu de ses carpes et de ses anguilles, selon le mot de Claude Lantier, un Murillo décoiffé souvent, avec de gros souliers, des robes taillées à coups de hache qui l'habillaient comme une planche. Elle n'était pas coquette ; elle se montrait très méprisante, quand Louise, étalant ses nœuds de ruban, la plaisantait sur ses fichus noués de travers. On racontait que le fils d'un riche boutiquier du quartier voyageait de rage, n'ayant pu obtenir d'elle une bonne parole.

Louise, la belle Normande, s'était montrée plus tendre. Son mariage se trouvait arrêté avec un employé de la Halle au blé, lorsque le malheureux garçon eut les reins cassés par la chute d'un sac de farine. Elle n'en accoucha pas moins sept mois plus tard d'un gros enfant. Dans l'entourage des Méhudin, on considérait la belle Normande

comme veuve. La vieille poissonnière disait parfois : « Quand mon gendre vivait... »

Les Méhudin étaient une puissance. Lorsque
M. Verlaque acheva de mettre Florent au courant
de ses nouvelles occupations, il lui recommanda
de ménager certaines marchandes, s'il ne voulait
se rendre la vie impossible ; il poussa même la
sympathie jusqu'à lui apprendre les petits secrets
du métier, les tolérances nécessaires, les sévéri-
tés de comédie, les cadeaux acceptables. Un inspecteur est à la fois un commissaire de police,
et un juge de paix, veillant à la bonne tenue du
marché, conciliant les différends entre l'acheteur
et le vendeur. Florent, de caractère faible, se roi-
dissait, dépassait le but, toutes les fois qu'il devait
faire acte d'autorité ; et il avait de plus contre lui
l'amertume de ses longues souffrances, sa face
sombre de paria.

La tactique de la belle Normande fut de l'atti-
rer dans quelque querelle. Elle avait juré qu'il ne
garderait pas sa place quinze jours.

« Ah ! bien, dit-elle à Mme Lecœur qu'elle rencontra un matin, si la grosse Lisa croit que nous
voulons de ses restes !... Nous avons plus de goût
qu'elle. Il est affreux, son homme ! »

Après les criées, lorsque Florent commençait
son tour d'inspection, à petits pas, le long des
allées ruisselantes d'eau, il voyait parfaitement la
belle Normande qui le suivait d'un rire effronté.
Son banc, à la deuxième rangée, à gauche, près
des bancs de poissons d'eau douce, faisait face à
la rue Rambuteau. Elle se tournait, ne quittant
pas sa victime des yeux, se moquant avec des

voisines. Puis, quand il passait devant elle, examinant lentement les pierres, elle affectait une gaieté immodérée, tapait les poissons, ouvrait son robinet tout grand, inondait l'allée. Florent restait impassible.

Mais, un matin, fatalement, la guerre éclata. Ce jour-là, Florent, en arrivant devant le banc de la belle Normande, sentit une puanteur insupportable. Il y avait là, sur le marbre, un saumon superbe, entamé, montrant la blondeur rose de sa chair ; des turbots d'une blancheur de crème ; des congres, piqués de l'épingle noire qui sert à marquer les tranches ; des paires de soles, des rougets, des bars, tout un étalage frais. Et, au milieu de ces poissons à l'œil vif, dont les ouïes saignaient encore, s'étalait une grande raie, rougeâtre, marbrée de taches sombres, magnifique de tons étranges ; la grande raie était pourrie, la queue tombait, les baleines des nageoires perçaient la peau rude.

« Il faut jeter cette raie », dit Florent en s'approchant.

La belle Normande eut un petit rire. Il leva les yeux, il l'aperçut debout, appuyée au poteau de bronze des deux becs de gaz qui éclairent les quatre places de chaque banc. Elle lui parut très grande, montée sur quelque caisse, pour protéger ses pieds de l'humidité. Elle pinçait les lèvres, plus belle encore que de coutume, coiffée avec des frisons, la tête sournoise, un peu basse, les mains trop roses dans la blancheur du grand tablier. Jamais il ne lui avait tant vu de bijoux : elle portait de longues boucles d'oreilles, une chaîne de cou, une broche, des enfilades de bagues à deux doigts de la main gauche et à un doigt de la main droite.

Comme elle continuait à le regarder en dessous, sans répondre, il reprit :

« Vous entendez, faites disparaître cette raie. »

Mais il n'avait pas remarqué la mère Méhudin, assise sur une chaise, tassée dans un coin. Elle se leva, avec les cornes de sa marmotte ; et, s'appuyant des poings à la table de marbre :

« Tiens ! dit-elle insolemment, pourquoi donc qu'elle la jetterait, sa raie !... Ce n'est pas vous qui la lui payerez, peut-être ! »

Alors, Florent comprit. Les autres marchandes ricanaient. Il sentait, autour de lui, une révolte sourde qui attendait un mot pour éclater. Il se contint, tira lui-même, de dessous le banc, le seau aux vidures, y fit tomber la raie. La mère Méhudin mettait déjà les poings sur les hanches ; mais la belle Normande, qui n'avait pas desserré les lèvres, eut de nouveau un petit rire de méchanceté, et Florent s'en alla au milieu des huées, l'air sévère, feignant de ne pas entendre.

Chaque jour, ce fut une invention nouvelle. L'inspecteur ne suivait plus les allées que l'œil aux aguets, comme en pays ennemi. Il attrapait les éclaboussures des éponges, manquait de tomber sur des vidures étalées sous ses pieds, recevait les mannes des porteurs dans la nuque. Même, un matin, comme deux marchandes se querellaient, et qu'il était accouru, afin d'empêcher la bataille, il dut se baisser pour éviter d'être souffleté sur les deux joues par une pluie de petites limandes, qui volèrent au-dessus de sa tête ; on rit beaucoup, il crut toujours que les deux marchandes étaient de la conspiration des Méhudin. Son ancien métier de professeur crotté l'armait d'une patience angélique ; il savait garder une froideur magistrale, lorsque la colère montait en lui, et que tout son être saignait d'humiliation. Mais jamais les gamins de la rue de l'Estrapade n'avaient eu cette férocité des dames de la Halle, cet acharnement de femmes énormes, dont les ventres et les gorges sautaient d'une joie géante quand il se laissait prendre à quelque piège. Les faces rouges le dévisageaient. Dans les inflexions canailles des voix, dans les hanches hautes, les cous gonflés, les dandinements des cuisses, les abandons des mains, il devinait à son adresse tout un flot d'ordures. Gavard, au milieu de ces jupes impudentes et fortes d'odeur, se serait pâmé d'aise, quitte à fesser à droite et à gauche, si elles l'avaient serré de trop près. Florent, que les femmes intimidaient toujours, se sentait peu à peu perdu dans un cauchemar de filles aux appas prodigieux, qui l'entouraient d'une ronde inquiétante, avec leur enrouement et leurs gros bras nus de lutteuses.

Parmi ces femelles lâchées, il avait pourtant une amie. Claire déclarait nettement que le nouvel inspecteur était un brave homme. Quand il passait, dans les gros mots de ses voisines, elle lui souriait. Elle était là, avec des mèches de cheveux blonds dans le cou et sur les tempes, la robe agrafée de travers, nonchalante derrière son banc. Plus souvent, il la voyait debout, les mains au fond de ses viviers, changeant les poissons de bassins, se plaisant à tourner les petits dauphins de cuivre,

qui jettent un fil d'eau par la gueule. Ce ruissellement lui donnait une grâce frissonnante de bai-
gneuse, au bord d'une source, les vêtements mal
rattachés encore.

Un matin, surtout, elle fut très aimable. Elle
appela l'inspecteur pour lui montrer une grosse
anguille qui avait fait l'étonnement du marché,
à la criée. Elle ouvrit la grille, qu'elle avait prudemment refermée sur le bassin, au fond duquel
l'anguille semblait dormir.

« Attendez, dit-elle, vous allez voir. »

Elle entra doucement dans l'eau son bras nu,
un bras un peu maigre, dont la peau de soie montrait le bleuissement tendre des veines. Quand
l'anguille se sentit touchée, elle se roula sur
elle-même, en nœuds rapides, emplissant l'auge
étroite de la moire verdâtre de ses anneaux. Et,
dès qu'elle se rendormait, Claire s'amusait à l'ir-
riter de nouveau, du bout des ongles.

« Elle est énorme, crut devoir dire Florent. J'en
ai rarement vu d'aussi belle. »

Alors, elle lui avoua que, dans les commence-
ments, elle avait eu peur des anguilles. Maintenant, elle savait comment il faut serrer la main,
pour qu'elles ne puissent pas glisser. Et, à côté, elle
en prit une, plus petite. L'anguille, aux deux bouts
de son poing fermé, se tordait. Cela la faisait rire.
Elle la rejeta, en saisit une autre, fouilla le bassin,
remua ce tas de serpents de ses doigts minces.

Puis, elle resta là un instant à causer de la vente
qui n'allait pas. Les marchands forains, sur le carreau de la rue couverte, leur faisaient beaucoup
de tort. Son bras nu, qu'elle n'avait pas essuyé,

ruisselait, frais de la fraîcheur de l'eau. De chaque doigt, de grosses gouttes tombaient.

« Ah ! dit-elle brusquement, il faut que je vous fasse voir aussi mes carpes. »

Elle ouvrit une troisième grille ; et, à deux mains, elle ramena une carpe qui tapait de la queue en râlant. Mais elle en chercha une moins grosse ; celle-là, elle put la tenir d'une seule main, que le souffle des flancs ouvrait un peu, à chaque râle. Elle imagina d'introduire son pouce dans un des bâillements de la bouche.

« Ça ne mord pas, murmurait-elle avec son doux rire, ça n'est pas méchant... C'est comme les écrevisses, moi je ne les crains pas. »

Elle avait déjà replongé son bras, elle ramenait, d'une case, pleine d'un grouillement confus, une écrevisse, qui lui avait pris le petit doigt entre ses pinces. Elle la secoua un instant ; mais l'écrevisse la serra sans doute trop rudement, car elle devint très rouge et lui cassa la patte, d'un geste prompt de rage, sans cesser de sourire.

« Par exemple, dit-elle pour cacher son émotion, je ne me fierais pas à un brochet. Il me couperait les doigts comme avec un couteau. »

Et elle montrait, sur des planches lessivées, d'une propreté excessive, de grands brochets étalés par rang de taille, à côté de tanches bronzées et de lots de goujons en petits tas. Maintenant, elle avait les mains toutes grasses du suint des carpes ; elle les écartait, debout dans l'humidité des viviers, au-dessus des poissons mouillés de l'étalage. On l'eût dite enveloppée d'une odeur de frai, d'une de ces odeurs épaisses qui montent

des joncs et des nénuphars vaseux, quand les
œufs font éclater les ventres des poissons, pâmés
d'amour au soleil. Elle s'essuya les mains à son
tablier, souriant toujours, de son air tranquille
de grande fille au sang glacé, dans ce frisson des
voluptés froides et affadies des rivières.

Cette sympathie de Claire était une mince
consolation pour Florent. Elle lui attirait des plaisanteries plus sales, quand il s'arrêtait à causer
avec la jeune fille. Celle-ci haussait les épaules,
disait que sa mère était une vieille coquine et que
sa sœur ne valait pas grand-chose. L'injustice du
marché envers l'inspecteur l'outrait de colère. La
guerre, cependant, continuait, plus cruelle chaque
jour. Florent songeait à quitter la place ; il n'y
serait pas resté vingt-quatre heures, s'il n'avait
craint de paraître lâche devant Lisa. Il s'inquiétait
de ce qu'elle dirait, de ce qu'elle penserait. Elle
était forcément au courant du grand combat des
poissonnières et de leur inspecteur, dont le bruit
emplissait les Halles sonores, et dont le quartier
jugeait chaque coup nouveau avec des commentaires sans fin.

« Ah ! bien, disait-elle souvent, le soir, après le
dîner, c'est moi qui me chargerais de les ramener
à la raison ! Toutes des femmes que je ne voudrais
pas toucher du bout des doigts, de la canaille, de
la saloperie ! Cette Normande est la dernière des
dernières... Tenez, je la mettrais à pied, moi ! Il
n'y a encore que l'autorité, entendez-vous, Florent. Vous avez tort, avec vos idées. Faites un
coup de force, vous verrez comme tout le monde
sera sage. »

La dernière crise fut terrible. Un matin, la bonne de Mme Taboureau, la boulangère, cherchait une barbue, à la poissonnerie. La belle Normande, qui la voyait tourner autour d'elle depuis quelques minutes, lui fit des avances, des cajoleries.

« Venez donc me voir, je vous arrangerai... Voulez-vous une paire de soles, un beau turbot ? »

Et, comme elle s'approchait enfin, et qu'elle flairait une barbue, avec la moue rechignée que prennent les clientes pour payer moins cher :

« Pesez-moi ça », continua la belle Normande, en lui posant sur la main ouverte la barbue enveloppée d'une feuille de gros papier jaune.

La bonne, une petite Auvergnate toute dolente, soupesait la barbue, lui ouvrait les ouïes, toujours avec sa grimace, sans rien dire. Puis, comme à regret :

« Et combien ?

— Quinze francs », répondit la poissonnière.

Alors l'autre remit vite le poisson sur le marbre. Elle parut se sauver. Mais la belle Normande la retint.

« Voyons, dites votre prix.

— Non, non, c'est trop cher.

— Dites toujours.

— Si vous voulez huit francs ? »

La mère Méhudin, qui sembla s'éveiller, eut un rire inquiétant. On croyait donc qu'elles volaient la marchandise.

« Huit francs, une barbue de cette grosseur ! on t'en donnera, ma petite, pour te tenir la peau fraîche, la nuit. »

La belle Normande, d'un air offensé, tournait la tête. Mais la bonne revint deux fois, offrit neuf francs, alla jusqu'à dix francs. Puis, comme elle partait pour tout de bon :

« Allons, venez, lui cria la poissonnière, donnez-moi de l'argent. »

La bonne se planta devant le banc, causant amicalement avec la mère Méhudin. Mme Taboureau se montrait si exigeante ! Elle avait du monde à dîner, le soir ; des cousins de Blois, un notaire avec sa dame. La famille de Mme Taboureau était très comme il faut ; elle-même, bien que boulangère, avait reçu une belle éducation.

« Videz-la-moi bien, n'est-ce pas ? » dit-elle en s'interrompant.

La belle Normande, d'un coup de doigt, avait vidé la barbue et jeté la vidure dans le seau. Elle glissa un coin de son tablier sous les ouïes, pour enlever quelques grains de sable. Puis, mettant elle-même le poisson dans le panier de l'Auvergnate :

« Là, ma belle, vous m'en ferez des compliments. »

Mais, au bout d'un quart d'heure, la bonne accourut toute rouge ; elle avait pleuré, sa petite personne tremblait de colère. Elle jeta la barbue sur le marbre, montrant, du côté du ventre, une large déchirure qui entamait la chair jusqu'à l'arête. Un flot de paroles entrecoupées sortit de sa gorge serrée encore par les larmes.

« Madame Taboureau n'en veut pas. Elle dit qu'elle ne peut pas la servir. Et elle m'a dit encore que j'étais une imbécile, que je me laissais voler par tout le monde... Vous voyez bien qu'elle est abîmée. Moi, je ne l'ai pas retournée, j'ai eu confiance... Rendez-moi mes dix francs.

— On regarde la marchandise », répondit tranquillement la belle Normande.

Et, comme l'autre haussait la voix, la mère Méhudin se leva.

« Vous allez nous ficher la paix, n'est-ce pas ? On ne reprend pas un poisson qui a traîné chez les gens. Est-ce qu'on sait où vous l'avez laissé tomber, pour le mettre dans cet état ?

— Moi ! moi ! »

Elle suffoquait. Puis, éclatant en sanglots :

« Vous êtes deux voleuses, oui, deux voleuses ! Madame Taboureau me l'a bien dit. »

Alors, ce fut formidable. La mère et la fille, furibondes, les poings en avant, se soulagèrent. La petite bonne, ahurie, prise entre cette voix rauque et cette voix flûtée, qui se la renvoyaient comme une balle, sanglotait plus fort.

« Va donc ! ta madame Taboureau est moins fraîche que ça ; faudrait la raccommoder pour la servir.

— Un poisson complet pour dix francs, ah ! bien, merci, je n'en tiens pas !

— Et tes boucles d'oreilles, combien qu'elles coûtent ?... On voit que tu gagnes ça sur le dos.

— Pardi ! elle fait son quart au coin de la rue de Mondétour. »

Florent, que le gardien du marché était allé chercher, arriva au plus fort de la querelle. Le pavillon s'insurgeait décidément. Les marchandes, qui se jalousent terriblement entre elles, quand il s'agit de vendre un hareng de deux sous, s'entendent à merveille contre les clients. Elles chantaient : « La boulangère a des écus qui ne lui coûtent guère » ; elles tapaient des pieds, excitaient les Méhudin, comme des bêtes qu'on pousse à mordre ; et il y en avait, à l'autre bout de l'allée, qui se jetaient hors de leurs bancs, comme pour sauter au chignon de la petite bonne, perdue, noyée, roulée, dans cette énormité des injures.

« Rendez les dix francs à mademoiselle », dit sévèrement Florent, mis au courant de l'affaire.

Mais la mère Méhudin était lancée.

« Toi, mon petit, je t'en... et, tiens ! voilà comme je rends les dix francs ! »

Et, à toute volée, elle lança la barbue à la tête de l'Auvergnate, qui la reçut en pleine face. Le sang partit du nez, la barbue se décolla, tomba à terre, où elle s'écrasa avec un bruit de torchon mouillé. Cette brutalité jeta Florent hors de lui. La belle Normande eut peur, recula, pendant qu'il s'écriait :

« Je vous mets à pied pour huit jours ! Je vous ferai retirer votre permission, entendez-vous ! »

Et, comme on huait derrière lui, il se retourna d'un air si menaçant, que les poissonnières domptées firent les innocentes. Quand les Méhudin eurent rendu les dix francs, il les obligea à cesser la vente immédiatement. La vieille étouffait de rage. La fille restait muette, toute blanche. Elle, la belle Normande, chassée de son banc ! Claire dit de sa voix tranquille que c'était bien fait, ce qui faillit, le soir, faire prendre les deux sœurs aux cheveux, chez elles, rue Pirouette. Au bout

des huit jours, quand les Méhudin revinrent, elles
restèrent sages, très pincées, très brèves, avec une
colère froide. D'ailleurs, elles retrouvèrent le pavillon calmé, rentré dans l'ordre. La belle Normande,
à partir de ce jour, dut nourrir une pensée de vengeance terrible. Elle sentait que le coup venait de
la belle Lisa ; elle l'avait rencontrée, le lendemain
de la bataille, la tête si haute, qu'elle jurait de lui
faire payer cher son regard de triomphe. Il y eut,
dans les coins des Halles, d'interminables conci-
liabules avec Mlle Saget, Mme Lecœur et la Sarriette ; mais, quand elles étaient lasses d'histoires
à dormir debout sur les dévergondages de Lisa
avec le cousin et sur les cheveux qu'on trouvait
dans les andouilles de Quenu, cela ne pouvait aller
plus loin, ni ne la soulageait guère. Elle cherchait
quelque chose de très méchant, qui frappât sa
rivale au cœur.

Son enfant grandissait librement au milieu
de la poissonnerie. Dès l'âge de trois ans, il restait assis sur un bout de chiffon, en plein dans
la marée. Il dormait fraternellement à côté des
grands thons, il s'éveillait parmi les maquereaux
et les merlans. Le garnement sentait la caque à
faire croire qu'il sortait du ventre de quelque gros
poisson. Son jeu favori fut longtemps, quand sa
mère avait le dos tourné, de bâtir des murs et
des maisons avec des harengs ; il jouait aussi à la
bataille, sur la table de marbre, alignait des grondins en face les uns des autres, les poussait, leur
cognait la tête, imitait avec les lèvres la trompette
et le tambour, et finalement les remettait en tas,
en disant qu'ils étaient morts. Plus tard, il alla

rôder autour de sa tante Claire, pour avoir les ves-
sies des carpes et des brochets qu'elle vidait ; il les
posait par terre, les faisait péter ; cela l'enthousias-
mait. À sept ans, il courait les allées, se fourrait
sous les bancs, parmi les caisses de bois garnies
de zinc, était le galopin gâté des poissonnières.
Quand elles lui montraient quelque objet nouveau
qui le ravissait, il joignait les mains, balbutiant
d'extase : « Oh ! c'est rien muche[1] ! » Et le nom
de Muche lui était resté. Muche par-ci, Muche
par-là. Toutes l'appelaient. On le retrouvait partout, au fond des bureaux des criées, dans les tas
de bourriches, entre les seaux des vidures. Il était
là comme un jeune barbillon, d'une blancheur
rose, frétillant, se coulant, lâché en pleine eau.
Il avait pour les eaux ruisselantes des tendresses
de petit poisson. Il se traînait dans les mares des
allées, recevait l'égouttement des tables. Souvent,
il ouvrait sournoisement un robinet, heureux de
l'éclaboussement du jet. Mais c'était surtout aux
fontaines, au-dessus de l'escalier des caves, que sa
mère, le soir, allait le prendre ; elle l'en ramenait
trempé, les mains bleues, avec de l'eau dans les
souliers et jusque dans les poches.

Muche, à sept ans, était un petit bonhomme joli
comme un ange et grossier comme un roulier. Il
avait des cheveux châtains crépus, de beaux yeux
tendres, une bouche pure qui sacrait, qui disait
des mots gros à écorcher un gosier de gendarme.
Élevé dans les ordures des Halles, il épelait le
catéchisme poissard, se mettait un poing sur la
hanche, faisait la maman Méhudin, quand elle
était en colère. Alors les « salopes », les « catins »,

les « va donc moucher ton homme », les « combien qu'on te la paye, ta peau ? » passaient dans
le filet de cristal de sa voix d'enfant de chœur.
Et il voulait grasseyer, il encanaillait son enfance
exquise de bambin souriant sur les genoux d'une
Vierge. Les poissonnières riaient aux larmes. Lui,
encouragé, ne plaçait plus deux mots sans mettre
un « nom de Dieu ! » au bout. Mais il restait adorable, ignorant de ces saletés, tenu en santé par
les souffles frais et les odeurs fortes de la marée,
récitant son chapelet d'injures graveleuses d'un air
ravi, comme il aurait dit ses prières.

L'hiver venait ; Muche fut frileux, cette année-là.
Dès les premiers froids, il se prit d'une vive curiosité pour le bureau de l'inspecteur. Le bureau de
Florent se trouvait à l'encoignure de gauche du
pavillon, du côté de la rue Rambuteau. Il était
meublé d'une table, d'un casier, d'un fauteuil, de
deux chaises et d'un poêle. C'était de ce poêle que
Muche rêvait. Florent adorait les enfants. Quand
il vit ce petit, les jambes trempées, qui regardait
à travers les vitres, il le fit entrer. La première
conversation de Muche l'étonna profondément.
Il s'était assis devant le poêle, il disait de sa voix
tranquille :

« Je vais me rôtir un brin les quilles, tu comprends ?... Il fait un froid du tonnerre de Dieu. »

Puis, il avait des rires perlés, en ajoutant :

« C'est ma tante Claire qui a l'air d'une carne ce
matin... Dis, monsieur, est-ce que c'est vrai que tu
vas lui chauffer les pieds, la nuit ? »

Florent, consterné, se prit d'un étrange intérêt
pour ce gamin. La belle Normande restait pin-

cée, laissait son enfant aller chez lui, sans dire un mot. Alors, il se crut autorisé à le recevoir ; il l'attira, l'après-midi, peu à peu conduit à l'idée d'en faire un petit bonhomme bien sage. Il lui semblait que son frère Quenu rapetissait, qu'ils se trouvaient encore tous les deux dans la grande chambre de la rue Royer-Collard. Sa joie, son rêve secret de dévouement, était de vivre toujours en compagnie d'un être jeune, qui ne grandirait pas, qu'il instruirait sans cesse, dans l'innocence duquel il aimerait les hommes. Dès le troisième jour, il apporta un alphabet. Muche le ravit par son intelligence. Il apprit ses lettres avec la verve parisienne d'un enfant des rues. Les images de l'alphabet l'amusaient extraordinairement. Puis, dans l'étroit bureau, il prenait des récréations formidables, le poêle demeurait son grand ami, un sujet de plaisirs sans fin. Il y fit cuire d'abord des pommes de terre et des châtaignes ; mais cela lui parut fade. Il vola alors à la tante Claire des goujons qu'il mit rôtir un à un, au bout d'un fil, devant la bouche ardente ; il les mangeait avec délices, sans pain. Un jour même, il apporta une carpe ; elle ne voulut jamais cuire, elle empesta le bureau, au point qu'il fallut ouvrir porte et fenêtre. Florent, quand l'odeur de toute cette cuisine devenait trop forte, jetait les poissons à la rue. Le plus souvent, il riait. Muche, au bout de deux mois, commençait à lire couramment, et ses cahiers d'écriture étaient très propres.

Cependant, le soir, le gamin cassait la tête de sa mère avec des histoires sur son bon ami Florent. Le bon ami Florent avait dessiné des arbres et

des hommes dans des cabanes. Le bon ami Florent avait un geste, comme ça, en disant que les
hommes seraient meilleurs, s'ils savaient tous lire.
Si bien que la Normande vivait dans l'intimité de
l'homme qu'elle rêvait d'étrangler. Elle enferma
un jour Muche à la maison, pour qu'il n'allât pas
chez l'inspecteur ; mais il pleura tellement, qu'elle
lui rendit la liberté le lendemain. Elle était très
faible, avec sa carrure et son air hardi. Lorsque
l'enfant lui racontait qu'il avait eu bien chaud,
lorsqu'il lui revenait les vêtements secs, elle éprouvait une reconnaissance vague, un contentement
de le savoir à l'abri, les pieds devant le feu. Plus
tard, elle fut très attendrie, quand il lut devant elle
un bout de journal maculé qui enveloppait une
tranche de congre. Peu à peu, elle en arriva ainsi
à penser, sans le dire, que Florent n'était peut-être
pas un méchant homme ; elle eut le respect de son
instruction, mêlé à une curiosité croissante de le
voir de plus près, de pénétrer dans sa vie. Puis,
brusquement, elle se donna un prétexte, elle se
persuada qu'elle tenait sa vengeance : il fallait être
aimable pour le cousin, le brouiller avec la grosse
Lisa ; ce serait plus drôle.

« Est-ce que ton bon ami Florent te parle de
moi ? demanda-t-elle un matin à Muche, en l'ha-
billant.

— Ah ! non, répondit l'enfant. Nous nous amu-
sons.

— Eh bien, dis-lui que je ne lui en veux plus et
que je le remercie de t'apprendre à lire. »

Dès lors, l'enfant, chaque jour, eut une commission. Il allait de sa mère à l'inspecteur, et de

l'inspecteur à sa mère, chargé de mots aimables, de demandes et de réponses, qu'il répétait sans savoir ; on lui aurait fait dire les choses les plus énormes. Mais la belle Normande eut peur de paraître timide ; elle vint un jour elle-même, s'assit sur la seconde chaise, pendant que Muche prenait sa leçon d'écriture. Elle fut très douce, très complimenteuse. Florent resta plus embarrassé qu'elle. Ils ne parlèrent que de l'enfant. Comme il témoignait la crainte de ne pouvoir continuer les leçons dans le bureau, elle lui offrit de venir chez eux, le soir. Puis, elle parla d'argent. Lui, rougit, déclara qu'il n'irait pas, s'il était question de cela. Alors, elle se promit de le payer en cadeaux, avec de beaux poissons.

Ce fut la paix. La belle Normande prit même Florent sous sa protection. L'inspecteur finissait, d'ailleurs, par être accepté ; les poissonnières le trouvaient meilleur homme que M. Verlaque, malgré ses mauvais yeux. La mère Méhudin seule haussait les épaules ; elle gardait rancune au « grand maigre », comme elle le nommait d'une façon méprisante. Et, un matin que Florent s'arrêta avec un sourire devant les viviers de Claire, la jeune fille, lâchant une anguille qu'elle tenait, lui tourna le dos, furieuse, toute gonflée et tout empourprée. Il en fut tellement surpris, qu'il en parla à la Normande.

« Laissez donc ! dit celle-ci, c'est une toquée... Elle n'est jamais de l'avis des autres. C'est pour me faire enrager, ce qu'elle a fait là. »

Elle triomphait, elle se carrait à son banc, plus coquette, avec des coiffures extrêmement compli-

quées. Ayant rencontré la belle Lisa, elle lui rendit
son regard de dédain ; elle lui éclata même de rire
en plein visage. La certitude qu'elle allait désespé-
rer la charcutière, en attirant le cousin, lui donnait un beau rire sonore, un rire de gorge, dont
son cou gras et blanc montrait le frisson. À ce
moment, elle eut l'idée d'habiller Muche très joliment, avec une petite veste écossaise et une toque
de velours. Muche n'était jamais allé qu'en blouse
débraillée. Or, il arriva que, précisément à cette
époque, Muche fut repris d'une grande tendresse
pour les fontaines. La glace avait fondu, le temps
était tiède. Il fit prendre un bain à la veste écossaise, laissant couler l'eau à plein robinet, depuis
son coude jusqu'à sa main, ce qu'il appelait jouer
à la gouttière. Sa mère le surprit en compagnie
de deux autres galopins, regardant nager, dans la
toque de velours remplie d'eau, deux petits poissons blancs qu'il avait volés à la tante Claire.

Florent vécut près de huit mois dans les Halles,
comme pris d'un continuel besoin de sommeil.
Au sortir de ses sept années de souffrances, il
tombait dans un tel calme, dans une vie si bien
réglée, qu'il se sentait à peine exister. Il s'abandonnait, la tête un peu vide, continuellement surpris
de se retrouver chaque matin sur le même fauteuil, dans l'étroit bureau. Cette pièce lui plaisait,
avec sa nudité, sa petitesse de cabine. Il s'y réfu-
giait, loin du monde, au milieu du grondement
continu des Halles, qui le faisait rêver à quelque
grande mer, dont la nappe l'aurait entouré et isolé
de toute part. Mais, peu à peu, une inquiétude
sourde le désespéra ; il était mécontent, s'accu-

sait de fautes qu'il ne précisait pas, se révoltait contre ces vides qui lui semblaient se creuser de plus en plus dans sa tête et dans sa poitrine. Puis, des souffles puants, des haleines de marée gâtée, passèrent sur lui avec de grandes nausées. Ce fut un détraquement lent, un ennui vague qui tourna à une vive surexcitation nerveuse.

Toutes ses journées se ressemblaient. Il marchait dans les mêmes bruits, dans les mêmes odeurs. Le matin, les bourdonnements des criées l'assourdissaient d'une lointaine sonnerie de cloches ; et, souvent, selon la lenteur des arrivages, les criées ne finissaient que très tard. Alors, il restait dans le pavillon jusqu'à midi, dérangé à toute minute par des contestations, des querelles, au milieu desquelles il s'efforçait de se montrer très juste. Il lui fallait des heures pour sortir de quelque misérable histoire qui révolutionnait le marché. Il se promenait au milieu de la cohue et du tapage de la vente, suivait les allées à petits pas, s'arrêtait parfois devant les poissonnières dont les bancs bordent la rue Rambuteau. Elles ont de grands tas roses de crevettes, des paniers rouges de langoustes cuites, liées, la queue arrondie ; tandis que des langoustes vivantes se meurent, aplaties sur le marbre. Là, il regardait marchander des messieurs, en chapeau et en gants noirs, qui finissaient par emporter une langouste cuite, enveloppée d'un journal, dans une poche de leur redingote. Plus loin, devant les tables volantes où se vend le poisson commun, il reconnaissait les femmes du quartier, venant à la même heure, les cheveux nus. Parfois, il s'intéressait à quelque dame bien mise, traînant ses dentelles le long des pierres mouillées, suivie d'une bonne en tablier blanc ; celle-là, il l'accompagnait à quelque distance, en voyant les épaules se hausser derrière ses mines dégoûtées. Ce tohu-bohu de paniers, de sacs de cuir, de corbeilles, toutes ces jupes filant dans le ruissellement des allées, l'occupaient, le menaient jusqu'au déjeuner, heureux de l'eau qui coulait, de la fraîcheur qui soufflait, passant de l'âpreté marine des coquillages au fumet amer de la saline. C'était toujours par la saline qu'il terminait son inspection ; les caisses de harengs saurs, les sardines de Nantes sur des lits de feuilles, la morue roulée, s'étalant devant de grosses marchandes fades, le faisaient songer à un départ, à un voyage au milieu de barils de salaisons. Puis, l'après-midi, les Halles se calmaient, s'endormaient. Il s'enfermait dans son bureau, mettait au net ses écritures, goûtait ses meilleures heures. S'il sortait, s'il traversait la poissonnerie, il la trouvait presque déserte. Ce n'était plus l'écrasement, les poussées, le brouhaha de dix heures. Les poissonnières, assises derrière leurs tables vides, tricotaient, le dos renversé ; et de rares ménagères attardées, tournaient, regardant de côté, avec ce regard lent, ces lèvres pincées des femmes qui calculent à un sou près le prix du dîner. Le crépuscule tombait, il y avait un bruit de caisses remuées, le poisson était couché pour la nuit sur des lits de glace. Alors, Florent, après avoir assisté à la fermeture des grilles, emportait avec lui la poissonnerie dans ses vêtements, dans sa barbe, dans ses cheveux.

Les premiers mois, il ne souffrit pas trop de cette odeur pénétrante. L'hiver était rude ; le verglas changeait les allées en miroirs, les glaçons mettaient des guipures blanches aux tables de marbre et aux fontaines. Le matin, il fallait allumer de petits réchauds sous les robinets pour obtenir un filet d'eau. Les poissons, gelés, la queue tordue, ternes et rudes comme des métaux dépolis, sonnaient avec un bruit cassant de fonte pâle. Jusqu'en février, le pavillon resta lamentable, hérissé, désolé, dans son linceul de glace. Mais vinrent les dégels, les temps mous, les brouillards et les pluies de mars. Alors, les poissons s'amollirent, se noyèrent ; des senteurs de chairs tournées se mêlèrent aux souffles fades de boue qui venaient des rues voisines. Puanteur vague encore, douceur écœurante d'humidité, traînant au ras du sol. Puis, dans les après-midi ardentes de juin, la puanteur monta, alourdit l'air d'une buée pestilentielle. On ouvrait les fenêtres supérieures, de grands stores de toile grise pendaient sous le ciel brûlant, une pluie de feu tombait sur les Halles, les chauffait comme un four de tôle ; et pas un vent ne balayait cette vapeur de marée pourrie. Les bancs de vente fumaient.

Florent souffrit alors de cet entassement de nourriture, au milieu duquel il vivait. Les dégoûts de la charcuterie lui revinrent, plus intolérables. Il avait supporté des puanteurs aussi terribles ; mais elles ne venaient pas du ventre. Son estomac étroit d'homme maigre se révoltait, en passant devant ces étalages de poissons mouillés à grande eau, qu'un coup de chaleur gâtait. Ils le nourrissaient

de leurs senteurs fortes, le suffoquaient, comme
s'il avait eu une indigestion d'odeurs. Lorsqu'il
s'enfermait dans son bureau, l'écœurement le
suivait, pénétrant par les boiseries mal jointes de
la porte et de la fenêtre. Les jours de ciel gris,
la petite pièce restait toute noire ; c'était comme
un long crépuscule, au fond d'un marais nauséabond. Souvent, pris d'anxiétés nerveuses, il avait
un besoin de marcher, il descendait aux caves, par
le large escalier qui se creuse au milieu du pavillon. Là, dans l'air renfermé, dans le demi-jour des
quelques becs de gaz, il retrouvait la fraîcheur de
l'eau pure. Il s'arrêtait devant le grand vivier, où
les poissons vivants sont tenus en réserve ; il écoutait la chanson continue des quatre filets d'eau
tombant des quatre angles de l'urne centrale, coulant en nappe sous les grilles des bassins fermés
à clef, avec le bruit doux d'un courant perpétuel.
Cette source souterraine, ce ruisseau causant dans
l'ombre, le calmait. Il se plaisait aussi, le soir, aux
beaux couchers de soleil qui découpaient en noir
les fines dentelles des Halles, sur les lueurs rouges
du ciel ; la lumière de cinq heures, la poussière
volante des derniers rayons, entrait par toutes les
baies, par toutes les raies des persiennes ; c'était
comme un transparent lumineux et dépoli, où
se dessinaient les arêtes minces des piliers, les
courbes élégantes des charpentes, les figures géométriques des toitures. Il s'emplissait les yeux de
cette immense épure lavée à l'encre de Chine sur
un vélin phosphorescent, reprenant son rêve de
quelque machine colossale, avec ses roues, ses
leviers, ses balanciers, entrevue dans la pourpre

sombre du charbon flambant sous la chaudière.
À chaque heure, les jeux de lumière changeaient
ainsi les profils des Halles, depuis les bleuissements
du matin et les ombres noires de midi, jusqu'à
l'incendie du soleil couchant, s'éteignant dans la
cendre grise du crépuscule. Mais, par les soirées
de flamme, quand les puanteurs montaient, traversant d'un frisson les grands rayons jaunes, comme
des fumées chaudes, les nausées le secouaient de
nouveau, son rêve s'égarait, à s'imaginer des étuves
géantes, des cuves infectes d'équarrisseur où fondait la mauvaise graisse d'un peuple.

Il souffrait encore de ce milieu grossier, dont
les paroles et les gestes semblaient avoir pris de
l'odeur. Il était bon enfant pourtant, ne s'effa-
rouchait guère. Les femmes seules le gênaient.
Il ne se sentait à l'aise qu'avec Mme François,
qu'il avait revue. Elle témoigna une si belle joie
de le savoir placé, heureux, tiré de peine, comme
elle disait, qu'il en fut tout attendri. Lisa, la Normande, les autres, l'inquiétaient avec leurs rires.
À elle, il aurait tout conté. Elle ne riait pas pour
se moquer ; elle avait un rire de femme heureuse
de la joie d'autrui. Puis, c'était une vaillante ; elle
faisait un dur métier, l'hiver, les jours de gelée ;
les temps de pluie étaient plus pénibles encore.
Florent la vit certains matins, par de terribles
averses, par des pluies qui tombaient depuis la
veille, lentes et froides. Les roues de la voiture,
de Nanterre à Paris, étaient entrées dans la boue
jusqu'aux moyeux. Balthazar avait de la crotte
jusqu'au ventre. Et elle le plaignait, elle s'apitoyait,
en l'essuyant avec de vieux tabliers.

« Ces bêtes, disait-elle, c'est très douillet ; ça prend des coliques pour un rien... Ah ! mon pauvre vieux Balthazar ! Quand nous avons passé sur le pont de Neuilly, j'ai cru que nous étions descendus dans la Seine, tant il pleuvait. »

Balthazar allait à l'auberge. Elle, restait sous l'averse, pour vendre ses légumes. Le carreau se changeait en une mare de boue liquide. Les choux, les carottes, les navets, battus par l'eau grise, se noyaient dans cette coulée de torrent fangeux, roulant à pleine chaussée. Ce n'était plus les verdures superbes des claires matinées. Les maraîchers, au fond de leur limousine, gonflaient le dos, sacrant contre l'administration qui, après enquête, a déclaré que la pluie ne fait pas de mal aux légumes, et qu'il n'y a pas lieu d'établir des abris[1].

Alors, les matinées pluvieuses désespérèrent Florent. Il songeait à Mme François. Il s'échappait, allait causer un instant avec elle. Mais il ne la trouvait jamais triste. Elle se secouait comme un caniche, disait qu'elle en avait bien vu d'autres, qu'elle n'était pas en sucre, pour fondre comme ça, aux premières gouttes d'eau. Il la forçait à entrer quelques minutes sous une rue couverte ; plusieurs fois même il la mena jusque chez M. Lebigre, où ils burent du vin chaud. Pendant qu'elle le regardait amicalement, de sa face tranquille, il était tout heureux de cette odeur saine des champs qu'elle lui apportait, dans les mauvaises haleines des Halles. Elle sentait la terre, le foin, le grand air, le grand ciel.

« Il faudra venir à Nanterre, mon garçon, disait-

elle. Vous verrez mon potager ; j'ai mis des bordures de thym partout... Ça pue, dans votre gueux
de Paris ! »

Et elle s'en allait, ruisselante. Florent était
tout rafraîchi, quand il la quittait. Il tenta aussi
le travail, pour combattre les angoisses nerveuses dont il souffrait. C'était un esprit métho-
dique qui poussait parfois le strict emploi de ses
heures jusqu'à la manie. Il s'enferma deux soirs
par semaine, afin d'écrire un grand ouvrage sur
Cayenne. Sa chambre de pensionnaire était excellente, pensait-il, pour le calmer et le disposer au
travail. Il allumait son feu, voyait si le grenadier,
au pied de son lit, se portait bien ; puis, il approchait la petite table, il restait à travailler jusqu'à
minuit. Il avait repoussé le paroissien et *la Clef des
songes* au fond du tiroir, qui peu à peu s'emplit
de notes, de feuilles volantes, de manuscrits de
toutes sortes. L'ouvrage sur Cayenne n'avançait
guère, coupé par d'autres projets, des plans de
travaux gigantesques, dont il jetait l'esquisse en
quelques lignes. Successivement, il ébaucha une
réforme absolue du système administratif des
Halles, une transformation des octrois en taxes
sur les transactions, une répartition nouvelle de
l'approvisionnement dans les quartiers pauvres,
enfin une loi humanitaire, encore très confuse, qui
emmagasinait en commun les arrivages et assurait
chaque jour un minimum de provisions à tous les
ménages de Paris. L'échine pliée, perdu dans des
choses graves, il mettait sa grande ombre noire
au milieu de la douceur effacée de la mansarde.
Et, parfois, un pinson qu'il avait ramassé dans

les Halles, par un temps de neige, se trompait en voyant la lumière, jetait son cri dans le silence que troublait seul le bruit de la plume courant sur le papier.

Fatalement, Florent revint à la politique. Il avait trop souffert par elle, pour ne pas en faire l'occupation chère de sa vie. Il fût devenu, sans le milieu et les circonstances, un bon professeur de province, heureux de la paix de sa petite ville. Mais on l'avait traité en loup, il se trouvait maintenant comme marqué par l'exil pour quelque besogne de combat. Son malaise nerveux n'était que le réveil des longues songeries de Cayenne, de ses amertumes en face de souffrances imméritées, de ses serments de venger un jour l'humanité traitée à coups de fouet et la justice foulée aux pieds. Les Halles géantes, les nourritures, débordantes et fortes, avaient hâté la crise. Elles lui semblaient la bête satisfaite et digérant, Paris entripaillé, cuvant sa graisse, appuyant sourdement l'Empire. Elles mettaient autour de lui des gorges énormes, des reins monstrueux, des faces rondes, comme de continuels arguments contre sa maigreur de martyr, son visage jaune de mécontent. C'était le ventre boutiquier, le ventre de l'honnêteté moyenne, se ballonnant, heureux, luisant au soleil, trouvant que tout allait pour le mieux, que jamais les gens de mœurs paisibles n'avaient engraissé si bellement. Alors, il se sentit les poings serrés, prêt à une lutte, plus irrité par la pensée de son exil qu'il ne l'était en rentrant en France. La haine le reprit tout entier. Souvent, il laissait tomber sa plume, il rêvait. Le feu mourant

tachait sa face d'une grande flamme ; la lampe
charbonneuse filait, pendant que le pinson, la tête
sous l'aile, se rendormait sur une patte.

Quelquefois, à onze heures, Auguste, voyant
de la lumière sous la porte, frappait, avant d'aller se coucher. Florent lui ouvrait avec quelque
impatience. Le garçon charcutier s'asseyait, restait devant le feu, parlant peu, n'expliquant jamais
pourquoi il venait. Tout le temps, il regardait la
photographie qui les représentait, Augustine et lui,
la main dans la main, endimanchés. Florent crut
finir par comprendre qu'il se plaisait d'une façon
particulière dans cette chambre où la jeune fille
avait logé. Un soir, en souriant, il lui demanda s'il
avait deviné juste.

« Peut-être bien, répondit Auguste très surpris
de la découverte qu'il faisait lui-même. Je n'avais
jamais songé à cela. Je venais vous voir sans
savoir... Ah bien ! si je disais ça à Augustine, c'est
elle qui rirait... Quand on doit se marier, on ne
songe guère aux bêtises. »

Lorsqu'il se montrait bavard, c'était pour revenir éternellement à la charcuterie qu'il ouvrirait à
Plaisance, avec Augustine. Il semblait si parfaitement sûr d'arranger sa vie à sa guise, que Florent
finit par éprouver pour lui une sorte de respect
mêlé d'irritation. En somme, ce garçon était très
fort, tout bête qu'il paraissait ; il allait droit à un
but, il l'atteindrait sans secousses, dans une béatitude parfaite. Ces soirs-là, Florent ne pouvait
se remettre au travail ; il se couchait mécontent,
ne retrouvant son équilibre que lorsqu'il venait à
penser : « Mais cet Auguste est une brute ! »

Chaque mois, il allait à Clamart voir M. Verlaque. C'était presque une joie pour lui. Le pauvre
homme traînait, au grand étonnement de Gavard,
qui ne lui avait pas donné plus de six mois. À
chaque visite de Florent, le malade lui disait qu'il
se sentait mieux, qu'il avait un bien grand désir de
reprendre son travail. Mais les jours se passaient,
des rechutes se produisaient. Florent s'asseyait à
côté du lit, causant de la poissonnerie, tâchant
d'apporter un peu de gaieté. Il mettait sur la table
de nuit les cinquante francs qu'il abandonnait à
l'inspecteur en titre ; et celui-ci, bien que ce fût
une affaire convenue, se fâchait chaque fois, ne
voulant pas de l'argent. Puis, on parlait d'autre
chose, l'argent restait sur la table. Quand Florent
partait, Mme Verlaque l'accompagnait jusqu'à la
porte de la rue. Elle était petite, molle, très larmoyante. Elle ne parlait que de la dépense occa-
sionnée par la maladie de son mari, du bouillon
de poulet, des viandes saignantes, du bordeaux, et
du pharmacien, et du médecin. Cette conversation
dolente gênait beaucoup Florent. Les premières
fois, il ne comprit pas. Enfin, comme la pauvre
dame pleurait toujours, en disant que, jadis, ils
étaient heureux avec les dix-huit cents francs de
la place d'inspecteur, il lui offrit timidement de lui
remettre quelque chose, en cachette de son mari.
Elle se défendit ; et sans transition, d'elle-même,
elle assura que cinquante francs lui suffiraient.
Mais, dans le courant du mois, elle écrivait souvent à celui qu'elle nommait leur sauveur ; elle
avait une petite anglaise fine, des phrases faciles
et humbles, dont elle emplissait juste trois pages,

pour demander dix francs ; si bien que les cent cinquante francs de l'employé passaient entièrement au ménage Verlaque. Le mari l'ignorait sans doute, la femme lui baisait les mains. Cette bonne action était sa grande jouissance ; il la cachait comme un plaisir défendu qu'il prenait en égoïste.

« Ce diable de Verlaque se moque de vous, disait parfois Gavard. Il se dorlote, maintenant que vous lui faites des rentes. »

Il finit par répondre, un jour :

« C'est arrangé, je ne lui abandonne plus que vingt-cinq francs. »

D'ailleurs, Florent n'avait aucun besoin. Les Quenu lui donnaient toujours la table et le coucher. Les quelques francs qui lui restaient suffisaient à payer sa consommation, le soir, chez M. Lebigre. Peu à peu, sa vie s'était réglée comme une horloge : il travaillait dans sa chambre ; continuait ses leçons au petit Muche, deux fois par semaine, de huit à neuf heures ; accordait une soirée à la belle Lisa, pour ne pas la fâcher ; et passait le reste de son temps dans le cabinet vitré, en compagnie de Gavard et de ses amis.

Chez les Méhudin, il arrivait avec sa douceur un peu roide de professeur. Le vieux logis lui plaisait. En bas, il passait dans les odeurs fades du marchand d'herbes cuites ; des bassines d'épinards, des terrines d'oseille, refroidissaient, au fond d'une petite cour. Puis, il montait l'escalier tournant, gras d'humidité, dont les marches, tassées et creusées, penchaient d'une façon inquiétante. Les Méhudin occupaient tout le second étage. Jamais la mère n'avait voulu déménager, lorsque l'aisance était venue, malgré les supplications des deux filles, qui rêvaient d'habiter une maison neuve, dans une rue large. La vieille s'entêtait, disait qu'elle avait vécu là, qu'elle mourrait là. D'ailleurs, elle se contentait d'un cabinet noir, laissant les chambres à Claire et à la Normande. Celle-ci, avec son autorité d'aînée, s'était emparée de la pièce qui donnait sur la rue ; c'était la grande chambre, la belle chambre. Claire en fut si vexée, qu'elle refusa la pièce voisine, dont la fenêtre ouvrait sur la cour ; elle voulut aller coucher, de l'autre côté du palier, dans une sorte de galetas qu'elle ne fit pas même blanchir à la chaux. Elle avait sa clef, elle était libre ; à la moindre contrariété, elle s'enfermait chez elle.

Quand Florent se présentait, les Méhudin achevaient de dîner. Muche lui sautait au cou. Il restait un instant assis, avec l'enfant bavardant entre les jambes. Puis, lorsque la toile cirée était essuyée, la leçon commençait, sur un coin de la table. La belle Normande lui faisait un bon accueil. Elle tricotait ou raccommodait du linge, approchant sa chaise, travaillant à la même lampe ; souvent, elle laissait l'aiguille pour écouter la leçon, qui la surprenait. Elle eut bientôt une grande estime pour ce garçon si savant, qui paraissait doux comme une femme en parlant au petit, et qui avait une patience angélique à répéter toujours les mêmes conseils. Elle ne le trouvait plus laid du tout. Si bien qu'elle devint comme jalouse de la belle Lisa. Elle avançait sa chaise davantage, regardait Florent d'un sourire embarrassant.

« Mais, maman, tu me pousses le coude, tu

m'empêches d'écrire ! disait Muche en colère.
Tiens ! voilà un pâté, maintenant ! Recule-toi
donc ! »

Peu à peu, elle en vint à dire beaucoup de mal
de la belle Lisa. Elle prétendait qu'elle cachait son
âge, qu'elle se serrait à étouffer dans ses corsets ;
si, dès le matin, la charcutière descendait, sanglée,
vernie, sans qu'un cheveu dépassât l'autre, c'était
qu'elle devait être affreuse en déshabillé. Alors,
elle levait un peu les bras, en montrant qu'elle,
dans son intérieur, ne portait pas de corset ; et
elle gardait son sourire, développant son torse
superbe, qu'on sentait rouler et vivre, sous sa
mince camisole mal attachée. La leçon était interrompue. Muche, intéressé, regardait sa mère lever
les bras. Florent écoutait, riait même, avec l'idée
que les femmes étaient bien drôles. La rivalité de
la belle Normande et de la belle Lisa l'amusait.

Muche, cependant, achevait sa page d'écriture.
Florent, qui avait une belle main, préparait des
modèles, des bandes de papier, sur lesquelles il
écrivait, en gros et en demi-gros, des mots très
longs, tenant toute la ligne. Il affectionnait les
mots « tyranniquement, liberticide, anticonstitutionnel, révolutionnaire » ; ou bien, il faisait copier
à l'enfant des phrases comme celles-ci : « Le jour
de la justice viendra... La souffrance du juste est
la condamnation du pervers... Quand l'heure sonnera, le coupable tombera. » Il obéissait très naïvement, en écrivant les modèles d'écriture, aux idées
qui lui hantaient le cerveau ; il oubliait Muche, la
belle Normande, tout ce qui l'entourait. Muche
aurait copié le *Contrat social*. Il alignait, pendant

des pages entières, des « tyranniquement » et des « anticonstitutionnel », en dessinant chaque lettre.

Jusqu'au départ du professeur, la mère Méhudin tournait autour de la table, en grondant. Elle continuait à nourrir contre Florent une rancune terrible. Selon elle, il n'y avait pas de bon sens à faire travailler ainsi le petit, le soir, à l'heure où les enfants doivent dormir. Elle aurait certainement jeté « le grand maigre » à la porte, si la belle Normande, après une explication très orageuse, ne lui avait nettement déclaré qu'elle s'en irait loger ailleurs, si elle n'était pas maîtresse de recevoir chez elle qui bon lui semblait. D'ailleurs, chaque soir, la querelle recommençait.

« Tu as beau dire, répétait la vieille, il a l'œil faux… Puis, les maigres, je m'en défie. Un homme maigre, c'est capable de tout. Jamais je n'en ai rencontré un de bon… Le ventre lui est tombé dans les fesses à celui-là, pour sûr ; car il est plat comme une planche… Et pas beau avec ça ! Moi qui ai soixante-cinq ans passés, je n'en voudrais pas dans ma table de nuit. »

Elle disait cela, parce qu'elle voyait bien comment tournaient les choses. Et elle parlait avec admiration de M. Lebigre, qui se montrait très galant, en effet, pour la belle Normande ; outre qu'il flairait là une grosse dot, il pensait que la jeune femme serait superbe au comptoir. La vieille ne tarissait pas : au moins celui-là n'était pas efflanqué ; il devait être fort comme un Turc ; elle allait jusqu'à s'enthousiasmer sur ses mollets, qu'il avait très gros. Mais la Normande haussait les épaules, en répondant aigrement :

« Je m'en moque pas mal, de ses mollets ; je n'ai besoin des mollets de personne… Je fais ce qu'il me plaît. »

Et, si la mère voulait continuer et devenait trop nette :

« Eh bien, quoi ! criait la fille, ça ne vous regarde pas… Ce n'est pas vrai, d'ailleurs. Puis, si c'était vrai, je ne vous en demanderais pas la permission, n'est-ce pas ? Fichez-moi la paix. »

Elle rentrait dans sa chambre en faisant claquer la porte. Elle avait pris dans la maison un pouvoir dont elle abusait. La vieille, la nuit, quand elle croyait surprendre quelque bruit, se levait, nu-pieds, pour écouter à la porte de sa fille si Florent n'était pas venu la retrouver. Mais celui-ci avait encore chez les Méhudin une ennemie plus rude. Dès qu'il arrivait, Claire se levait sans dire un mot, prenait un bougeoir, rentrait chez elle, de l'autre côté du palier. On l'entendait donner les deux tours à la serrure, avec une rage froide. Un soir que sa sœur invita le professeur à dîner, elle fit sa cuisine sur le carré et mangea dans sa chambre. Souvent, elle s'enfermait si étroitement, qu'on ne la voyait pas d'une semaine. Elle restait molle toujours, avec des caprices de fer, des regards de bête méfiante, sous sa toison fauve pâle. La mère Méhudin, qui crut pouvoir se soulager avec elle, la rendit furieuse en lui parlant de Florent. Alors, la vieille, exaspérée, cria partout qu'elle s'en irait, si elle n'avait pas peur de laisser ses deux filles se manger entre elles.

Comme Florent se retirait, un soir, il passa devant la porte de Claire, restée grande ouverte. Il

la vit très rouge, qui le regardait. L'attitude hostile
de la jeune fille le chagrinait ; sa timidité avec les
femmes l'empêchait seule de provoquer une explication. Ce soir-là, il serait certainement entré dans
sa chambre, s'il n'avait aperçu, à l'étage supérieur,
la petite face blanche de Mlle Saget, penchée sur
la rampe. Il passa, et il n'avait pas descendu dix
marches, que la porte de Claire, violemment refermée derrière son dos, ébranla toute la cage de
l'escalier. Ce fut en cette occasion que Mlle Saget
se convainquit que le cousin de Mme Quenu couchait avec les deux Méhudin.

Florent ne songeait guère à ces belles filles. Il
traitait d'ordinaire les femmes en homme qui n'a
point de succès auprès d'elles. Puis, il dépensait en
rêve trop de sa virilité. Il en vint à éprouver une
véritable amitié pour la Normande ; elle avait un
bon cœur, quand elle ne se montait pas la tête.
Mais jamais il n'alla plus loin. Le soir, sous la
lampe, tandis qu'elle approchait sa chaise, comme
pour se pencher sur la page d'écriture de Muche,
il sentait même son corps puissant et tiède à
côté de lui avec un certain malaise. Elle lui semblait colossale, très lourde, presque inquiétante,
avec sa gorge de géante ; il reculait ses coudes
aigus, ses épaules sèches, pris de la peur vague
d'enfoncer dans cette chair. Ses os de maigre
avaient une angoisse, au contact des poitrines
grasses. Il baissait la tête, s'amincissait encore,
incommodé par le souffle fort qui montait d'elle.
Quand sa camisole s'entrebâillait, il croyait voir
sortir, entre deux blancheurs, une fumée de vie,
une haleine de santé qui lui passait sur la face,

chaude encore, comme relevée d'une pointe de
la puanteur des Halles, par les ardentes soirées
de juillet. C'était un parfum persistant, attaché à
la peau d'une finesse de soie, un suint de marée
coulant des seins superbes, des bras royaux, de
la taille souple, mettant un arôme rude dans son
odeur de femme. Elle avait tenté toutes les huiles
aromatiques ; elle se lavait à grande eau ; mais dès
que la fraîcheur du bain s'en allait, le sang ramenait jusqu'au bout des membres la fadeur des saumons, la violette musquée des éperlans, les âcretés
des harengs et des raies. Alors, le balancement de
ses jupes dégageait une buée ; elle marchait au
milieu d'une évaporation d'algues vaseuses ; elle
était, avec son grand corps de déesse, sa pureté
et sa pâleur admirables, comme un beau marbre
ancien roulé par la mer et ramené à la côte dans
le coup de filet d'un pêcheur de sardines. Florent
souffrait ; il ne la désirait point, les sens révoltés
par les après-midi de la poissonnerie ; il la trouvait
irritante, trop salée, trop amère, d'une beauté trop
large et d'un relent trop fort.

Mlle Saget, quant à elle, jurait ses grands dieux
qu'il était son amant. Elle s'était fâchée avec la
belle Normande, pour une limande de dix sous.
Depuis cette brouille, elle témoignait une grande
amitié à la belle Lisa. Elle espérait arriver plus vite
à connaître ainsi ce qu'elle appelait « le micmac
des Quenu ». Florent continuant à lui échapper,
elle était un corps sans âme, comme elle le disait
elle-même, sans avouer la cause de ses doléances.
Une jeune fille courant après les culottes d'un
garçon n'aurait pas été plus désolée que cette

terrible vieille, en sentant le secret du cousin lui glisser entre les doigts. Elle guettait le cousin, le suivait, le déshabillait, le regardait partout, avec une rage furieuse de ce que sa curiosité en rut ne parvenait pas à le posséder. Depuis qu'il venait chez les Méhudin, elle ne quittait plus la rampe de l'escalier. Puis, elle comprit que la belle Lisa était très irritée de voir Florent fréquenter « ces femmes ». Tous les matins, elle lui donna alors des nouvelles de la rue Pirouette. Elle entrait à la charcuterie, les jours de froid, ratatinée, rapetis-sée par la gelée ; elle posait ses mains bleuies sur l'étuve de melchior, se chauffant les doigts, debout devant le comptoir, n'achetant rien, répétant de sa voix fluette :

« Il était encore hier chez elles, il n'en sort plus... La Normande l'a appelé "mon chéri" dans l'escalier. »

Elle mentait un peu pour rester et se chauf-fer les mains plus longtemps. Le lendemain du jour où elle crut voir sortir Florent de la chambre de Claire, elle accourut et fit durer l'histoire une bonne demi-heure. C'était une honte ; maintenant, le cousin allait d'un lit à l'autre.

« Je l'ai vu, dit-elle. Quand il en a assez avec la Normande, il va trouver la petite blonde sur la pointe des pieds. Hier, il quittait la blonde, et retournait sans doute auprès de la grande brune, quand il m'a aperçue, ce qui lui a fait rebrousser chemin. Toute la nuit, j'entends les deux portes, ça ne finit pas... Et cette vieille Méhudin qui couche dans un cabinet entre les chambres de ses filles ! »

Lisa faisait une moue de mépris. Elle parlait

peu, n'encourageant les bavardages de Mlle Saget
que par son silence. Elle écoutait profondément.
Quand les détails devenaient par trop scabreux :

« Non, non, murmurait-elle, ce n'est pas permis... Se peut-il qu'il y ait des femmes comme ça ! »

Alors, Mlle Saget lui répondait que, dame !
toutes les femmes n'étaient pas honnêtes comme
elle. Ensuite, elle se faisait très tolérante pour le
cousin. Un homme, ça court après chaque jupon
qui passe ; puis, il n'était pas marié, peut-être.
Et elle posait des questions sans en avoir l'air.
Mais Lisa ne jugeait jamais le cousin, haussait
les épaules, pinçait les lèvres. Quand Mlle Saget
était partie, elle regardait, l'air écœuré, le couvercle de l'étuve, où la vieille avait laissé, sur le
luisant du métal, la salissure terne de ses deux
petites mains.

« Augustine, criait-elle, apportez donc un torchon pour essuyer l'étuve. C'est dégoûtant. »

La rivalité de la belle Lisa et de la belle Normande devint alors formidable. La belle Normande était persuadée qu'elle avait enlevé un
amant à son ennemie, et la belle Lisa se sentait
furieuse contre cette pas grand-chose qui finirait
par les compromettre, en attirant ce sournois de
Florent chez elle. Chacune apportait son tempérament dans leur hostilité ; l'une, tranquille,
méprisante, avec des mines de femme qui relève
ses jupes pour ne pas se crotter ; l'autre, plus
effrontée, éclatant d'une gaieté insolente, prenant toute la largeur du trottoir, avec la crânerie
d'un duelliste cherchant une affaire. Une de leurs
rencontres occupait la poissonnerie pendant une

journée. La belle Normande, quand elle voyait la belle Lisa sur le seuil de la charcuterie, faisait un détour pour passer devant elle, pour la frôler de son tablier ; alors, leurs regards noirs se croisaient comme des épées, avec l'éclair et la pointe rapides de l'acier. De son côté, lorsque la belle Lisa venait à la poissonnerie, elle affectait une grimace de dégoût, en approchant du banc de la belle Normande ; elle prenait quelque grosse pièce, un turbot, un saumon, à une poissonnière voisine, étalant son argent sur le marbre, ayant remarqué que cela touchait au cœur « la pas grand-chose », qui cessait de rire. D'ailleurs, les deux rivales, à les entendre, ne vendaient que du poisson pourri et de la charcuterie gâtée. Mais leur poste de combat était surtout, la belle Normande à son banc, la belle Lisa à son comptoir, se foudroyant à travers la rue Rambuteau. Elles trônaient alors, dans leurs grands tabliers blancs, avec leurs toilettes et leurs bijoux. Dès le matin, la bataille commençait.

« Tiens ! la grosse vache est levée ! criait la belle Normande. Elle se ficelle comme ses saucissons, cette femme-là… Ah bien ! elle a remis son col de samedi, et elle porte encore sa robe de popeline ! »

Au même instant, de l'autre côté de la rue, la belle Lisa disait à sa fille de boutique :

« Voyez donc, Augustine, cette créature qui nous dévisage, là-bas. Elle est toute déformée, avec la vie qu'elle mène… Est-ce que vous apercevez ses boucles d'oreilles ? Je crois qu'elle a ses grandes poires, n'est-ce pas ? Ça fait pitié, des brillants, à des filles comme ça.

— Pour ce que ça lui coûte ! » répondait complaisamment Augustine.

Quand l'une d'elles avait un bijou nouveau, c'était une victoire ; l'autre crevait de dépit. Toute la matinée, elles se jalousaient leurs clients, se montraient très maussades, si elles s'imaginaient que la vente allait mieux chez « la grande bringue d'en face ». Puis, venait l'espionnage du déjeuner ; elles savaient ce qu'elles mangeaient, épiaient jusqu'à leur digestion. L'après-midi, assises l'une dans ses viandes cuites, l'autre dans ses poissons, elles posaient, faisaient les belles, se donnaient un mal infini. C'était l'heure qui décidait du succès de la journée. La belle Normande brodait, choisissait des travaux d'aiguille très délicats, ce qui exaspérait la belle Lisa.

« Elle ferait mieux, disait-elle, de raccommoder les bas de son garçon, qui va nu-pieds... Voyez-vous cette demoiselle, avec ses mains rouges puant le poisson ! »

Elle, tricotait, d'ordinaire.

« Elle en est toujours à la même chaussette, remarquait l'autre ; elle dort sur l'ouvrage, elle mange trop... Si son cocu attend ça pour avoir chaud aux pieds ! »

Jusqu'au soir, elles restaient implacables, commentant chaque visite, l'œil si prompt, qu'elles saisissaient les plus minces détails de leur personne, lorsque d'autres femmes, à cette distance, déclaraient ne rien apercevoir du tout. Mlle Saget fut dans l'admiration des bons yeux de Mme Quenu, un jour que celle-ci distingua une égratignure sur la joue gauche de la poissonnière. « Avec des yeux comme ça, disait-elle, on verrait à travers les portes. » La nuit tombait, et souvent la victoire était indécise ; parfois, l'une demeurait sur le carreau ; mais, le lendemain, elle prenait sa revanche. Dans le quartier, on ouvrait des paris pour la belle Lisa ou pour la belle Normande.

Elles en vinrent à défendre à leurs enfants de se parler. Pauline et Muche étaient bons amis, auparavant ; Pauline, avec ses jupes raides de demoiselle comme il faut ; Muche, débraillé, jurant, tapant, jouant à merveille au charretier. Quand ils s'amusaient ensemble sur le large trottoir, devant le pavillon de la marée, Pauline faisait la charrette. Mais un jour que Muche alla la chercher, tout naïvement, la belle Lisa le mit à la porte, en le traitant de galopin.

« Est-ce qu'on sait, dit-elle, avec ces enfants mal élevés !... Celui-ci a de si mauvais exemples sous les yeux, que je ne suis pas tranquille, quand il est avec ma fille. »

L'enfant avait sept ans. Mlle Saget, qui se trouvait là, ajouta :

« Vous avez bien raison. Il est toujours fourré avec les petites du quartier, ce garnement... On l'a trouvé dans une cave, avec la fille du charbonnier. »

La belle Normande, quand Muche vint en pleurant lui raconter l'aventure, entra dans une colère terrible. Elle voulait aller tout casser chez les Quenu-Gradelle. Puis, elle se contenta de donner le fouet à Muche.

« Si tu y retournes jamais, cria-t-elle, furieuse, tu auras affaire à moi ! »

Mais la véritable victime des deux femmes était
Florent. Au fond, lui seul les avait mises sur ce
pied de guerre, elles ne se battaient que pour lui.
Depuis son arrivée, tout allait de mal en pis ; il
compromettait, fâchait, troublait ce monde qui
avait vécu jusque-là dans une paix si grasse. La
belle Normande l'aurait volontiers griffé, quand
elle le voyait s'oublier trop longtemps chez les
Quenu ; c'était pour beaucoup l'ardeur de la lutte
qui la poussait au désir de cet homme. La belle
Lisa gardait une attitude de juge, devant la mauvaise conduite de son beau-frère, dont les rapports
avec les deux Méhudin faisaient le scandale du
quartier. Elle était horriblement vexée ; elle s'efforçait de ne pas montrer sa jalousie, une jalousie
particulière, qui, malgré son dédain de Florent
et sa froideur de femme honnête, l'exaspérait,
chaque fois qu'il quittait la charcuterie pour aller
rue Pirouette, et qu'elle s'imaginait les plaisirs
défendus qu'il devait y goûter.

Le dîner, le soir, chez les Quenu, devenait
moins cordial. La netteté de la salle à manger
prenait un caractère aigu et cassant. Florent
sentait un reproche, une sorte de condamnation
dans le chêne clair, la lampe trop propre, la natte
trop neuve. Il n'osait presque plus manger, de
peur de laisser tomber des miettes de pain et de
salir son assiette. Cependant, il avait une belle
simplicité qui l'empêchait de voir. Partout il vantait la douceur de Lisa. Elle restait très douce, en
effet. Elle lui disait, avec un sourire, comme en
plaisantant :

« C'est singulier, vous ne mangez pas mal,

maintenant, et pourtant vous ne devenez pas gras... Ça ne vous profite pas. »

Quenu riait plus haut, tapait sur le ventre de son frère, en prétendant que toute la charcuterie y passerait, sans seulement laisser épais de graisse comme une pièce de deux sous. Mais, dans l'insistance de Lisa, il y avait cette haine, cette méfiance des maigres que la mère Méhudin témoignait plus brutalement ; il y avait aussi une allusion détournée à la vie de débordements que Florent menait. Jamais, d'ailleurs, elle ne parlait devant lui de la belle Normande. Quenu ayant fait une plaisanterie, un soir, elle était devenue si glaciale, que le digne homme ne recommença pas. Après le dessert, ils demeuraient là un instant. Florent, qui avait remarqué l'humeur de sa belle-sœur, quand il partait trop vite, cherchait un bout de conversation. Elle était tout près de lui. Il ne la trouvait pas tiède et vivante, comme la poissonnière ; elle n'avait pas, non plus, la même odeur de marée, pimentée et de haut goût ; elle sentait la graisse, la fadeur des belles viandes. Pas un frisson ne faisait faire un pli à son corsage tendu. Le contact trop ferme de la belle Lisa inquiétait plus encore ses os de maigre que l'approche tendre de la belle Normande. Gavard lui dit une fois, en grande confidence, que Mme Quenu était certainement une belle femme, mais qu'il les aimait « moins blindées que cela ».

Lisa évitait de parler de Florent à Quenu. Elle faisait, d'habitude, grand étalage de patience. Puis, elle croyait honnête de ne pas se mettre entre les deux frères, sans avoir de bien sérieux motifs.

Comme elle le disait, elle était très bonne, mais il
ne fallait pas la pousser à bout. Elle en était à la
période de tolérance, le visage muet, la politesse
stricte, l'indifférence affectée, évitant encore avec
soin tout ce qui aurait pu faire comprendre à l'employé qu'il couchait et qu'il mangeait chez eux,
sans que jamais on vît son argent ; non pas qu'elle
eût accepté un payement quelconque, elle était au-
dessus de cela ; seulement, il aurait pu, vraiment,
déjeuner au moins dehors. Elle fit remarquer un
jour à Quenu :

« On n'est plus seuls. Quand nous voulons
nous parler, maintenant, il faut attendre que nous
soyons couchés, le soir. »

Et, un soir, elle lui dit, sur l'oreiller :

« Il gagne cent cinquante francs, n'est-ce pas ?
ton frère... C'est singulier qu'il ne puisse pas
mettre quelque chose de côté pour s'acheter du
linge. J'ai encore été obligée de lui donner trois
vieilles chemises à toi.

— Bah ! ça ne fait rien, répondit Quenu, il n'est
pas difficile, mon frère... Il faut lui laisser son
argent.

— Oh ! bien sûr, murmura Lisa, sans insister davantage, je ne dis pas ça pour ça... Qu'il le
dépense bien ou mal, ce n'est pas notre affaire. »

Elle était persuadée qu'il mangeait ses appointements chez les Méhudin. Elle ne sortit qu'une
fois de son attitude calme, de cette réserve de
tempérament et de calcul. La belle Normande
avait fait cadeau à Florent d'un saumon superbe.
Celui-ci, très embarrassé de son saumon, n'ayant
pas osé le refuser, l'apporta à la belle Lisa.

« Vous en ferez un pâté », dit-il ingénument.

Elle le regardait fixement, les lèvres blanches ; puis, d'une voix qu'elle tâchait de contenir :

« Est-ce que vous croyez que nous avons besoin de nourriture, par exemple ! Dieu merci ! il y a assez à manger ici !... Remportez-le !

— Mais faites-le-moi cuire, au moins, reprit Florent, étonné de sa colère ; je le mangerai. »

Alors elle éclata.

« La maison n'est pas une auberge, peut-être ! Dites aux personnes qui vous l'ont donné de le faire cuire, si elles veulent. Moi, je n'ai pas envie d'empester mes casseroles... Remportez-le, entendez-vous ! »

Elle l'aurait pris et jeté à la rue. Il le porta chez M. Lebigre, où Rose reçut l'ordre d'en faire un pâté. Et, un soir, dans le cabinet vitré, on mangea le pâté. Gavard paya des huîtres. Florent, peu à peu, venait davantage, ne quittait plus le cabinet. Il y trouvait un milieu surchauffé, où ses fièvres politiques battaient à l'aise. Parfois, maintenant, quand il s'enfermait dans sa mansarde pour travailler, la douceur de la pièce l'impatientait, la recherche théorique de la liberté ne lui suffisait plus, il fallait qu'il descendît, qu'il allât se contenter dans les axiomes tranchants de Charvet et dans les emportements de Logre. Les premiers soirs, ce tapage, ce flot de paroles l'avait gêné ; il en sentait encore le vide, mais il éprouvait un besoin de s'étourdir, de se fouetter, d'être poussé à quelque résolution extrême qui calmât ses inquiétudes d'esprit. L'odeur du cabinet, cette odeur liquoreuse, chaude de la fumée du tabac,

le grisait, lui donnait une béatitude particulière,
un abandon de lui-même, dont le bercement lui
faisait accepter sans difficulté des choses très
grosses. Il en vint à aimer les figures qui étaient
là, à les retrouver, à s'attarder à elles avec le
plaisir de l'habitude. La face douce et barbue de
Robine, le profil sérieux de Clémence, la maigreur
blême de Charvet, la bosse de Logre, et Gavard,
et Alexandre, et Lacaille, entraient dans sa vie, y
prenaient une place de plus en plus grande. C'était
pour lui comme une jouissance toute sensuelle.
Lorsqu'il posait la main sur le bouton de cuivre du
cabinet, il lui semblait sentir ce bouton vivre, lui
chauffer les doigts, tourner de lui-même ; il n'eût
pas éprouvé une sensation plus vive, en prenant
le poignet souple d'une femme.

À la vérité, il se passait des choses très graves
dans le cabinet. Un soir, Logre, après avoir tem-
pêté avec plus de violence que de coutume, donna
des coups de poing sur la table, en déclarant que
si l'on était des hommes, on flanquerait le gouvernement par terre. Et il ajouta qu'il fallait s'entendre tout de suite, si l'on voulait être prêt, quand
la débâcle arriverait. Puis, les têtes rapprochées,
à voix plus basse, on convint de former un petit
groupe prêt à toutes les éventualités. Gavard, à
partir de ce jour, fut persuadé qu'il faisait partie
d'une société secrète et qu'il conspirait. Le cercle
ne s'étendit pas, mais Logre promit de l'aboucher avec d'autres réunions qu'il connaissait. À
un moment, quand on tiendrait tout Paris dans
la main, on ferait danser les Tuileries. Alors, ce
furent des discussions sans fin qui durèrent plu-

sieurs mois : questions d'organisation, questions
de but et de moyens, questions de stratégie et de
gouvernement futur. Dès que Rose avait apporté
le grog de Clémence, les chopes de Charvet et
de Robine, les mazagrans de Logre, de Gavard
et de Florent, et les petits verres de Lacaille et
d'Alexandre, le cabinet était soigneusement bar-
ricadé, la séance était ouverte.

Charvet et Florent restaient naturellement les
voix les plus écoutées. Gavard n'avait pu tenir
sa langue, contant peu à peu toute l'histoire de
Cayenne, ce qui mettait Florent dans une gloire
de martyr. Ses paroles devenaient des actes de foi.
Un soir, le marchand de volailles, vexé d'entendre
attaquer son ami qui était absent, s'écria :

« Ne touchez pas à Florent, il est allé à Cayenne ! »

Mais Charvet se trouvait très piqué de cet avantage.

« Cayenne, Cayenne, murmurait-il entre ses
dents, on n'y était pas si mal que ça, après tout ! »

Et il tentait de prouver que l'exil n'est rien,
que la grande souffrance consiste à rester dans
son pays opprimé, la bouche bâillonnée, en face
du despotisme triomphant. Si, d'ailleurs, on ne
l'avait pas arrêté, au 2 Décembre, ce n'était pas
sa faute. Il laissait même entendre que ceux qui
se font prendre sont des imbéciles. Cette jalousie
sourde en fit l'adversaire systématique de Florent.
Les discussions finissaient toujours par se cir-
conscrire entre eux deux. Et ils parlaient encore
pendant des heures, au milieu du silence des
autres, sans que jamais l'un d'eux se confessât
battu.

Une des questions les plus caressées était celle de la réorganisation du pays, au lendemain de la victoire.

« Nous sommes vainqueurs, n'est-ce pas ?... » commençait Gavard.

Et, le triomphe une fois bien entendu, chacun donnait son avis. Il y avait deux camps. Charvet, qui professait l'hébertisme, avait avec lui Logre et Robine. Florent, toujours perdu dans son rêve humanitaire, se prétendait socialiste et s'appuyait sur Alexandre et sur Lacaille. Quant à Gavard, il ne répugnait pas aux idées violentes ; mais, comme on lui reprochait quelquefois sa fortune, avec d'aigres plaisanteries qui l'émotionnaient, il était communiste.

« Il faudra faire table rase, disait Charvet de son ton bref, comme s'il eût donné un coup de hache. Le tronc est pourri, on doit l'abattre.

— Oui ! oui ! reprenait Logre, se mettant debout pour être plus grand, ébranlant la cloison sous les bonds de sa bosse. Tout sera fichu par terre, c'est moi qui vous le dis... Après, on verra. »

Robine approuvait de la barbe. Son silence jouissait, quand les propositions devenaient tout à fait révolutionnaires. Ses yeux prenaient une grande douceur au mot de guillotine ; il les fermait à demi, comme s'il voyait la chose, et qu'elle l'eût attendri ; et, alors, il grattait légèrement son menton sur la pomme de sa canne, avec un sourd ronronnement de satisfaction.

« Cependant, disait à son tour Florent, dont la voix gardait un son lointain de tristesse, cependant si vous abattez l'arbre, il sera nécessaire de garder des semences... Je crois, au contraire, qu'il faut conserver l'arbre pour greffer sur lui la vie nouvelle... La révolution politique est faite, voyez-vous ; il faut aujourd'hui songer au travailleur, à l'ouvrier ; notre mouvement devra être tout social. Et je vous défie bien d'arrêter cette revendication du peuple. Le peuple est las, il veut sa part. »

Ces paroles enthousiasmaient Alexandre. Il affirmait, avec sa bonne figure réjouie, que c'était vrai, que le peuple était las.

« Et nous voulons notre part, ajoutait Lacaille, d'un air plus menaçant. Toutes les révolutions, c'est pour les bourgeois. Il y en a assez, à la fin. À la première, ce sera pour nous. »

Alors, on ne s'entendait plus. Gavard offrait de partager. Logre refusait, en jurant qu'il ne tenait pas à l'argent. Puis, peu à peu, Charvet, dominant le tumulte, continuait tout seul :

« L'égoïsme des classes est un des soutiens les plus fermes de la tyrannie. Il est mauvais que le peuple soit égoïste. S'il nous aide, il aura sa part... Pourquoi voulez-vous que je me batte pour l'ouvrier, si l'ouvrier refuse de se battre pour moi ?... Puis, la question n'est pas là. Il faut dix ans de dictature révolutionnaire, si l'on veut habituer un pays comme la France à l'exercice de la liberté.

— D'autant plus, disait nettement Clémence, que l'ouvrier n'est pas mûr et qu'il doit être dirigé. »

Elle parlait rarement. Cette grande fille grave, perdue au milieu de tous ces hommes, avait une façon professorale d'écouter parler politique. Elle se renversait contre la cloison, buvait son grog à

petits coups, en regardant les interlocuteurs, avec
des froncements de sourcils, des gonflements de
narines, toute une approbation ou une désappro-
bation muettes, qui prouvaient qu'elle comprenait,
qu'elle avait des idées très arrêtées sur les matières
les plus compliquées. Parfois, elle roulait une cigarette, soufflait du coin des lèvres des jets de fumée
minces, devenait plus attentive. Il semblait que le
débat eût lieu devant elle, et qu'elle dût distribuer
des prix à la fin. Elle croyait certainement garder
sa place de femme, en réservant son avis, en ne
s'emportant pas comme les hommes. Seulement,
au fort des discussions, elle lançait une phrase,
elle concluait d'un mot, elle « rivait le clou » à
Charvet lui-même, selon l'expression de Gavard.
Au fond, elle se croyait beaucoup plus forte que
ces messieurs. Elle n'avait de respect que pour
Robine, dont elle couvait le silence de ses grands
yeux noirs.

Florent, pas plus que les autres, ne faisait
attention à Clémence. C'était un homme pour
eux. On lui donnait des poignées de main à lui
démancher le bras. Un soir, Florent assista aux
fameux comptes. Comme la jeune femme venait
de toucher son argent, Charvet voulut lui emprunter dix francs. Mais elle dit que non, qu'il fallait
savoir où ils en étaient auparavant. Ils vivaient
sur la base du mariage libre et de la fortune libre ;
chacun d'eux payait ses dépenses, strictement ;
comme ça, disaient-ils, ils ne se devaient rien, ils
n'étaient pas esclaves. Le loyer, la nourriture, le
blanchissage, les menus plaisirs, tout se trouvait
écrit, noté, additionné. Ce soir-là, Clémence, véri-

fication faite, prouva à Charvet qu'il lui devait déjà cinq francs. Elle lui remit ensuite les dix francs, en lui disant :

« Marque que tu m'en dois quinze, maintenant... Tu me les rendras le 5, sur les leçons du petit Léhudier. »

Quand on appelait Rose pour payer, ils tiraient chacun de leur poche les quelques sous de leur consommation. Charvet traitait même en riant Clémence d'aristocrate, parce qu'elle prenait un grog ; il disait qu'elle voulait l'humilier, lui faire sentir qu'il gagnait moins qu'elle, ce qui était vrai ; et il y avait, au fond de son rire, une protestation contre ce gain plus élevé, qui le rabaissait, malgré sa théorie de l'égalité des sexes.

Si les discussions n'aboutissaient guère, elles tenaient ces messieurs en haleine. Il sortait un bruit formidable du cabinet ; les vitres dépolies vibraient comme des peaux de tambour. Parfois, le bruit devenait si fort que Rose, avec sa langueur, versant au comptoir un canon à quelque blouse, tournait la tête d'inquiétude.

« Ah bien ! merci, ils se cognent là-dedans, disait la blouse, en reposant le verre sur le zinc, et en se torchant la bouche d'un revers de main.

— Pas de danger, répondait tranquillement M. Lebigre ; ce sont des messieurs qui causent. »

M. Lebigre, très rude pour les autres consommateurs, les laissait crier à leur aise, sans jamais leur faire la moindre observation. Il restait des heures sur la banquette du comptoir, en gilet à manches, sa grosse tête ensommeillée appuyée contre la glace, suivant du regard Rose qui débou-

chait des bouteilles ou qui donnait des coups de
torchon. Les jours de belle humeur, quand elle
était devant lui, plongeant des verres dans le bassin aux rinçures, les poignets nus, il la pinçait
fortement au gras des jambes, sans qu'on pût le
voir, ce qu'elle acceptait avec un sourire d'aise.
Elle ne trahissait même pas cette familiarité par
un sursaut ; lorsqu'il l'avait pincée au sang, elle
disait qu'elle n'était pas chatouilleuse. Cependant,
M. Lebigre, dans l'odeur de vin et le ruissellement
de clartés chaudes qui l'assoupissaient, tendait
l'oreille aux bruits du cabinet. Il se levait quand
les voix montaient, allait s'adosser à la cloison ;
ou même il poussait la porte, il entrait, s'asseyait
un instant, en donnant une tape sur la cuisse
de Gavard. Là, il approuvait tout de la tête. Le
marchand de volailles disait que, si ce diable de
Lebigre n'avait guère l'étoffe d'un orateur, on pouvait compter sur lui « le jour du grabuge ».

Mais Florent, un matin, aux Halles, dans une
querelle affreuse qui éclata entre Rose et une poissonnière, à propos d'une bourriche de harengs que
celle-ci avait fait tomber d'un coup de coude, sans
le vouloir, l'entendit traiter de « panier à mou-
chard » et de « torchon de la préfecture ». Quand
il eut rétabli la paix, on lui en dégoisa long sur
M. Lebigre : il était de la police ; tout le quartier le
savait bien ; Mlle Saget, avant de se servir chez lui,
disait l'avoir rencontré une fois allant au rapport ;
puis, c'était un homme d'argent, un usurier qui
prêtait à la journée aux marchands des quatre-
saisons, et qui leur louait des voitures, en exigeant
un intérêt scandaleux. Florent fut très ému. Le

soir même, en baissant la voix, il crut devoir répéter ces choses à ces messieurs. Ils haussèrent les épaules, rirent beaucoup de ses inquiétudes.

« Ce pauvre Florent ! dit méchamment Charvet, parce qu'il est allé à Cayenne, il s'imagine que toute la police est à ses trousses. »

Gavard donna sa parole d'honneur que Lebigre était « un bon, un pur ». Mais ce fut surtout Logre qui se fâcha. Sa chaise craquait ; il déblatérait, il déclarait que ce n'était pas possible de continuer comme cela, que si l'on accusait tout le monde d'être de la police, il aimait mieux rester chez lui et ne plus s'occuper de politique. Est-ce qu'on n'avait pas osé dire qu'il en était, lui, Logre ! lui qui s'était battu en 48 et en 51, qui avait failli être transporté deux fois ! Et, en criant cela, il regardait les autres, la mâchoire en avant, comme s'il eût voulu leur clouer violemment et quand même la conviction qu'il « n'en était pas ». Sous ses regards furibonds, les autres protestèrent du geste. Cependant, Lacaille, en entendant traiter M. Lebigre d'usurier, avait baissé la tête.

Les discussions noyèrent cet incident. M. Lebigre, depuis que Logre avait lancé l'idée d'un complot, donnait des poignées de main plus rudes aux habitués du cabinet. À la vérité, leur clientèle devait être d'un maigre profit ; ils ne renouvelaient jamais leurs consommations. À l'heure du départ, ils buvaient la dernière goutte de leur verre, sagement ménagé pendant les ardeurs des théories politiques et sociales. Le départ, dans le froid humide de la nuit, était tout frissonnant. Ils restaient un instant sur le trottoir,

les yeux brûlés, les oreilles assourdies, comme surpris par le silence noir de la rue. Derrière eux,
Rose mettait les boulons des volets. Puis, quand
ils s'étaient serré les mains, épuisés, ne trouvant
plus un mot, ils se séparaient, mâchant encore des
arguments, avec le regret de ne pouvoir s'enfoncer
mutuellement leur conviction dans la gorge. Le
dos rond de Robine moutonnait, disparaissait du
côté de la rue Rambuteau ; tandis que Charvet
et Clémence s'en allaient par les Halles, jusqu'au
Luxembourg, côte à côte, faisant sonner militai-
rement leurs talons, en discutant encore quelque
point de politique ou de philosophie, sans jamais
se donner le bras.

Le complot mûrissait lentement. Au commencement de l'été, il n'était toujours question que
de la nécessité de « tenter le coup ». Florent, qui,
dans les premiers temps, éprouvait une sorte de
méfiance, finit par croire à la possibilité d'un
mouvement révolutionnaire. Il s'en occupait très
sérieusement, prenant des notes, faisant des plans
écrits. Les autres parlaient toujours. Lui, peu à
peu, concentra sa vie dans l'idée fixe dont il se
battait le crâne chaque soir, au point qu'il mena
son frère Quenu chez M. Lebigre, naturellement,
sans songer à mal. Il le traitait toujours un peu
comme son élève, il dut même penser qu'il avait
le devoir de le lancer dans la bonne voie. Quenu
était absolument neuf en politique. Mais, au bout
de cinq ou six soirées, il se trouva à l'unisson. Il
montrait une grande docilité, une sorte de respect
pour les conseils de son frère, quand la belle Lisa
n'était pas là. D'ailleurs, ce qui le séduisit, avant

tout, ce fut la débauche bourgeoise de quitter sa charcuterie, de venir s'enfermer dans ce cabinet où l'on criait si fort, et où la présence de Clémence mettait pour lui une pointe d'odeur suspecte et délicieuse. Aussi bâclait-il ses andouilles maintenant, afin d'accourir plus vite, ne voulant pas perdre un mot de ces discussions qui lui semblaient très fortes, sans qu'il pût souvent les suivre jusqu'au bout. La belle Lisa s'apercevait très bien de sa hâte à s'en aller. Elle ne disait encore rien. Quand Florent l'emmenait, elle venait sur le seuil de la porte les voir entrer chez M. Lebigre, un peu pâle, les yeux sévères.

Mlle Saget, un soir, reconnut de sa lucarne l'ombre de Quenu sur les vitres dépolies de la grande fenêtre du cabinet donnant rue Pirouette. Elle avait trouvé là un poste d'observation excellent, en face de cette sorte de transparent laiteux, où se dessinaient les silhouettes de ces messieurs, avec des nez subits, des mâchoires tendues qui jaillissaient, des bras énormes qui s'allongeaient brusquement, sans qu'on aperçût les corps. Ce démanchement surprenant de membres, ces profils muets et furibonds trahissant au-dehors les discussions ardentes du cabinet, la tenaient derrière ses rideaux de mousseline jusqu'à ce que le transparent devînt noir. Elle flairait là « un coup de mistoufle ». Elle avait fini par connaître les ombres, aux mains, aux cheveux, aux vêtements. Dans ce pêle-mêle de poings fermés, de têtes coléreuses, d'épaules gonflées, qui semblaient se décoller et rouler les unes sur les autres, elle disait nettement : « Ça, c'est le grand dadais de cousin ; ça, c'est ce vieux grigou de Gavard, et voilà le bossu, et voilà cette perche de Clémence. » Puis, lorsque les silhouettes s'échauffaient, devenaient absolument désordonnées, elle était prise d'un besoin irrésistible de descendre, d'aller voir. Elle achetait son cassis le soir, sous le prétexte qu'elle se sentait « toute chose », le matin ; il le lui fallait, disait-elle, au saut du lit. Le jour où elle vit la tête lourde de Quenu, barrée à coups nerveux par le mince poignet de Charvet, elle arriva chez M. Lebigre très essoufflée, elle fit rincer sa petite bouteille par Rose, afin de gagner du temps. Cependant, elle allait remonter chez elle, lorsqu'elle entendit la voix du charcutier dire avec une netteté enfantine :

« Non, il n'en faut plus... On leur donnera un coup de torchon solide, à ce tas de farceurs de députés et de ministres, à tout le tremblement, enfin ! »

Le lendemain, dès huit heures, Mlle Saget était à la charcuterie. Elle y trouva Mme Lecœur et la Sarriette, qui plongeaient le nez dans l'étuve, achetant des saucisses chaudes pour leur déjeuner. Comme la vieille fille les avait entraînées dans sa querelle contre la belle Normande, à propos de la limande de dix sous, elles s'étaient du coup remises toutes deux avec la belle Lisa. Maintenant la poissonnière ne valait pas gros comme ça de beurre. Et elles tapaient sur les Méhudin, des filles de rien qui n'en voulaient qu'à l'argent des hommes. La vérité était que Mlle Saget avait laissé entendre à Mme Lecœur que Florent repassait parfois une des deux sœurs à Gavard, et qu'à eux quatre, ils faisaient des parties à crever chez

Baratte, bien entendu avec les pièces de cent sous
du marchand de volailles. Mme Lecœur en resta
dolente, les yeux jaunes de bile.

Ce matin-là, c'était à Mme Quenu que la vieille
fille voulait porter un coup. Elle tourna devant le
comptoir ; puis, de sa voix la plus douce :

« J'ai vu monsieur Quenu hier soir, dit-elle. Ah
bien ! allez, ils s'amusent, dans ce cabinet, où ils
font tant de bruit. »

Lisa s'était tournée du côté de la rue, l'oreille
très attentive, mais ne voulant sans doute pas
écouter de face. Mlle Saget fit une pause, espérant qu'on la questionnerait. Elle ajouta plus bas :

« Ils ont une femme avec eux... Oh ! pas monsieur Quenu, je ne dis pas ça, je ne sais pas...

— C'est Clémence, interrompit la Sarriette,
une grande sèche, qui fait la dinde, parce qu'elle
est allée en pension. Elle vit avec un professeur
râpé... Je les ai vus ensemble ; ils ont toujours l'air
de se conduire au poste.

— Je sais, je sais », reprit la vieille, qui connaissait son Charvet et sa Clémence à merveille, et qui
parlait uniquement pour inquiéter la charcutière.

Celle-ci ne bronchait pas. Elle avait l'air de
regarder quelque chose de très intéressant, dans
les Halles. Alors, l'autre employa les grands
moyens. Elle s'adressa à Mme Lecœur :

« Je voulais vous dire, vous feriez bien de
conseiller à votre beau-frère d'être prudent. Ils
crient des choses à faire trembler, dans ce cabinet.
Les hommes, vraiment, ça n'est pas raisonnable,
avec leur politique. Si on les entendait, n'est-ce
pas ? ça pourrait très mal tourner pour eux.

— Gavard fait ce qui lui plaît, soupira Mme Lecœur. Il ne manque plus que ça. L'inquiétude m'achèvera, s'il se fait jamais jeter en prison. »

Et une lueur parut dans ses yeux brouillés. Mais la Sarriette riait, secouant sa petite figure toute fraîche de l'air du matin.

« C'est Jules, dit-elle, qui les arrange, ceux qui disent du mal de l'Empire... Il faudrait les flanquer tous à la Seine, parce que, comme il me l'a expliqué, il n'y a pas avec eux un seul homme comme il faut.

— Oh ! continua Mlle Saget, ce n'est pas un grand mal, tant que les imprudences tombent dans les oreilles d'une personne comme moi. Vous savez, je me laisserais plutôt couper la main... Ainsi, hier soir, monsieur Quenu disait... »

Elle s'arrêta encore. Lisa avait eu un léger mouvement.

« Monsieur Quenu disait qu'il fallait fusiller les ministres, les députés, et tout le tremblement. »

Cette fois, la charcutière se tourna brusquement, toute blanche, les mains serrées sur son tablier.

« Quenu a dit ça ? demanda-t-elle d'une voix brève.

— Et d'autres choses encore dont je ne me souviens pas. Vous comprenez, c'est moi qui l'ai entendu... Ne vous tourmentez donc pas comme ça, madame Quenu. Vous savez qu'avec moi, rien ne sort ; je suis assez grande fille pour peser ce qui conduirait un homme trop loin... C'est entre nous. »

Lisa s'était remise. Elle avait l'orgueil de la paix honnête de son ménage, elle n'avouait pas le moindre nuage entre elle et son mari. Aussi finit-elle par hausser les épaules, en murmurant, avec un sourire :

« C'est des bêtises à faire rire les enfants. »

Quand les trois femmes furent sur le trottoir, elles convinrent que la belle Lisa avait fait une drôle de mine. Tout ça, le cousin, les Méhudin, Gavard, les Quenu, avec leurs histoires auxquelles personne ne comprenait rien, ça finirait mal. Mme Lecœur demanda ce qu'on faisait des gens arrêtés « pour la politique ». Mlle Saget savait seulement qu'ils ne paraissaient plus, plus jamais ; ce qui poussa la Sarriette à dire qu'on les jetait peut-être à la Seine, comme Jules le demandait.

La charcutière, au déjeuner et au dîner, évita toute allusion. Le soir, quand Florent et Quenu s'en allèrent chez M. Lebigre, elle ne parut pas avoir plus de sévérité dans les yeux. Mais justement, ce soir-là, la question de la prochaine constitution fut débattue, et il était une heure du matin, lorsque ces messieurs se décidèrent à quitter le cabinet ; les volets étaient mis, ils durent passer par la petite porte, un à un, en arrondissant l'échine. Quenu rentra, la conscience inquiète. Il ouvrit les trois ou quatre portes du logement, le plus doucement possible, marchant sur la pointe des pieds, traversant le salon, les bras tendus, pour ne pas heurter les meubles. Tout dormait. Dans la chambre, il fut très contrarié de voir que Lisa avait laissé la bougie allumée ; cette bougie brûlait au milieu du grand silence, avec une flamme haute et triste. Comme il ôtait ses souliers et les posait sur un coin du tapis, la pendule sonna une heure et demie, d'un timbre si clair, qu'il se retourna consterné, redoutant de faire un mouvement, regardant d'un air de furieux reproche le Gutenberg doré qui luisait, le doigt sur un livre. Il ne voyait que le dos de Lisa, avec sa tête enfouie dans l'oreiller ; mais il sentait bien qu'elle ne dormait pas, qu'elle devait avoir les yeux tout grands ouverts, sur le mur. Ce dos énorme, très gras aux épaules, était blême, d'une colère contenue ; il se renflait, gardait l'immobilité et le poids d'une accusation sans réplique. Quenu, tout à fait décontenancé par l'extrême sévérité de ce dos qui semblait l'examiner avec la face épaisse d'un juge, se coula sous les couvertures, souffla la bougie, se tint sage. Il était resté sur le bord, pour ne point toucher sa femme. Elle ne dormait toujours pas, il l'aurait juré. Puis, il céda au sommeil, désespéré de ce qu'elle ne parlait point, n'osant lui dire bonsoir, se trouvant sans force contre cette masse implacable qui barrait le lit à ses soumissions.

Le lendemain, il dormit tard. Quand il s'éveilla, l'édredon au menton, vautré au milieu du lit, il vit Lisa, assise devant le secrétaire, qui mettait des papiers en ordre ; elle s'était levée, sans qu'il s'en aperçût, dans le gros sommeil de son dévergondage de la veille. Il prit courage, il lui dit, du fond de l'alcôve :

« Tiens ! pourquoi ne m'as-tu pas réveillé ?... Qu'est-ce que tu fais là ?

— Je range ces tiroirs », répondit-elle, très calme, de sa voix ordinaire.

Il se sentit soulagé. Mais elle ajouta :

« On ne sait pas ce qui peut arriver ; si la police venait...

— Comment, la police ?

— Certainement, puisque tu t'occupes de politique, maintenant. »

Il s'assit sur son séant, hors de lui, frappé en pleine poitrine par cette attaque rude et imprévue.

« Je m'occupe de politique, je m'occupe de politique, répétait-il ; la police n'a rien à voir là dedans, je ne me compromets pas.

— Non, reprit Lisa avec un haussement d'épaules, tu parles simplement de faire fusiller tout le monde.

— Moi ! Moi !

— Et tu cries cela chez un marchand de vin... Mademoiselle Saget t'a entendu. Tout le quartier, à cette heure, sait que tu es un rouge. »

Du coup, il se recoucha. Il n'était pas encore bien éveillé. Les paroles de Lisa retentissaient, comme s'il eût déjà entendu les fortes bottes des gendarmes, à la porte de la chambre. Il la regardait, coiffée, serrée dans son corset, sur son pied de toilette habituel, et il s'ahurissait davantage, à la trouver si correcte dans cette circonstance dramatique.

« Tu le sais, je te laisse absolument libre, reprit-elle après un silence, tout en continuant à classer les papiers ; je ne veux pas porter les culottes, comme on dit... Tu es le maître, tu peux risquer ta situation, compromettre notre crédit, ruiner la maison... Moi, je n'aurai plus tard qu'à sauvegarder les intérêts de Pauline. »

Il protesta, mais elle le fit taire du geste, en ajoutant :

« Non, ne dis rien, ce n'est pas une querelle, pas même une explication, que je provoque... Ah ! si tu m'avais demandé conseil, si nous avions causé de ça ensemble, je ne dis pas ! On a tort de croire que les femmes n'entendent rien à la politique... Veux-tu que je te la dise, ma politique, à moi ? »

Elle s'était levée, elle allait du lit à la fenêtre, enlevant du doigt les grains de poussière qu'elle apercevait sur l'acajou luisant de l'armoire à glace et de la toilette-commode.

« C'est la politique des honnêtes gens... Je suis reconnaissante au gouvernement, quand mon commerce va bien, quand je mange ma soupe tranquille, et que je dors sans être réveillée par des coups de fusil... C'était du propre, n'est-ce pas, en 48 ? L'oncle Gradelle, un digne homme, nous a montré ses livres de ce temps-là. Il a perdu plus de six mille francs... Maintenant que nous avons l'Empire, tout marche, tout se vend. Tu ne peux pas dire le contraire... Alors, qu'est-ce que vous voulez ? qu'est-ce que vous aurez de plus, quand vous aurez fusillé tout le monde ? »

Elle se planta devant la table de nuit, les mains croisées, en face de Quenu, qui disparaissait sous l'édredon. Il essaya d'expliquer ce que ces messieurs voulaient ; mais il s'embarrassait dans les systèmes politiques et sociaux de Charvet et de Florent ; il parlait des principes méconnus, de l'avènement de la démocratie, de la régénération des sociétés, mêlant le tout d'une si étrange façon, que Lisa haussa les épaules, sans comprendre.

Enfin, il se sauva en tapant sur l'Empire : c'était le règne de la débauche, des affaires véreuses, du vol à main armée.

« Vois-tu, dit-il en se souvenant d'une phrase de Logre, nous sommes la proie d'une bande d'aventuriers qui pillent, qui violent, qui assassinent la France... Il n'en faut plus ! »

Lisa haussait toujours les épaules.

« C'est tout ce que tu as à dire ? demanda-t-elle avec son beau sang-froid. Qu'est-ce que ça me fait, ce que tu racontes là ? Quand ce serait vrai, après ?... Est-ce que je te conseille d'être un malhonnête homme, moi ? Est-ce que je te pousse à ne pas payer tes billets, à tromper les clients, à entasser trop vite des pièces de cent sous mal acquises ?... Tu me ferais mettre en colère, à la fin ! Nous sommes de braves gens, nous autres, qui ne pillons et qui n'assassinons personne. Cela suffit. Les autres, ça ne me regarde pas ; qu'ils soient des canailles, s'ils veulent ! »

Elle était superbe et triomphante. Elle se remit à marcher, le buste haut, continuant :

« Pour faire plaisir à ceux qui n'ont rien, il faudrait alors ne pas gagner sa vie... Certainement que je profite du bon moment et que je soutiens le gouvernement qui fait aller le commerce. S'il commet de vilaines choses, je ne veux pas le savoir. Moi, je sais que je n'en commets pas, je ne crains point qu'on me montre au doigt dans le quartier. Ce serait trop bête de se battre contre des moulins à vent... Tu te souviens, aux élections, Gavard disait que le candidat de l'empereur était un homme qui avait fait faillite, qui se trouvait compromis dans de sales histoires. Ça pouvait être vrai, je ne dis pas non. Tu n'en as pas moins très sagement agi en votant pour lui, parce que la question n'était pas là, qu'on ne te demandait pas de prêter de l'argent, ni de faire des affaires avec ce monsieur, mais de montrer au gouvernement que tu étais satisfait de voir prospérer la charcuterie. »

Cependant, Quenu se rappelait une phrase de Charvet, cette fois, qui déclarait que « ces bourgeois empâtés, ces boutiquiers engraissés, prêtant leur soutien à un gouvernement d'indigestion générale, devaient être jetés les premiers au cloaque ». C'était grâce à eux, grâce à leur égoïsme du ventre, que le despotisme s'imposait et rongeait une nation. Il tâchait d'aller jusqu'au bout de la phrase, quand Lisa lui coupa la parole, emportée par l'indignation.

« Laisse donc ! ma conscience ne me reproche rien. Je ne dois pas un sou, je ne suis dans aucun tripotage, j'achète et je vends de bonne marchandise, je ne fais pas payer plus cher que le voisin... C'est bon pour nos cousins, les Saccard, ce que tu dis là. Ils font semblant de ne pas même savoir que je suis à Paris ; mais je suis plus fière qu'eux, je me moque pas mal de leurs millions. On dit que Saccard trafique dans les démolitions, qu'il vole tout le monde. Ça ne m'étonne pas, il partait pour ça. Il aime l'argent à se rouler dessus, pour le jeter ensuite par les fenêtres, comme un imbécile... Qu'on mette en cause les hommes de sa trempe, qui réalisent des fortunes trop grosses, je le comprends. Moi, si tu veux le savoir, je n'estime pas Saccard... Mais nous, nous qui vivons si tranquilles, qui mettrons quinze ans à amasser une aisance, nous qui ne nous occupons pas de politique, dont tout le souci est d'élever notre fille et de mener à bien notre barque ! allons donc, tu veux rire, nous sommes d'honnêtes gens ! »

Elle vint s'asseoir au bord du lit. Quenu était ébranlé.

« Écoute-moi bien, reprit-elle d'une voix plus profonde. Tu ne veux pas, je pense, qu'on vienne piller ta boutique, vider ta cave, voler ton argent ? Si ces hommes de chez M. Lebigre triomphaient, crois-tu que, le lendemain, tu serais chaudement couché comme tu es là ? Et quand tu descendrais à la cuisine, crois-tu que tu te mettrais paisiblement à tes galantines, comme tu le feras tout à l'heure ? Non, n'est-ce pas ?... Alors, pourquoi parles-tu de renverser le gouvernement, qui te protège et te permet de faire des économies ? Tu as une femme, tu as une fille, tu te dois à elles avant tout. Tu serais coupable, si tu risquais leur bonheur. Il n'y a que les gens sans feu ni lieu, n'ayant rien à perdre, qui veulent des coups de fusil. Tu n'entends pas être le dindon de la farce, peut-être ! Reste donc chez toi, grande bête, dors bien, mange bien, gagne de l'argent, aie la conscience tranquille, dis-toi que la France se débarbouillera toute seule, si l'Empire la tracasse. Elle n'a pas besoin de toi, la France ! »

Elle riait de son beau rire, Quenu était tout à fait convaincu. Elle avait raison, après tout ; et c'était une belle femme, sur le bord du lit, peignée de si bonne heure, si propre et si fraîche, avec son

linge éblouissant. En écoutant Lisa, il regardait
leurs portraits, aux deux côtés de la cheminée ;
certainement, ils étaient des gens honnêtes, ils
avaient l'air très comme il faut, habillés de noir,
dans les cadres dorés. La chambre, elle aussi, lui
parut une chambre de personnes distinguées ; les
carrés de guipure mettaient une sorte de probité
sur les chaises ; le tapis, les rideaux, les vases de
porcelaine à paysages, disaient leur travail et leur
goût du confortable. Alors, il s'enfonça davantage
sous l'édredon, où il cuisait doucement, dans une
chaleur de baignoire. Il lui sembla qu'il avait failli
perdre tout cela chez M. Lebigre, son lit énorme,
sa chambre si bien close, sa charcuterie, à laquelle
il songeait maintenant avec des remords attendris.
Et, de Lisa, des meubles, de ces choses douces qui
l'entouraient, montait un bien-être qui l'étouffait
un peu, d'une façon délicieuse.

« Bêta, lui dit sa femme en le voyant vaincu,
tu avais pris un beau chemin. Mais, vois-tu, il
aurait fallu nous passer sur le corps, à Pauline et
à moi... Et ne te mêle plus de juger le gouvernement, n'est-ce pas ? Tous les gouvernements sont
les mêmes, d'abord. On soutient celui-là, on en
soutiendrait un autre, c'est nécessaire. Le tout,
quand on est vieux, est de manger ses rentes en
paix, avec la certitude de les avoir bien gagnées. »

Quenu approuvait de la tête. Il voulut commencer une justification.

« C'est Gavard... », murmura-t-il.

Mais elle devint sérieuse, elle l'interrompit avec
brusquerie.

« Non, ce n'est pas Gavard... Je sais qui c'est.

Celui-là ferait bien de songer à sa propre sûreté, avant de compromettre les autres.

— C'est de Florent que tu veux parler ? » demanda timidement Quenu, après un silence.

Elle ne répondit pas tout de suite. Elle se leva, retourna au secrétaire, comme faisant effort pour se contenir. Puis, d'une voix nette :

« Oui, de Florent... Tu sais combien je suis patiente. Pour rien au monde, je ne voudrais me mettre entre ton frère et toi. Les liens de famille, c'est sacré. Mais la mesure est comble, à la fin. Depuis que ton frère est ici, tout va de mal en pis... D'ailleurs, non, je ne veux rien dire, ça vaudra mieux. »

Il y eut un nouveau silence. Et, comme son mari regardait le plafond de l'alcôve, l'air embarrassé, elle reprit avec plus de violence :

« Enfin, on ne peut pas dire, il ne semble pas même comprendre ce que nous faisons pour lui. Nous nous sommes gênés, nous lui avons donné la chambre d'Augustine, et la pauvre fille couche sans se plaindre dans un cabinet où elle manque d'air. Nous le nourrissons matin et soir, nous sommes aux petits soins... Rien. Il accepte cela naturellement. Il gagne de l'argent, et on ne sait seulement pas où ça passe, ou plutôt on ne le sait que trop.

— Il y a l'héritage », hasarda Quenu, qui souffrait d'entendre accuser son frère.

Lisa resta toute droite, comme étourdie. Sa colère tomba.

« Tu as raison, il y a l'héritage... Voilà le compte, dans ce tiroir. Il n'en a pas voulu, tu étais là, tu te souviens ? Cela prouve que c'est un garçon sans cervelle et sans conduite. S'il avait la moindre idée, il aurait déjà fait quelque chose avec cet argent... Moi, je voudrais bien ne plus l'avoir, ça nous débarrasserait... Je lui en ai déjà parlé deux fois ; mais il refuse de m'écouter. Tu devrais le décider à le prendre, toi... Tâche d'en causer avec lui, n'est-ce pas ? »

Quenu répondit par un grognement, Lisa évita d'insister, ayant mis, croyait-elle, toute l'honnêteté de son côté.

« Non, ce n'est pas un garçon comme un autre, recommença-t-elle. Il n'est pas rassurant, que veux-tu ! Je te dis ça, parce que nous en causons... Je ne m'occupe pas de sa conduite, qui fait déjà beaucoup jaser sur nous dans le quartier. Qu'il mange, qu'il couche, qu'il nous gêne, on peut le tolérer. Seulement, ce que je ne lui permettrai pas, c'est de nous fourrer dans sa politique. S'il te monte encore la tête, s'il nous compromet le moins du monde, je t'avertis que je me débarrasserai de lui carrément... Je t'avertis, tu comprends ! »

Florent était condamné. Elle faisait un véritable effort pour ne pas se soulager, laisser couler le flot de rancune amassée qu'elle avait sur le cœur. Il heurtait tous ses instincts, la blessait, l'épouvantait, la rendait véritablement malheureuse. Elle murmura encore :

« Un homme qui a eu les plus vilaines aventures, qui n'a pas su se créer seulement un chez lui... Je comprends qu'il veuille des coups de fusil. Qu'il aille en recevoir, s'il les aime ; mais qu'il laisse les braves gens à leur famille... Puis il ne me plaît pas, voilà ! Il sent le poisson, le soir, à table. Ça m'empêche de manger. Lui, n'en perd pas une bouchée ; et pour ce que ça lui profite ! Il ne peut pas seulement engraisser, le malheureux, tant il est rongé de méchanceté. »

Elle s'était approchée de la fenêtre. Elle vit Florent qui traversait la rue Rambuteau, pour se rendre à la poissonnerie. L'arrivage de la marée débordait, ce matin-là ; les mannes avaient de grandes moires d'argent, les criées grondaient. Lisa suivit les épaules pointues de son beau-frère entrant dans les odeurs fortes des Halles, l'échine pliée, avec cette nausée de l'estomac qui lui montait aux tempes ; et le regard dont elle l'accompagnait était celui d'une combattante, d'une femme résolue au triomphe.

Quand elle se retourna, Quenu se levait. En chemise, les pieds dans la douceur du tapis de mousse, encore tout chaud de la bonne chaleur de l'édredon, il était blême, affligé de la mésintelligence de son frère et de sa femme. Mais Lisa eut un de ses beaux sourires. Elle le toucha beaucoup en lui donnant ses chaussettes.

IV

Marjolin fut trouvé au marché des Innocents,
dans un tas de choux, sous un chou blanc, énorme,
et dont une des grandes feuilles rabattues cachait
son visage rose d'enfant endormi. On ignora toujours quelle main misérable l'avait posé là. C'était
déjà un petit bonhomme de deux à trois ans, très
gras, très heureux de vivre, mais si peu précoce, si
empâté, qu'il bredouillait à peine quelques mots,
ne sachant que sourire. Quand une marchande
de légumes le découvrit sous le grand chou blanc,
elle poussa un tel cri de surprise, que les voisines
accoururent, émerveillées ; et lui, il tendait les
mains, encore en robe, roulé dans un morceau de
couverture. Il ne put dire qui était sa mère. Il avait
des yeux étonnés, en se serrant contre l'épaule
d'une grosse tripière qui l'avait pris entre ses bras.
Jusqu'au soir, il occupa le marché. Il s'était ras-
suré, il mangeait des tartines, il riait à toutes les
femmes. La grosse tripière le garda ; puis, il passa
à une voisine ; un mois plus tard, il couchait chez
une troisième. Lorsqu'on lui demandait : « Où est
ta mère ? » il avait un geste adorable : sa main

faisait le tour ; montrant les marchandes toutes à la fois. Il fut l'enfant des Halles, suivant les jupes de l'une ou de l'autre, trouvant toujours un coin dans un lit, mangeant la soupe un peu partout, habillé à la grâce de Dieu, et ayant quand même des sous au fond de ses poches percées. Une belle fille rousse, qui vendait des plantes officinales, l'avait appelé Marjolin, sans qu'on sût pourquoi.

Marjolin allait avoir quatre ans, lorsque la mère Chantemesse fit à son tour la trouvaille d'une petite fille, sur le trottoir de la rue Saint-Denis, au coin du marché. La petite pouvait avoir deux ans, mais elle bavardait déjà comme une pie, écorchant les mots dans son babil d'enfant ; si bien que la mère Chantemesse crut comprendre qu'elle s'appelait Cadine, et que sa mère, la veille au soir, l'avait assise sous une porte, en lui disant de l'attendre. L'enfant avait dormi là ; elle ne pleurait pas, elle racontait qu'on la battait. Puis, elle suivit la mère Chantemesse, bien contente, enchantée de cette grande place, où il y avait tant de monde et tant de légumes. La mère Chantemesse, qui vendait au petit tas, était une digne femme, très bourrue, touchant déjà à la soixantaine ; elle adorait les enfants, ayant perdu trois garçons au berceau. Elle pensa que « cette roulure-là semblait une trop mauvaise gale pour crever », et elle adopta Cadine.

Mais, un soir, comme la mère Chantemesse s'en allait, tenant Cadine de la main droite, Marjolin lui prit sans façon la main gauche.

« Eh ! mon garçon, dit la vieille en s'arrêtant, la place est donnée... Tu n'es donc plus avec la grande Thérèse ! Tu es un fameux coureur, sais-tu ? »

Il la regardait, avec son rire, sans la lâcher. Elle ne put rester grondeuse, tant il était joli et bouclé. Elle murmura

« Allons, venez, marmaille… Je vous coucherai ensemble. »

Et elle arriva rue au Lard, où elle demeurait, avec un enfant de chaque main. Marjolin s'oublia chez la mère Chantemesse. Quand ils faisaient par trop de tapage, elle leur allongeait quelques taloches, heureuse de pouvoir crier, de se fâcher, de les débarbouiller, de les fourrer sous la même couverture. Elle leur avait installé un petit lit, dans une vieille voiture de marchand des quatre-saisons, dont les roues et les brancards manquaient. C'était comme un large berceau, un peu dur, encore tout odorant des légumes qu'elle y avait longtemps tenus frais sous des linges mouillés. Cadine et Marjolin dormirent là, à quatre ans, aux bras l'un de l'autre.

Alors, ils grandirent ensemble, on les vit toujours les mains à la taille. La nuit, la mère Chantemesse les entendait qui bavardaient doucement. La voix flûtée de Cadine, pendant des heures, racontait des choses sans fin, que Marjolin écoutait avec des étonnements plus sourds. Elle était très méchante, elle inventait des histoires pour lui faire peur, lui disait que, l'autre nuit, elle avait vu un homme tout blanc, au pied de leur lit, qui les regardait, en tirant une grande langue rouge. Marjolin suait d'angoisse, lui demandait des détails ; et elle se moquait de lui, elle finissait par l'appe-

ler « grosse bête ». D'autres fois, ils n'étaient pas
sages, ils se donnaient des coups de pieds, sous les
couvertures ; Cadine repliait les jambes, étouffait
ses rires, quand Marjolin, de toutes ses forces, la
manquait et allait taper dans le mur. Il fallait, ces
fois-là, que la mère Chantemesse se levât pour
border les couvertures ; elle les endormait tous les
deux d'une calotte, sur l'oreiller. Le lit fut longtemps ainsi pour eux un lieu de récréation ; ils y
emportaient leurs joujoux, ils y mangeaient des
carottes et des navets volés ; chaque matin, leur
mère adoptive était toute surprise d'y trouver des
objets étranges, des cailloux, des feuilles, des trognons de pommes, des poupées faites avec des
bouts de chiffon. Et, les jours de grands froids,
elle les laissait là, endormis, la tignasse noire de
Cadine mêlée aux boucles blondes de Marjolin, les
bouches si près l'une de l'autre, qu'ils semblaient
se réchauffer de leur haleine.

Cette chambre de la rue au Lard était un grand
galetas, délabré, qu'une seule fenêtre, aux vitres
dépolies par les pluies, éclairait. Les enfants y
jouaient à cache-cache, dans la haute armoire de
noyer et sous le lit colossal de la mère Chantemesse. Il y avait encore deux ou trois tables, sous
lesquelles ils marchaient à quatre pattes. C'était
charmant, parce qu'il n'y faisait pas clair, et que
des légumes traînaient dans les coins noirs. La rue
au Lard, elle aussi, était bien amusante, étroite,
peu fréquentée, avec sa large arcade qui s'ouvre
sur la rue de la Lingerie. La porte de la maison
se trouvait à côté même de l'arcade, une porte
basse, dont le battant ne s'ouvrait qu'à demi sur

les marches grasses d'un escalier tournant. Cette maison, à auvent, qui se renflait, toute sombre d'humidité, avec la caisse verdie des plombs, à chaque étage, devenait, elle aussi, un grand joujou. Cadine et Marjolin passaient leurs matinées à jeter d'en bas des pierres, de façon à les lancer dans les plombs ; les pierres descendaient alors le long des tuyaux de descente, en faisant un tapage très réjouissant. Mais ils cassèrent deux vitres, et ils emplirent les tuyaux de cailloux, à tel point que la mère Chantemesse, qui habitait la maison depuis quarante-trois ans, faillit recevoir congé.

Cadine et Marjolin s'attaquèrent alors aux tapissières, aux haquets, aux camions, qui stationnaient dans la rue déserte. Ils montaient sur les roues, se balançaient aux bouts de chaîne, escaladaient les caisses, les paniers entassés. Les arrière-magasins des commissionnaires de la rue de la Poterie ouvraient là de vastes salles sombres, qui s'emplissaient et se vidaient en un jour, ménageant à chaque heure de nouveaux trous charmants, des cachettes, où les gamins s'oubliaient dans l'odeur des fruits secs, des oranges, des pommes fraîches. Puis, ils se lassaient, ils allaient retrouver la mère Chantemesse, sur le carreau des Innocents. Ils y arrivaient, bras dessus, bras dessous, traversant les rues avec des rires, au milieu des voitures, sans avoir peur d'être écrasés. Ils connaissaient le pavé, enfonçant leurs petites jambes jusqu'aux genoux dans les fanes de légumes ; ils ne glissaient pas, ils se moquaient, quand quelque roulier, aux souliers lourds, s'étalait les quatre fers en l'air, pour avoir marché sur une queue d'artichaut. Ils étaient les diables roses et familiers de ces rues grasses. On ne voyait qu'eux. Par les temps de pluie, ils se promenaient gravement, sous un immense parasol tout en loques, dont la marchande au petit tas avait abrité son éventaire pendant vingt ans ; ils le plantaient gravement dans un coin du marché, ils appelaient ça « leur maison ». Les jours de soleil, ils galopinaient, à ne plus pouvoir remuer le soir ; ils prenaient des bains de pieds dans la fontaine[1], faisaient des écluses en barrant les ruisseaux, se cachaient sous des tas de légumes, restaient là, au frais, à bavarder, comme la nuit, dans leur lit. On entendait souvent sortir, en passant à côté d'une montagne de laitues ou de romaines, un caquetage étouffé. Lorsqu'on écartait les salades, on les apercevait, allongés côte à côte, sur leur couche de feuilles, l'œil vif, inquiets comme des oiseaux découverts au fond d'un buisson. Maintenant, Cadine ne pouvait se passer de Marjolin, et Marjolin pleurait, quand il perdait Cadine. S'ils venaient à être séparés, ils se cherchaient derrière toutes les jupes des Halles, dans les caisses, sous les choux. Ce fut surtout sous les choux qu'ils grandirent et qu'ils s'aimèrent.

Marjolin allait avoir huit ans, et Cadine six, quand la mère Chantemesse leur fit honte de leur paresse. Elle leur dit qu'elle les associait à sa vente au petit tas ; elle leur promit un sou par jour, s'ils voulaient l'aider à éplucher ses légumes. Les premiers jours, les enfants eurent un beau zèle. Ils s'établissaient aux deux côtés de l'éventaire, avec des couteaux étroits, très attentifs à la besogne. La mère Chantemesse avait la spécialité des légumes épluchés ; elle tenait, sur sa table tendue d'un bout de lainage noir mouillé, des alignements de pommes de terre, de navets, de carottes, d'oignons blancs, rangés quatre par quatre, en pyramide, trois pour la base, un pour la pointe, tout prêts à être mis dans les casseroles des ménagères attardées. Elle avait aussi des paquets ficelés pour le pot-au-feu, quatre poireaux, trois carottes, un panais, deux navets, deux brins de céleri ; sans parler de la julienne fraîche coupée très fine sur des feuilles de papier, des choux taillés en quatre, des tas de tomates et des tranches de potiron qui mettaient des étoiles rouges et des croissants d'or dans la blancheur des autres légumes lavés à grande eau. Cadine se montra beaucoup plus habile que Marjolin, bien qu'elle fût plus jeune ; elle enlevait aux pommes de terre une pelure si mince, qu'on voyait le jour à travers ; elle ficelait les paquets pour le pot-au-feu d'une si gentille façon, qu'ils ressemblaient à des bouquets ; enfin, elle savait faire des petits tas qui paraissaient très gros, rien qu'avec trois carottes ou trois navets. Les passants s'arrêtaient en riant, quand elle criait de sa voix pointue de gamine :

« Madame, madame, venez me voir... À deux sous, mon petit tas ! »

Elle avait des pratiques, ses petits tas étaient très connus. La mère Chantemesse, assise entre les deux enfants, riait d'un rire intérieur, qui lui faisait monter la gorge au menton, à les voir si sérieux à la besogne. Elle leur donnait religieusement leur sou par jour. Mais les petits tas finirent par les ennuyer. Ils prenaient de l'âge, ils

rêvaient des commerces plus lucratifs. Marjolin
restait enfant très tard, ce qui impatientait Cadine.
Il n'avait pas plus d'idée qu'un chou, disait-elle.
Et, à la vérité, elle avait beau inventer pour lui
des moyens de gagner de l'argent, il n'en gagnait
point, il ne savait pas même faire une commission. Elle, était très rouée. À huit ans, elle se fit
enrôler par une de ces marchandes qui s'assoient
sur un banc, autour des Halles, avec un panier de
citrons, que toute une bande de gamines vendent
sous leurs ordres ; elle offrait les citrons dans sa
main, deux pour trois sous, courant après les
passants, poussant sa marchandise sous le nez
des femmes, retournant s'approvisionner, quand
elle avait la main vide ; elle touchait deux sous
par douzaine de citrons, ce qui mettait ses journées jusqu'à cinq et six sous, dans les bons temps.
L'année suivante, elle plaça des bonnets à neuf
sous ; le gain était plus fort ; seulement, il fallait
avoir l'œil vif, car ces commerces en plein vent
sont défendus ; elle flairait les sergents de ville
à cent pas, les bonnets disparaissaient sous ses
jupes, tandis qu'elle croquait une pomme, d'un air
innocent. Puis, elle tint des gâteaux, des galettes,
des tartes aux cerises, des croquets, des biscuits
de maïs, épais et jaunes, sur des claies d'osier ;
mais Marjolin lui mangea son fonds. Enfin, à onze
ans, elle réalisa une grande idée qui la tourmentait
depuis longtemps. Elle économisa quatre francs
en deux mois, fit l'emplette d'une petite hotte, et
se mit marchande de mouron.

C'était toute une grosse affaire. Elle se levait de
bon matin, achetait aux vendeurs en gros sa provi-

sion de mouron, de millet en branche, d'échaudés ;
puis elle partait, passait l'eau, courait le quartier
Latin, de la rue Saint-Jacques à la rue Dauphine,
et jusqu'au Luxembourg. Marjolin l'accompagnait.
Elle ne voulait pas même qu'il portât la hotte ; elle
disait qu'il n'était bon qu'à crier ; et il criait sur un
ton gras et traînant :

« Mouron pour les p'tits oiseaux ! »

Et elle reprenait, avec des notes de flûte, sur
une étrange phrase musicale qui finissait par un
son pur et filé, très haut :

« Mouron pour les p'tits oiseaux ! »

Ils allaient chacun sur un trottoir, regardant en
l'air. À cette époque, Marjolin avait un grand gilet
rouge qui lui descendait jusqu'aux genoux, le gilet
du défunt père Chantemesse, ancien cocher de
fiacre ; Cadine portait une robe à carreaux bleus
et blancs, taillée dans un tartan usé de la mère
Chantemesse. Les serins de toutes les mansardes
du quartier Latin les connaissaient. Quand ils passaient, répétant leur phrase, se jetant l'écho de
leur cri, les cages chantaient.

Cadine vendit aussi du cresson. « À deux sous la
botte ! à deux sous la botte ! » Et c'était Marjolin
qui entrait dans les boutiques pour offrir « le beau
cresson de fontaine, la santé du corps ! » Mais les
Halles centrales venaient d'être construites ; la
petite restait en extase devant l'allée aux fleurs
qui traverse le pavillon des fruits. Là, tout le long,
les bancs de vente, comme des plates-bandes aux
deux bords d'un sentier, fleurissent, épanouissent
de gros bouquets ; c'est une moisson odorante,
deux haies épaisses de roses, entre lesquelles les

filles du quartier aiment à passer, souriantes, un peu étouffées par la senteur trop forte ; et, en haut des étalages, il y a des fleurs artificielles, des feuillages de papier où des gouttes de gomme font des gouttes de rosée, des couronnes de cimetière en perles noires et blanches qui se moirent de reflets bleus. Cadine ouvrait son nez rose avec des sensualités de chatte ; elle s'arrêtait dans cette fraîcheur douce, emportait tout ce qu'elle pouvait de parfum. Quand elle mettait son chignon sous le nez de Marjolin, il disait que ça sentait l'œillet. Elle jurait qu'elle ne se servait plus de pommade, qu'il suffisait de passer dans l'allée. Puis, elle intrigua tellement, qu'elle entra au service d'une des marchandes. Alors, Marjolin trouva qu'elle sentait bon des pieds à la tête. Elle vivait dans les roses, dans les lilas, dans les giroflées, dans les muguets. Lui, flairant sa jupe, longuement, en manière de jeu, semblait chercher, finissait par dire : « Ça sent le muguet. » Il montait à la taille, au corsage, reniflait plus fort : « Ça sent la giroflée. » Et aux manches, à la jointure des poignets : « Ça sent le lilas. » Et à la nuque, tout autour du cou, sur les joues, sur les lèvres : « Ça sent la rose. » Cadine riait, l'appelait « bêta », lui criait de finir, parce qu'il lui faisait des chatouilles avec le bout de son nez. Elle avait une haleine de jasmin. Elle était un bouquet tiède et vivant.

Maintenant, la petite se levait à quatre heures, pour aider sa patronne dans ses achats. C'était, chaque matin, des brassées de fleurs achetées aux horticulteurs de la banlieue, des paquets de mousse, des paquets de feuilles de fougère et de

pervenche, pour entourer les bouquets. Cadine
restait émerveillée devant les brillants et les
valenciennes que portaient les filles des grands
jardiniers de Montreuil, venues au milieu de
leurs roses. Les jours de Sainte-Marie, de Saint-
Pierre, de Saint-Joseph, des saints patronymiques
très fêtés, la vente commençait à deux heures ;
il se vendait, sur le carreau, pour plus de cent
mille francs de fleurs coupées ; des revendeuses
gagnaient jusqu'à deux cents francs en quelques
heures. Ces jours-là, Cadine ne montrait plus que
les mèches frisées de ses cheveux au-dessus des
bottes de pensées, de réséda, de marguerites ; elle
était noyée, perdue sous les fleurs ; elle montait
toute la journée des bouquets sur des brins de
jonc. En quelques semaines, elle avait acquis de
l'habileté et une grâce originale. Ses bouquets
ne plaisaient pas à tout le monde ; ils faisaient
sourire, et ils inquiétaient, par un côté de naïveté cruelle. Les rouges y dominaient, coupés de
tons violents, de bleus, de jaunes, de violets, d'un
charme barbare. Les matins où elle pinçait Marjolin, où elle le taquinait à le faire pleurer, elle
avait des bouquets féroces, des bouquets de fille
en colère, aux parfums rudes, aux couleurs irri-
tées. D'autres matins, quand elle était attendrie
par quelque peine ou par quelque joie, elle trouvait des bouquets d'un gris d'argent, très doux,
voilés, d'une odeur discrète. Puis, c'étaient des
roses, saignantes comme des cœurs ouverts, dans
des lacs d'œillets blancs ; des glaïeuls fauves, montant en panaches de flammes parmi des verdures
effarées ; des tapisseries de Smyrne, aux dessins

compliqués, faites fleur à fleur, ainsi que sur un canevas ; des éventails moirés, s'élargissant avec des douceurs de dentelle ; des puretés adorables, des tailles épaissies, des rêves à mettre dans les mains des harengères ou des marquises, des maladresses de vierge et des ardeurs sensuelles de fille, toute la fantaisie exquise d'une gamine de douze ans, dans laquelle la femme s'éveillait.

Cadine n'avait plus que deux respects : le respect du lilas blanc, dont la botte de huit à dix branches coûte, l'hiver, de quinze à vingt francs ; et le respect des camélias, plus chers encore, qui arrivent par douzaines, dans des boîtes, couchés sur un lit de mousse, recouverts d'une feuille d'ouate. Elle les prenait, comme elle aurait pris des bijoux, délicatement, sans respirer, de peur de les gâter d'un souffle ; puis, c'était avec des précautions infinies qu'elle attachait sur des brins de jonc leurs queues courtes. Elle parlait d'eux sérieusement. Elle disait à Marjolin qu'un beau camélia blanc, sans piqûre de rouille, était une chose rare, tout à fait belle. Comme elle lui en faisait admirer un, il s'écria, un jour :

« Oui, c'est gentil, mais j'aime mieux le dessous de ton menton, là, à cette place ; c'est joliment plus doux et plus transparent que ton camélia... Il y a des petites veines bleues et roses qui ressemblent à des veines de fleur. »

Il la caressait du bout des doigts ; puis il approcha le nez, murmurant :

« Tiens, tu sens l'oranger, aujourd'hui. »

Cadine avait un très mauvais caractère. Elle ne s'accommodait pas du rôle de servante. Aussi

finit-elle par s'établir pour son compte. Comme
elle était alors âgée de treize ans, et qu'elle ne pouvait rêver le grand commerce, un banc de vente
de l'allée aux fleurs, elle vendit des bouquets de
violettes d'un sou, piqués dans un lit de mousse,
sur un éventaire d'osier pendu à son cou. Elle
rôdait toute la journée dans les Halles, autour des
Halles, promenant son bout de pelouse. C'était là
sa joie, cette flânerie continuelle, qui lui dégourdissait les jambes, qui la tirait des longues heures
passées à faire des bouquets, les genoux pliés, sur
une chaise basse. Maintenant, elle tournait ses
violettes en marchant, elle les tournait comme
des fuseaux, avec une merveilleuse légèreté de
doigts ; elle comptait six à huit fleurs, selon la
saison, pliait en deux un brin de jonc, ajoutait
une feuille, roulait un fil mouillé ; et, entre ses
dents de jeune loup, elle cassait le fil. Les petits
bouquets semblaient pousser tout seuls dans la
mousse de l'éventaire, tant elle les y plantait vite.
Le long des trottoirs, au milieu des coudoiements
de la rue, ses doigts rapides fleurissaient, sans
qu'elle les regardât, la mine effrontément levée,
occupée des boutiques et des passants. Puis, elle
se reposait un instant dans le creux d'une porte ;
elle mettait au bord des ruisseaux, gras des eaux
de vaisselle, un coin de printemps, une lisière de
bois aux herbes bleuies. Ses bouquets gardaient
ses méchantes humeurs et ses attendrissements ;
il y en avait de hérissés, de terribles, qui ne déco-
léraient pas dans leur cornet chiffonné ; il y en
avait d'autres, paisibles, amoureux, souriant au
fond de leur collerette propre. Quand elle passait,

elle laissait une odeur douce. Marjolin la suivait béatement. Des pieds à la tête, elle ne sentait plus qu'un parfum. Lorsqu'il la prenait, qu'il allait de ses jupes à son corsage, de ses mains à sa face, il disait qu'elle n'était que violette, qu'une grande violette. Il enfonçait sa tête, il répétait :

« Tu te rappelles, le jour où nous sommes allés à Romainville ? C'est tout à fait ça, là surtout, dans ta manche… Ne change plus. Tu sens trop bon. »

Elle ne changea plus. Ce fut son dernier métier. Mais les deux enfants grandissaient, souvent elle oubliait son éventaire pour courir le quartier. La construction des Halles centrales fut pour eux un continuel sujet d'escapades. Ils pénétraient au beau milieu des chantiers, par quelque fente des clôtures de planches ; ils descendaient dans les fondations, grimpaient aux premières colonnes de fonte. Ce fut alors qu'ils mirent un peu d'eux, de leurs jeux, de leurs batteries, dans chaque trou, dans chaque charpente. Les pavillons s'élevèrent sous leurs petites mains. De là vinrent les tendresses qu'ils eurent pour les grandes Halles, et les tendresses que les grandes Halles leur rendirent. Ils étaient familiers avec ce vaisseau gigantesque, en vieux amis qui en avaient vu poser les moindres boulons. Ils n'avaient pas peur du monstre, tapaient de leur poing maigre sur son énormité, le traitaient en bon enfant, en camarade avec lequel on ne se gêne pas. Et les Halles semblaient sourire de ces deux gamins qui étaient la chanson libre, l'idylle effrontée de leur ventre géant.

Cadine et Marjolin ne couchaient plus ensemble,

chez la mère Chantemesse, dans la voiture de marchand des quatre-saisons. La vieille, qui les entendait toujours bavarder la nuit, fit un lit à part pour le petit, par terre, devant l'armoire ; mais, le lendemain matin, elle le retrouva au cou de la petite sous la même couverture. Alors elle le coucha chez une voisine. Cela rendit les enfants très malheureux. Dans le jour, quand la mère Chantemesse n'était pas là, ils se prenaient tout habillés entre les bras l'un de l'autre, ils s'allongeaient sur le carreau, comme sur un lit ; et cela les amusait beaucoup. Plus tard, ils polissonnèrent, ils cherchèrent les coins noirs de la chambre, ils se cachèrent plus souvent au fond des magasins de la rue au Lard, derrière les tas de pommes et les caisses d'oranges. Ils étaient libres et sans honte, comme les moineaux qui s'accouplent au bord d'un toit.

Ce fut dans la cave du pavillon aux volailles qu'ils trouvèrent moyen de coucher encore ensemble. C'était une habitude douce, une sensation de bonne chaleur, une façon de s'endormir l'un contre l'autre, qu'ils ne pouvaient perdre. Il y avait là, près des tables d'abattage, de grands paniers de plume dans lesquels ils tenaient à l'aise. Dès la nuit tombée, ils descendaient, ils restaient toute la soirée, à se tenir chaud, heureux des mollesses de cette couche, avec du duvet par-dessus les yeux. Ils traînaient d'ordinaire leur panier loin du gaz ; ils étaient seuls, dans les odeurs fortes des volailles, tenus éveillés par de brusques chants de coq qui sortaient de l'ombre. Et ils riaient, ils s'embrassaient, pleins d'une amitié vive qu'ils ne savaient comment se témoigner. Marjolin était très bête. Cadine le battait, prise de colère contre lui, sans savoir pourquoi. Elle le dégourdissait par sa crânerie de fille des rues. Lentement, dans les paniers de plumes, ils en surent long. C'était un jeu. Les poules et les coqs qui couchaient à côté d'eux, n'avaient pas une plus belle innocence.

Plus tard, ils emplirent les grandes Halles de leurs amours de moineaux insouciants. Ils vivaient en jeunes bêtes heureuses, abandonnées à l'instinct, satisfaisant leurs appétits au milieu de ces entassements de nourriture, dans lesquels ils avaient poussé comme des plantes tout en chair. Cadine, à seize ans, était une fille échappée, une bohémienne noire du pavé, très gourmande, très sensuelle. Marjolin, à dix-huit ans, avait l'adolescence déjà ventrue d'un gros homme, l'intelligence nulle, vivant par les sens. Elle découchait souvent pour passer la nuit avec lui dans la cave aux volailles ; elle riait hardiment au nez de la mère Chantemesse, le lendemain, se sauvant sous le balai dont la vieille tapait à tort et à travers dans la chambre, sans jamais atteindre la vaurienne, qui se moquait avec une effronterie rare, disant qu'elle avait veillé « pour voir s'il poussait des cornes à la lune ». Lui, vagabondait ; les nuits où Cadine le laissait seul, il restait avec le planton des forts de garde dans les pavillons ; il dormait sur des sacs, sur des caisses, au fond du premier coin venu. Ils en vinrent tous deux à ne plus quitter les Halles. Ce fut leur volière, leur étable, la mangeoire colossale où ils dormaient, s'aimaient, vivaient, sur un lit immense de viandes, de beurres et de légumes.

Mais ils eurent toujours une amitié particulière pour les grands paniers de plumes. Ils revenaient là, les nuits de tendresse. Les plumes n'étaient pas triées. Il y avait de longues plumes noires de dinde et des plumes d'oie, blanches et lisses, qui les chatouillaient aux oreilles, quand ils se retournaient ; puis, c'était du duvet de canard, où ils s'enfonçaient comme dans de l'ouate, des plumes légères de poules, dorées, bigarrées, dont ils faisaient monter un vol à chaque souffle, pareil à un vol de mouches ronflant au soleil. En hiver, ils couchaient aussi dans la pourpre des faisans, dans la cendre grise des alouettes, dans la soie mouchetée des perdrix, des cailles et des grives. Les plumes étaient vivantes encore, tièdes d'odeur. Elles mettaient des frissons d'ailes, des chaleurs de nid, entre leurs lèvres. Elles leur semblaient un large dos d'oiseau, sur lequel ils s'allongeaient, et qui les emportait, pâmés aux bras l'un de l'autre. Le matin, Marjolin cherchait Cadine, perdue au fond du panier, comme s'il avait neigé sur elle. Elle se levait ébouriffée, se secouait, sortait d'un nuage, avec son chignon où restait toujours planté quelque panache de coq.

Ils trouvèrent un autre lieu de délices, dans le pavillon de la vente en gros des beurres, des œufs et des fromages. Il s'entasse là, chaque matin, des murs énormes de paniers vides. Tous deux se glissaient, trouaient ce mur, se creusaient une cachette. Puis, quand ils avaient pratiqué une chambre dans le tas, ils ramenaient un panier, ils s'enfermaient. Alors, ils étaient chez eux, ils avaient une maison. Ils s'embrassaient impunément. Ce qui les faisait se moquer du monde, c'était que de minces cloisons d'osier les séparaient seules de la foule des Halles, dont ils entendaient autour d'eux la voix haute. Souvent, ils pouffaient de rire, lorsque des gens s'arrêtaient à deux pas, sans les soupçonner là ; ils ouvraient des meurtrières, hasardaient un œil ; Cadine, à l'époque des cerises, lançait des noyaux dans le nez de toutes les vieilles femmes qui passaient, ce qui les amusait d'autant plus, que les vieilles, effarées, ne devinaient jamais d'où partait cette grêle de noyaux. Ils rôdaient aussi au fond des caves, en connaissaient les trous d'ombre, savaient traverser les grilles les mieux fermées. Une de leurs grandes parties était de pénétrer sur la voie du chemin de fer souterrain, établi dans le sous-sol, et que des lignes projetées devaient relier aux différentes gares ; des tronçons de cette voie passent sous les rues couvertes, séparant les caves de chaque pavillon ; même, à tous les carrefours, des plaques tournantes sont posées, prêtes à fonctionner. Cadine et Marjolin avaient fini par découvrir, dans la barrière de madriers qui défend la voie, une pièce de bois moins solide qu'ils avaient rendue mobile ; si bien qu'ils entraient là, tout à l'aise. Ils y étaient séparés du monde, avec le continu piétinement de Paris, en haut, sur le carreau. La voie étendait ses avenues, ses galeries désertes, tachées de jour, sous les regards à grilles de fonte ; dans les bouts noirs, des gaz brûlaient. Ils se promenaient comme au fond d'un château à eux, certains que personne ne les dérangerait, heureux de ce silence bourdonnant, de ces lueurs louches, de cette discrétion de

souterrain, où leurs amours d'enfants gouailleurs
avaient des frissons de mélodrame. Des caves voisines, à travers les madriers, toutes sortes d'odeurs
leur arrivaient : la fadeur des légumes, l'âpreté de
la marée, la rudesse pestilentielle des fromages,
la chaleur vivante des volailles. C'étaient de continuels souffles nourrissants qu'ils aspiraient entre
leurs baisers, dans l'alcôve d'ombre où ils s'oubliaient, couchés en travers sur les rails. Puis,
d'autres fois, par les belles nuits, par les aubes
claires, ils grimpaient sur les toits, ils montaient
l'escalier roide des tourelles, placées aux angles
des pavillons. En haut, s'élargissaient des champs
de zinc, des promenades, des places, toute une
campagne accidentée dont ils étaient les maîtres.
Ils faisaient le tour des toitures carrées des pavillons, suivaient les toitures allongées des rues couvertes, gravissaient et descendaient les pentes, se
perdaient dans des voyages sans fin. Lorsqu'ils se
trouvaient las des terres basses, ils allaient encore
plus haut, ils se risquaient le long des échelles de
fer, où les jupes de Cadine flottaient comme des
drapeaux. Alors, ils couraient le second étage de
toits, en plein ciel. Au-dessus d'eux, il n'y avait
plus que les étoiles. Des rumeurs s'élevaient du
fond des Halles sonores, des bruits roulants, une
tempête au loin, entendue la nuit. À cette hauteur,
le vent matinal balayait les odeurs gâtées, les mauvaises haleines du réveil des marchés. Dans le jour
levant, au bord des gouttières, ils se becquetaient,
ainsi que font des oiseaux, polissonnant sous les
tuiles. Ils étaient tout roses, aux premières rougeurs du soleil. Cadine riait d'être en l'air, la gorge

moirée, pareille à celle d'une colombe ; Marjolin
se penchait pour voir les rues encore pleines de
ténèbres, les mains serrées au zinc, comme des
pattes de ramier. Quand ils redescendaient, avec
la joie du grand air, souriant en amoureux qui
sortent chiffonnés d'une pièce de blé, ils disaient
qu'ils revenaient de la campagne.

Ce fut à la triperie qu'ils firent connaissance de
Claude Lantier. Ils y allaient chaque jour, avec le
goût du sang, avec la cruauté de galopins s'amusant à voir des têtes coupées. Autour du pavillon,
les ruisseaux coulent rouge ; ils y trempaient le
bout du pied, y poussaient des tas de feuilles qui
les barraient, étalant des mares sanglantes. L'arrivage des abats dans des carrioles qui puent et
qu'on lave à grande eau les intéressait. Ils regardaient déballer les paquets de pieds de moutons
qu'on empile à terre comme des pavés sales, les
grandes langues roidies montrant les déchire-
ments saignants de la gorge, les cœurs de bœuf
solides et décrochés comme des cloches muettes.
Mais ce qui leur donnait surtout un frisson à fleur
de peau, c'étaient les grands paniers qui suent
le sang, pleins de têtes de moutons, les cornes
grasses, le museau noir, laissant pendre encore
aux chairs vives des lambeaux de peau laineuse ;
ils rêvaient à quelque guillotine jetant dans ces
paniers les têtes de troupeaux interminables. Ils
les suivaient jusqu'au fond de la cave, le long des
rails posés sur les marches de l'escalier, écoutant le cri des roulettes de ces wagons d'osier,
qui avaient un sifflement de scie. En bas, c'était
une horreur exquise. Ils entraient dans une odeur

de charnier, ils marchaient au milieu de flaques
sombres, où semblaient s'allumer par instants
des yeux de pourpre ; leurs semelles se collaient,
ils clapotaient, inquiets, ravis de cette boue hor-
rible. Les becs de gaz avaient une flamme courte,
une paupière sanguinolente qui battait. Autour
des fontaines, sous le jour pâle des soupiraux, ils
s'approchaient des étaux. Là, ils jouissaient, à voir
les tripiers, le tablier roidi par les éclaboussures,
casser une à une les têtes de moutons, d'un coup
de maillet. Et ils restaient pendant des heures à
attendre que les paniers fussent vides, retenus par
le craquement des os, voulant voir jusqu'à la fin
arracher les langues et dégager les cervelles des
éclats des crânes. Parfois, un cantonnier passait
derrière eux, lavant la cave à la lance ; des nappes
ruisselaient avec un bruit d'écluse, le jet rude de la
lance écorchait les dalles, sans pouvoir emporter
la rouille ni la puanteur du sang.

Vers le soir, entre quatre et cinq heures, Cadine
et Marjolin étaient sûrs de rencontrer Claude à
la vente en gros des mous de bœuf. Il était là, au
milieu des voitures des tripiers acculées aux trottoirs, dans la foule des hommes en bourgerons
bleus et en tabliers blancs, bousculé, les oreilles
cassées par les offres faites à voix haute ; mais il
ne sentait pas même les coups de coude, il demeurait en extase, en face des grands mous pendus
aux crocs de la criée. Il expliqua souvent à Cadine
et à Marjolin que rien n'était plus beau. Les mous
étaient d'un rose tendre, s'accentuant peu à peu,
bordé, en bas, de carmin vif ; et il les disait en
satin moiré, ne trouvant pas de mot pour peindre

cette douceur soyeuse, ces longues allées fraîches, ces chairs légères qui retombaient à larges plis, comme des jupes accrochées de danseuses. Il parlait de gaze, de dentelle laissant voir la hanche d'une jolie femme. Quand un coup de soleil, tombant sur les grands mous, leur mettait une ceinture d'or, Claude, l'œil pâmé, était plus heureux que s'il eût vu défiler les nudités des déesses grecques et les robes de brocart des châtelaines romantiques.

Le peintre devint le grand ami des deux gamins. Il avait l'amour des belles brutes. Il rêva longtemps un tableau colossal, Cadine et Marjolin s'aimant au milieu des Halles centrales, dans les légumes, dans la marée, dans la viande. Il les aurait assis sur leur lit de nourriture, les bras à la taille, échangeant le baiser idyllique. Et il voyait là un manifeste artistique, le positivisme de l'art, l'art moderne tout expérimental et tout matérialiste ; il y voyait encore une satire de la peinture à idées, un soufflet donné aux vieilles écoles. Mais pendant près de deux ans, il recommença les esquisses, sans pouvoir trouver la note juste. Il creva une quinzaine de toiles. Il s'en garda une grande rancune, continuant à vivre avec ses deux modèles, par une sorte d'amour sans espoir pour son tableau manqué. Souvent l'après-midi, quand il les rencontrait rôdant, il battait le quartier des Halles, flânant, les mains au fond des poches, intéressé profondément par la vie des rues.

Tous trois s'en allaient, traînant les talons sur les trottoirs, tenant la largeur, forçant les gens à descendre. Ils humaient les odeurs de Paris, le nez

en l'air. Ils auraient reconnu chaque coin, les yeux
fermés, rien qu'aux haleines liquoreuses sortant
des marchands de vin, aux souffles chauds des
boulangeries et des pâtisseries, aux étalages fades
des fruitières. C'étaient de grandes tournées. Ils
se plaisaient à traverser la rotonde de la Halle au
blé, l'énorme et lourde cage de pierre, au milieu
des empilements de sacs blancs de farine, écoutant le bruit de leurs pas dans le silence de la
voûte sonore. Ils aimaient les bouts de rue voisins, devenus déserts, noirs et tristes comme un
coin de ville abandonné, la rue Babille, la rue
Sauval, la rue des Deux-Écus, la rue de Viarmes,
blême du voisinage des meuniers, et où grouille
à quatre heures la bourse aux grains. D'ordinaire,
ils partaient de là. Lentement, ils suivaient la rue
Vauvilliers, s'arrêtant aux carreaux des gargotes
louches, se montrant du coin de l'œil, avec des
rires, le gros numéro jaune d'une maison aux
persiennes fermées. Dans l'étranglement de la rue
des Prouvaires, Claude clignait les yeux, regardait, en face, au bout de la rue couverte, encadré
sous ce vaisseau immense de gare moderne, un
portail latéral de Saint-Eustache, avec sa rosace
et ses deux étages de fenêtres à plein cintre ; il
disait, par manière de défi, que tout le Moyen
Âge et toute la Renaissance tiendraient sous les
Halles centrales. Puis, en longeant les larges rues
neuves, la rue du Pont-Neuf et la rue des Halles,
il expliquait aux deux gamins la vie nouvelle, les
trottoirs superbes, les hautes maisons, le luxe des
magasins ; il annonçait un art original qu'il sentait venir, disait-il, et qu'il se rongeait les poings

de ne pouvoir révéler. Mais Cadine et Marjolin préféraient la paix provinciale de la rue des
Bourdonnais, où l'on peut jouer aux billes, sans
craindre d'être écrasé ; la petite faisait la belle, en
passant devant les bonneteries et les ganteries en
gros, tandis que, sur chaque porte, des commis
en cheveux, la plume à l'oreille, la suivaient du
regard, d'un air ennuyé. Ils préféraient encore les
tronçons du vieux Paris restés debout, les rues
de la Poterie et de la Lingerie, avec leurs maisons ventrues, leurs boutiques de beurre, d'œufs
et de fromages ; les rues de la Ferronnerie et de
l'Aiguillerie, les belles rues d'autrefois, aux étroits
magasins obscurs ; surtout la rue Courtalon, une
ruelle noire, sordide, qui va de la place Sainte-
Opportune à la rue Saint-Denis, trouée d'allées
puantes, au fond desquelles ils avaient polissonné,
étant plus jeunes. Rue Saint-Denis, ils entraient
dans la gourmandise ; ils souriaient aux pommes
tapées, au bois de réglisse, aux pruneaux, au sucre
candi des épiciers et des droguistes. Leurs flâneries
aboutissaient chaque fois à des idées de bonnes
choses, à des envies de manger les étalages des
yeux. Le quartier était pour eux une grande table
toujours servie, un dessert éternel, dans lequel ils
auraient bien voulu allonger les doigts. Ils visi-
taient à peine un instant l'autre pâté de masures
branlantes, les rues Pirouette, de Mondétour, de la
Petite-Truanderie, de la Grande-Truanderie, intéressés médiocrement par les dépôts d'escargots,
les marchands d'herbes cuites, les bouges des tripiers et des liquoristes ; il y avait cependant, rue
de la Grande-Truanderie, une fabrique de savon,

très douce au milieu des puanteurs voisines, qui
arrêtait Marjolin, attendant que quelqu'un entrât
ou sortît, pour recevoir au visage l'haleine de la
porte. Et ils revenaient vite rue Pierre-Lescot et
rue Rambuteau. Cadine adorait les salaisons,
elle restait en admiration devant les paquets de
harengs saurs, les barils d'anchois et de câpres,
les tonneaux de cornichons et d'olives, où des
cuillers de bois trempaient ; l'odeur du vinaigre
la grattait délicieusement à la gorge ; l'âpreté des
morues roulées, des saumons fumés, des lards et
des jambons, la pointe aigrelette des corbeilles de
citrons, lui mettaient au bord des lèvres un petit
bout de langue, humide d'appétit ; et elle aimait
aussi à voir les tas de boîtes de sardines, qui font,
au milieu des sacs et des caisses, des colonnes
ouvragées de métal. Rue Montorgueil, rue Montmartre, il y avait encore de bien belles épiceries,
des restaurants dont les soupiraux sentaient bon,
des étalages de volailles et de gibier très réjouis-
sants, des marchands de conserves, à la porte
desquels des barriques défoncées débordaient
d'une choucroute jaune, déchiquetée comme de
la vieille guipure. Mais, rue Coquillière, ils s'oubliaient dans l'odeur des truffes. Il y a là un grand
magasin de comestibles qui souffle jusque sur le
trottoir un tel parfum, que Cadine et Marjolin
fermaient les yeux, s'imaginant avaler des choses
exquises. Claude était troublé ; il disait que cela le
creusait ; il allait revoir la Halle au blé, par la rue
Oblin, étudiant les marchandes de salades, sous
les portes, et les faïences communes, étalées sur
les trottoirs, laissant « les deux brutes » achever

leur flânerie dans ce fumet de truffes, le fumet le plus aigu du quartier.

C'étaient là les grandes tournées. Cadine, lorsqu'elle promenait toute seule ses bouquets de violettes, poussait des pointes, rendait particulièrement visite à certains magasins qu'elle aimait. Elle avait surtout une vive tendresse pour la boulangerie Taboureau, où toute une vitrine était réservée à la pâtisserie ; elle suivait la rue Turbigo, revenait dix fois, pour passer devant les gâteaux aux amandes, les saint-honoré, les savarins, les flans, les tartes aux fruits, les assiettes de babas, d'éclairs, de choux à la crème ; et elle était encore attendrie par les bocaux pleins de gâteaux secs, de macarons et de madeleines. La boulangerie, très claire, avec ses larges glaces, ses marbres, ses dorures, ses casiers à pains de fer ouvragé, son autre vitrine, où des pains longs et vernis s'inclinaient, la pointe sur une tablette de cristal, retenus plus haut par une tringle de laiton, avait une bonne tiédeur de pâte cuite, qui l'épanouissait, lorsque, cédant à la tentation, elle entrait acheter une brioche de deux sous. Une autre boutique, en face du square des Innocents, lui donnait des curiosités gourmandes, toute une ardeur de désirs inassouvis. C'était une spécialité de godiveaux[1]. Elle s'arrêtait dans la contemplation des godiveaux ordinaires, des godiveaux de brochet, des godiveaux de foies gras truffés ; et elle restait là, rêvant, se disant qu'il faudrait bien qu'elle finît par en manger un jour.

Cadine avait aussi ses heures de coquetterie. Elle s'achetait alors des toilettes superbes à l'éta-

lage des Fabriques de France, qui pavoisaient la
pointe Saint-Eustache d'immenses pièces d'étoffe,
pendues et flottant de l'entresol jusqu'au trottoir.
Un peu gênée par son éventaire, au milieu des
femmes des Halles, en tabliers sales devant ces
toilettes des dimanches futurs, elle touchait les
lainages, les flanelles, les cotonnades, pour s'assurer du grain et de la souplesse de l'étoffe. Elle
se promettait quelque robe de flanelle voyante, de
cotonnade à ramages ou de popeline écarlate. Parfois même, elle choisissait dans les vitrines, parmi
les coupons plissés et avantagés par la main des
commis, une soie tendre, bleu ciel ou vert pomme,
qu'elle rêvait de porter avec des rubans roses. Le
soir, elle allait recevoir à la face l'éblouissement des
grands bijoutiers de la rue Montmartre. Cette terrible rue l'assourdissait de ses files interminables
de voitures, la coudoyait de son flot continu de
foule, sans qu'elle quittât la place, les yeux emplis
de cette splendeur flambante, sous la ligne des
réverbères accrochés en dehors à la devanture du
magasin. D'abord, c'étaient les blancheurs mates,
les luisants aigus de l'argent, les montres alignées,
les chaînes pendues, les couverts en croix, et les
timbales, les tabatières, les ronds de serviette, les
peignes, posés sur les étagères ; mais elle avait
une affection pour les dés d'argent, rangés sur un
écrin de porcelaine, que recouvrait un globe. Puis,
de l'autre côté, la lueur fauve de l'or jaunissait les
glaces. Une nappe de chaînes longues tombait de
haut, moirée d'éclairs rouges ; les petites montres
de femme, retournées du côté du boîtier, avaient
des rondeurs scintillantes d'étoiles tombées ; les

alliances s'enfilaient dans des tringles minces ; les bracelets, les broches, les bijoux chers luisaient sur le velours noir des écrins ; les bagues allumaient de courtes flammes bleues, vertes, jaunes, violettes, dans les grands baguiers carrés ; tandis que, à toutes les étagères, sur deux et trois rangs, des files de boucles d'oreilles, de croix, de médaillons, mettaient au bord du cristal des tablettes, des franges riches de tabernacle. Le reflet de tout cet or éclairait la rue d'un coup de soleil, jusqu'au milieu de la chaussée. Et Cadine croyait entrer dans quelque chose de saint, dans les trésors de l'empereur. Elle examinait longuement cette forte bijouterie de poissonnières, lisant avec soin les étiquettes à gros chiffres qui accompagnaient chaque bijou. Elle se décidait pour des boucles d'oreilles, pour des poires de faux corail, accrochées à des roses d'or[1].

Un matin, Claude la surprit en extase devant un coiffeur de la rue Saint-Honoré. Elle regardait les cheveux d'un air de profonde envie. En haut, c'était un ruissellement de crinières, des queues molles, des nattes dénouées, des frisons en pluie, des cache-peignes à trois étages, tout un flot de crins et de soies, avec des mèches rouges qui flambaient, des épaisseurs noires, des pâleurs blondes, jusqu'à des chevelures blanches pour les amoureuses de soixante ans. En bas, les tours discrets, les anglaises toutes frisées, les chignons pommadés et peignés, dormaient dans des boîtes de carton. Et, au milieu de ce cadre, au fond d'une sorte de chapelle, sous les pointes effiloquées des cheveux accrochés, un buste de femme tournait.

La femme portait une écharpe de satin cerise, qu'une broche de cuivre fixait dans le creux des seins ; elle avait une coiffure de mariée très haute, relevée de brins d'oranger, souriant de sa bouche de poupée, les yeux clairs, les cils plantés roides et trop longs, les joues de cire, les épaules de cire comme cuites et enfumées par le gaz. Cadine attendait qu'elle revînt, avec son sourire ; alors, elle était heureuse, à mesure que le profil s'accentuait et que la belle femme, lentement, passait de gauche à droite. Claude fut indigné. Il secoua Cadine, en lui demandant ce qu'elle faisait là, devant cette ordure, « cette fille crevée, ramassée à la Morgue ». Il s'emportait contre cette nudité de cadavre, cette laideur du joli, en disant qu'on ne peignait plus que des femmes comme ça. La petite ne fut pas convaincue ; elle trouvait la femme bien belle. Puis, résistant au peintre qui la tirait par un bras, grattant d'ennui sa tignasse noire, elle lui montra une queue rousse, énorme, arrachée à la forte carrure de quelque jument, en lui avouant qu'elle voudrait avoir ces cheveux-là.

Et, dans les grandes tournées, lorsque tous trois, Claude, Cadine et Marjolin, rôdaient autour des Halles, ils apercevaient, par chaque bout de rue, un coin du géant de fonte. C'étaient des échappées brusques, des architectures imprévues, le même horizon s'offrant sans cesse sous des aspects divers. Claude se retournait, surtout rue Montmartre, après avoir passé l'église. Au loin, les Halles, vues de biais, l'enthousiasmaient : une grande arcade, une porte haute, béante, s'ouvrait ; puis les pavillons s'entassaient, avec leurs

deux étages de toits, leurs persiennes continues,
leurs stores immenses ; on eût dit des profils de
maisons et de palais superposés, une babylone
de métal, d'une légèreté hindoue, traversée par
des terrasses suspendues, des couloirs aériens,
des ponts volants jetés sur le vide[1]. Ils revenaient
toujours là, à cette ville autour de laquelle ils flâ-
naient, sans pouvoir la quitter de plus de cent
pas. Ils rentraient dans les après-midi tièdes des
Halles. En haut, les persiennes sont fermées, les
stores baissés. Sous les rues couvertes, l'air s'en-
dort, d'un gris de cendre coupé de barres jaunes
par les taches de soleil qui tombent des longs
vitrails. Des murmures adoucis sortent des marchés ; les pas des rares passants affairés sonnent
sur les trottoirs ; tandis que des porteurs, avec
leur médaille, sont assis à la file sur les rebords
de pierre, aux coins des pavillons, ôtant leurs gros
souliers, soignant leurs pieds endoloris. C'est une
paix de colosse au repos, dans laquelle monte
parfois un chant de coq, du fond de la cave aux
volailles. Souvent ils allaient alors voir charger les
paniers vides sur les camions, qui, chaque après-
midi, viennent les reprendre, pour les retourner
aux expéditeurs. Les paniers étiquetés de lettres et
de chiffres noirs, faisaient des montagnes, devant
les magasins de commission de la rue Berger.
Pile par pile, symétriquement, des hommes les
rangeaient. Mais quand le tas, sur le camion,
atteignait la hauteur d'un premier étage, il fallait
que l'homme, resté en bas, balançant la pile de
paniers, prît un élan pour la jeter à son camarade, perché en haut, les bras en avant. Claude,

qui aimait la force et l'adresse, restait des heures à
suivre le vol de ces masses d'osier, riant lorsqu'un
élan trop vigoureux les enlevait, les lançait par-
dessus le tas, au milieu de la chaussée. Il adorait
aussi le trottoir de la rue Rambuteau et celui de la
rue du Pont-Neuf, au coin du pavillon des fruits,
à l'endroit où se tiennent les marchandes au petit
tas. Les légumes en plein air le ravissaient, sur
les tables recouvertes de chiffons noirs mouillés.
À quatre heures, le soleil allumait tout ce coin
de verdure. Il suivait les allées, curieux des têtes
colorées des marchandes ; les jeunes, les cheveux
retenus dans un filet, déjà brûlées par leur vie
rude ; les vieilles, cassées, ratatinées, la face rouge,
sous le foulard jaune de leur marmotte. Cadine et
Marjolin refusaient de le suivre, en reconnaissant
de loin la mère Chantemesse qui leur montrait le
poing, furieuse de les voir polissonner ensemble.
Il les rejoignait sur l'autre trottoir. Là, à travers
la rue, il trouvait un superbe sujet de tableau :
les marchandes au petit tas sous leurs grands
parasols déteints, les rouges, les bleus, les violets,
attachés à des bâtons, bossuant le marché, mettant leurs rondeurs vigoureuses dans l'incendie
du couchant, qui se mourait sur les carottes et
les navets. Une marchande, une vieille guenipe de
cent ans, abritait trois salades maigres sous une
ombrelle de soie rose, crevée et lamentable.

Cependant, Cadine et Marjolin avaient fait
connaissance de Léon, l'apprenti charcutier des
Quenu-Gradelle, un jour qu'il portait une tourte
dans le voisinage. Ils le virent qui soulevait le
couvercle de la casserole, au fond d'un angle obs-

cur de la rue de Mondétour, et qui prenait un
godiveau avec les doigts, délicatement. Ils se sourirent, cela leur donna une grande idée du gamin.
Cadine conçut le projet de contenter enfin une de
ses envies les plus chaudes ; lorsqu'elle rencontra de nouveau le petit, avec sa casserole, elle fut
très aimable, elle se fit offrir un godiveau, riant,
se léchant les doigts. Mais elle eut quelque désil-
lusion, elle croyait que c'était meilleur que ça.
Le petit, pourtant, lui parut drôle, tout en blanc
comme une fille qui va communier, le museau
rusé et gourmand. Elle l'invita à un déjeuner
monstre, qu'elle donna dans les paniers de la criée
aux beurres. Ils s'enfermèrent tous trois, elle, Marjolin et Léon, entre les quatre murs d'osier, loin
du monde. La table fut mise sur un large panier
plat. Il y avait des poires, des noix, du fromage
blanc, des crevettes, des pommes de terre frites et
des radis. Le fromage blanc venait d'une fruitière
de la rue de la Cossonnerie ; c'était un cadeau. Un
friteur de la rue de la Grande-Truanderie avait
vendu à crédit les deux sous de pommes de terre
frites. Le reste, les poires, les noix, les crevettes,
les radis, était volé aux quatre coins des Halles.
Ce fut un régal exquis. Léon ne voulut pas rester
à court d'amabilité, il rendit le déjeuner par un
souper, à une heure du matin, dans sa chambre.
Il servit du boudin froid, des ronds de saucisson,
un morceau de petit salé, des cornichons et de la
graisse d'oie. La charcuterie des Quenu-Gradelle
avait tout fourni. Et cela ne finit plus, les soupers fins succédèrent aux déjeuners délicats, les
invitations suivirent les invitations. Trois fois par

semaine, il y eut des fêtes intimes dans le trou aux
paniers et dans cette mansarde, où Florent, les
nuits d'insomnie, entendait des bruits étouffés de
mâchoires et des rires de flageolet jusqu'au petit
jour.

Alors, les amours de Cadine et de Marjolin
s'étalèrent encore. Ils furent parfaitement heureux. Il faisait le galant, la menait en cabinet particulier, pour croquer des pommes crues ou des
cœurs de céleri, dans quelque coin noir des caves.
Il vola un jour un hareng saur qu'ils mangèrent
délicieusement, sur le toit du pavillon de la marée,
au bord des gouttières. Les Halles n'avaient pas un
trou d'ombre où ils n'allaient cacher leurs régals
tendres d'amoureux. Le quartier, ces files de boutiques ouvertes, pleines de fruits, de gâteaux, de
conserves, ne fut plus un paradis fermé, devant
lequel rôdait leur faim de gourmands, avec des
envies sourdes. Ils allongeaient la main en passant le long des étalages, chipant un pruneau,
une poignée de cerises, un bout de morue. Ils
s'approvisionnaient également aux Halles, surveillant les allées des marchés, ramassant tout ce
qui tombait, aidant même souvent à tomber, d'un
cou d'épaule, les paniers de marchandises. Malgré
cette maraude, des notes terribles montaient chez
le friteur de la rue de la Grande-Truanderie. Ce
friteur, dont l'échoppe était appuyée contre une
maison branlante, soutenue par de gros madriers
verts de mousse, tenait des moules cuites nageant
dans une eau claire, au fond de grands saladiers
de faïence, des plats de petites limandes jaunes et
roidies, sous leur couche trop épaisse de pâte, des

carrés de gras-double mijotant au cul de la poêle, des harengs grillés, noirs, charbonnés, si durs, qu'ils sonnaient comme du bois. Cadine, certaines semaines, devait jusqu'à vingt sous ; cette dette l'écrasait, il lui fallait vendre un nombre incalculable de bouquets de violettes, car elle n'avait pas à compter du tout sur Marjolin. D'ailleurs, elle était bien forcée de rendre à Léon ses politesses ; elle se sentait même un peu honteuse de ne jamais avoir le moindre plat de viande. Lui, finissait par prendre des jambons entiers. D'habitude, il cachait tout dans sa chemise. Quand il montait de la charcuterie, le soir, il tirait de sa poitrine des bouts de saucisse, des tranches de pâté de foie, des paquets de couennes. Le pain manquait, et l'on ne buvait pas. Marjolin aperçut Léon embrassant Cadine, une nuit, entre deux bouchées. Cela le fit rire. Il aurait assommé le petit d'un coup de poing ; mais il n'était point jaloux de Cadine, il la traitait en bonne amie qu'on a depuis longtemps.

Claude n'assistait pas à ces festins. Ayant surpris la bouquetière volant une betterave, dans un petit panier garni de foin, il lui avait tiré les oreilles, en la traitant de vaurienne. Cela la complétait, disait-il. Et il éprouvait, malgré lui, comme une admiration pour ces bêtes sensuelles, chipeuses et gloutonnes, lâchées dans la jouissance de tout ce qui traînait, ramassant les miettes tombées de la desserte d'un géant.

Marjolin était entré chez Gavard, heureux de n'avoir rien à faire qu'à écouter les histoires sans fin de son patron. Cadine vendait ses bouquets, habituée aux gronderies de la mère Chantemesse.

Ils continuaient leur enfance, sans honte, allant à leurs appétits, avec des vices tout naïfs. Ils étaient les végétations de ce pavé gras du quartier des Halles, où, même par les beaux temps, la boue reste noire et poissante. La fille à seize ans, le garçon à dix-huit, gardaient la belle impudence des bambins qui se retroussent au coin des bornes. Cependant, il poussait dans Cadine des rêveries inquiètes, lorsqu'elle marchait sur les trottoirs, tournant les queues des violettes comme des fuseaux. Et Marjolin, lui aussi, avait un malaise qu'il ne s'expliquait pas. Il quittait parfois la petite, s'échappait d'une flânerie, manquait un régal, pour aller voir Mme Quenu, à travers les glaces de la charcuterie. Elle était si belle, si grosse, si ronde, qu'elle lui faisait du bien. Il éprouvait, devant elle, une plénitude, comme s'il eût mangé ou bu quelque chose de bon. Quand il s'en allait, il emportait une faim et une soif de la revoir. Cela durait depuis des mois. Il avait eu d'abord pour elle les regards respectueux qu'il donnait aux étalages des épiciers et des marchands de salaisons. Puis, lorsque vinrent les jours de grande maraude, il rêva, en la voyant, d'allonger les mains sur sa forte taille, sur ses gros bras, ainsi qu'il les enfonçait dans les barils d'olives et dans les caisses de pommes tapées.

Depuis quelque temps, Marjolin voyait la belle Lisa chaque jour, le matin. Elle passait devant la boutique de Gavard, s'arrêtait un instant, causait avec le marchand de volailles. Elle faisait son marché elle-même, disait-elle, pour qu'on la volât moins. La vérité était qu'elle tâchait de provoquer les confidences de Gavard ; à la charcuterie, il se méfiait ; dans sa boutique, il pérorait, racontait tout ce qu'on voulait. Elle s'était dit qu'elle saurait par lui ce qui se passait au juste chez M. Lebigre ; car elle tenait Mlle Saget, sa police secrète, en médiocre confiance. Elle apprit ainsi du terrible bavard des choses confuses qui l'effrayèrent beaucoup. Deux jours après l'explication qu'elle avait eue avec Quenu, elle rentra du marché, très pâle. Elle fit signe à son mari de la suivre dans la salle à manger. Là, après avoir fermé les portes :

« Ton frère veut donc nous envoyer à l'échafaud !... Pourquoi m'as-tu caché ce que tu sais ? »

Quenu jura qu'il ne savait rien. Il fit un grand serment, affirmant qu'il n'était plus retourné chez M. Lebigre et qu'il n'y retournerait jamais. Elle haussa les épaules, en reprenant :

« Tu feras bien, à moins que tu ne désires y laisser ta peau... Florent est de quelque mauvais coup, je le sens. Je viens d'en apprendre assez pour deviner où il va... Il retourne au bagne, entends-tu ? »

Puis, au bout d'un silence, elle continua d'une voix plus calme.

« Ah ! le malheureux !... Il était ici comme un coq en pâte, il pouvait redevenir honnête, il n'avait que de bons exemples. Non, c'est dans le sang ; il se cassera le cou, avec sa politique... Je veux que ça finisse, tu entends, Quenu ? Je t'avais averti. »

Elle appuya nettement sur ces derniers mots. Quenu baissait la tête, attendant son arrêt.

« D'abord, dit-elle, il ne mangera plus ici. C'est assez qu'il y couche. Il gagne de l'argent, qu'il se nourrisse. »

Il fit mine de protester, mais elle lui ferma la bouche, en ajoutant avec force :

« Alors, choisis entre lui et nous. Je te jure que je m'en vais avec ma fille, s'il reste davantage. Veux-tu que je te le dise, à la fin : c'est un homme capable de tout, qui est venu troubler notre ménage. Mais j'y mettrai bon ordre, je t'assure... Tu as bien entendu : ou lui ou moi. »

Elle laissa son mari muet, elle rentra dans la charcuterie, où elle servit une demi-livre de pâté de foie, avec son sourire affable de belle charcutière. Gavard, dans une discussion politique qu'elle avait amenée habilement, s'était échauffé jusqu'à lui dire qu'elle verrait bien, qu'on allait tout flanquer par terre, et qu'il suffirait de deux hommes déterminés comme son beau-frère et lui, pour mettre le feu à la boutique. C'était le mauvais coup dont elle parlait, quelque conspiration à laquelle le marchand de volailles faisait des allusions continuelles, d'un air discret, avec des ricanements qui voulaient en laisser deviner long. Elle voyait une bande de sergents de ville envahir la charcuterie, les bâillonner, elle, Quenu et Pauline, et les jeter tous trois dans une basse-fosse.

Le soir, au dîner, elle fut glaciale ; elle ne servit pas Florent, elle dit à plusieurs reprises :

« C'est drôle comme nous mangeons du pain, depuis quelque temps. »

Florent comprit enfin. Il se sentit traiter en parent qu'on jette à la porte. Lisa, dans les deux derniers mois, l'habillait avec les vieux pantalons et les vieilles redingotes de Quenu ; et comme il était aussi sec que son frère était rond, ces vêtements en loques lui allaient le plus étrangement du monde. Elle lui passait aussi son vieux linge, des mouchoirs vingt fois reprisés, des serviettes effiloquées, des draps bons à faire des torchons, des chemises usées, élargies par le ventre de son frère, et si courtes, qu'elles auraient pu lui servir de vestes. D'ailleurs, il ne retrouvait plus autour de lui les bienveillances molles des premiers temps. Toute la maison haussait les épaules, comme on voyait faire à la belle Lisa ; Auguste et Augustine affectaient de lui tourner le dos, tandis que la petite Pauline avait des mots cruels d'enfant terrible, sur les taches de ses habits et les trous de son linge. Les derniers jours, il souffrit surtout à table. Il n'osait plus manger, en voyant l'enfant et la mère le regarder, lorsqu'il se coupait du pain. Quenu restait le nez dans son assiette, évitant de lever les yeux, afin de ne pas se mêler de ce qui se passait. Alors, ce qui le tortura, ce fut de ne pas savoir comment quitter la place. Il retourna dans sa tête, pendant près d'une semaine, sans oser la prononcer, une phrase pour dire qu'il prendrait désormais ses repas dehors.

Cet esprit tendre vivait dans de telles illusions, qu'il craignait de blesser son frère et sa belle-sœur en ne mangeant plus chez eux. Il avait mis plus de deux mois à s'apercevoir de l'hostilité sourde de Lisa ; parfois encore, il craignait de se tromper, il la trouvait très bonne à son égard. Le désintéressement, chez lui, était poussé jusqu'à l'oubli de ses besoins ; ce n'était plus une vertu, mais une indifférence suprême, un manque absolu de personnalité. Jamais il ne songea, même lorsqu'il se vit

chassé peu à peu, à l'héritage du vieux Gradelle,
aux comptes que sa belle-sœur voulait lui rendre.
Il avait, d'ailleurs, arrêté à l'avance tout un projet
de budget : avec l'argent que Mme Verlaque lui
laissait sur ses appointements, et les trente francs
d'une leçon que la belle Normande lui avait pro-
curée, il calculait qu'il aurait à dépenser dix-huit
sous à son déjeuner et vingt-six sous à son dîner.
C'était très suffisant. Enfin, un matin, il se risqua,
il profita de la nouvelle leçon qu'il donnait, pour
prétendre qu'il lui était impossible de se trouver à
la charcuterie aux heures des repas. Ce mensonge
laborieux le fit rougir. Et il s'excusait :

« Il ne faut pas m'en vouloir, l'enfant n'est libre
qu'à ces heures-là... Ça ne fait rien, je mangerai
un morceau dehors, je viendrai vous dire bonsoir
dans la soirée. »

La belle Lisa restait toute froide, ce qui le troublait davantage. Elle n'avait pas voulu le congédier,
pour ne mettre aucun tort de son côté, préférant
attendre qu'il se lassât. Il partait, c'était un bon
débarras, elle évitait toute démonstration d'amitié
qui aurait pu le retenir. Mais Quenu s'écria, un
peu ému :

« Ne te gêne pas, mange dehors, si cela te
convient mieux... Tu sais que nous ne te ren-
voyons pas, que diable ! Tu viendras manger la
soupe avec nous, quelquefois, le dimanche. »

Florent se hâta de sortir. Il avait le cœur gros.
Quand il ne fut plus là, la belle Lisa n'osa pas
reprocher à son mari sa faiblesse, cette invitation
pour le dimanche. Elle demeurait victorieuse, elle
respirait à l'aise dans la salle à manger de chêne

clair, avec des envies de brûler du sucre, pour
en chasser l'odeur de maigreur perverse qu'elle y
sentait. D'ailleurs, elle garda la défensive. Même,
au bout d'une semaine, elle eut des inquiétudes
plus vives. Elle ne voyait Florent que rarement,
le soir, elle s'imaginait des choses terribles, une
machine infernale fabriquée en haut, dans la
chambre d'Augustine, ou bien des signaux trans-
mis de la terrasse, pour couvrir le quartier de barricades. Gavard prenait des allures assombries ;
il ne répondait que par des branlements de tête,
laissait sa boutique à la garde de Marjolin pendant
des journées entières. La belle Lisa résolut d'en
avoir le cœur net. Elle sut que Florent avait un
congé, et qu'il allait le passer avec Claude Lantier
chez Mme François, à Nanterre. Comme il devait
partir dès le jour, pour ne revenir que dans la
soirée, elle songea à inviter Gavard à dîner ; il par-
lerait à coup sûr, le ventre à table. Mais, de toute
la matinée, elle ne put rencontrer le marchand de
volailles. L'après-midi, elle retourna aux Halles.

Marjolin était seul à la boutique. Il y sommeil-
lait pendant des heures, se reposant de ses longues
flâneries. D'habitude, il s'asseyait, allongeait les
jambes sur l'autre chaise, la tête appuyée contre le
petit buffet, au fond. L'hiver, les étalages de gibier
le ravissaient : les chevreuils pendus la tête en bas,
les pattes de devant cassées et nouées par-dessus
le cou ; les colliers d'alouettes en guirlande autour
de la boutique, comme des parures de sauvages ;
les grands lièvres roux, les perdrix mouchetées,
les bêtes d'eau d'un gris de bronze, les gelinottes
de Russie qui arrivent dans un mélange de paille

d'avoine et de charbon, et les faisans, les faisans magnifiques, avec leur chaperon écarlate, leur gorgerin de satin vert, leur manteau d'or niellé, leur queue de flamme traînant comme une robe de cour. Toutes ces plumes lui rappelaient Cadine, les nuits passées en bas, dans la mollesse des paniers.

Ce jour-là, la belle Lisa trouva Marjolin au milieu de la volaille. L'après-midi était tiède, des souffles passaient dans les rues étroites du pavillon. Elle dut se baisser pour l'apercevoir, vautré au fond de la boutique, sous les chairs crues de l'étalage. En haut, accrochées à la barre à dents de loup, des oies grasses pendaient, le croc enfoncé dans la plaie saignante du cou, le cou long et roidi, avec la masse énorme du ventre, rougeâtre sous le fin duvet, se ballonnant ainsi qu'une nudité, au milieu des blancheurs de linge de la queue et des ailes. Il y avait aussi, tombant de la barre, les pattes écartées comme pour quelque saut formidable, les oreilles rabattues, des lapins à l'échine grise, tachée par le bouquet de poils blancs de la queue retroussée, et dont la tête, aux dents aiguës, aux yeux troubles, riait d'un rire de bête morte. Sur la table d'étalage, des poulets plumés montraient leur poitrine charnue, tendue par l'arête du bréchet ; des pigeons, serrés sur des claies d'osier, avaient des peaux nues et tendres d'innocents ; des canards, de peaux plus rudes, étalaient les palmes de leurs pattes ; trois dindes superbes, piquées de bleu comme un menton fraîchement rasé, dormaient sur le dos, la gorge recousue, dans l'éventail noir de leur queue élargie. À côté, sur des assiettes, étaient posés des abattis, le foie, le gésier, le cou, les pattes, les ailerons ; tandis que, dans un plat ovale, un lapin écorché et vidé était couché, les quatre membres écartés, la tête sanguinolente, la peau du ventre fendue, montrant les deux rognons ; un filet de sang avait coulé tout le long du râble jusqu'à la queue, d'où il avait taché, goutte à goutte, la pâleur de la porcelaine. Marjolin n'avait pas même essuyé la planche à découper, près de laquelle les pattes du lapin traînaient encore. Il fermait les yeux à demi, ayant autour de lui, sur les trois étagères qui garnissaient intérieurement la boutique, d'autres entassements de volailles mortes, des volailles dans des cornets de papier comme des bouquets, des cordons continus de cuisses repliées et de poitrines bombées, entrevues confusément. Au fond de toute cette nourriture, son grand corps blond, ses joues, ses mains, son cou puissant, au poil roussâtre, avaient la chair fine des dindes superbes et la rondeur de ventre des oies grasses.

Quand il aperçut la belle Lisa, il se leva brusquement, rougissant d'avoir été surpris, vautré de la sorte. Il était toujours très timide, très gêné devant elle. Et lorsqu'elle lui demanda si M. Gavard était là :

« Non, je ne sais pas, balbutia-t-il ; il était là tout à l'heure, mais il est reparti. »

Elle souriait en le regardant, elle avait une grande amitié pour lui. Comme elle laissait pendre une main, elle sentit un frôlement tiède, elle poussa un petit cri. Sous la table d'étalage, dans une caisse, des lapins vivants allongeaient le cou, flairaient ses jupes.

« Ah ! dit-elle en riant, ce sont tes lapins qui me chatouillent. »

Elle se baissa, voulut caresser un lapin blanc qui se réfugia dans un coin de la caisse. Puis, se relevant :

« Et rentrera-t-il bientôt, monsieur Gavard ? »

Marjolin répondit de nouveau qu'il ne savait pas. Ses mains tremblaient un peu. Il reprit d'une voix hésitante :

« Peut-être qu'il est à la resserre... Il m'a dit, je crois, qu'il descendait.

— J'ai envie de l'attendre, alors, reprit Lisa. On pourrait lui faire savoir que je suis là... À moins que je ne descende. Tiens ! c'est une idée. Il y a cinq ans que je me promets de voir les resserres... Tu vas me conduire, n'est-ce pas ? tu m'expliqueras. »

Il était devenu très rouge. Il sortit précipitamment de la boutique, marchant devant elle, abandonnant l'étalage, répétant :

« Certainement... Tout ce que vous voudrez, madame Lisa. »

Mais, en bas, l'air noir de la cave suffoqua la belle charcutière. Elle restait sur la dernière marche, levant les yeux, regardant la voûte, à bandes de briques blanches et rouges, faite d'arceaux écrasés, pris dans des nervures de fonte et soutenus par des colonnettes. Ce qui l'arrêtait là, plus encore que l'obscurité, c'était une odeur chaude, pénétrante, une exhalaison de bêtes vivantes, dont les alcalis la piquaient au nez et à la gorge.

« Ça sent très mauvais, murmura-t-elle. Ce ne serait pas sain, de vivre ici.

— Moi, je me porte bien, répondit Marjolin étonné. L'odeur n'est pas mauvaise, quand on y est habitué. Puis, on a chaud l'hiver ; on est très à son aise. »

Elle le suivit, disant que ce fumet violent de volaille la répugnait, qu'elle ne mangerait certainement pas de poulet de deux mois. Cependant, les resserres, les étroites cabines où les marchands gardent les bêtes vivantes, allongeaient leurs ruelles régulières, coupées à angles droits. Les becs de gaz étaient rares, les ruelles dormaient, silencieuses, pareilles à un coin de village, quand la province est au lit. Marjolin fit toucher à Lisa le grillage à mailles serrées, tendu sur des cadres de fonte. Et, tout en longeant une rue, elle lisait les noms des locataires, écrits sur des plaques bleues.

« Monsieur Gavard est tout au fond », dit le jeune homme, qui marchait toujours.

Ils tournèrent à gauche, ils arrivèrent dans une impasse, dans un trou d'ombre, où pas un filet de lumière ne glissait. Gavard n'y était pas.

« Ça ne fait rien, reprit Marjolin. Je vais tout de même vous montrer nos bêtes. J'ai une clef de la resserre. »

La belle Lisa entra derrière lui dans cette nuit épaisse. Là, elle le trouva tout à coup au milieu de ses jupes ; elle crut qu'elle s'était trop avancée contre lui, elle se recula ; et elle riait, elle disait :

« Si tu t'imagines que je vais les voir, tes bêtes, dans ce four-là. »

Il ne répondit pas tout de suite ; puis, il balbutia qu'il y avait toujours une bougie dans la resserre. Mais il n'en finissait plus, il ne pouvait trouver le trou de la serrure. Comme elle l'aidait, elle sentit une haleine chaude sur son cou. Quand il eut ouvert enfin la porte et allumé la bougie, elle le vit si frissonnant, qu'elle s'écria :

« Grand bêta ! peut-on se mettre dans un état pareil, parce qu'une porte ne veut pas s'ouvrir ! Tu es une demoiselle, avec tes gros poings. »

Elle entra dans la resserre. Gavard avait loué deux compartiments, dont il avait fait un seul poulailler, en enlevant la cloison. Par terre, dans le fumier, les grosses bêtes, les oies, les dindons, les canards, pataugeaient ; en haut, sur les trois rangs des étagères, des boîtes plates à claire-voie contenaient des poules et des lapins. Le grillage de la resserre était tout poussiéreux, tendu de toiles d'araignée, à ce point qu'il semblait garni de stores gris ; l'urine des lapins rongeait les panneaux du bas ; la fiente de la volaille tachait les planches d'éclaboussures blanchâtres. Mais Lisa ne voulut pas désobliger Marjolin, en montrant davantage son dégoût. Elle fourra les doigts entre les barreaux des boîtes, pleurant sur le sort de ces malheureuses poules entassées qui ne pouvaient pas même se tenir debout. Elle caressa un canard accroupi dans un coin, la patte cassée, tandis que le jeune homme lui disait qu'on le tuerait le soir même, de peur qu'il ne mourût pendant la nuit.

« Mais, demanda-t-elle, comment font-ils pour manger ? »

Alors il lui expliqua que la volaille ne veut pas manger sans lumière. Les marchands sont obligés d'allumer une bougie et d'attendre là, jusqu'à ce que les bêtes aient fini.

« Ça m'amuse, continua-t-il ; je les éclaire pendant des heures. Il faut voir les coups de bec qu'ils donnent. Puis, lorsque je cache la bougie avec la main, ils restent tous le cou en l'air, comme si le soleil s'était couché... C'est qu'il est bien défendu de leur laisser la bougie et de s'en aller. Une marchande, la mère Palette, que vous connaissez, a failli tout brûler, l'autre jour ; une poule avait dû faire tomber la lumière dans la paille.

— Eh bien, dit Lisa, elle n'est pas gênée, la volaille, s'il faut lui allumer les lustres à chaque repas ! »

Cela le fit rire. Elle était sortie de la resserre, s'essuyant les pieds, remontant un peu sa robe, pour la garer des ordures. Lui, souffla la bougie, referma la porte. Elle eut peur de rentrer ainsi dans la nuit, à côté de ce grand garçon ; elle s'en alla en avant, pour ne pas le sentir de nouveau dans ses jupes. Quand elle l'eut rejointe :

« Je suis contente tout de même d'avoir vu ça. Il y a, sous ces Halles, des choses qu'on ne soupçonnerait jamais. Je te remercie... Je vais remonter bien vite ; on ne doit plus savoir où je suis passée, à la boutique. Si M. Gavard revient, dis-lui que j'ai à lui parler tout de suite.

— Mais, dit Marjolin, il est sans doute aux pierres d'abattage... Nous pouvons voir, si vous voulez. »

Elle ne répondit pas, oppressée par cet air tiède qui lui chauffait le visage. Elle était toute rose, et son corsage tendu, si mort d'ordinaire, prenait un frisson. Cela l'inquiéta, lui donna un malaise, d'entendre derrière elle le pas pressé de Marjolin, qui lui semblait comme haletant. Elle s'effaça, le laissa passer le premier. Le village, les ruelles noires dormaient toujours. Lisa s'aperçut que son compagnon prenait au plus long. Quand ils débouchèrent en face de la voie ferrée, il lui dit qu'il avait voulu lui montrer le chemin de fer ; et ils restèrent là un instant, regardant à travers les gros madriers de la palissade. Il offrit de lui faire visiter la voie. Elle refusa, en disant que ce n'était pas la peine, qu'elle voyait bien ce que c'était. Comme ils revenaient, ils trouvèrent la mère Palette devant sa resserre, ôtant les cordes d'un large panier carré, dans lequel on entendait un bruit furieux d'ailes et de pattes. Lorsqu'elle eut défait le dernier nœud, brusquement, de grands cous d'oie parurent, faisant ressort, soulevant le couvercle. Les oies s'échappèrent effarouchées, la tête lancée en avant, avec des sifflements, des claquements de bec qui emplirent l'ombre de la cave d'une effroyable musique. Lisa ne put s'empêcher de rire, malgré les lamentations de la marchande de volailles, désespérée, jurant comme un charretier, ramenant par le cou deux oies qu'elle avait réussi à rattraper. Marjolin s'était mis à la poursuite d'une troisième oie. On l'entendit courir le long des rues, dépisté, s'amusant à cette chasse ; puis il y eut un bruit de bataille, tout au fond, et il revint, portant la bête. La mère Palette, une vieille femme jaune, la prit entre ses bras, la garda un moment sur son ventre, dans la pose de la Léda antique.

« Ah ! bien, dit-elle, si tu n'avais pas été là !... L'autre jour, je me suis battue avec une ; j'avais mon couteau, je lui ai coupé le cou. »

Marjolin était tout essoufflé. Lorsqu'ils arrivèrent aux pierres d'abattage, dans la clarté plus vive du gaz, Lisa le vit en sueur, les yeux luisant d'une flamme qu'elle ne leur connaissait pas. D'ordinaire, il baissait les paupières devant elle, ainsi qu'une fille. Elle le trouva très bel homme comme ça, avec ses larges épaules, sa grande figure rose, dans les boucles de ses cheveux blonds. Elle le regardait si complaisamment, de cet air d'admiration sans danger qu'on peut témoigner aux garçons trop jeunes, qu'une fois encore il redevint timide.

« Tu vois bien que monsieur Gavard n'est pas là, dit-elle Tu me fais perdre mon temps. »

Alors, d'une voix rapide, il lui expliqua l'abattage, les cinq énormes bancs de pierre, s'allongeant du côté de la rue Rambuteau, sous la clarté jaune des soupiraux et des becs de gaz. Une femme saignait des poulets, à un bout ; ce qui l'amena à lui faire remarquer que la femme plumait la volaille presque vivante, parce que c'est plus facile. Puis, il voulut qu'elle prît des poignées de plumes sur les bancs de pierre, dans les tas énormes qui traînaient ; il lui disait qu'on les triait et qu'on les vendait, jusqu'à neuf sous la livre, selon la finesse. Elle dut aussi enfoncer la main au fond des grands paniers pleins de duvet. Il tourna ensuite les robinets des fontaines, placées à chaque pilier. Il ne tarissait pas en détails : le sang coulait le long des bancs, faisait des mares sur les dalles ; des cantonniers, toutes les deux heures, lavaient à grande eau, enlevaient avec des brosses rudes les taches rouges. Quand Lisa se pencha au-dessus de la bouche d'égout qui sert à l'écoulement, ce fut encore toute une histoire ; il raconta que, les jours d'orage, l'eau envahissait la cave par cette bouche ; une fois même, elle s'était élevée à trente centimètres, il avait fallu faire réfugier la volaille à l'autre extrémité de la cave, qui va en pente. Il riait encore du vacarme de ces bêtes effarouchées. Cependant, il avait fini, il ne trouvait plus rien, lorsqu'il se rappela le ventilateur. Il la mena tout au fond, lui fit lever les yeux, et elle aperçut l'intérieur d'une des tourelles d'angle, une sorte de large tuyau de dégagement, où l'air nauséabond des resserres montait.

Marjolin se tut, dans ce coin empesté par l'afflux des odeurs. C'était une rudesse alcaline de guano. Mais lui, semblait éveillé et fouetté. Ses narines battirent, il respira fortement, comme retrouvant des hardiesses d'appétit. Depuis un quart d'heure qu'il était dans le sous-sol avec la belle Lisa, ce fumet, cette chaleur de bêtes vivantes le grisait. Maintenant, il n'avait plus de timidité, il était plein du rut qui chauffait le fumier des poulaillers, sous la voûte écrasée, noire d'ombre.

« Allons, dit la belle Lisa, tu es un brave enfant, de m'avoir montré tout ça... Quand tu viendras à la charcuterie, je te donnerai quelque chose. »

Elle lui avait pris le menton, comme elle faisait souvent, sans voir qu'il avait grandi. Elle était un peu émue, à la vérité ; émue par cette promenade sous terre, d'une émotion très douce, qu'elle aimait à goûter, en chose permise et ne tirant pas à conséquence. Elle oublia peut-être sa main un peu plus longtemps que de coutume, sous ce menton d'adolescent, si délicat à toucher. Alors, à cette caresse, lui, cédant à une poussée de l'instinct, s'assurant d'un regard oblique que personne n'était là, se ramassa, se jeta sur la belle Lisa, avec une force de taureau. Il l'avait prise par les épaules. Il la culbuta dans un grand panier de plumes, où elle tomba comme une masse, les jupes aux genoux. Et il allait la prendre à la taille, ainsi qu'il prenait Cadine, d'une brutalité d'animal qui vole et qui s'emplit, lorsque, sans crier, toute pâle de cette attaque brusque, elle sortit du panier d'un bond. Elle leva le bras, comme elle avait vu faire aux abattoirs, serra son poing de belle femme, assomma Marjolin d'un seul coup, entre les deux yeux. Il s'affaissa, sa tête se fendit contre l'angle d'une pierre d'abattage. À ce moment, un chant de coq, rauque et prolongé, monta des ténèbres.

La belle Lisa resta toute froide. Ses lèvres s'étaient pincées, sa gorge avait repris ces rondeurs muettes qui la faisaient ressembler à un ventre. Sur sa tête, elle entendait le sourd roulement des Halles. Par les soupiraux de la rue Rambuteau, dans le grand silence étouffé de la cave, tombaient les bruits du trottoir. Et elle pensait que ses gros bras seuls l'avaient sauvée. Elle secoua les quelques plumes collées à ses jupes. Puis, craignant d'être surprise, sans regarder Marjolin, elle s'en alla. Dans l'escalier, quand elle eut passé la grille, la clarté du plein jour lui fut un grand soulagement.

Elle rentra à la charcuterie, très calme, un peu pâle.

« Tu as été bien lontemps, dit Quenu.

— Je n'ai pas trouvé Gavard, je l'ai cherché partout, répondit-elle tranquillement. Nous mangerons notre gigot sans lui. »

Elle fit emplir le pot de saindoux qu'elle trouva vide, coupa des côtelettes pour son amie Mme Taboureau, qui lui avait envoyé sa petite bonne. Les coups de couperet qu'elle donna sur l'étau lui rappelèrent Marjolin, en bas, dans la cave. Mais elle ne se reprochait rien. Elle avait agi en femme honnête. Ce n'était pas pour ce gamin qu'elle irait compromettre sa paix ; elle était trop à l'aise, entre son mari et sa fille. Cependant, elle regarda Quenu ; il avait à la nuque une peau rude, une couenne rougeâtre, et son menton rasé était d'une rugosité de bois noueux ; tandis que la nuque et le menton de l'autre semblaient du velours rose. Il n'y fallait plus penser, elle ne le toucherait plus là, puisqu'il songeait à des choses impossibles. C'était un petit plaisir permis qu'elle regrettait, en se disant que les enfants grandissent vraiment trop vite.

Comme de légères flammes remontaient à ses joues, Quenu la trouva « diablement portante ». Il s'était assis un instant auprès d'elle dans le comptoir, il répétait :

« Tu devrais sortir plus souvent. Ça te fait du bien... Si tu veux, nous irons au théâtre, un de ces soirs, à la Gaîté, où Mme Taboureau a vu cette pièce qui est si bien... »

Lisa sourit, dit qu'on verrait ça. Puis, elle disparut de nouveau. Quenu pensa qu'elle était trop bonne de courir ainsi après cet animal de Gavard. Il ne l'avait pas vue prendre l'escalier.

Elle venait de monter à la chambre de Florent, dont la clef restait accrochée à un clou de la cuisine. Elle espérait savoir quelque chose dans cette chambre, puisqu'elle ne comptait plus sur le marchand de volailles. Elle fit lentement le tour, examina le lit, la cheminée, les quatre coins. La fenêtre de la petite terrasse était ouverte, le grenadier en boutons baignait dans la poussière d'or du soleil couchant. Alors, il lui sembla que sa fille de boutique n'avait pas quitté cette pièce, qu'elle y avait encore couché la nuit précédente ; elle n'y sentait pas l'homme. Ce fut un étonnement, car elle s'attendait à trouver des caisses suspectes, des meubles à grosses serrures. Elle alla tâter la robe d'été d'Augustine, toujours pendue à la muraille. Puis, elle s'assit enfin devant la table, lisant une page commencée où le mot « révolution » revenait deux fois. Elle fut effrayée, ouvrit le tiroir, qu'elle vit plein de papiers. Mais son honnêteté se réveilla, en face de ce secret, si mal gardé par cette méchante table de bois blanc. Elle restait penchée au-dessus des papiers, essayant de comprendre sans toucher, très émue, lorsque le chant aigu du pinson, dont un rayon oblique frappait la cage, la fit tressaillir. Elle repoussa le tiroir. C'était très mal ce qu'elle allait faire là.

Comme elle s'oubliait, près de la fenêtre, à se dire qu'elle devait prendre conseil de l'abbé Roustan, un homme sage, elle aperçut, en bas, sur le carreau des Halles, un rassemblement autour d'une civière. La nuit tombait ; mais elle reconnut parfaitement Cadine qui pleurait, au milieu du groupe ; tandis que Florent et Claude, les pieds blancs de poussière, causaient vivement, au bord du trottoir. Elle se hâta de descendre, surprise de leur retour. Elle était à peine au comptoir, que Mlle Saget entra, en disant :

« C'est ce garnement de Marjolin qu'on vient de trouver dans la cave, avec la tête fendue... Vous ne venez pas voir, madame Quenu ? »

Elle traversa la chaussée pour voir Marjolin. Le jeune homme était étendu, très pâle, les yeux fermés, avec une mèche de ses cheveux blonds roidie et souillée de sang. Dans le groupe, on disait que ce ne serait rien, que c'était sa faute aussi, à ce gamin, qu'il faisait les cent coups dans les caves ; on supposait qu'il avait voulu sauter par-dessus une des tables d'abattage, un de ses jeux favoris, et qu'il était tombé le front contre la pierre. Mlle Saget murmurait en montrant Cadine qui pleurait :

« Ça doit être cette gueuse qui l'a poussé. Ils sont toujours ensemble dans les coins. »

Marjolin, ranimé par la fraîcheur de la rue, ouvrit de grands yeux étonnés. Il examina tout le monde ; puis, ayant rencontré le visage de Lisa penché sur lui, il lui sourit doucement, d'un air humble, avec une caresse de soumission. Il semblait ne plus se souvenir. Lisa, tranquillisée, dit qu'il fallait le transporter tout de suite à l'hospice ; elle irait le voir, elle lui porterait des oranges et des biscuits. La tête de Marjolin était retombée. Quand on emporta la civière, Cadine la suivit, ayant au cou son éventaire, ses bouquets de violettes piqués dans une pelouse de mousse, et sur lesquels roulaient ses larmes chaudes, sans qu'elle

songeât le moins du monde aux fleurs qu'elle brûlait ainsi de son gros chagrin.

Comme Lisa rentrait à la charcuterie, elle
entendit Claude qui serrait la main à Florent et
le quittait, en murmurant :

« Ah ! le sacré gamin ! il me gâte ma journée...
Nous nous étions crânement amusés, tout de
même ! »

Claude et Florent, en effet, revenaient harassés
et heureux. Ils rapportaient une bonne senteur de
plein air. Ce matin-là, avant le jour, Mme François
avait déjà vendu ses légumes. Ils allèrent tous trois
chercher la voiture, rue Montorgueil, au *Compas
d'or*. Ce fut comme un avant-goût de la campagne,
en plein Paris. Derrière le restaurant Philippe[1],
dont les boiseries dorées montent jusqu'au premier étage, se trouve une cour de ferme, noire et
vivante, grasse de l'odeur de la paille fraîche et
du crottin chaud ; des bandes de poules fouillent
du bec la terre molle ; des constructions en bois
verdi, des escaliers, des galeries, des toitures crevées, s'adossent aux vieilles maisons voisines ; et,
au fond, sous un hangar à grosse charpente, Balthazar attendait, tout attelé, mangeant son avoine
dans un sac attaché au licou. Il descendit la rue
Montorgueil au petit trot, l'air satisfait de retourner si vite à Nanterre. Mais il ne repartait pas à
vide. La maraîchère avait un marché passé avec
la compagnie chargée du nettoyage des Halles ;
elle emportait, deux fois par semaine, une char-
retée de feuilles, prises à la fourche dans les tas
d'ordures qui encombrent le carreau. C'était un
excellent fumier. En quelques minutes, la voiture

déborda. Claude et Florent s'allongèrent sur ce lit
épais de verdure ; Mme François prit les guides, et
Balthazar s'en alla de son allure lente, la tête un
peu basse d'avoir tant de monde à traîner.

La partie était projetée depuis longtemps.
La maraîchère riait d'aise ; elle aimait les deux
hommes, elle leur promettait une omelette au lard
comme on n'en mange pas dans « ce gredin de
Paris ». Eux, goûtaient la jouissance de cette journée de paresse et de flânerie dont le soleil se levait
à peine. Au loin, Nanterre était une joie pure dans
laquelle ils allaient entrer.

« Vous êtes bien, au moins ? » demanda
Mme François en prenant la rue du Pont-Neuf.

Claude jura que « c'était doux comme un matelas de mariée ». Couchés tous les deux sur le dos,
les mains croisées sous la tête, ils regardaient le
ciel pâle, où les étoiles s'éteignaient. Tout le long
de la rue de Rivoli, ils gardèrent le silence, attendant de ne plus voir de maisons, écoutant la digne
femme qui causait avec Balthazar, en lui disant
doucement :

« Prends-le à ton aise, va, mon vieux… Nous ne
sommes pas pressés, nous arriverons toujours… »

Aux Champs-Élysées, comme le peintre n'apercevait plus des deux côtés que des têtes d'arbres,
avec la grande masse verte du jardin des Tuileries,
au fond, il eut un réveil, il se mit à parler, tout
seul. En passant devant la rue du Roule, il avait
regardé ce portail latéral de Saint-Eustache, qu'on
voit de loin, par-dessous le hangar géant d'une
rue couverte des Halles. Il y revenait sans cesse,
voulait y trouver un symbole.

« C'est une curieuse rencontre, disait-il, ce bout d'église encadré sous cette avenue de fonte... Ceci tuera cela, le fer tuera la pierre, et les temps sont proches... Est-ce que vous croyez au hasard, vous, Florent ? Je m'imagine que le besoin de l'alignement n'a pas seul mis de cette façon une rosace de Saint-Eustache au beau milieu des Halles centrales. Voyez-vous, il y a là tout un manifeste : c'est l'art moderne, le réalisme, le naturalisme, comme vous voudrez l'appeler, qui a grandi en face de l'art ancien... Vous n'êtes pas de cet avis ? »

Florent gardant le silence, il continua :

« Cette église est d'une architecture bâtarde, d'ailleurs ; le Moyen Âge y agonise, et la Renaissance y balbutie... Avez-vous remarqué quelles églises on nous bâtit aujourd'hui ? Ça ressemble à tout ce qu'on veut, à des bibliothèques, à des observatoires, à des pigeonniers, à des casernes ; mais, sûrement, personne n'est convaincu que le bon Dieu demeure là-dedans. Les maçons du bon Dieu sont morts, la grande sagesse serait de ne plus construire ces laides carcasses de pierre, où nous n'avons personne à loger... Depuis le commencement du siècle, on n'a bâti qu'un seul monument original, un monument qui ne soit copié nulle part, qui ait poussé naturellement dans le sol de l'époque ; et ce sont les Halles centrales, entendez-vous, Florent, une œuvre crâne, allez, et qui n'est encore qu'une révélation timide du vingtième siècle... C'est pourquoi Saint-Eustache est enfoncé, parbleu ! Saint-Eustache est là-bas avec sa rosace, vide de son peuple dévot, tandis que les

Halles s'élargissent à côté, toutes bourdonnantes
de vie... Voilà ce que je vois, mon brave !

— Ah bien ! dit en riant Mme François, savez-
vous, monsieur Claude, que la femme qui vous a
coupé le filet n'a pas volé ses cinq sous ? Balthazar
tend les oreilles pour vous écouter... Hue donc,
Balthazar ! »

La voiture montait lentement. À cette heure
matinale, l'avenue était déserte, avec ses chaises
de fonte alignées sur les deux trottoirs, et ses
pelouses, coupées de massifs, qui s'enfonçaient
sous le bleuissement des arbres. Au rond-point, un
cavalier et une amazone passèrent au petit trot.
Florent, qui s'était fait un oreiller d'un paquet de
feuilles de choux, regardait toujours le ciel, où
s'allumait une grande lueur rose. Par moments, il
fermait les yeux pour mieux sentir la fraîcheur du
matin lui couler sur la face, si heureux de s'éloigner des Halles, d'aller dans l'air pur, qu'il restait
sans voix, n'écoutant même pas ce qu'on disait
autour de lui.

« Ils sont encore bons ceux qui mettent l'art
dans une boîte à joujoux ! reprit Claude au bout
d'un silence. C'est leur grand mot : on ne fait pas
de l'art avec de la science, l'industrie tue la poésie ; et tous les imbéciles se mettent à pleurer sur
les fleurs, comme si quelqu'un songeait à se mal
conduire à l'égard des fleurs... Je suis agacé, à
la fin, positivement. J'ai des envies de répondre
à ces pleurnicheries par des œuvres de défi. Ça
m'amuserait de révolter un peu ces braves gens...
Voulez-vous que je vous dise quelle a été ma plus
belle œuvre, depuis que je travaille, celle dont

le souvenir me satisfait le plus ? C'est toute une
histoire... L'année dernière, la veille de la Noël,
comme je me trouvais chez ma tante Lisa, le garçon de la charcuterie, Auguste, cet idiot, vous
savez, était en train de faire l'étalage. Ah ! le misérable ! il me poussa à bout par la façon molle dont
il composait son ensemble. Je le priai de s'ôter
de là, en lui disant que j'allais lui peindre ça, un
peu proprement. Vous comprenez, j'avais tous les
tons vigoureux, le rouge des langues fourrées, le
jaune des jambonneaux, le bleu des rognures de
papier, le rose des pièces entamées, le vert des
feuilles de bruyère, surtout le noir des boudins,
un noir superbe que je n'ai jamais pu retrouver
sur ma palette. Naturellement, la crépine, les saucisses, les andouilles, les pieds de cochon panés,
me donnaient des gris d'une grande finesse. Alors
je fis une véritable œuvre d'art. Je pris les plats,
les assiettes, les terrines, les bocaux ; je posai les
tons, je dressai une nature morte étonnante, où
éclataient des pétards de couleur, soutenus par
des gammes savantes. Les langues rouges s'allongeaient avec des gourmandises de flamme, et les
boudins noirs, dans le chant clair des saucisses,
mettaient les ténèbres d'une indigestion formidable. J'avais peint, n'est-ce pas ? la gloutonne-
rie du réveillon, l'heure de minuit donnée à la
mangeaille, la goinfrerie des estomacs vidés par
les cantiques. En haut, une grande dinde montrait sa poitrine blanche, marbrée, sous la peau,
des taches noires des truffes. C'était barbare et
superbe, quelque chose comme un ventre aperçu
dans une gloire, mais avec une cruauté de touche,

un emportement de raillerie tels, que la foule s'at-
troupa devant la vitrine, inquiétée par cet étalage
qui flambait si rudement… Quand ma tante Lisa
revint de la cuisine, elle eut peur, s'imaginant que
j'avais mis le feu aux graisses de la boutique. La
dinde, surtout, lui parut si indécente, qu'elle me
flanqua à la porte, pendant qu'Auguste rétablissait
les choses, étalant sa bêtise. Jamais ces brutes ne
comprendront le langage d'une tache rouge mise
à côté d'une tache grise… N'importe, c'est mon
chef-d'œuvre. Je n'ai jamais rien fait de mieux. »

Il se tut, souriant, recueilli dans ce souvenir. La
voiture était arrivée à l'Arc de triomphe. De grands
souffles, sur ce sommet, venaient des avenues
ouvertes autour de l'immense place. Florent se
mit sur son séant, aspira fortement ces premières
odeurs d'herbe qui montaient des fortifications.
Il se tourna, ne regarda plus Paris, voulut voir
la campagne, au loin. À la hauteur de la rue de
Longchamp, Mme François lui montra l'endroit
où elle l'avait ramassé. Cela le rendit tout songeur.
Et il la contemplait, si saine et si calme, les bras
un peu tendus, tenant les guides. Elle était plus
belle que Lisa, avec son mouchoir au front, son
teint rude, son air de bonté brusque. Quand elle
jetait un léger claquement de langue, Balthazar,
dressant les oreilles, allongeait le pas sur le pavé.

En arrivant à Nanterre, la voiture prit à gauche,
entra dans une ruelle étroite, longea des murailles
et vint s'arrêter tout au fond d'une impasse. C'était
au bout du monde, comme disait la maraîchère.
Il fallut décharger les feuilles de choux. Claude
et Florent ne voulurent pas que le garçon jardi-

nier, occupé à planter des salades, se dérangeât. Ils s'armèrent chacun d'une fourche pour jeter le tas dans le trou au fumier. Cela les amusa. Claude avait une amitié pour le fumier. Les épluchures des légumes, les boues des Halles, les ordures tombées de cette table gigantesque, restaient vivantes, revenaient où les légumes avaient poussé, pour tenir chaud à d'autres générations de choux, de navets, de carottes. Elles repoussaient en fruits superbes, elles retournaient s'étaler sur le carreau. Paris pourrissait tout, rendait tout à la terre qui, sans jamais se lasser, réparait la mort.

« Tenez, dit Claude en donnant son dernier coup de fourche, voilà un trognon de chou que je reconnais. C'est au moins la dixième fois qu'il pousse dans ce coin, là-bas, près de l'abricotier. »

Ce mot fit rire Florent. Mais il devint grave, il se promena lentement dans le potager, pendant que Claude faisait une esquisse de l'écurie, et que Mme François préparait le déjeuner. Le potager formait une longue bande de terrain, séparée au milieu par une allée étroite. Il montait un peu ; et, tout en haut, en levant la tête, on apercevait les casernes basses du Mont-Valérien. Des haies vives le séparaient d'autres pièces de terre ; ces murs d'aubépines, très élevés, bornaient l'horizon d'un rideau vert ; si bien que, de tout le pays environnant, on aurait dit que le Mont-Valérien seul se dressât curieusement pour regarder dans le clos de Mme François. Une grande paix venait de cette campagne qu'on ne voyait pas. Entre les quatre haies, le long du potager, le soleil de mai avait comme une pâmoison de tiédeur, un silence

plein d'un bourdonnement d'insectes, une somnolence d'enfantement heureux. À certains craque-
ments, à certains soupirs légers, il semblait qu'on
entendît naître et pousser les légumes. Les carrés d'épinards et d'oseille, les bandes de radis, de
navets, de carottes, les grands plants de pommes
de terre et de choux, étalaient leurs nappes régulières, leur terreau noir, verdi par les panaches
des feuilles. Plus loin, les rigoles de salades, les
oignons, les poireaux, les céleris, alignés, plantés
au cordeau, semblaient des soldats de plomb à la
parade ; tandis que les petits pois et les haricots
commençaient à enrouler leur mince tige dans la
forêt d'échalas, qu'ils devaient, en juin, changer en
bois touffu. Pas une mauvaise herbe ne traînait.
On aurait pris le potager pour deux tapis paral-
lèles aux dessins réguliers, vert sur fond rougeâtre,
qu'on brossait soigneusement chaque matin. Des
bordures de thym mettaient des franges grises aux
deux côtés de l'allée.

Florent allait et venait, dans l'odeur du thym
que le soleil chauffait. Il était profondément
heureux de la paix et de la propreté de la terre.
Depuis près d'un an, il ne connaissait les légumes
que meurtris par les cahots des tombereaux, arrachés de la veille, saignants encore. Il se réjouis-
sait, à les trouver là chez eux, tranquilles dans
le terreau, bien portants de tous leurs membres.
Les choux avaient une large figure de prospérité,
les carottes étaient gaies, les salades s'en allaient
à la file avec des nonchalances de fainéantes.
Alors, les Halles qu'il avait laissées le matin, lui
parurent un vaste ossuaire, un lieu de mort où

ne traînait que le cadavre des êtres, un charnier de puanteur et de décomposition. Et il ralentissait le pas, et il se reposait dans le potager de Mme François, comme d'une longue marche au milieu de bruits assourdissants et de senteurs infectes. Le tapage, l'humidité nauséabonde du pavillon de la marée s'en allaient de lui ; il renaissait à l'air pur. Claude avait raison, tout agonisait aux Halles. La terre était la vie, l'éternel berceau, la santé du monde.

« L'omelette est prête ! » cria la maraîchère.

Lorsqu'ils furent attablés tous trois dans la cuisine, la porte ouverte au soleil, ils mangèrent si gaiement, que Mme François émerveillée regardait Florent, en répétant à chaque bouchée :

« Vous n'êtes plus le même, vous avez dix ans de moins. C'est ce gueux de Paris qui vous noircit la mine comme ça. Il me semble que vous avez un coup de soleil dans les yeux, maintenant... Voyez-vous, ça ne vaut rien les grandes villes ; vous devriez venir demeurer ici. »

Claude riait, disait que Paris était superbe. Il en défendait jusqu'aux ruisseaux, tout en gardant une bonne tendresse pour la campagne. L'après-midi, Mme François et Florent se trouvèrent seuls au bout du potager, dans un coin du terrain planté de quelques arbres fruitiers. Ils s'étaient assis par terre, ils causaient raisonnablement. Elle le conseillait avec une grande amitié, à la fois maternelle et tendre. Elle lui fit mille questions sur sa vie, sur ce qu'il comptait devenir plus tard, s'offrant à lui simplement, s'il avait un jour besoin d'elle pour son bonheur. Lui, se sentait très tou-

ché. Jamais une femme ne lui avait parlé de la
sorte. Elle lui faisait l'effet d'une plante saine et
robuste, grandie ainsi que les légumes dans le
terreau du potager ; tandis qu'il se souvenait des
Lisa, des Normandes, des belles filles des Halles,
comme de chairs suspectes, parées à l'étalage. Il
respira là quelques heures de bien-être absolu,
délivré des odeurs de nourriture au milieu desquelles il s'affolait, renaissant dans la sève de la
campagne, pareil à ce chou que Claude prétendait
avoir vu pousser plus de dix fois.

Vers cinq heures, ils prirent congé de
Mme François. Ils voulaient revenir à pied. La
maraîchère les accompagna jusqu'au bout de la
ruelle, et gardant un instant la main de Florent
dans la sienne :

« Venez, si vous avez jamais quelque chagrin »,
dit-elle doucement.

Pendant un quart d'heure, Florent marcha sans
parler, assombri déjà, se disant qu'il laissait sa
santé derrière lui. La route de Courbevoie était
blanche de poussière. Ils aimaient tous deux les
grandes courses, les gros souliers sonnant sur la
terre dure. De petites fumées montaient derrière
leurs talons, à chaque pas. Le soleil oblique prenait l'avenue en écharpe, allongeait leurs deux
ombres en travers de la chaussée, si démesurément, que leurs têtes allaient jusqu'à l'autre bord,
filant sur le trottoir opposé.

Claude, les bras ballants, faisant de grandes
enjambées régulières, regardait complaisamment
les deux ombres, heureux et perdu dans le caden-
cement de la marche, qu'il exagérait encore en le

marquant des épaules. Puis, comme sortant d'une songerie :

« Est-ce que vous connaissez la bataille des Gras et des Maigres ? » demanda-t-il.

Florent, surpris, dit que non. Alors Claude s'enthousiasma, parla de cette série d'estampes avec beaucoup d'éloges. Il cita certains épisodes : les Gras, énormes à crever, préparant la goinfrerie du soir, tandis que les Maigres, pliés par le jeûne, regardent de la rue avec la mine d'échalas envieux ; et encore les Gras, à table, les joues débordantes, chassant un Maigre qui a eu l'audace de s'introduire humblement, et qui ressemble à une quille au milieu d'un peuple de boules. Il voyait là tout le drame humain ; il finit par classer les hommes en Maigres et en Gras, en deux groupes hostiles dont l'un dévore l'autre, s'arrondit le ventre et jouit.

« Pour sûr, dit-il, Caïn était un Gras et Abel un Maigre. Depuis le premier meurtre, ce sont toujours les grosses faims qui ont sucé le sang des petits mangeurs... C'est une continuelle ripaille, du plus faible au plus fort, chacun avalant son voisin et se trouvant avalé à son tour... Voyez-vous, mon brave, défiez-vous des Gras. »

Il se tut un instant, suivant toujours des yeux leurs deux ombres que le soleil couchant allongeait davantage. Et il murmura :

« Nous sommes des Maigres, nous autres, vous comprenez... Dites-moi si, avec des ventres plats comme les nôtres, on tient beaucoup de place au soleil. »

Florent regarda les deux ombres en souriant. Mais Claude se fâchait. Il criait :

« Vous avez tort de trouver ça drôle. Moi, je souffre d'être un Maigre. Si j'étais un Gras, je peindrais tranquillement, j'aurais un bel atelier, je vendrais mes tableaux au poids de l'or. Au lieu de ça, je suis un Maigre, je veux dire que je m'extermine le tempérament à vouloir trouver des machines qui font hausser les épaules des Gras. J'en mourrai, c'est sûr, la peau collée aux os, si plat qu'on pourra me mettre entre deux feuillets d'un livre pour m'enterrer... Et vous donc ! vous êtes un Maigre surprenant, le roi des Maigres, ma parole d'honneur. Vous vous rappelez votre querelle avec les poissonnières ; c'était superbe, ces gorges géantes lâchées contre votre poitrine étroite ; et elles agissaient d'instinct, elles chassaient au Maigre, comme les chattes chassent aux souris... En principe, vous entendez, un Gras a l'horreur d'un Maigre, si bien qu'il éprouve le besoin de l'ôter de sa vue, à coups de dents, ou à coups de pieds. C'est pourquoi, à votre place, je prendrais mes précautions. Les Quenu sont des Gras, les Méhudin sont des Gras, enfin vous n'avez que des Gras autour de vous. Moi, ça m'inquiéterait.

— Et Gavard, et Mlle Saget, et votre ami Marjolin ? demanda Florent, qui continuait à sourire.

— Oh ! si vous voulez, répondit Claude, je vais vous classer toutes nos connaissances. Il y a longtemps que j'ai leurs têtes dans un carton, à mon atelier, avec l'indication de l'ordre auquel elles appartiennent. C'est tout un chapitre d'histoire naturelle... Gavard est un Gras, mais un Gras qui pose pour le Maigre. La variété est

assez commune... Mlle Saget et Mme Lecœur sont
des Maigres : d'ailleurs, variétés très à craindre,
Maigres désespérés, capables de tout pour engraisser... Mon ami Marjolin, la petite Cadine, la Sarriette, trois Gras, innocents encore, n'ayant que les
faims aimables de la jeunesse. Il est à remarquer
que le Gras, tant qu'il n'a pas vieilli, est un être
charmant... M. Lebigre, un Gras, n'est-ce pas ?
Quant à vos amis politiques, ce sont généralement
des Maigres, Charvet, Clémence, Logre, Lacaille.
Je ne fais une exception que pour cette grosse
bête d'Alexandre et pour le prodigieux Robine.
Celui-ci m'a donné bien du mal, il m'échappe
encore souvent. »

Le peintre continua sur ce ton, du pont de
Neuilly à l'Arc de triomphe. Il revenait, achevait
certains portraits d'un trait caractéristique : Logre
était un Maigre qui avait son ventre entre les deux
épaules ; la belle Lisa était tout en ventre, et la
belle Normande, tout en poitrine ; Mlle Saget
avait certainement laissé échapper dans sa vie
une occasion d'engraisser, car elle détestait les
Gras, tout en gardant un dédain pour les Maigres ;
Gavard compromettait sa graisse, il finirait plat
comme une punaise.

« Et Mme François ? » dit Florent.

Claude fut très embarrassé par cette question.
Il chercha, balbutia :

« Mme François, Mme François... Non, je ne
sais pas, je n'ai jamais songé à la classer... C'est
une brave femme, Mme François, voilà tout...
Elle n'est ni dans les Gras ni dans les Maigres,
parbleu ! »

Ils rirent tous les deux. Ils se trouvaient en face de l'Arc de triomphe. Le soleil, au ras des coteaux de Suresnes, était si bas sur l'horizon, que leurs ombres colossales tachaient la blancheur du monument, très haut, plus haut que les statues énormes des groupes, de deux barres noires, pareilles à deux traits faits au fusain. Claude s'égaya davantage, fit aller les bras, se plia ; puis, en s'en allant :

« Avez-vous vu ? quand le soleil s'est couché, nos deux têtes sont allées toucher le ciel. »

Mais Florent ne riait plus. Paris le reprenait, Paris qui l'effrayait maintenant, après lui avoir coûté tant de larmes, à Cayenne. Lorsqu'il arriva aux Halles, la nuit tombait, les odeurs étaient suffocantes. Il baissa la tête, en rentrant dans son cauchemar de nourritures gigantesques, avec le souvenir doux et triste de cette journée de santé claire, toute parfumée de thym[1].

V

Le lendemain, vers quatre heures, Lisa se rendit à Saint-Eustache[1]. Elle avait fait, pour traverser la place, une toilette sérieuse, toute en soie noire, avec son châle tapis. La belle Normande, qui, de la poissonnerie, la suivit des yeux jusque sous la porte de l'église, en resta suffoquée.

« Ah bien ! merci ! dit-elle méchamment, la grosse donne dans les curés, maintenant... Ça la calmera, cette femme, de se tremper le derrière dans l'eau bénite. »

Elle se trompait, Lisa n'était point dévote. Elle ne pratiquait pas, disait d'ordinaire qu'elle tâchait de rester honnête en toutes choses, et que cela suffisait. Mais elle n'aimait pas qu'on parlât mal de la religion devant elle ; souvent elle faisait taire Gavard, qui adorait les histoires de prêtres et de religieuses, les polissonneries de sacristie. Cela lui semblait tout à fait inconvenant. Il fallait laisser à chacun sa croyance, respecter les scrupules de tout le monde. Puis, d'ailleurs, les prêtres étaient généralement de braves gens. Elle connaissait l'abbé Roustan, de Saint-Eustache, un homme distingué, de bon conseil, dont l'amitié lui paraissait très sûre. Et elle finissait, en expliquant la nécessité absolue de la religion, pour le plus grand nombre ; elle la regardait comme une police qui aidait à maintenir l'ordre, et sans laquelle il n'y avait pas de gouvernement possible. Quand Gavard poussait les choses un peu trop loin sur ce chapitre, disant qu'on devrait flanquer les curés dehors et fermer leurs boutiques, elle haussait les épaules, elle répondait :

« Vous seriez bien avancé !... On se massacrerait dans les rues, au bout d'un mois, et l'on se trouverait forcé d'inventer un autre bon Dieu. En 93, ça s'est passé comme cela... Vous savez, n'est-ce pas ? que moi je ne vis pas avec les curés ; mais je dis qu'il en faut, parce qu'il en faut. »

Aussi, lorsque Lisa allait dans une église, elle se montrait recueillie. Elle avait acheté un beau paroissien, qu'elle n'ouvrait jamais, pour assister aux enterrements et aux mariages. Elle se levait, s'agenouillait, aux bons endroits, s'appliquant à garder l'attitude décente qu'il convenait d'avoir. C'était, pour elle, une sorte de tenue officielle que les gens honnêtes, les commerçants et les propriétaires, devaient garder devant la religion.

Ce jour-là, la belle charcutière, en entrant à Saint-Eustache, laissa doucement retomber la double porte en drap vert déteint, usé par la main des dévotes. Elle trempa les doigts dans le bénitier, se signa correctement. Puis, à pas étouffés, elle alla jusqu'à la chapelle de Sainte-Agnès, où deux femmes agenouillées, la face dans les mains, attendaient, pendant que la robe bleue d'une troisième débordait du confessionnal. Elle parut contrariée ; et, s'adressant à un bedeau qui passait, avec sa calotte noire, en traînant les pieds :

« C'est donc le jour de confession de M. l'abbé Roustan ? » demanda-t-elle.

Il répondit que M. l'abbé n'avait plus que deux pénitentes, que ce ne serait pas long, et que, si elle voulait prendre une chaise, son tour arriverait tout de suite. Elle remercia, sans dire qu'elle ne venait pas pour se confesser. Elle résolut d'attendre, marchant à petits pas sur les dalles, allant jusqu'à la grande porte, d'où elle regarda la nef toute nue, haute et sévère, entre les bas-côtés peints de couleurs vives ; elle levait un peu le menton, trouvant le maître-autel trop simple, ne goûtant pas cette grandeur froide de la pierre, préférant les dorures et les bariolages des chapelles latérales. Du côté de la rue du Jour, ces chapelles restaient grises, éclairées par des fenêtres poussiéreuses ; tandis que, du côté des Halles, le coucher du soleil allumait les vitraux des verrières, égayées de teintes très tendres, des verts et des jaunes surtout, si limpides, qu'ils lui rappelèrent les bouteilles de liqueur, devant la glace de M. Lebigre. Elle revint de ce côté, qui semblait comme attiédi par cette lumière de braise, s'intéressa un instant aux châsses, aux garnitures des autels, aux peintures vues dans des reflets de prisme. L'église était vide, toute frissonnante du silence de ses voûtes. Quelques jupes de femmes faisaient des taches sombres dans l'effacement jaunâtre des chaises ; et, des confessionnaux fermés, un chuchotement sortait. En repassant devant la chapelle de Sainte-

Agnès, elle vit que la robe bleue était toujours aux pieds de l'abbé Roustan.

« Moi, j'aurais fini en dix secondes, si je voulais », pensa-t-elle avec l'orgueil de son honnêteté.

Elle alla au fond. Derrière le maître-autel, dans l'ombre de la double rangée des piliers, la chapelle de la Vierge est toute moite de silence et d'obscurité. Les vitraux, très sombres, ne détachent que des robes de saints, à larges pans rouges et violets, brûlant comme des flammes d'amour mystique dans le recueillement, l'adoration muette des ténèbres. C'est un coin de mystère, un enfoncement crépusculaire du paradis, où brillent les étoiles de deux cierges, où quatre lustres à lampes de métal, tombant de la voûte, à peine entrevus, font songer aux grands encensoirs d'or que les anges balancent au coucher de Marie. Entre les piliers, des femmes sont toujours là, pâmées sur des chaises retournées, abîmées dans cette volupté noire.

Lisa, debout, regardait, très tranquillement. Elle n'était point nerveuse. Elle trouvait qu'on avait tort de ne pas allumer les lustres, que cela serait plus gai avec des lumières. Même il y avait une indécence dans cette ombre, un jour et un souffle d'alcôve, qui lui semblaient peu convenables. À côté d'elle, des cierges brûlant sur une herse lui chauffaient la figure, tandis qu'une vieille femme grattait avec un gros couteau la cire tombée, figée en larmes pâles. Et, dans le frisson religieux de la chapelle, dans cette pâmoison muette d'amour, elle entendait très bien le roulement des fiacres

qui débouchaient de la rue Montmartre, derrière
les saints rouges et violets des vitraux. Au loin, les
Halles grondaient, d'une voix continue.

Comme elle allait quitter la chapelle, elle vit
entrer la cadette des Méhudin, Claire, la marchande de poissons d'eau douce. Elle fit allumer
un cierge à la herse. Puis, elle vint s'agenouiller
derrière un pilier, les genoux cassés sur la pierre,
si pâle dans ses cheveux blonds mal attachés,
qu'elle semblait une morte. Là, se croyant cachée,
elle agonisa, elle pleura à chaudes larmes, avec
des ardeurs de prières qui la pliaient comme
sous un grand vent, avec tout un emportement de
femme qui se livre. La belle charcutière resta fort
surprise, car les Méhudin n'étaient guère dévotes ;
Claire surtout parlait de la religion et des prêtres,
d'ordinaire, d'une façon à faire dresser les cheveux
sur la tête.

« Qu'est-ce qu'il lui prend donc ? se dit-elle
en revenant de nouveau à la chapelle de Sainte-
Agnès. Elle aura empoisonné quelque homme,
cette gueuse. »

L'abbé Roustan sortait enfin de son confessionnal. C'était un bel homme, d'une quarantaine
d'années, l'air souriant et bon. Quand il reconnut Mme Quenu, il lui serra les mains, l'appela
« chère dame », l'emmena à la sacristie, où il ôta
son surplis, en lui disant qu'il allait être tout à
elle. Ils revinrent, lui en soutane, tête nue, elle se
carrant dans son châle tapis, et ils se promenèrent
le long des chapelles latérales, du côté de la rue
du Jour. Ils parlaient à voix basse. Le soleil se
mourait dans les vitraux, l'église devenait noire,

les pas des dernières dévotes avaient un frôlement doux sur les dalles.

Cependant, Lisa expliqua ses scrupules à l'abbé Roustan. Jamais il n'était question entre eux de religion. Elle ne se confessait pas, elle le consultait simplement dans les cas difficiles, à titre d'homme discret et sage, qu'elle préférait, disait-elle parfois, à ces hommes d'affaires louches qui sentent le bagne. Lui, se montrait d'une complaisance inépuisable ; il feuilletait le code pour elle, lui indiquait les bons placements d'argent, résolvait avec tact les difficultés morales, lui recommandait des fournisseurs, avait une réponse prête à toutes les demandes, si diverses et si compliquées qu'elles fussent, le tout naturellement, sans mettre Dieu de l'affaire, sans chercher à en tirer un bénéfice quelconque à son profit ou au profit de la religion. Un remerciement et un sourire lui suffisaient. Il semblait bien aise d'obliger cette belle Mme Quenu, dont sa femme de ménage lui parlait souvent avec respect, comme d'une personne très estimée dans le quartier. Ce jour-là, la consultation fut particulièrement délicate. Il s'agissait de savoir quelle conduite l'honnêteté l'autorisait à tenir vis-à-vis de son beau-frère ; si elle avait le droit de le surveiller, de l'empêcher de les compromettre, son mari, sa fille et elle ; et encore jusqu'où elle pourrait aller dans un danger pressant. Elle ne demanda pas brutalement ces choses, elle posa les questions avec des ménagements si bien choisis, que l'abbé put disserter sur la matière sans entrer dans les personnalités. Il fut plein d'arguments contradictoires. En somme, il jugea qu'une âme juste avait

le droit, le devoir même d'empêcher le mal, quitte
à employer les moyens nécessaires au triomphe
du bien.

« Voilà mon opinion, chère dame, dit-il en finissant. La discussion des moyens est toujours grave.
Les moyens sont le grand piège où se prennent
les vertus ordinaires... Mais je connais votre belle
conscience. Pesez chacun de vos actes, et si rien
ne proteste en vous, allez hardiment... Les natures
honnêtes ont cette grâce merveilleuse de mettre
de leur honnêteté dans tout ce qu'elles touchent. »

Et changeant de voix, il continua :

« Dites bien à M. Quenu que je lui souhaite
le bonjour. Quand je passerai, j'entrerai pour
embrasser ma bonne petite Pauline... Au revoir,
chère dame, et tout à votre disposition. »

Il rentra dans la sacristie. Lisa, en s'en allant,
eut la curiosité de voir si Claire priait toujours ;
mais Claire était retournée à ses carpes et à ses
anguilles ; il n'y avait plus, devant la chapelle de la
Vierge, où la nuit s'était faite, qu'une débandade
de chaises renversées, culbutées, sous la chaleur
dévote des femmes qui s'étaient agenouillées là.

Quand la belle charcutière traversa de nouveau
la place, la Normande, qui guettait sa sortie, la
reconnut dans le crépuscule à la rondeur de ses
jupes.

« Merci ! s'écria-t-elle, elle est restée plus d'une
heure. Quand les curés la vident de ses péchés,
celle-là, les enfants de chœur font la chaîne pour
jeter les seaux d'ordures à la rue. »

Le lendemain matin, Lisa monta droit à la
chambre de Florent. Elle s'y installa en toute tran-

quillité, certaine de n'être pas dérangée, décidée d'ailleurs à mentir, à dire qu'elle venait s'assurer de la propreté du linge, si Florent remontait. Elle l'avait vu, en bas, très occupé, au milieu de la marée. S'asseyant devant la petite table, elle enleva le tiroir, le mit sur ses genoux, le vida avec de grandes précautions, en ayant grand soin de replacer les paquets de papiers dans le même ordre. Elle trouva d'abord les premiers chapitres de l'ouvrage sur Cayenne, puis les projets, les plans de toutes sortes, la transformation des octrois en taxes sur les transactions, la réforme du système administratif des Halles, et les autres. Ces pages de fine écriture qu'elle s'appliquait à lire, l'ennuyèrent beaucoup ; elle allait remettre le tiroir, convaincue que Florent cachait ailleurs la preuve de ses mauvais desseins, rêvant déjà de fouiller la laine des matelas, lorsqu'elle découvrit, dans une enveloppe à lettre, le portrait de la Normande. La photographie était un peu noire. La Normande posait debout, le bras droit appuyé sur une colonne tronquée ; et elle avait tous ses bijoux, une robe de soie neuve qui bouffait, un rire insolent. Lisa oublia son beau-frère, ses terreurs, ce qu'elle était venue faire là. Elle s'absorba dans une de ces contemplations de femme dévisageant une autre femme, tout à l'aise, sans crainte d'être vue. Jamais elle n'avait eu le loisir d'étudier sa rivale de si près. Elle examina les cheveux, le nez, la bouche, éloigna la photographie, la rapprocha. Puis, les lèvres pincées, elle lut sur le revers, écrit en grosses vilaines lettres : « Louise à son ami Florent. » Cela la scandalisa, c'était un aveu. L'envie

lui vint de prendre cette carte, de la garder comme
une arme contre son ennemie. Elle la remit lentement dans l'enveloppe, en songeant que ce serait
mal, et qu'elle la retrouverait toujours, d'ailleurs.

Alors, feuilletant de nouveau les pages volantes,
les rangeant une à une, elle eut l'idée de regarder au fond, à l'endroit où Florent avait repoussé
le fil et les aiguilles d'Augustine ; et là, entre le
paroissien et *la Clef des songes*, elle découvrit ce
qu'elle cherchait, des notes très compromettantes,
simplement défendues par une chemise de papier
gris. L'idée d'une insurrection, du renversement
de l'Empire, à l'aide d'un coup de force, avancée
un soir par Logre chez M. Lebigre, avait lentement mûri dans l'esprit ardent de Florent. Il y
vit bientôt un devoir, une mission. Ce fut le but
enfin trouvé de son évasion de Cayenne et de son
retour à Paris. Croyant avoir à venger sa maigreur contre cette ville engraissée, pendant que
les défenseurs du droit crevaient la faim en exil,
il se fit justicier, il rêva de se dresser, des Halles
mêmes, pour écraser ce règne de mangeailles et
de soûleries. Dans ce tempérament tendre, l'idée
fixe plantait aisément son clou. Tout prenait
des grossissements formidables, les histoires les
plus étranges se bâtissaient, il s'imaginait que les
Halles s'étaient emparées de lui, à son arrivée,
pour l'amollir, l'empoisonner de leurs odeurs.
Puis, c'était Lisa qui voulait l'abêtir ; il l'évitait
pendant des deux et trois jours, comme un dis-
solvant qui aurait fondu ses volontés, s'il l'avait
approchée. Ces crises de terreurs puériles, ces
emportements d'homme révolté, aboutissaient

toujours à de grandes douceurs, à des besoins d'aimer, qu'il cachait avec une honte d'enfant. Le soir surtout, le cerveau de Florent s'embarrassait de fumées mauvaises. Malheureux de sa journée, les nerfs tendus, refusant le sommeil par une peur sourde de ce néant, il s'attardait davantage chez M. Lebigre ou chez les Méhudin ; et, quand il rentrait, il ne se couchait encore pas, il écrivait, il préparait la fameuse insurrection. Lentement, il trouva tout un plan d'organisation. Il partagea Paris en vingt sections, une par arrondissement, ayant chacune un chef, une sorte de général, qui avait sous ses ordres vingt lieutenants commandant à vingt compagnies d'affiliés. Toutes les semaines, il y aurait un conseil tenu par les chefs, chaque fois dans un local différent ; pour plus de discrétion, d'ailleurs, les affiliés ne connaîtraient que le lieutenant, qui lui-même s'aboucherait uniquement avec le chef de sa section ; il serait utile aussi que ces compagnies se crussent toutes chargées de missions imaginaires, ce qui achèverait de dépister la police. Quant à la mise en œuvre de ces forces, elle était des plus simples. On attendrait la formation complète des cadres ; puis on profiterait de la première émotion politique. Comme on n'aurait sans doute que quelques fusils de chasse, on s'emparerait d'abord des postes, on désarmerait les pompiers, les gardes de Paris, les soldats de la ligne, sans livrer bataille autant que possible, en les invitant à faire cause commune avec le peuple. Ensuite, on marcherait droit au Corps législatif, pour aller de là à l'Hôtel de Ville. Ce plan, auquel Florent revenait chaque soir, comme à un scénario de drame qui soulageait sa surexcitation nerveuse, n'était encore qu'écrit sur des bouts de papier, raturés, montrant les tâtonnements de l'auteur, permettant de suivre les phases de cette conception à la fois enfantine et scientifique. Lorsque Lisa eut parcouru les notes, sans toutes les comprendre, elle resta tremblante, n'osant plus toucher à ces papiers, avec la peur de les voir éclater entre ses mains comme des armes chargées.

Une dernière note l'épouvanta plus encore que les autres. C'était une demi-feuille, sur laquelle Florent avait dessiné la forme des insignes qui distingueraient les chefs et les lieutenants ; à côté, se trouvaient également les guidons des compagnies. Même des légendes au crayon disaient la couleur des guidons pour les vingt arrondissements[1]. Les insignes des chefs étaient des écharpes rouges ; ceux des lieutenants, des brassards, également rouges. Ce fut, pour Lisa, la réalisation immédiate de l'émeute ; elle vit ces hommes, avec toutes ces étoffes rouges, passer devant sa charcuterie, envoyer des balles dans les glaces et dans les marbres, voler les saucisses et les andouilles de l'étalage. Les infâmes projets de son beau-frère étaient un attentat contre elle-même, contre son bonheur. Elle referma le tiroir, regardant la chambre, se disant que c'était elle pourtant qui logeait cet homme, qu'il couchait dans ses draps, qu'il usait ses meubles. Et elle était particulièrement exaspérée par la pensée qu'il cachait l'abominable machine infernale dans cette petite table de bois blanc, qui lui avait servi autrefois chez l'oncle Gradelle, avant son mariage, une table innocente, toute déclouée.

Elle resta debout, songeant à ce qu'elle allait faire. D'abord, il était inutile d'instruire Quenu. Elle eut l'idée d'avoir une explication avec Florent, mais elle craignit qu'il ne s'en allât commettre son crime plus loin, tout en les compromettant, par méchanceté. Elle se calmait un peu, elle préféra le surveiller. Au premier danger, elle verrait. En somme, elle avait à présent de quoi le faire retourner aux galères.

Comme elle rentrait à la boutique, elle vit Augustine tout émotionnée. La petite Pauline avait disparu depuis une grande demi-heure. Aux questions inquiètes de Lisa, elle ne put que répondre :

« Je ne sais pas, madame... Elle était là tout à l'heure, sur le trottoir, avec un petit garçon... Je les regardais ; puis, j'ai entamé un jambon pour un monsieur, et je ne les ai plus vus.

— Je parie que c'est Muche, s'écria la charcutière ; ah ! le gredin d'enfant ! »

C'était Muche, en effet. Pauline, qui étrennait justement ce jour-là une robe neuve, à raies bleues, avait voulu la montrer. Elle se tenait toute droite, devant la boutique, bien sage, les lèvres pincées par cette moue grave d'une petite femme de six ans qui craint de se salir. Ses jupes, très courtes, très empesées, bouffaient comme des jupes de danseuse, montrant ses bas blancs bien tirés, ses bottines vernies, d'un bleu d'azur ; tandis que son grand tablier, qui la décolletait, avait, aux épaules, un étroit volant brodé, d'où ses bras, adorables d'enfance, sortaient nus et roses. Elle portait des boutons de turquoise aux oreilles, une jeannette au cou, un ruban de velours bleu dans les cheveux, très bien peignée, avec l'air gras et tendre de sa mère, la grâce parisienne d'une poupée neuve.

Muche, des Halles, l'avait aperçue. Il mettait dans le ruisseau des petits poissons morts que l'eau emportait, et qu'il suivait le long du trottoir, en disant qu'ils nageaient. Mais la vue de Pauline, si belle, si propre, lui fit traverser la chaussée, sans casquette, la blouse déchirée, le pantalon tombant et montrant la chemise, dans le débraillé d'un galopin de sept ans. Sa mère lui avait bien défendu de jouer jamais avec « cette grosse bête d'enfant que ses parents bourraient à la faire crever ». Il rôda un instant, s'approcha, voulut toucher la jolie robe à raies bleues. Pauline, d'abord flattée, eut une moue de prude, recula, en murmurant d'un ton fâché :

« Laisse-moi... Maman ne veut pas. »

Cela fit rire le petit Muche, qui était très dégourdi et très entreprenant.

« Ah bien ! dit-il, tu es joliment godiche !... Ça ne fait rien que ta maman ne veuille pas... Nous allons jouer à nous pousser, veux-tu ? »

Il devait nourrir l'idée mauvaise de salir Pauline. Celle-ci, en le voyant s'apprêter à lui donner une poussée dans le dos, recula davantage, fit mine de rentrer. Alors, il fut très doux ; il remonta ses culottes, en homme du monde.

« Es-tu bête ! c'est pour rire... Tu es bien gentille comme ça. Est-ce que c'est à ta maman, ta petite croix ? »

Elle se rengorgea, dit que c'était à elle. Lui,

doucement, l'amenait jusqu'au coin de la rue
Pirouette ; il lui touchait les jupes, en s'étonnant,
en trouvant ça drôlement raide ; ce qui causait
un plaisir infini à la petite. Depuis qu'elle faisait
la belle sur le trottoir, elle était très vexée de voir
que personne ne la regardait. Mais, malgré les
compliments de Muche, elle ne voulut pas descendre du trottoir.

« Quelle grue ! s'écria-t-il, en redevenant grossier. Je vas t'asseoir sur ton panier aux crottes, tu
sais, madame Belles-fesses ! »

Elle s'effaroucha. Il l'avait prise par la main ;
et comprenant sa faute, se montrant de nouveau
câlin, fouillant vivement dans sa poche :

« J'ai un sou », dit-il.

La vue du sou calma Pauline. Il tenait le sou
du bout des doigts, devant elle, si bien qu'elle descendit sur la chaussée, sans y prendre garde, pour
suivre le sou. Décidément, le petit Muche était en
bonne fortune. Il devenait tentateur.

« Qu'est-ce que tu aimes ? » demanda-t-il.

Elle ne répondit pas tout de suite ; elle ne savait
pas, elle aimait trop de choses. Lui, nomma une
foule de friandises : de la réglisse, de la mélasse,
des boules de gomme, du sucre en poudre. Le
sucre en poudre fit beaucoup réfléchir la petite ;
on trempe un doigt, et on le suce ; c'est très bon.
Elle restait toute sérieuse. Puis, se décidant :

« Non, j'aime bien les cornets. »

Alors, il lui prit le bras, il l'emmena, sans qu'elle
résistât. Ils traversèrent la rue Rambuteau, suivirent le large trottoir des Halles, allèrent jusque
chez un épicier de la rue de la Cossonnerie, qui

avait la renommée des cornets. Les cornets sont de
minces cornets de papier, où les épiciers mettent
les débris de leur étalage, les dragées cassées, les
marrons glacés tombés en morceaux, les fonds
suspects des bocaux de bonbons. Muche fit les
choses galamment ; il laissa choisir le cornet par
Pauline, un cornet de papier bleu, ne le lui reprit
pas, donna son sou Sur le trottoir, elle vida les
miettes de toutes sortes dans les deux poches
de son tablier ; et ces poches étaient si étroites,
qu'elles furent pleines. Elle croquait doucement,
miette par miette, ravie, mouillant son doigt, pour
avoir la poussière trop fine ; si bien que cela fondait les bonbons, et que deux taches brunes marquaient déjà les deux poches du tablier. Muche
avait un rire sournois. Il la tenait par la taille, la
chiffonnant à son aise, lui faisant tourner le coin
de la rue Pierre-Lescot, du côté de la place des
Innocents, en lui disant :

« Hein ? tu veux bien jouer, maintenant ?…
C'est bon, ce que tu as dans tes poches. Tu vois
que je ne voulais pas te faire de mal, grande bête. »

Et lui-même, il fourrait les doigts au fond des
poches. Ils entrèrent dans le square. C'était là sans
doute que le petit Muche rêvait de conduire sa
conquête. Il lui fit les honneurs du square, comme
d'un domaine à lui, très agréable, où il galopinait
pendant des après-midi entières. Jamais Pauline
n'était allée si loin ; elle aurait sangloté comme
une demoiselle enlevée, si elle n'avait pas eu du
sucre dans les poches. La fontaine, au milieu de
la pelouse coupée de corbeilles, coulait, avec la
déchirure de ses nappes ; et les nymphes de Jean

Goujon, toutes blanches dans le gris de la pierre, penchant leurs urnes, mettaient leur grâce nue au milieu de l'air noir du quartier Saint-Denis. Les enfants firent le tour, regardant l'eau tomber des six bassins, intéressés par l'herbe, rêvant certainement de traverser la pelouse centrale, ou de se glisser sous les massifs de houx et de rhododendrons, dans la plate-bande longeant la grille du square. Cependant le petit Muche, qui était parvenu à froisser la belle robe, par derrière, dit, avec son rire en dessous :

« Nous allons jouer à nous jeter du sable, veux-tu ? »

Pauline était séduite. Ils se jetèrent du sable, en fermant les yeux. Le sable entrait par le corsage décolleté de la petite, coulait tout le long, jusque dans ses bas et ses bottines. Muche s'amusait beaucoup, à voir le tablier blanc devenir tout jaune. Mais il trouva sans doute que c'était encore trop propre.

« Hein ? si nous plantions des arbres, demanda-t-il tout à coup. C'est moi qui sais faire de jolis jardins !

— Vrai, des jardins ! » murmura Pauline pleine d'admiration.

Alors, comme le gardien du square n'était pas là, il lui fit creuser des trous dans une plate-bande. Elle était à genoux, au beau milieu de la terre molle, s'allongeant sur le ventre, enfonçant jusqu'aux coudes ses adorables bras nus. Lui, cherchait des bouts de bois, cassait des branches. C'était les arbres du jardin, qu'il plantait dans les trous de Pauline. Seulement, il ne trouvait jamais les trous assez profonds, il la traitait en mauvais ouvrier, avec des rudesses de patron. Quand elle se releva, elle était noire des pieds à la tête ; elle avait de la terre dans les cheveux, toute barbouillée, si drôle avec ses bras de charbonnier, que Muche tapa dans ses mains, en s'écriant :

« Maintenant, nous allons les arroser... Tu comprends, ça ne pousserait pas. »

Ce fut le comble. Ils sortaient du square, ramassaient de l'eau au ruisseau, dans le creux de leurs mains, revenaient en courant arroser les bouts de bois. En route, Pauline, qui était trop grosse et qui ne savait pas courir, laissait échapper toute l'eau entre ses doigts, le long de ses jupes ; si bien qu'au sixième voyage, elle semblait s'être roulée dans le ruisseau. Muche la trouva très bien, quand elle fut très sale. Il la fit asseoir avec lui sous un rhododendron, à côté du jardin qu'ils avaient planté. Il lui racontait que ça poussait déjà. Il lui avait pris la main, en l'appelant sa petite femme.

« Tu ne regrettes pas d'être venue, n'est-ce pas ? Au lieu de rester sur le trottoir, où tu as l'air de t'ennuyer fameusement... Tu verras, je sais tout plein de jeux, dans les rues. Il faudra revenir, entends-tu. Seulement, on ne parle pas de ça à sa maman. On ne fait pas la bête... Si tu dis quelque chose, tu sais, je te tirerai les cheveux, quand je passerai devant chez toi. »

Pauline répondait toujours oui. Lui, par dernière galanterie, lui remplissait de terre les deux poches de son tablier. Il la serrait de près, cherchant maintenant à lui faire du mal, par une cruauté de gamin. Mais elle n'avait plus de sucre, elle ne jouait plus, et elle devenait inquiète. Comme il s'était mis à la pincer, elle pleura en disant qu'elle voulait s'en aller. Cela égaya beaucoup Muche, qui se montra cavalier ; il la menaça de ne pas la reconduire chez ses parents. La petite, tout à fait terrifiée, poussait des soupirs étouffés, comme une belle à la merci d'un séducteur, au fond d'une auberge inconnue. Il aurait certainement fini par la battre, pour la faire taire, lorsqu'une voix aigre, la voix de Mlle Saget, s'écria à côté d'eux :

« Mais, Dieu me pardonne ! c'est Pauline... Veux-tu bien la laisser tranquille, méchant vaurien ! »

La vieille fille prit Pauline par la main, en poussant des exclamations sur l'état pitoyable de sa toilette. Muche ne s'effraya guère ; il les suivit, riant sournoisement de son œuvre, répétant que c'était elle qui avait voulu venir, et qu'elle s'était laissée tomber par terre. Mlle Saget était une habituée du square des Innocents. Chaque après-midi, elle y passait une bonne heure, pour se tenir au courant des bavardages du menu peuple. Là, aux deux côtés, il y a une longue file demi-circulaire de bancs mis bout à bout. Les pauvres gens qui étouffent dans les taudis des étroites rues voisines s'y entassent : les vieilles, desséchées, l'air frileux, en bonnet fripé ; les jeunes, en camisole, les jupes mal attachées, les cheveux nus, éreintées, fanées déjà de misère ; quelques hommes aussi, des vieillards proprets, des porteurs aux vestes grasses, des messieurs suspects à chapeau noir ; tandis que, dans l'allée, la marmaille se roule, traîne des voitures sans roues, emplit des seaux de sable, pleure et se mord, une marmaille terrible, déguenillée, mal mouchée, qui pullule au soleil comme une vermine. Mlle Saget était si mince, qu'elle trouvait toujours à se glisser sur un banc. Elle écoutait, elle entamait la conversation avec une voisine, quelque femme d'ouvrier toute jaune, raccommodant du linge, tirant d'un petit panier, réparé avec des ficelles, des mouchoirs et des bas troués comme des cribles. D'ailleurs, elle avait des connaissances. Au milieu des piaillements intolérables de la marmaille et du roulement continu des voitures, derrière, dans la rue Saint-Denis, c'étaient des cancans sans fin, des histoires sur les fournisseurs, les épiciers, les boulangers, les bouchers, toute une gazette du quartier, enfiellée par les refus de crédit et l'envie sourde du pauvre. Elle apprenait, surtout, parmi ces malheureuses, les choses inavouables, ce qui descendait des garnis louches, ce qui sortait des loges noires des concierges, les saletés de la médisance, dont elle relevait, comme d'une pointe de piment, ses appétits de curiosité. Puis, devant elle, la face tournée du côté des Halles, elle avait la place, les trois pans de maisons, percées de leurs fenêtres, dans lesquelles elle cherchait à entrer du regard ; elle semblait se hausser, aller le long des étages, ainsi qu'à des trous de verre, jusqu'aux œils-de-bœuf des mansardes ; elle dévisageait les rideaux, reconstruisait un drame sur la simple apparition d'une tête entre deux persiennes, avait fini par savoir l'histoire des locataires de toutes ces maisons, rien qu'à en regarder les façades. Le restaurant Baratte l'intéressait d'une façon particulière, avec sa boutique de marchand de vin, sa marquise découpée et dorée, formant terrasse, laissant déborder la verdure de quelques pots de fleurs, ses quatre étages étroits, ornés et peinturlurés ; elle se plaisait au fond bleu tendre, aux colonnes jaunes, à la stèle surmontée d'une coquille, à cette devanture de temple de carton, badigeonnée sur la face d'une maison décrépite, terminée en haut, au bord du toit, par une galerie de zinc passée à la couleur. Derrière les persiennes flexibles, à bandes rouges, elle lisait les bons petits déjeuners, les soupers fins, les noces à tout casser. Et elle mentait même ; c'était là que Florent et Gavard venaient faire des bombances avec ces deux salopes de Méhudin ; au dessert, il se passait des choses abominables.

Cependant, Pauline pleurait plus fort, depuis que la vieille fille la tenait par la main. Celle-ci se dirigeait vers la porte du square, lorsqu'elle parut se raviser. Elle s'assit sur le bout d'un banc, cherchant à faire taire la petite.

« Voyons, ne pleure plus, les sergents de ville te prendraient... Je vais te reconduire chez toi. Tu me connais bien, n'est-ce pas ? Je suis "bonne amie", tu sais... Allons, fais une risette. »

Mais les larmes la suffoquaient, elle voulait s'en aller. Alors, Mlle Saget, tranquillement, la laissa sangloter, attendant qu'elle eût fini. La pauvre enfant était toute grelottante, les jupes et les bas mouillés ; les larmes qu'elle essuyait avec ses poings sales lui mettaient de la terre jusqu'aux oreilles. Quand elle se fut un peu calmée, la vieille reprit d'un ton doucereux :

« Ta maman n'est pas méchante, n'est-ce pas ? Elle t'aime bien.

— Oui, oui, répondit Pauline, le cœur encore très gros.

— Et ton papa, il n'est pas méchant non plus, il ne te bat pas, il ne se dispute pas avec ta maman ?... Qu'est-ce qu'ils disent le soir, quand ils vont se coucher ?

— Ah ! je ne sais pas ; moi, j'ai chaud dans mon lit.

— Ils parlent de ton cousin Florent ?

— Je ne sais pas. »

Mlle Saget prit un air sévère, en feignant de se lever et de s'en aller.

« Tiens ! tu n'es qu'une menteuse... Tu sais qu'il ne faut pas mentir... Je vais te laisser là, si tu mens, et Muche te pincera. »

Muche, qui rôdait devant le banc, intervint, disant de son ton décidé de petit homme :

« Allez, elle est trop dinde pour savoir... Moi, je sais que mon bon ami Florent a eu l'air joliment cornichon, hier, quand maman lui a dit comme ça, en riant, qu'il pouvait l'embrasser, si cela lui faisait plaisir. »

Mais Pauline, menacée d'être abandonnée, s'était remise à pleurer.

« Tais-toi donc, tais-toi donc, mauvaise gale ! murmura la vieille en la bousculant. Là, je ne m'en vais pas, je t'achèterai un sucre d'orge, hein ! un sucre d'orge !... Alors, tu ne l'aimes pas, ton cousin Florent ?

— Non, maman dit qu'il n'est pas honnête.

— Ah ! tu vois bien que ta maman disait quelque chose.

— Un soir, dans mon lit, j'avais Mouton, je dormais avec Mouton... Elle disait à papa : "Ton frère, il ne s'est sauvé du bagne que pour nous y ramener tous avec lui." »

Mlle Saget poussa un léger cri. Elle s'était mise debout, toute frémissante. Un trait de lumière venait de la frapper en pleine face. Elle reprit la main de Pauline, la fit trotter jusqu'à la charcuterie, sans parler, les lèvres pincées par un sourire intérieur, les regards pointus d'une joie aiguë. Au coin de la rue Pirouette, Muche, qui les accompagnait en gambadant, jouissant de voir la petite courir avec ses bas crottés, disparut prudemment. Lisa était dans une inquiétude mortelle Quand elle aperçut sa fille faite comme un torchon, elle eut un tel saisissement, qu'elle la tourna de tous les côtés, sans même songer à la battre. La vieille disait de sa voix mauvaise :

« C'est le petit Muche... Je vous la ramène, vous comprenez... Je les ai découverts ensemble, sous un arbre du square. Je ne sais pas ce qu'ils faisaient... À votre place, je la regarderais. Il est capable de tout, cet enfant de gueuse. »

Lisa ne trouvait pas une parole. Elle ne savait par quel bout prendre sa fille, tant les bottines boueuses, les bas tachés, les jupes déchirées, les mains et la figure noircies, la dégoûtaient. Le velours bleu, les boutons d'oreille, la jeannette, disparaissaient sous une couche de crasse. Mais ce qui acheva de l'exaspérer, ce furent les poches pleines de terre. Elle se pencha, les vida, sans respect pour le dallage blanc et rose de la boutique. Puis, elle ne put prononcer qu'un mot, elle entraîna Pauline, en disant :

« Venez, ordure. »

Mlle Saget, qui était tout égayée par cette scène, au fond de son chapeau noir, traversa vivement la rue Rambuteau. Ses pieds menus touchaient à peine le pavé ; une jouissance la portait, comme un souffle plein de caresses chatouillantes. Elle savait donc enfin ! Depuis près d'une année qu'elle brûlait, voilà qu'elle possédait Florent, tout entier, tout d'un coup. C'était un contentement inespéré, qui la guérissait de quelque maladie ; car elle sentait bien que cet homme-là l'aurait fait mourir à petit feu, en se refusant plus longtemps à ses ardeurs de curiosité. Maintenant, le quartier des Halles lui appartenait ; il n'y avait plus de lacune dans sa tête ; elle aurait raconté chaque rue, boutique par boutique. Et elle poussait de petits soupirs pâmés, tout en entrant dans le pavillon aux fruits.

« Eh ! mademoiselle Saget, cria la Sarriette de son banc, qu'est-ce que vous avez donc à rire toute seule ?... Est-ce que vous avez gagné le gros lot à la loterie ?

— Non, non... Ah ! ma petite, si vous saviez !... »

La Sarriette était adorable, au milieu de ses fruits, avec son débraillé de belle fille. Ses cheveux frisottants lui tombaient sur le front, comme des pampres. Ses bras nus, son cou nu, tout ce qu'elle montrait de nu et de rose, avait une fraîcheur de pêche et de cerise. Elle s'était pendu par

gaminerie des guignes aux oreilles, des guignes
noires qui sautaient sur ses joues, quand elle se
penchait, toute sonore de rires. Ce qui l'amusait
si fort, c'était qu'elle mangeait des groseilles, et
qu'elle les mangeait à s'en barbouiller la bouche,
jusqu'au menton et jusqu'au nez ; elle avait la
bouche rouge, une bouche maquillée, fraîche du
jus des groseilles, comme peinte et parfumée de
quelque fard du sérail. Une odeur de prune montait de ses jupes. Son fichu mal noué sentait la
fraise.

Et, dans l'étroite boutique, autour d'elle, les
fruits s'entassaient. Derrière, le long des étagères,
il y avait des files de melons, des cantaloups cou-
turés de verrues, des maraîchers aux guipures
grises, des culs-de-singe avec leurs bosses nues.
À l'étalage, les beaux fruits, délicatement parés
dans des paniers, avaient des rondeurs de joues
qui se cachent, des faces de belles enfants entrevues à demi sous un rideau de feuilles ; les pêches
surtout, les Montreuil rougissantes, de peau fine
et claire comme des filles du Nord, et les pêches
du Midi, jaunes et brûlées, ayant le hâle des
filles de Provence. Les abricots prenaient sur la
mousse des tons d'ambre, ces chaleurs de coucher de soleil qui chauffent la nuque des brunes, à
l'endroit où frisent de petits cheveux. Les cerises,
rangées une à une, ressemblaient à des lèvres trop
étroites de Chinoise qui souriaient : les Mont-
morency, lèvres trapues de femme grasse ; les
Anglaises, plus allongées et plus graves ; les guignes, chair commune, noire, meurtrie de baisers ;
les bigarreaux, tachés de blanc et de rose, au rire

à la fois joyeux et fâché. Les pommes, les poires s'empilaient, avec des régularités d'architecture, faisant des pyramides, montrant des rougeurs de seins naissants, des épaules et des hanches dorées, toute une nudité discrète, au milieu des brins de fougère ; elles étaient de peaux différentes, les pommes d'api au berceau, les rambourg avachies, les calville en robe blanche, les canada sanguines, les châtaignier couperosées, les reinettes blondes, piquées de rousseur ; puis, les variétés des poires, la blanquette, l'angleterre, les beurrés, les messire-jean, les duchesses, trapues, allongées, avec des cous de cygne ou des épaules apoplectiques, les ventres jaunes et verts, relevés d'une pointe de carmin. À côté, les prunes transparentes montraient des douceurs chlorotiques de vierge ; les reines-claudes, les prunes de monsieur, étaient pâlies d'une fleur d'innocence ; les mirabelles s'égrenaient comme les perles d'or d'un rosaire, oublié dans une boîte avec des bâtons de vanille. Et les fraises, elles aussi, exhalaient un parfum frais, un parfum de jeunesse, les petites surtout, celles qu'on cueille dans les bois, plus encore que les grosses fraises de jardin, qui sentent la fadeur des arrosoirs. Les framboises ajoutaient un bouquet à cette odeur pure. Les groseilles, les cassis, les noisettes, riaient avec des mines délurées ; pendant que des corbeilles de raisins, des grappes lourdes, chargées d'ivresse, se pâmaient au bord de l'osier, en laissant retomber leurs grains roussis par les voluptés trop chaudes du soleil.

La Sarriette vivait là, comme dans un verger, avec des griseries d'odeurs. Les fruits à bas prix,

les cerises, les prunes, les fraises, entassés devant
elle sur des paniers plats, garnis de papier, se
meurtrissaient, tachaient l'étalage de jus, d'un jus
fort qui fumait dans la chaleur. Elle sentait aussi
la tête lui tourner, en juillet, par les après-midi
brûlantes, lorsque les melons l'entouraient d'une
puissante vapeur de musc. Alors, ivre, montrant
plus de chair sous son fichu, à peine mûre et
toute fraîche de printemps, elle tentait la bouche,
elle inspirait des envies de maraude. C'était elle,
c'étaient ses bras, c'était son cou, qui donnaient à
ses fruits cette vie amoureuse, cette tiédeur sati-
née de femme. Sur le banc de vente, à côté, une
vieille marchande, une ivrognesse affreuse, n'étalait que des pommes ridées, des poires pendantes
comme des seins vides, des abricots cadavéreux,
d'un jaune infâme de sorcière. Mais, elle, faisait
de son étalage une grande volupté nue. Ses lèvres
avaient posé là une à une les cerises, des baisers
rouges ; elle laissait tomber de son corsage les
pêches soyeuses ; elle fournissait aux prunes sa
peau la plus tendre, la peau de ses tempes, celle
de son menton, celle des coins de sa bouche ; elle
laissait couler un peu de son sang rouge dans les
veines des groseilles. Ses ardeurs de belle fille
mettaient en rut ces fruits de la terre, toutes ces
semences, dont les amours s'achevaient sur un lit
de feuilles, au fond des alcôves tendues de mousse
des petits paniers. Derrière sa boutique, l'allée aux
fleurs avait une senteur fade, auprès de l'arôme de
vie qui sortait de ses corbeilles entamées et de ses
vêtements défaits.

Cependant, la Sarriette, ce jour-là, était toute

grise d'un arrivage de mirabelles, qui encombrait le marché. Elle vit bien que Mlle Saget avait quelque grosse nouvelle, et elle voulut la faire causer ; mais la vieille, en piétinant d'impatience :

« Non, non, je n'ai pas le temps... Je cours voir Mme Lecœur. Ah ! j'en sais de belles !... Venez, si vous voulez. »

À la vérité, elle ne traversait le pavillon aux fruits que pour racoler la Sarriette. Celle-ci ne put résister à la tentation. M. Jules était là, se dandinant sur une chaise retournée, rasé et frais comme un chérubin.

« Garde un instant la boutique, n'est-ce pas ? lui dit-elle. Je reviens tout de suite. »

Mais lui se leva, lui cria de sa voix grasse, comme elle tournait l'allée :

« Eh ! pas de ça, Lisette ! Tu sais, je file, moi... Je ne veux pas attendre une heure comme l'autre jour... Avec ça que tes prunes me donnent mal à la tête. »

Il s'en alla tranquillement, les mains dans les poches. La boutique resta seule. Mlle Saget faisait courir la Sarriette. Au pavillon du beurre, une voisine leur dit que Mme Lecœur était à la cave. La Sarriette descendit la chercher, pendant que la vieille s'installait au milieu des fromages.

En bas, la cave est très sombre ; le long des ruelles, les resserres sont tendues d'une toile métallique à mailles fines, par crainte des incendies ; les becs de gaz, fort rares, font des taches jaunes sans rayons, dans la buée nauséabonde, qui s'alourdit sous l'écrasement de la voûte. Mais, Mme Lecœur travaillait le beurre, sur une des

tables placées le long de la rue Berger. Les soupiraux laissent tomber un jour pâle. Les tables,
continuellement lavées à grande eau par des robinets, ont des blancheurs de tables neuves. Tournant le dos à la pompe du fond, la marchande
pétrissait « la maniotte », au milieu d'une boîte de
chêne. Elle prenait, à côté d'elle, les échantillons
des différents beurres, les mêlait, les corrigeait
l'un par l'autre, ainsi qu'on procède pour le cou-
page des vins. Pliée en deux, les épaules pointues,
les bras maigres et noueux, comme des échalas,
nus jusqu'aux épaules, elle enfonçait furieusement
les poings dans cette pâte grasse qui prenait un
aspect blanchâtre et crayeux. Elle suait, elle poussait un soupir à chaque effort.

« C'est Mlle Saget qui voudrait vous parler, ma
tante », dit la Sarriette.

Mme Lecœur s'arrêta, ramena son bonnet sur
ses cheveux, de ses doigts pleins de beurre, sans
paraître avoir peur des taches.

« J'ai fini, qu'elle attende un instant, répondit-
elle.

— Elle a quelque chose de très intéressant à
vous dire.

— Rien qu'une minute, ma petite. »

Elle avait replongé les bras. Le beurre lui montait jusqu'aux coudes. Amolli préalablement dans
l'eau tiède, il huilait sa chair de parchemin, faisant ressortir les grosses veines violettes qui lui
couturaient la peau, pareilles à des chapelets de
varices éclatées. La Sarriette était toute dégoûtée
par ces vilains bras, s'acharnant au milieu de cette
masse fondante. Mais elle se rappelait le métier ;

autrefois, elle mettait, elle aussi, ses petites mains adorables dans le beurre, pendant des après-midi entières ; même c'était là sa pâte d'amande, un onguent qui lui conservait la peau blanche, les ongles roses, et dont ses doigts déliés semblaient avoir gardé la souplesse. Aussi, au bout d'un silence, reprit-elle :

« Elle ne sera pas fameuse, votre maniotte, ma tante... Vous avez là des beurres trop forts.

— Je le sais bien, dit Mme Lecœur entre deux gémissements, mais que veux-tu ? il faut tout faire passer... Il y a des gens qui veulent payer bon marché ; on leur fait du bon marché... Va, c'est toujours trop bon pour les clients. »

La Sarriette pensait qu'elle n'en mangerait pas volontiers, du beurre travaillé par les bras de sa tante. Elle regarda dans un petit pot plein d'une sorte de teinture rouge.

« Il est trop clair, votre raucourt », murmura-t-elle.

Le raucourt sert à rendre à la maniotte une belle couleur jaune. Les marchandes croient garder religieusement le secret de cette teinture, qui provient simplement de la graine du rocouyer ; il est vrai qu'elles en fabriquent avec des carottes et des fleurs de soucis.

« À la fin, venez-vous ! dit la jeune femme qui s'impatientait et qui n'était plus habituée à l'odeur infecte de la cave. Mlle Saget est peut-être déjà partie... Elle doit savoir des choses très graves sur mon oncle Gavard. »

Mme Lecœur, du coup, ne continua pas. Elle laissa la maniotte et le raucourt. Elle ne s'essuya

pas même les bras. D'une légère tape, elle ramena
de nouveau son bonnet, marchant sur les talons
de sa nièce, remontant l'escalier, en répétant avec
inquiétude :

« Tu crois qu'elle ne nous aura pas attendues ? »

Mais elle se rassura, en apercevant Mlle Saget,
au milieu des fromages. Elle n'avait eu garde de
s'en aller. Les trois femmes s'assirent au fond de
l'étroite boutique. Elles y étaient les unes sur les
autres, se parlant le nez dans la face. Mlle Saget
garda le silence pendant deux bonnes minutes ;
puis, quand elle vit les deux autres toutes brûlantes de curiosité, d'une voix pointue :

« Vous savez, ce Florent... ? Eh bien, je peux
vous dire d'où il vient, maintenant. »

Et elle les laissa un instant encore suspendues
à ses lèvres.

« Il vient du bagne », dit-elle enfin, en assour-
dissant terriblement sa voix.

Autour d'elles, les fromages puaient. Sur les
deux étagères de la boutique, au fond, s'alignaient
des mottes de beurre énormes ; les beurres de Bre-
tagne, dans des paniers, débordaient ; les beurres
de Normandie, enveloppés de toile, ressemblaient
à des ébauches de ventres, sur lesquelles un
sculpteur aurait jeté des linges mouillés ; d'autres
mottes, entamées, taillées par les larges couteaux
en rochers à pic, pleines de vallons et de cassures,
étaient comme des cimes éboulées, dorées par la
pâleur d'un soir d'automne. Sous la table d'étalage, de marbre rouge veiné de gris, des paniers
d'œufs mettaient une blancheur de craie ; et, dans
des caisses, sur des clayons de paille, des bon-

dons posés bout à bout, des gournay rangés à plat comme des médailles, faisaient des nappes plus sombres, tachées de tons verdâtres. Mais c'était surtout sur la table que les fromages s'empilaient. Là, à côté des pains de beurre à la livre, dans des feuilles de poirée, s'élargissait un cantal géant, comme fendu à coups de hache ; puis venaient un chester, couleur d'or, un gruyère, pareil à une roue tombée de quelque char barbare, des hollande, ronds comme des têtes coupées, barbouillées de sang séché, avec cette dureté de crâne vide qui les fait nommer têtes-de-mort. Un parmesan, au milieu de cette lourdeur de pâte cuite, ajoutait sa pointe d'odeur aromatique. Trois brie, sur des planches rondes, avaient des mélancolies de lunes éteintes ; deux, très secs, étaient dans leur plein ; le troisième, dans son deuxième quartier, coulait, se vidait d'une crème blanche, étalée en lac, ravageant les minces planchettes, à l'aide desquelles on avait vainement essayé de le contenir. Des port-salut, semblables à des disques antiques, montraient en exergue le nom imprimé des fabricants. Un romantour, vêtu de son papier d'argent, donnait le rêve d'une barre de nougat, d'un fromage sucré, égaré parmi ces fermentations âcres. Les roquefort, eux aussi, sous des cloches de cristal, prenaient des mines princières, des faces marbrées et grasses, veinées de bleu et de jaune, comme attaqués d'une maladie honteuse de gens riches qui ont trop mangé de truffes ; tandis que, dans un plat, à côté, des fromages de chèvre, gros comme un poing d'enfant, durs et grisâtres, rappelaient les cailloux que les boucs,

menant leur troupeau, font rouler aux coudes des
sentiers pierreux. Alors, commençaient les puanteurs : les mont-d'or, jaune clair, puant une odeur
douceâtre ; les troyes, très épais, meurtris sur les
bords, d'âpreté déjà plus forte, ajoutant une féti-
dité de cave humide ; les camembert, d'un fumet
de gibier trop faisandé ; les neufchâtel, les limbourg, les marolles, les pont-l'évêque, carrés, mettant chacun leur note aiguë et particulière dans
cette phrase rude jusqu'à la nausée ; les livarot,
teintés de rouge, terribles à la gorge comme une
vapeur de soufre ; puis enfin, par-dessus tous les
autres, les olivet, enveloppés de feuilles de noyer,
ainsi que ces charognes que les paysans couvrent
de branches, au bord d'un champ, fumantes au
soleil. La chaude après-midi avait amolli les fromages ; les moisissures des croûtes fondaient, se
vernissaient avec des tons riches de cuivre rouge
et de vert-de-gris, semblables à des blessures mal
fermées ; sous les feuilles de chêne, un souffle soulevait la peau des olivet, qui battait comme une
poitrine, d'une haleine lente et grosse d'homme
endormi ; un flot de vie avait troué un livarot,
accouchant par cette entaille d'un peuple de vers.
Et, derrière les balances, dans sa boîte mince, un
géromé anisé répandait une infection telle, que
des mouches étaient tombées autour de la boîte,
sur le marbre rouge veiné de gris.

Mlle Saget avait ce géromé presque sous le nez.
Elle se recula, appuya la tête contre les grandes
feuilles de papier jaunes et blanches, accrochées
par un coin, au fond de la boutique.

« Oui, répéta t-elle avec une grimace de dégoût,

il vient du bagne... Hein ! ils n'ont pas besoin de faire les fiers, les Quenu-Gradelle ! »

Mais Mme Lecœur et la Sarriette poussaient des exclamations d'étonnement. Ce n'était pas possible. Qu'avait-il donc commis pour aller au bagne ? aurait-on jamais soupçonné cette Mme Quenu, cette vertu qui faisait la gloire du quartier, de choisir un amant au bagne ?

« Eh ! non, vous n'y êtes pas, s'écria la vieille impatientée. Écoutez-moi donc... Je savais bien que j'avais déjà vu ce grand escogriffe quelque part. »

Elle leur conta l'histoire de Florent. Maintenant, elle se souvenait d'un bruit vague qui avait couru dans le temps, d'un neveu du vieux Gradelle envoyé à Cayenne, pour avoir tué six gendarmes sur une barricade ; elle l'avait même aperçu une fois, rue Pirouette. C'était bien lui, c'était le faux cousin. Et elle se lamentait, en ajoutant qu'elle perdait la mémoire, qu'elle était finie, que bientôt elle ne saurait plus rien. Elle pleurait cette mort de sa mémoire, comme un érudit qui verrait s'envoler au vent les notes amassées par le travail de toute une existence.

« Six gendarmes ! murmura la Sarriette avec admiration ; il doit avoir une poigne solide, cet homme-là.

— Et il en a bien fait d'autres, ajouta Mlle Saget. Je ne vous conseille pas de le rencontrer à minuit.

— Quel gredin ! » balbutia Mme Lecœur, tout à fait épouvantée.

Le soleil oblique entrait sous le pavillon, les fromages puaient plus fort. À ce moment, c'était surtout le marolles qui dominait ; il jetait des bouffées puissantes, une senteur de vieille litière, dans la fadeur des mottes de beurre. Puis, le vent parut tourner ; brusquement, des râles de limbourg arrivèrent entre les trois femmes, aigres et amers, comme soufflés par des gorges de mourants.

« Mais, reprit Mme Lecœur, il est le beau-frère de la grosse Lisa, alors... Il n'a pas couché avec... »

Elles se regardèrent, surprises par ce côté du nouveau cas de Florent. Cela les ennuyait de lâcher leur première version. La vieille demoiselle hasarda, en haussant les épaules :

« Ça n'empêcherait pas... quoique, à vrai dire, ça me paraîtrait vraiment raide... Enfin, je n'en mettrais pas ma main au feu.

— D'ailleurs, fit remarquer la Sarriette, ce serait ancien, il n'y coucherait toujours plus, puisque vous l'avez vu avec les deux Méhudin.

— Certainement, comme je vous vois, ma belle, s'écria Mlle Saget, piquée, croyant qu'on doutait. Il y est tous les soirs, dans les jupes des Méhudin... Puis, ça nous est égal. Qu'il ait couché avec qui il voudra, n'est-ce pas ? Nous sommes d'honnêtes femmes, nous... C'est un fier coquin !

— Bien sûr, conclurent les deux autres. C'est un scélérat fini. »

En somme, l'histoire tournait au tragique ; elles se consolaient d'épargner la belle Lisa, en comptant sur quelque épouvantable catastrophe amenée par Florent. Évidemment, il avait de mauvais desseins, ces gens-là ne s'échappent que pour mettre le feu partout ; puis, un homme pareil ne pouvait être entré aux Halles sans « manigancer quelque coup ». Alors, ce furent des suppositions prodigieuses. Les deux marchandes déclarèrent qu'elles allaient ajouter un cadenas à leur resserre ; même la Sarriette se rappela que, l'autre semaine, on lui avait volé un panier de pêches. Mais Mlle Saget les terrifia, en leur apprenant que les « rouges » ne procédaient pas comme cela ; ils se moquaient bien d'un panier de pêches ; ils se mettaient à deux ou trois cents pour tuer tout le monde, piller à leur aise. Ça, c'était de la politique, disait-elle avec la supériorité d'une personne instruite. Mme Lecœur en fut malade ; elle voyait les Halles flamber, une nuit que Florent et ses complices se seraient cachés au fond des caves, pour s'élancer de là sur Paris.

« Eh ! j'y songe, dit tout à coup la vieille, il y a l'héritage du vieux Gradelle... Tiens ! tiens ! ce sont les Quenu qui ne doivent pas rire. »

Elle était toute réjouie. Les commérages tournèrent. On tomba sur les Quenu, quand elle eut raconté l'histoire du trésor dans le saloir, qu'elle savait jusqu'aux plus minces détails. Elle disait même le chiffre de quatre-vingt-cinq mille francs, sans que Lisa ni son mari se rappelassent l'avoir confié à âme qui vive. N'importe, les Quenu n'avaient pas donné sa part « au grand maigre ». Il était trop mal habillé pour ça. Peut-être qu'il ne connaissait seulement pas l'histoire du saloir. Tous voleurs, ces gens-là. Puis, elles rapprochèrent leurs têtes, baissant la voix, décidant qu'il serait peut-être dangereux de s'attaquer à la belle Lisa, mais qu'il fallait « faire son affaire au rouge »,

pour qu'il ne mangeât plus l'argent de ce pauvre
M. Gavard.

Au nom de Gavard, il se fit un silence. Elles
se regardèrent toutes trois, d'un air prudent. Et,
comme elles soufflaient un peu, ce fut le camembert qu'elles sentirent surtout. Le camembert, de
son fumet de venaison, avait vaincu les odeurs plus
sourdes du marolles et du limbourg ; il élargissait
ses exhalaisons, étouffait les autres senteurs sous
une abondance surprenante d'haleines gâtées.
Cependant, au milieu de cette phrase vigoureuse,
le parmesan jetait par moments un filet mince de
flûte champêtre ; tandis que les brie y mettaient
des douceurs fades de tambourins humides. Il y
eut une reprise suffocante du livarot. Et cette symphonie se tint un moment sur une note aiguë du
géromé anisé, prolongée en point d'orgue.

« J'ai vu Mme Léonce », reprit Mlle Saget, avec
un coup d'œil significatif.

Alors, les deux autres furent très attentives.
Mme Léonce était la concierge de Gavard, rue de
la Cossonnerie. Il habitait là une vieille maison,
un peu en retrait, occupée au rez-de-chaussée
par un entrepositaire de citrons et d'oranges, qui
avait fait badigeonner la façade en bleu, jusqu'au
deuxième étage. Mme Léonce faisait son ménage,
gardait les clefs des armoires, lui montait de la
tisane lorsqu'il était enrhumé. C'était une femme
sévère, de cinquante et quelques années, parlant
lentement, d'une façon interminable ; elle s'était
fâchée un jour, parce que Gavard lui avait pincé
la taille ; ce qui ne l'empêcha pas de lui poser des
sangsues, à un endroit délicat, à la suite d'une

chute qu'il avait faite. Mlle Saget qui, tous les mer-
credis soirs, allait prendre le café dans sa loge, lia
avec elle une amitié encore plus étroite, quand le
marchand de volailles vint habiter la maison. Elles
causaient ensemble du digne homme pendant des
heures entières ; elles l'aimaient beaucoup ; elles
voulaient son bonheur.

« Oui, j'ai vu Mme Léonce, répéta la vieille ;
nous avons pris le café, hier... Je l'ai trouvée très
peinée. Il paraît que M. Gavard ne rentre plus
avant une heure. Dimanche, elle lui a monté du
bouillon, parce qu'elle lui avait vu le visage tout
à l'envers.

— Elle sait bien ce qu'elle fait, allez », dit
Mme Lecœur, que ces soins de la concierge
inquiétaient.

Mlle Saget crut devoir défendre son amie.

« Pas du tout, vous vous trompez... Mme Léonce
est au-dessus de sa position. C'est une femme très
comme il faut... Ah bien ! si elle voulait s'emplir
les mains, chez M. Gavard, il y a longtemps qu'elle
n'aurait eu qu'à se baisser. Il paraît qu'il laisse tout
traîner... C'est justement à propos de cela que je
veux vous parler. Mais, silence, n'est-ce pas ? Je
vous dis ça sous le sceau du secret. »

Elles jurèrent leurs grands dieux qu'elles
seraient muettes. Elles avançaient le cou Alors
l'autre, solennellement :

« Vous saurez donc que M. Gavard est tout
chose depuis quelque temps... Il a acheté des
armes, un grand pistolet qui tourne, vous savez.
Mme Léonce dit que c'est une horreur, que ce
pistolet est toujours sur la cheminée ou sur la

table, et qu'elle n'ose plus essuyer... Et ce n'est rien encore. Son argent...

— Son argent, répéta Mme Lecœur, dont les joues brûlaient.

— Eh bien, il n'a plus d'actions, il a tout vendu, il a maintenant dans une armoire un tas d'or...

— Un tas d'or, dit la Sarriette ravie.

— Oui, un gros tas d'or. Il y en a plein sur une planche. Ça éblouit. Mme Léonce m'a raconté qu'il avait ouvert l'armoire un matin devant elle, et que ça lui a fait mal aux yeux, tant ça brillait. »

Il y eut un nouveau silence. Les paupières des trois femmes battaient, comme si elles avaient vu le tas d'or. La Sarriette se mit à rire la première, en murmurant :

« Moi, si mon oncle me donnait ça, je m'amuserais joliment avec Jules... Nous ne nous lèverions plus, nous ferions monter de bonnes choses du restaurant. »

Mme Lecœur restait comme écrasée sous cette révélation, sous cet or qu'elle ne pouvait maintenant chasser de sa vue. L'envie l'étreignait aux flancs. Enfin elle leva ses bras maigres, ses mains sèches, dont les ongles débordaient de beurre figé ; et elle ne put que balbutier, d'un ton plein d'angoisse :

« Il n'y faut pas penser, ça fait trop de mal.

— Eh ! ce serait votre bien, si un accident arrivait, dit Mlle Saget. Moi, à votre place, je veillerais à mes intérêts... Vous comprenez, ce pistolet ne dit rien de bon. M. Gavard est mal conseillé. Tout ça finira mal. »

Elles en revinrent à Florent. Elles le déchirèrent avec plus de fureur encore. Puis, posément, elles calculèrent où ces mauvaises histoires pouvaient les mener, lui et Gavard. Très loin, à coup sûr, si l'on avait la langue trop longue. Alors, elles jurèrent, quant à elles, de ne pas ouvrir la bouche, non que cette canaille de Florent méritât le moindre ménagement, mais parce qu'il fallait éviter à tout prix que le digne M. Gavard fût compromis. Elles s'étaient levées, et comme Mlle Saget s'en allait :

« Pourtant, dans le cas d'un accident, demanda la marchande de beurre, croyez-vous qu'on pourrait se fier à Mme Léonce ?... C'est elle peut-être qui a la clef de l'armoire ?

— Vous m'en demandez trop long, répondit la vieille. Je la crois très honnête femme ; mais, après tout, je ne sais pas ; il y a des circonstances... Enfin, je vous ai prévenues toutes les deux ; c'est votre affaire. »

Elles restaient debout, se saluant, dans le bouquet final des fromages. Tous, à cette heure, donnaient à la fois. C'était une cacophonie de souffles infects, depuis les lourdeurs molles des pâtes cuites, du gruyère et du hollande, jusqu'aux pointes alcalines de l'olivet. Il y avait des ronflements sourds du cantal, du chester, des fromages de chèvre, pareils à un chant large de basse, sur lesquels se détachaient, en notes piquées, les petites fumées brusques des neufchâtel, des troyes et des mont-d'or. Puis les odeurs s'effaraient, roulaient les unes sur les autres, s'épaississaient des bouffées du port-salut, du limbourg, du géromé, du marolles, du livarot, du pont-l'évêque, peu à

peu confondues, épanouies en une seule explosion de puanteurs. Cela s'épandait, se soutenait,
au milieu du vibrement général, n'ayant plus de
parfums distincts, d'un vertige continu de nausée
et d'une force terrible d'asphyxie. Cependant, il
semblait que c'étaient les paroles mauvaises de
Mme Lecœur et de Mlle Saget qui puaient si fort.

« Je vous remercie bien, dit la marchande de
beurre. Allez ! si je suis jamais riche, je vous
récompenserai. »

Mais la vieille ne s'en allait pas. Elle prit un
bondon, le retourna, le remit sur la table de
marbre. Puis, elle demanda combien ça coûtait.

« Pour moi ? ajouta-t-elle avec un sourire.

— Pour vous, rien, répondit Mme Lecœur. Je
vous le donne. »

Et elle répéta :

« Ah ! si j'étais riche ! »

Alors, Mlle Saget lui dit que ça viendrait un
jour. Le bondon avait déjà disparu dans le cabas.
La marchande de beurre redescendit à la cave,
tandis que la vieille demoiselle reconduisait la
Sarriette jusqu'à sa boutique. Là, elles causèrent
un instant de M. Jules. Les fruits, autour d'elles,
avaient leur odeur fraîche de printemps.

« Ça sent meilleur chez vous que chez votre
tante, dit la vieille. J'en avais mal au cœur, tout à
l'heure. Comment fait-elle pour vivre là-dedans ?...
Au moins, ici, c'est doux, c'est bon. Cela vous rend
toute rose, ma belle. »

La Sarriette se mit à rire. Elle aimait les compliments. Puis, elle vendit une livre de mirabelles
à une dame, en disant que c'était un sucre.

« J'en achèterais bien, des mirabelles, murmura Mlle Saget, quand la dame fut partie ; seulement il m'en faut si peu... Une femme seule, vous comprenez... ?

— Prenez-en donc une poignée, s'écria la jolie brune. Ce n'est pas ça qui me ruinera... Envoyez-moi Jules, n'est-ce pas ? si vous le voyez. Il doit fumer son cigare, sur le premier banc, en sortant de la grande rue, à droite. »

Mlle Saget avait élargi les doigts pour prendre la poignée de mirabelles, qui alla rejoindre le bondon dans le cabas. Elle feignit de vouloir sortir des Halles ; mais elle fit un détour par une des rues couvertes, marchant lentement, songeant que des mirabelles et un bondon composaient un dîner par trop maigre. D'ordinaire, après sa tournée de l'après-midi, lorsqu'elle n'avait pas réussi à faire emplir son cabas par les marchandes, qu'elle comblait de cajoleries et d'histoires, elle en était réduite aux rogatons. Elle retourna sournoisement au pavillon du beurre. Là, du côté de la rue Berger, derrière les bureaux des facteurs aux huîtres, se trouvent les bancs de viandes cuites. Chaque matin, de petites voitures fermées, en forme de caisses, doublées de zinc et garnies de soupiraux, s'arrêtent aux portes des grandes cuisines, rapportent pêle-mêle la desserte des restaurants, des ambassades, des ministères. Le triage a lieu dans la cave. Dès neuf heures, les assiettes s'étalent, parées, à trois sous et à cinq sous, morceaux de viande, filets de gibier, têtes ou queues de poissons, légumes, charcuterie, jusqu'à du dessert, des gâteaux à peine entamés et des bonbons presque entiers. Les meurt-de-faim, les petits employés, les femmes grelottant la fièvre, font queue ; et parfois les gamins huent des ladres blêmes, qui achètent avec des regards sournois, guettant si personne ne les voit. Mlle Saget se glissa devant une boutique, dont la marchande affichait la prétention de ne vendre que des reliefs sortis des Tuileries. Un jour, elle lui avait même fait prendre une tranche de gigot, en lui affirmant qu'elle venait de l'assiette de l'empereur. Cette tranche de gigot, mangée avec quelque fierté, restait comme une consolation pour la vanité de la vieille demoiselle. Si elle se cachait, c'était d'ailleurs pour se ménager l'entrée des magasins du quartier, où elle rôdait sans jamais rien acheter. Sa tactique était de se fâcher avec les fournisseurs, dès qu'elle savait leur histoire ; elle allait chez d'autres, les quittait, se raccommodait, faisait le tour des Halles ; de façon qu'elle finissait par s'installer dans toutes les boutiques. On aurait cru à des provisions formidables, lorsqu'en réalité elle vivait de cadeaux et de rogatons payés de son argent, en désespoir de cause.

Ce soir-là, il n'y avait qu'un grand vieillard devant la boutique. Il flairait une assiette, poisson et viande mêlés. Mlle Saget flaira de son côté un lot de friture froide. C'était à trois sous. Elle marchanda, l'obtint à deux sous. La friture froide s'engouffra dans le cabas. Mais d'autres acheteurs arrivaient, les nez s'approchaient des assiettes, d'un mouvement uniforme. L'odeur de l'étalage était nauséabonde, une odeur de vaisselle grasse et d'évier mal lavé.

« Venez me voir demain, dit la marchande à la

vieille. Je vous mettrai de côté quelque chose de bon... Il y a un grand dîner aux Tuileries, ce soir. »

Mlle Saget promettait de venir, lorsque, en se retournant, elle aperçut Gavard qui avait entendu et qui la regardait. Elle devint très rouge, serra ses épaules maigres, s'en alla sans paraître le reconnaître. Mais il la suivit un instant, haussant les épaules, marmottant que la méchanceté de cette pie-grièche ne l'étonnait plus, « du moment qu'elle s'empoisonnait des saletés sur lesquelles on avait roté aux Tuileries ».

Dès le lendemain, une rumeur sourde courut dans les Halles. Mme Lecœur et la Sarriette tenaient leurs grands serments de discrétion. En cette circonstance, Mlle Saget se montra particulièrement habile : elle se tut, laissant aux deux autres le soin de répandre l'histoire de Florent. Ce fut d'abord un récit écourté, de simples mots qui se colportaient tout bas ; puis, les versions diverses se fondirent, les épisodes s'allongèrent, une légende se forma, dans laquelle Florent jouait un rôle de Croquemitaine. Il avait tué dix gendarmes, à la barricade de la rue Grenéta ; il était revenu sur un bateau de pirates qui massacraient tout en mer ; depuis son arrivée, on le voyait rôder la nuit avec des hommes suspects, dont il devait être le chef. Là, l'imagination des marchandes se lançait librement, rêvait les choses les plus dramatiques, une bande de contrebandiers en plein Paris, ou bien une vaste association qui centralisait les vols commis dans les Halles. On plaignit beaucoup les Quenu-Gradelle, tout en parlant méchamment de l'héritage. Cet héritage passionna. L'opinion générale fut que Florent était revenu pour prendre sa part du trésor. Seulement, comme il était peu explicable que le partage ne fût pas encore fait, on inventa qu'il attendait une bonne occasion pour tout empocher. Un jour, on trouverait certainement les Quenu-Gradelle massacrés. On racontait que déjà, chaque soir, il y avait des querelles épouvantables entre les deux frères et la belle Lisa.

Lorsque ces contes arrivèrent aux oreilles de la belle Normande, elle haussa les épaules en riant.

« Allez donc, dit-elle, vous ne le connaissez pas... Il est doux comme un mouton, le cher homme. »

Elle venait de refuser nettement la main de M. Lebigre, qui avait tenté une démarche officielle. Depuis deux mois, tous les dimanches, il donnait aux Méhudin une bouteille de liqueur. C'était Rose qui apportait la bouteille, de son air soumis. Elle se trouvait toujours chargée d'un compliment pour la Normande, d'une phrase aimable qu'elle répétait fidèlement, sans paraître le moins du monde ennuyée de cette étrange commission. Quand M. Lebigre se vit congédié, pour montrer qu'il n'était pas fâché, et qu'il gardait de l'espoir, il envoya Rose, le dimanche suivant, avec deux bouteilles de champagne et un gros bouquet. Ce fut justement à la belle poissonnière qu'elle remit le tout, en récitant d'une haleine ce madrigal de marchand de vin :

« M. Lebigre vous prie de boire ceci à sa santé qui a été beaucoup ébranlée par ce que vous savez. Il espère que vous voudrez bien un jour le guérir, en étant pour lui aussi belle et aussi bonne que ces fleurs. »

La Normande s'amusa de la mine ravie de la servante. Elle l'embarrassa en lui parlant de son maître, qui était très exigeant, disait-on. Elle lui demanda si elle l'aimait beaucoup, s'il portait des bretelles, s'il ronflait la nuit. Puis, elle lui fit remporter le champagne et le bouquet.

« Dites à M. Lebigre qu'il ne vous renvoie plus... Vous êtes trop bonne, ma petite. Ça m'irrite de vous voir si douce, avec vos bouteilles sous vos bras. Vous ne pouvez donc pas le griffer, votre monsieur ?

— Dame ! il veut que je vienne, répondit Rose en s'en allant. Vous avez tort de lui faire de la peine, vous... Il est bien bel homme. »

La Normande était conquise par le caractère tendre de Florent. Elle continuait à suivre les leçons de Muche, le soir, sous la lampe, rêvant qu'elle épousait ce garçon si bon pour les enfants ; elle gardait son banc de poissonnière, il arrivait à un poste élevé dans l'administration des Halles. Mais ce rêve se heurtait au respect que le professeur lui témoignait ; il la saluait, se tenait à distance, lorsqu'elle aurait voulu rire avec lui, se laisser chatouiller, aimer enfin comme elle savait aimer. Cette résistance sourde fut justement ce qui lui fit caresser l'idée de mariage, à toute heure. Elle s'imaginait de grandes jouissances d'amour-propre. Florent vivait ailleurs, plus haut et plus loin. Il aurait peut-être cédé, s'il ne s'était pas attaché au petit Muche ; puis, cette pensée d'avoir une maîtresse dans cette maison, à côté de la mère et de la sœur, le répugnait.

La Normande apprit l'histoire de son amoureux avec une grande surprise. Jamais il n'avait ouvert la bouche de ces choses. Elle le querella. Ces aventures extraordinaires mirent dans ses tendresses pour lui un piment de plus. Alors, pendant des soirées, il fallut qu'il racontât tout ce qui lui était arrivé. Elle tremblait que la police ne finît par le découvrir ; mais lui, la rassurait, disait que c'était trop vieux, que la police, maintenant, ne se dérangerait plus. Un soir, il lui parla de la femme du boulevard Montmartre, de cette dame en capote rose, dont la poitrine trouée avait saigné sur ses mains. Il pensait à elle souvent encore ; il avait promené son souvenir navré dans les nuits claires de la Guyane ; il était rentré en France, avec la songerie folle de la retrouver sur un trottoir, par un beau soleil, bien qu'il sentît toujours sa lourdeur de morte en travers de ses jambes. Peut-être qu'elle s'était relevée, pourtant. Parfois, dans les rues, il avait reçu un coup dans la poitrine, en croyant la reconnaître. Il suivait les capotes roses, les châles tombant sur les épaules, avec des frissons au cœur. Quand il fermait les yeux, il la voyait marcher, venir à lui ; mais elle laissait glisser son châle, elle montrait les deux taches rouges de sa guimpe, elle lui apparaissait d'une blancheur de cire, avec des yeux vides, des lèvres douloureuses. Sa grande souffrance fut longtemps de ne pas savoir son nom, de n'avoir d'elle qu'une ombre, qu'il nommait d'un regret. Lorsque l'idée de femme se levait en lui, c'était elle qui se dressait, qui s'offrait comme la seule bonne, la seule pure. Il se surprit bien des fois à rêver qu'elle le cherchait sur ce boulevard où elle était restée, qu'elle lui aurait donné toute une vie de joie, si elle l'avait rencontré quelques secondes plus tôt. Et il ne voulait plus d'autre femme, il n'en existait plus pour lui. Sa voix tremblait tellement en parlant d'elle, que la Normande comprit, avec son instinct de fille amoureuse, et qu'elle fut jalouse.

« Pardi, murmura-t-elle méchamment, il vaut mieux que vous ne la revoyiez pas. Elle ne doit pas être belle, à cette heure. »

Florent resta tout pâle, avec l'horreur de l'image évoquée par la poissonnière. Son souvenir d'amour tombait au charnier. Il ne lui pardonna pas cette brutalité atroce, qui mit, dès lors, dans l'adorable capote de soie, la mâchoire saillante, les yeux béants d'un squelette. Quand la Normande le plaisantait sur cette dame « qui avait couché avec lui, au coin de la rue Vivienne », il devenait brutal, il la faisait taire d'un mot presque grossier.

Mais ce qui frappa surtout la belle Normande dans ces révélations, ce fut qu'elle s'était trompée en croyant enlever un amoureux à la belle Lisa. Cela diminuait son triomphe, si bien qu'elle en aima moins Florent pendant huit jours. Elle se consola avec l'histoire de l'héritage. La belle Lisa ne fut plus une bégueule, elle fut une voleuse qui gardait le bien de son beau-frère, avec des mines hypocrites pour tromper le monde. Chaque soir, maintenant, pendant que Muche copiait les modèles d'écriture, la conversation tombait sur le trésor du vieux Gradelle.

« A-t-on jamais vu l'idée du vieux ! disait la poissonnière en riant. Il voulait donc le saler, son argent, qu'il l'avait mis dans un saloir !... Quatre-vingt-cinq mille francs, c'est une jolie somme, d'autant plus que les Quenu ont sans doute menti ; il y avait peut-être le double, le triple... Ah ! bien, c'est moi qui exigerais ma part, et vite !

— Je n'ai besoin de rien, répétait toujours Florent. Je ne saurais seulement pas où le mettre, cet argent. »

Alors elle s'emportait :

« Tenez, vous n'êtes pas un homme. Ça fait pitié... Vous ne comprenez donc pas que les Quenu se moquent de vous. La grosse vous passe le vieux linge et les vieux habits de son mari. Je ne dis pas cela pour vous blesser, mais enfin, tout le monde s'en aperçoit... Vous avez là un pantalon, raide de graisse, que le quartier a vu au derrière de votre frère pendant trois ans... Moi, à votre place, je leur jetterais leurs guenilles à la figure, et je ferais mon compte. C'est quarante-deux mille cinq cents francs, n'est-ce pas ? Je ne sortirais pas sans mes quarante-deux mille cinq cents francs. »

Florent avait beau lui expliquer que sa belle-sœur lui offrait sa part, qu'elle la tenait à sa disposition, que c'était lui qui n'en voulait pas. Il entrait dans les plus petits détails, tâchait de la convaincre de l'honnêteté des Quenu.

« Va-t'en voir s'ils viennent, Jean ! chantait-elle d'une voix ironique. Je la connais, leur honnêteté. La grosse la plie tous les matins dans son armoire à glace, pour ne pas la salir... Vrai, mon pauvre ami, vous me faites de la peine. C'est plaisir que de vous dindonner, au moins. Vous n'y voyez pas plus clair qu'un enfant de cinq ans... Elle vous le mettra, un jour, dans la poche, votre argent, et elle vous le reprendra. Le tour n'est pas plus malin à jouer. Voulez-vous que j'aille réclamer votre dû, pour voir ? Ça serait drôle, je vous en réponds. J'aurais le magot ou je casserais tout chez eux, ma parole d'honneur.

— Non, non, vous ne seriez pas à votre place, se hâtait de dire Florent, effrayé. Je verrai, j'aurai peut-être besoin d'argent bientôt. »

Elle doutait, elle haussait les épaules, en murmurant qu'il était bien trop mou. Sa continuelle préoccupation fut ainsi de le jeter sur les Quenu-Gradelle, employant toutes les armes, la colère, la raillerie, la tendresse. Puis, elle nourrit un autre projet. Quand elle aurait épousé Florent, ce serait elle qui irait gifler la belle Lisa, si elle ne rendait pas l'héritage. Le soir, dans son lit, elle en rêvait tout éveillée : elle entrait chez la charcutière, s'asseyait au beau milieu de la boutique, à l'heure de la vente, faisait une scène épouvantable. Elle caressa tellement ce projet, il finit par la séduire à un tel point, qu'elle se serait mariée uniquement pour aller réclamer les quarante-deux mille cinq cents francs du vieux Gradelle.

La mère Méhudin, exaspérée par le congé donné à M. Lebigre, criait partout que sa fille était folle, que « le grand maigre » avait dû lui faire manger quelque sale drogue. Quand elle connut l'histoire de Cayenne, elle fut terrible, le traita de galérien, d'assassin, dit que ce n'était pas étonnant, s'il restait si plat de coquinerie. Dans le quartier, c'était elle qui racontait les versions les plus atroces de l'histoire. Mais, au logis, elle se contentait de gronder, affectant de fermer le tiroir à l'argenterie, dès que Florent arrivait. Un jour, à la suite d'une querelle avec sa fille aînée, elle s'écria :

« Ça ne peut pas durer, c'est cette canaille d'homme, n'est-ce pas, qui te détourne de moi ? Ne me pousse pas à bout, car j'irais le dénoncer à la préfecture, aussi vrai qu'il fait jour !

— Vous iriez le dénoncer, répéta la Normande toute tremblante, les poings serrés. Ne faites pas ce malheur... Ah ! si vous n'étiez pas ma mère... »

Claire, témoin de la querelle, se mit à rire, d'un rire nerveux qui lui déchirait la gorge. Depuis quelque temps, elle était plus sombre, plus fantasque, les yeux rougis, la figure toute blanche.

« Eh bien, quoi ? demanda-t-elle, tu la battrais... Est-ce que tu me battrais aussi, moi, qui suis ta sœur ? Tu sais, ça finira par là. Je débarrasserai la maison, j'irai à la préfecture pour éviter la course à maman. »

Et comme la Normande étouffait, balbutiant des menaces, elle ajouta :

« Tu n'auras pas la peine de me battre, moi... Je me jetterai à l'eau, en repassant sur le pont. »

De grosses larmes roulaient de ses yeux. Elle s'enfuit dans sa chambre, fermant les portes avec violence. La mère Méhudin ne reparla plus de dénoncer Florent. Seulement, Muche rapporta à sa mère qu'il la rencontrait causant avec M. Lebigre, dans tous les coins du quartier.

La rivalité de la belle Normande et de la belle Lisa prit alors un caractère plus muet et plus inquiétant. L'après-midi, quand la tente de la charcuterie, de coutil gris à bandes roses, se trouvait baissée, la poissonnière criait que la grosse avait peur, qu'elle se cachait. Il y avait aussi le store de la vitrine, qui l'exaspérait, lorsqu'il était tiré ; il représentait, au milieu d'une clairière, un déjeuner de chasse, avec des messieurs en habit noir et des dames décolletées, qui mangeaient, sur l'herbe jaune, un pâté rouge aussi grand qu'eux. Certes, la belle Lisa n'avait pas peur. Dès que le soleil s'en allait, elle remontait le store ; elle regardait tranquillement, de son comptoir, en tricotant, le carreau des Halles planté de platanes, plein d'un grouillement de vauriens qui fouillaient la terre, sous les grilles des arbres ; le long des bancs, des porteurs fumaient leur pipe ; aux deux bouts du trottoir, deux colonnes d'affichage étaient comme vêtues d'un habit d'arlequin par les carrés verts, jaunes, rouges, bleus, des affiches de théâtre. Elle surveillait parfaitement la belle Normande, tout en ayant l'air de s'intéresser aux voitures qui passaient. Parfois, elle feignait de se pencher, de suivre, jusqu'à la station de la pointe Saint-Eustache, l'omnibus allant de la Bastille à la place Wagram ; c'était pour mieux voir la poissonnière, qui se vengeait du store en mettant à son tour de larges feuilles de papier gris sur sa tête et sur sa marchandise, sous le prétexte de se protéger contre le soleil couchant. Mais l'avantage restait maintenant à la belle Lisa. Elle se montrait très calme à l'approche du coup décisif, tandis que l'autre, malgré ses efforts pour avoir ce grand air distingué, se laissait toujours aller à quelque insolence trop grosse qu'elle regrettait ensuite. L'ambition de la Normande était de paraître « comme il faut ». Rien ne la touchait davantage que d'entendre vanter les bonnes manières de sa rivale. La mère Méhudin avait remarqué ce point faible. Aussi n'attaquait-elle plus sa fille que par là.

« J'ai vu Mme Quenu sur sa porte, disait-elle parfois, le soir. C'est étonnant comme cette femme-là se conserve. Et propre avec ça, et l'air d'une vraie dame !... C'est le comptoir, vois-tu. Le comptoir, ça vous maintient une femme, ça la rend distinguée. »

Il y avait là une allusion détournée aux propositions de M. Lebigre. La belle Normande ne répondait pas, restait un instant soucieuse. Elle se voyait à l'autre coin de la rue Pirouette, dans le comptoir du marchand de vin, faisant pendant à la belle Lisa. Ce fut un premier ébranlement dans ses tendresses pour Florent.

Florent, à la vérité, devenait terriblement difficile à défendre. Le quartier entier se ruait sur lui. Il semblait que chacun eût un intérêt immédiat à l'exterminer. Aux Halles, maintenant, les uns juraient qu'il s'était vendu à la police ; les autres affirmaient qu'on l'avait vu dans la cave aux beurres, cherchant à trouer les toiles métalliques des resserres, pour jeter des allumettes enflammées. C'était un grossissement de calomnies, un torrent d'injures, dont la source avait grandi, sans qu'on sût au juste d'où elle sortait. Le pavillon de la marée fut le dernier à se mettre en insurrection. Les poissonnières aimaient Florent pour sa douceur. Elles le défendirent quelque temps ; puis,

travaillées par des marchandes qui venaient du
pavillon aux beurres et du pavillon aux fruits, elles
cédèrent. Alors, recommença, contre ce maigre,
la lutte des ventres énormes, des gorges prodigieuses. Il fut perdu de nouveau dans les jupes,
dans les corsages pleins à crever, qui roulaient
furieusement autour de ses épaules pointues. Lui,
ne voyait rien, marchait droit à son idée fixe.

Maintenant, à toute heure, dans tous les coins,
le chapeau noir de Mlle Saget apparaissait, au
milieu de ce déchaînement. Sa petite face pâle
semblait se multiplier. Elle avait juré une rancune terrible à la société qui se réunissait dans
le cabinet vitré de M. Lebigre. Elle accusait ces
messieurs d'avoir répandu l'histoire des rogatons.
La vérité était que Gavard, un soir, raconta que
« cette vieille bique », qui venait les espionner, se
nourrissait des saletés dont la clique bonapartiste
ne voulait plus. Clémence eut une nausée. Robine
avala vite un doigt de bière, comme pour se laver
le gosier. Cependant le marchand de volailles
répétait son mot :

« Les Tuileries ont roté dessus. »

Il disait cela avec une grimace abominable.
Ces tranches de viande ramassées sur l'assiette de
l'empereur, étaient pour lui des ordures sans nom,
une déjection politique, un reste gâté de toutes les
cochonneries du règne. Alors, chez M. Lebigre,
on ne prit plus Mlle Saget qu'avec des pincettes ;
elle devint un fumier vivant, une bête immonde
nourrie de pourritures dont les chiens eux-mêmes
n'auraient pas voulu. Clémence et Gavard colpor-
tèrent l'histoire dans les Halles, si bien que la

vieille demoiselle en souffrit beaucoup dans ses
bons rapports avec les marchandes. Quand elle
chipotait, bavardant sans rien acheter, on la renvoyait aux rogatons. Cela coupa la source de ses
renseignements. Certains jours, elle ne savait
même pas ce qui se passait. Elle en pleurait de
rage. Ce fut à cette occasion qu'elle dit crûment à
la Sarriette et à Mme Lecœur :

« Vous n'avez plus besoin de me pousser, allez,
mes petites… Je lui ferai son affaire, à votre
Gavard. »

Les deux autres restèrent un peu interdites ;
mais elles ne protestèrent pas. Le lendemain,
d'ailleurs, Mlle Saget, plus calme, s'attendrit de
nouveau sur ce pauvre M. Gavard, qui était si mal
conseillé, et qui décidément courait à sa perte.

Gavard, en effet, se compromettait beaucoup.
Depuis que la conspiration mûrissait, il traînait
partout dans sa poche le revolver qui effrayait
tant sa concierge, Mme Léonce. C'était un grand
diable de revolver, qu'il avait acheté chez le meilleur armurier de Paris, avec des allures très mystérieuses. Le lendemain, il le montrait à toutes
les femmes du pavillon aux volailles, comme un
collégien qui cache un roman défendu dans son
pupitre. Lui, laissait passer le canon au bord de sa
poche ; il le faisait voir, d'un clignement d'yeux ;
puis, il avait des réticences, des demi-aveux, toute
la comédie d'un homme qui feint délicieusement
d'avoir peur. Ce pistolet lui donnait une importance énorme ; il le rangeait définitivement parmi
les gens dangereux. Parfois, au fond de sa boutique, il consentait à le sortir tout à fait de sa

poche, pour le montrer à deux ou trois femmes. Il voulait que les femmes se missent devant lui, afin, disait-il, de le cacher avec leurs jupes. Alors, il l'armait, le manœuvrait, ajustait une oie ou une dinde pendues à l'étalage. L'effroi des femmes le ravissait ; il finissait par les rassurer, en leur disant qu'il n'était pas chargé. Mais il avait aussi des cartouches sur lui, dans une boîte qu'il ouvrait avec des précautions infinies. Quand on avait pesé les cartouches, il se décidait enfin à rentrer son arsenal. Et, les bras croisés, jubilant, pérorant pendant des heures :

« Un homme est un homme avec ça, disait-il d'un air de vantardise. Maintenant, je me moque des argousins... Dimanche, je suis allé l'essayer avec un ami, dans la plaine Saint-Denis. Vous comprenez, on ne dit pas à tout le monde qu'on a de ces joujoux-là... Ah ! mes pauvres petites, nous tirions dans un arbre, et, chaque fois, paf ! l'arbre était touché... Vous verrez, vous verrez ; dans quelque temps, vous entendrez parler d'Anatole. »

C'était son revolver qu'il avait appelé Anatole. Il fit si bien que le pavillon, au bout de huit jours, connut le pistolet et les cartouches. Sa camaraderie avec Florent, d'ailleurs, paraissait louche. Il était trop riche, trop gras, pour qu'on le confondît dans la même haine. Mais il perdit l'estime des gens habiles, il réussit même à effrayer les peureux. Dès lors, il fut enchanté.

« C'est imprudent de porter des armes sur soi, disait Mlle Saget. Ça lui jouera un mauvais tour. »

Chez M. Lebigre, Gavard triomphait. Depuis

qu'il ne mangeait plus chez les Quenu, Florent
vivait là, dans le cabinet vitré. Il y déjeunait, y
dînait, venait à chaque heure s'y enfermer. Il en
avait fait une sorte de chambre à lui, un bureau
où il laissait traîner de vieilles redingotes, des
livres, des papiers. M. Lebigre tolérait cette prise
de possession ; il avait même enlevé l'une des
deux tables, pour meubler l'étroite pièce d'une
banquette rembourrée, sur laquelle, à l'occasion,
Florent aurait pu dormir. Quand celui-ci éprouvait quelques scrupules, le patron le priait de ne
point se gêner et mettait la maison entière à sa
disposition. Logre également lui témoignait une
grande amitié. Il s'était fait son lieutenant. À
toute heure, il l'entretenait de « l'affaire », pour
lui rendre compte de ses démarches et lui donner
les noms des nouveaux affiliés. Dans la besogne,
il avait pris le rôle d'organisateur ; c'était lui qui
devait aboucher les gens, créer les sections, préparer chaque maille du vaste filet où Paris tomberait
à un signal donné. Florent restait le chef, l'âme du
complot. D'ailleurs, le bossu paraissait suer sang
et eau, sans arriver à des résultats appréciables ;
bien qu'il eût juré connaître dans chaque quartier
deux ou trois groupes d'hommes solides, pareils
au groupe qui se réunissait chez M. Lebigre, il
n'avait jusque-là fourni aucun renseignement
précis, jetant des noms en l'air, racontant des
courses sans fin, au milieu de l'enthousiasme du
peuple. Ce qu'il rapportait de plus clair, c'était des
poignées de main ; un tel, qu'il tutoyait, lui avait
serré la main en lui disant « qu'il en serait », au
Gros-Caillou, un grand diable, qui ferait un chef

de section superbe, lui avait démanché le bras ;
rue Popincourt, tout un groupe d'ouvriers l'avait
embrassé. À l'entendre, du jour au lendemain, on
réunirait cent mille hommes. Quand il arrivait,
l'air exténué, se laissant tomber sur la banquette
du cabinet, variant ses histoires, Florent prenait
des notes, s'en remettait à lui pour la réalisation
de ses promesses. Bientôt, dans la poche de ce
dernier, le complot vécut ; les notes devinrent des
réalités, des données indiscutables, sur lesquelles
le plan s'échafauda tout entier ; il n'y avait plus
qu'une bonne occasion à attendre. Logre disait,
avec ses gestes passionnés, que tout irait sur des
roulettes.

À cette époque, Florent fut parfaitement heureux. Il ne marchait plus à terre, comme soulevé
par cette idée intense de se faire le justicier des
maux qu'il avait vu souffrir. Il était d'une crédulité
d'enfant et d'une confiance de héros. Logre lui
aurait conté que le génie de la colonne de Juillet
allait descendre pour se mettre à leur tête, sans
le surprendre. Chez M. Lebigre, le soir, il avait
des effusions, il parlait de la prochaine bataille
comme d'une fête à laquelle tous les braves gens
seraient conviés. Mais si Gavard ravi jouait alors
avec son revolver, Charvet devenait plus aigre,
ricanait en haussant les épaules. L'attitude de chef
de complot prise par son rival le mettait hors de
lui, le dégoûtait de la politique. Un soir que, venu
de bonne heure, il se trouvait seul avec Logre et
M. Lebigre, il se soulagea :

« Un garçon, dit-il, qui n'a pas deux idées en
politique, qui aurait mieux fait d'entrer comme

professeur d'écriture dans un pensionnat de demoiselles... Ce serait un malheur, s'il réussissait, car il nous mettrait ses sacrés ouvriers sur les bras, avec ses rêvasseries sociales. Voyez-vous, c'est ça qui perd le parti. Il n'en faut plus, des pleurnicheurs, des poètes humanitaires, des gens qui s'embrassent à la moindre égratignure... Mais il ne réussira pas. Il se fera coffrer, voilà tout. »

Logre et le marchand de vin ne bronchèrent pas. Ils laissaient aller Charvet.

« Et il y a longtemps, continua-t-il, qu'il le serait, coffré, s'il était aussi dangereux qu'il veut le faire croire. Vous savez, avec ses airs retour de Cayenne... Ça fait pitié. Je vous dis que la police, dès le premier jour, a su qu'il était à Paris. Si elle l'a laissé tranquille, c'est qu'elle se moque de lui. »

Logre eut un léger tressaillement.

« Moi, on me file depuis quinze ans, reprit l'hébertiste avec une pointe d'orgueil. Je ne vais pourtant pas crier cela sur les toits... Seulement, je n'en serai pas de sa bagarre. Je ne veux point me laisser pincer comme un imbécile... Peut-être a-t-il une demi-douzaine de mouchards à ses trousses, qui vous le prendront au collet, le jour où la préfecture aura besoin de lui...

— Oh ! non, quelle idée ! » dit M. Lebigre qui ne parlait jamais.

Il était un peu pâle, il regardait Logre dont la bosse roulait doucement contre la cloison vitrée.

« Ce sont des suppositions, murmura le bossu.

— Des suppositions, si vous voulez, répondit le professeur libre. Je sais comment ça se pratique... En tout cas, ce n'est pas encore cette fois que les argousins me prendront. Vous ferez ce que vous voudrez, vous autres ; mais si vous m'écoutiez, vous surtout, monsieur Lebigre, vous ne compromettriez pas votre établissement, qu'on vous fera fermer. »

Logre ne put retenir un sourire. Charvet leur parla plusieurs fois dans ce sens ; il devait nourrir le projet de détacher les deux hommes de Florent en les effrayant. Il les trouva toujours d'un calme et d'une confiance qui le surprirent fort. Cependant, il venait encore assez régulièrement le soir, avec Clémence. La grande brune n'était plus tablettière à la poissonnerie. M. Manoury l'avait congédiée.

« Ces facteurs, tous des gueux », grognait Logre.

Clémence, renversée contre la cloison, roulant une cigarette entre ses longs doigts minces, répondait de sa voix nette :

« Eh ! c'est de bonne guerre... Nous n'avions point les mêmes opinions politiques, n'est-ce pas ? Ce Manoury, qui gagne de l'argent gros comme lui, lécherait les bottes de l'empereur. Moi, si j'avais un bureau, je ne le garderais pas vingt-quatre heures pour employé. »

La vérité était qu'elle avait la plaisanterie très lourde, et qu'elle s'était amusée, un jour, à mettre, sur les tablettes de vente, en face des limandes, des raies, des maquereaux adjugés, les noms des dames et des messieurs les plus connus de la cour. Ces surnoms de poissons donnés à de hauts dignitaires, ces adjudications de comtesses et de baronnes, vendues à trente sous pièce, avaient profondément effrayé M. Manoury. Gavard en riait encore.

« N'importe, disait-il en tapant sur les bras de Clémence, vous êtes un homme, vous ! »

Clémence avait trouvé une nouvelle façon de faire le grog. Elle emplissait d'abord le verre d'eau chaude ; puis, après avoir sucré, elle versait, sur la tranche de citron qui nageait, le rhum goutte à goutte, de façon à ne pas le mélanger avec l'eau ; et elle l'allumait, le regardait brûler, très sérieuse, fumant lentement, le visage verdi par la haute flamme de l'alcool. Mais c'était là une consommation chère qu'elle ne put continuer à prendre, quand elle eut perdu sa place. Charvet lui faisait remarquer avec un rire pincé qu'elle n'était plus riche, maintenant. Elle vivait d'une leçon de français qu'elle donnait, en haut de la rue Miromesnil, de très bonne heure, à une jeune personne qui perfectionnait son instruction, en cachette même de sa femme de chambre. Alors, elle ne demanda plus qu'une chope, le soir. Elle la buvait, d'ailleurs, en toute philosophie.

Les soirées du cabinet vitré n'étaient plus si bruyantes. Charvet se taisait brusquement, blême d'une rage froide, lorsqu'on le délaissait pour écouter son rival. La pensée qu'il avait régné là, qu'avant l'arrivée de l'autre, il gouvernait le groupe en despote, lui mettait au cœur le cancer d'un roi dépossédé. S'il venait encore, c'était qu'il avait la nostalgie de ce coin étroit, où il se rappelait de si douces heures de tyrannie sur Gavard et sur Robine ; la bosse de Logre lui-même, alors, lui appartenait, ainsi que les gros bras d'Alexandre et la figure sombre de Lacaille ; d'un mot, il les pliait, leur entrait son opinion dans la gorge, leur cassait son sceptre sur les épaules. Mais aujourd'hui, il souffrait trop, il finissait par ne plus parler, gonflant le dos, sifflant d'un air de dédain, ne daignant pas combattre les sottises débitées devant lui. Ce qui le désespérait surtout, c'était d'avoir été évincé peu à peu, sans qu'il s'en aperçût. Il ne s'expliquait pas la supériorité de Florent. Il disait souvent, après l'avoir entendu parler de sa voix douce, un peu triste, pendant des heures :

« Mais c'est un curé, ce garçon-là. Il ne lui manque qu'une calotte. »

Les autres semblaient boire ses paroles. Charvet, qui rencontrait des vêtements de Florent à toutes les patères, feignait de ne plus savoir où accrocher son chapeau, de peur de le salir. Il repoussait les papiers qui traînaient, disait qu'on n'était plus chez soi, depuis que « ce monsieur » faisait tout dans le cabinet. Il se plaignit même au marchand de vin, en lui demandant si le cabinet appartenait à un seul consommateur ou à la société. Cette invasion de ses États fut le coup de grâce. Les hommes étaient des brutes. Il prenait l'humanité en grand mépris, lorsqu'il voyait Logre et M. Lebigre couver Florent des yeux. Gavard l'exaspérait avec son revolver. Robine, qui restait silencieux derrière sa chope, lui parut décidément l'homme le plus fort de la bande ; celui-là devait juger les gens à leur valeur, il ne se payait pas de mots. Quant à Lacaille et à Alexandre, ils le confirmaient dans son idée que le peuple est trop bête, qu'il a besoin d'une dictature révolutionnaire de dix ans pour apprendre à se conduire.

Cependant, Logre affirmait que les sections

seraient bientôt complètement organisées. Florent commençait à distribuer les rôles. Alors, un soir, après une dernière discussion où il eut le dessous, Charvet se leva, prit son chapeau, en disant :

« Bien le bonsoir, et faites-vous casser la tête, si cela vous amuse... Moi, je n'en suis pas, vous entendez. Je n'ai jamais travaillé pour l'ambition de personne. »

Clémence, qui mettait son châle, ajouta froidement :

« Le plan est inepte. »

Et comme Robine les regardait sortir d'un œil très doux, Charvet lui demanda s'il ne s'en allait pas avec eux. Robine, ayant encore trois doigts de bière dans sa chope, se contenta d'allonger une poignée de main. Le couple ne revint plus. Lacaille apprit un jour à la société que Charvet et Clémence fréquentaient maintenant une brasserie de la rue Serpente ; il les avait vus, par un carreau, gesticulant beaucoup, au milieu d'un groupe attentif de très jeunes gens.

Jamais Florent ne put enrégimenter Claude. Il rêva un instant de lui donner ses idées en politique, d'en faire un disciple qui l'eût aidé dans sa tâche révolutionnaire. Pour l'initier, il l'amena un soir chez M. Lebigre. Mais Claude passa la soirée à faire un croquis de Robine, avec le chapeau et le paletot marron, la barbe appuyée sur la pomme de la canne. Puis, en sortant avec Florent :

« Non, voyez-vous, dit-il, ça ne m'intéresse pas, tout ce que vous racontez là-dedans. Ça peut être très fort, mais ça m'échappe... Ah ! par exemple,

vous avez un monsieur superbe, ce sacré Robine.
Il est profond comme un puits, cet homme...
J'y retournerai, seulement pas pour la politique.
J'irai prendre un croquis de Logre et un croquis
de Gavard, afin de les mettre avec Robine dans
un tableau splendide, auquel je songeais, pendant
que vous discutiez la question... comment dites-
vous ça ? la question des deux Chambres, n'est-ce
pas ?... Hein ! vous imaginez-vous Gavard, Logre
et Robine causant politique, embusqués derrière
leurs chopes ? Ce serait le succès du Salon, mon
cher, un succès à tout casser, un vrai tableau
moderne celui-là. »

Florent fut chagrin de son scepticisme politique. Il le fit monter chez lui, le retint jusqu'à
deux heures du matin sur l'étroite terrasse, en face
du grand bleuissement des Halles. Il le catéchi-
sait, lui disait qu'il n'était pas un homme, s'il se
montrait si insouciant du bonheur de son pays. Le
peintre secouait la tête, en répondant :

« Vous avez peut-être raison. Je suis un égoïste.
Je ne peux pas même dire que je fais de la peinture pour mon pays, parce que d'abord mes
ébauches épouvantent tout le monde, et qu'ensuite, lorsque je peins, je songe uniquement à mon
plaisir personnel. C'est comme si je me chatouil-
lais moi-même, quand je peins : ça me fait rire
par tout le corps... Que voulez-vous, on est bâti de
cette façon, on ne peut pourtant pas aller se jeter
à l'eau... Puis, la France n'a pas besoin de moi,
ainsi que dit ma tante Lisa... Et me permettez-
vous d'être franc ? Eh bien ! si je vous aime, vous,
c'est que vous m'avez l'air de faire de la politique

absolument comme je fais de la peinture. Vous
vous chatouillez, mon cher. »

Et comme l'autre protestait :

« Laissez donc ! vous êtes un artiste dans votre
genre, vous rêvez politique ; je parie que vous
passez des soirées ici, à regarder les étoiles, en
les prenant pour les bulletins de vote de l'infini…
Enfin, vous vous chatouillez avec vos idées de justice et de vérité. Cela est si vrai que vos idées, de
même que mes ébauches, font une peur atroce
aux bourgeois… Puis là, entre nous, si vous étiez
Robine, croyez-vous que je m'amuserais à être
votre ami… Ah ! grand poète que vous êtes ! »

Ensuite, il plaisanta, disant que la politique ne
le gênait pas, qu'il avait fini par s'y accoutumer,
dans les brasseries et dans les ateliers. À ce propos, il parla d'un café de la rue Vauvilliers, le café
qui se trouvait au rez-de-chaussée de la maison
habitée par la Sarriette. Cette salle fumeuse aux
banquettes de velours éraillé, aux tables de marbre
jaunies par les bavures des glorias, était le lieu de
réunion habituel de la belle jeunesse des Halles.
Là, M. Jules régnait sur une bande de porteurs,
de garçons de boutique, de messieurs à blouses
blanches[1], à casquettes de velours. Lui, portait,
à la naissance des favoris, deux mèches de poils
collées contre les joues en accroche-cœur. Chaque
samedi, il se faisait arrondir les cheveux au rasoir,
pour avoir le cou blanc, chez un coiffeur de la
rue des Deux-Écus, où il était abonné au mois.
Aussi, donnait-il le ton à ces messieurs, lorsqu'il
jouait au billard, avec des grâces étudiées, développant ses hanches, arrondissant les bras et les

jambes, se couchant à demi sur le tapis, dans une pose cambrée qui donnait à ses reins toute leur valeur. La partie finie, on causait. La bande était très réactionnaire, très mondaine. M. Jules lisait les journaux aimables. Il connaissait le personnel des petits théâtres, tutoyait les célébrités du jour, savait la chute ou le succès de la pièce jouée la veille. Mais il avait un faible pour la politique. Son idéal était Morny, comme il le nommait tout court. Il lisait les séances du Corps législatif, en riant d'aise aux moindres mots de Morny. C'était Morny qui se moquait de ces gueux de républicains ! Et il partait de là pour dire que la crapule seule détestait l'empereur, parce que l'empereur voulait le plaisir de tous les gens comme il faut.

« Je suis allé quelquefois dans leur café, dit Claude à Florent. Ils sont bien drôles aussi, ceux-là, avec leurs pipes, lorsqu'ils parlent des bals de la cour, comme s'ils y étaient invités... Le petit qui est avec la Sarriette, vous savez, s'est joliment moqué de Gavard, l'autre soir. Il l'appelle mon oncle... Quand la Sarriette est descendue pour le venir chercher, il a fallu qu'elle payât ; et elle en a eu pour six francs, parce qu'il avait perdu les consommations au billard... Une jolie fille, hein ! cette Sarriette.

— Vous menez une belle vie, murmura Florent en souriant. Cadine, la Sarriette, et les autres, n'est-ce pas ? »

Le peintre haussa les épaules.

« Ah bien ! vous vous trompez, répondit-il. Il ne me faut pas de femmes à moi, ça me dérangerait trop. Je ne sais seulement pas à quoi ça sert, une femme ; j'ai toujours eu peur d'essayer… Bonsoir, dormez bien. Si vous êtes ministre, un jour, je vous donnerai des idées pour les embellissements de Paris. »

Florent dut renoncer à en faire un disciple docile. Cela le chagrina ; car, malgré son bel aveuglement de fanatique, il finissait par sentir autour de lui l'hostilité qui grandissait à chaque heure. Même chez les Méhudin, il trouvait un accueil plus froid ; la vieille avait des rires en dessous, Muche n'obéissait plus, la belle Normande le regardait avec de brusques impatiences, quand elle approchait sa chaise près de la sienne, sans pouvoir le tirer de sa froideur. Elle lui dit une fois qu'il avait l'air d'être dégoûté d'elle, et il ne trouva qu'un sourire embarrassé, tandis qu'elle allait s'asseoir rudement, de l'autre côté de la table. Il avait également perdu l'amitié d'Auguste. Le garçon charcutier n'entrait plus dans sa chambre, quand il montait se coucher. Il était très effrayé par les bruits qui couraient sur cet homme, avec lequel il osait auparavant s'enfermer jusqu'à minuit. Augustine lui faisait jurer de ne plus commettre une pareille imprudence. Mais Lisa acheva de les fâcher, en les priant de retarder leur mariage, tant que le cousin n'aurait pas rendu la chambre du haut ; elle ne voulait pas donner à sa nouvelle fille de boutique le cabinet du premier étage. Dès lors, Auguste souhaita qu'on « emballât le galérien ». Il avait trouvé la charcuterie rêvée, pas à Plaisance, un peu plus loin, à Montrouge ; les lards devenaient avantageux, Augustine disait qu'elle était prête, en riant de son rire de grosse fille puérile.

Aussi chaque nuit, au moindre bruit qui le réveillait, éprouvait-il une fausse joie, en croyant que
la police empoignait Florent.

   Chez les Quenu-Gradelle, on ne parlait point de
ces choses. Une entente tacite du personnel de la
charcuterie avait fait le silence autour de Quenu.
Celui-ci, un peu triste de la brouille de son frère
et de sa femme, se consolait en ficelant ses saucissons et en salant ses bandes de lard. Il venait parfois sur le seuil de la boutique étaler sa couenne
rouge, qui riait dans la blancheur du tablier tendu
par son ventre, sans se douter du redoublement
de commérages que son apparition faisait naître
au fond des Halles. On le plaignait, on le trouvait moins gras, bien qu'il fût énorme ; d'autres,
au contraire, l'accusaient de ne pas assez maigrir
de la honte d'avoir un frère comme le sien. Lui,
pareil aux maris trompés, qui sont les derniers à
connaître leur accident, avait une belle ignorance,
une gaieté attendrie, quand il arrêtait quelque voisine sur le trottoir, pour lui demander des nouvelles de son fromage d'Italie ou de sa tête de porc
à la gelée. La voisine prenait une figure apitoyée,
semblait lui présenter ses condoléances, comme
si tous les cochons de la charcuterie avaient eu
la jaunisse.

   « Qu'ont-elles donc toutes, à me regarder d'un
air d'enterrement ? demanda-t-il un jour à Lisa.
Est-ce que tu me trouves mauvaise mine, toi ? »

   Elle le rassura, lui dit qu'il était frais comme
une rose ; car il avait une peur atroce des maladies,
geignant, mettant tout en l'air chez lui, lorsqu'il
souffrait de la moindre indisposition. Mais la vérité

était que la grande charcuterie des Quenu-Gradelle devenait sombre : les glaces pâlissaient, les marbres avaient des blancheurs glacées, les viandes cuites du comptoir dormaient dans des graisses jaunies, dans des lacs de gelée trouble. Claude entra même un jour pour dire à sa tante que son étalage avait l'air « tout embêté ». C'était vrai. Sur le lit de fines rognures bleues, les langues fourrées de Strasbourg prenaient des mélancolies blanchâtres de langues malades, tandis que les bonnes figures jaunes des jambonneaux, toutes malingres, étaient surmontées de pompons verts désolés. D'ailleurs, dans la boutique, les pratiques ne demandaient plus un bout de boudin, dix sous de lard, une demi-livre de saindoux, sans baisser leur voix navrée, comme dans la chambre d'un moribond. Il y avait toujours deux ou trois jupes pleurardes plantées devant l'étuve refroidie. La belle Lisa menait le deuil de la charcuterie avec une dignité muette. Elle laissait retomber ses tabliers blancs d'une façon plus correcte sur sa robe noire. Ses mains propres, serrées aux poignets par les grandes manches, sa figure, qu'une tristesse de convenance embellissait encore, disaient nettement à tout le quartier, à toutes les curieuses défilant du matin au soir, qu'ils subissaient un malheur immérité, mais qu'elle en connaissait les causes et qu'elle saurait en triompher Et parfois elle se baissait, elle promettait du regard des jours meilleurs aux deux poissons rouges, inquiets eux aussi, nageant dans l'aquarium de l'étalage, languissamment.

La belle Lisa ne se permettait plus qu'un régal. Elle donnait sans peur des tapes sous le menton satiné de Marjolin. Il venait de sortir de l'hospice, le crâne raccommodé, aussi gras, aussi réjoui qu'auparavant, mais bête, plus bête encore, tout à fait idiot. La fente avait dû aller jusqu'à la cervelle. C'était une brute. Il avait une puérilité d'enfant de cinq ans dans un corps de colosse. Il riait, zézayait, ne pouvait plus prononcer les mots, obéissait avec une douceur de mouton. Cadine le reprit tout entier, étonnée d'abord, puis très heureuse de cet animal superbe dont elle faisait ce qu'elle voulait ; elle le couchait dans les paniers de plumes, l'emmenait galoper, s'en servait à sa guise, le traitait en chien, en poupée, en amoureux. Il était à elle, comme une friandise, un coin engraissé des Halles, une chair blonde dont elle usait avec des raffinements de rouée. Mais, bien que la petite obtînt tout de lui et le traînât à ses talons en géant soumis, elle ne pouvait l'empêcher de retourner chez Mme Quenu. Elle l'avait battu de ses poings nerveux, sans qu'il parût même le sentir. Dès qu'elle avait mis à son cou son éventaire, promenant ses violettes rue du Pont-Neuf ou rue de Turbigo, il allait rôder devant la charcuterie.

« Entre donc ! » lui criait Lisa.

Elle lui donnait des cornichons, le plus souvent. Il les adorait, les mangeait avec son rire d'innocent, devant le comptoir. La vue de la belle charcutière le ravissait, le faisait taper de joie dans ses mains. Puis, il sautait, poussait de petits cris, comme un gamin mis en face d'une bonne chose. Elle, les premiers jours, avait eu peur qu'il ne se souvînt.

« Est-ce que la tête te fait toujours mal ? » lui demanda-t-elle.

Il répondit non, par un balancement de tout le corps, éclatant d'une gaieté plus vive. Elle reprit doucement.

« Alors, tu étais tombé ?

— Oui, tombé, tombé, tombé », se mit-il à chanter sur un ton de satisfaction parfaite, en se donnant des claques sur le crâne.

Puis, sérieusement, en extase, il répétait, en la regardant, les mots « belle, belle, belle », sur un air plus ralenti. Cela touchait beaucoup Lisa. Elle avait exigé de Gavard qu'il le gardât. C'était lorsqu'il lui avait chanté son air de tendresse humble, qu'elle le caressait sous le menton, en lui disant qu'il était un brave enfant. Sa main s'oubliait là, tiède d'une joie discrète ; cette caresse était redevenue un plaisir permis, une marque d'amitié que le colosse recevait en tout enfantillage. Il gonflait un peu le cou, fermait les yeux de jouissance, comme une bête que l'on flatte. La belle charcutière, pour s'excuser à ses propres yeux du plaisir honnête qu'elle prenait avec lui, se disait qu'elle compensait ainsi le coup de poing dont elle l'avait assommé, dans la cave aux volailles.

Cependant, la charcuterie restait chagrine. Florent s'y hasardait quelquefois encore, serrant la main de son frère, dans le silence glacial de Lisa. Il y venait même dîner de loin en loin, le dimanche. Quenu faisait alors de grands efforts de gaieté, sans pouvoir échauffer le repas. Il mangeait mal, finissait par se fâcher. Un soir, en sortant d'une de ces froides réunions de famille, il dit à sa femme, presque en pleurant :

« Mais qu'est-ce que j'ai donc ! Bien vrai, je ne suis pas malade, tu ne me trouves pas changé ?... C'est comme si j'avais un poids quelque part. Et triste avec ça, sans savoir pourquoi, ma parole d'honneur... Tu ne sais pas, toi ?

— Une mauvaise disposition, sans doute, répondit Lisa.

— Non, non, ça dure depuis trop longtemps, ça m'étouffe... Pourtant, nos affaires ne vont pas mal, je n'ai pas de gros chagrin, je vais mon train-train habituel... Et toi aussi, ma bonne, tu n'es pas bien, tu sembles prise de tristesse... Si ça continue, je ferai venir le médecin. »

La belle charcutière le regardait gravement.

« Il n'y a pas besoin de médecin, dit-elle. Ça passera... Vois-tu, c'est un mauvais air qui souffle en ce moment. Tout le monde est malade dans le quartier... »

Puis, comme cédant à une tendresse maternelle :

« Ne t'inquiète pas, mon gros... Je ne veux pas que tu tombes malade. Ce serait le comble. »

Elle le renvoyait d'ordinaire à la cuisine, sachant que le bruit des hachoirs, la chanson des graisses, le tapage des marmites, l'égayaient. D'ailleurs, elle évitait ainsi les indiscrétions de Mlle Saget, qui, maintenant, passait ses matinées entières à la charcuterie. La vieille avait pris à tâche d'épouvanter Lisa, de la pousser à quelque résolution extrême. D'abord, elle obtint ses confidences.

« Ah ! qu'il y a de méchantes gens ! dit-elle,

des gens qui feraient bien mieux de s'occuper de leurs propres affaires... Si vous saviez, ma chère madame Quenu... Non, jamais je n'oserai vous répéter cela. »

Comme la charcutière lui affirmait que ça ne pouvait pas la toucher, qu'elle était au-dessus des mauvaises langues, elle lui murmura à l'oreille, par-dessus les viandes du comptoir :

« Eh bien ! on dit que M. Florent n'est pas votre cousin... »

Et, petit à petit, elle montra qu'elle savait tout. Ce n'était qu'une façon de tenir Lisa à sa merci. Lorsque celle-ci confessa la vérité, par tactique également, pour avoir sous la main une personne qui la tînt au courant des bavardages du quartier, la vieille demoiselle jura qu'elle serait muette comme un poisson, qu'elle nierait la chose le cou sur le billot. Alors, elle jouit profondément de ce drame. Elle grossissait chaque jour les nouvelles inquiétantes.

« Vous devriez prendre vos précautions, murmurait-elle. J'ai encore entendu à la triperie deux femmes qui causaient de ce que vous savez. Je ne puis pas dire aux gens qu'ils en ont menti, vous comprenez. Je semblerais drôle... Ça court, ça court. On ne l'arrêtera plus. Il faudra que ça crève. »

Quelques jours plus tard, elle donna enfin le véritable assaut. Elle arriva tout effarée, attendit avec des gestes d'impatience qu'il n'y eût personne dans la boutique, et la voix sifflante :

« Vous savez ce qu'on raconte... Ces hommes qui se réunissent chez M. Lebigre, eh bien ! ils ont tous des fusils, et ils attendent pour recommencer comme en 48. Si ce n'est pas malheureux de voir M. Gavard, un digne homme, celui-là, riche, bien posé, se mettre avec des gueux !… J'ai voulu vous avertir, à cause de votre beau-frère.

— C'est des bêtises, ce n'est pas sérieux, dit Lisa pour l'aiguillonner.

— Pas sérieux, merci ! Le soir, quand on passe rue Pirouette, on les entend qui poussent des cris affreux. Ils ne se gênent pas, allez. Vous vous rappelez bien qu'ils ont essayé de débaucher votre mari… Et les cartouches que je les vois fabriquer de ma fenêtre, est-ce des bêtises ?… Après tout, je vous dis ça dans votre intérêt.

— Bien sûr, je vous remercie. Seulement, on invente tant de choses.

— Ah ! non, ce n'est pas inventé, malheureusement… Tout le quartier en parle, d'ailleurs. On dit que, si la police les découvre, il y aura beaucoup de personnes compromises. Ainsi, M. Gavard… »

Mais la charcutière haussa les épaules, comme pour dire que M. Gavard était un vieux fou, et que ce serait bien fait.

« Je parle de M. Gavard comme je parlerais des autres, de votre beau-frère, par exemple, reprit sournoisement la vieille. Il est le chef, votre beau-frère, à ce qu'il paraît. C'est très fâcheux pour vous. Je vous plains beaucoup ; car enfin, si la police descendait ici, elle pourrait très bien prendre aussi M. Quenu. Deux frères, c'est comme les deux doigts de la main. »

La belle Lisa se récria. Mais elle était toute blanche. Mlle Saget venait de la toucher au vif de ses inquiétudes. À partir de ce jour, elle n'apporta plus que des histoires de gens innocents jetés en prison pour avoir hébergé des scélérats. Le soir, en allant prendre son cassis chez le marchand de vin, elle se composait un petit dossier pour le lendemain matin. Rose n'était pourtant guère bavarde. La vieille comptait sur ses oreilles et sur ses yeux. Elle avait parfaitement remarqué la tendresse de M. Lebigre pour Florent, son soin à le retenir chez lui, ses complaisances si peu payées par la dépense que ce garçon faisait dans la maison. Cela la surprenait d'autant plus, qu'elle n'ignorait pas la situation des deux hommes, en face de la belle Normande.

« On dirait, pensait-elle, qu'il l'élève à la becquée... À qui peut-il vouloir le vendre ? »

Un soir, comme elle était dans la boutique, elle vit Logre se jeter sur la banquette du cabinet, en parlant de ses courses à travers les faubourgs, en se disant mort de fatigue. Elle lui regarda vivement les pieds. Les souliers de Logre n'avaient pas un grain de poussière. Alors, elle eut un sourire discret, elle emporta son cassis, les lèvres pincées.

C'était ensuite à sa fenêtre qu'elle complétait son dossier. Cette fenêtre, très élevée, dominant les maisons voisines, lui procurait des jouissances sans fin. Elle s'y installait, à chaque heure de la journée, comme à un observatoire, d'où elle guettait le quartier entier. D'abord, toutes les chambres, en face, à droite, à gauche, lui étaient familières, jusqu'aux meubles les plus minces ; elle aurait raconté, sans passer un détail, les habitudes des locataires, s'ils étaient bien ou mal en ménage, comment ils se débarbouillaient, ce qu'ils mangeaient à leur dîner ; elle connaissait même les personnes qui venaient les voir. Puis, elle avait une échappée sur les Halles, de façon que pas une femme du quartier ne pouvait traverser la rue Rambuteau, sans qu'elle l'aperçût ; elle disait, sans se tromper, d'où la femme venait, où elle allait, ce qu'elle portait dans son panier, et son histoire, et son mari, et ses toilettes, ses enfants, sa fortune. Ça, c'est Mme Loret, elle fait donner une belle éducation à son fils ; ça, c'est Mme Hutin, une pauvre petite femme que son mari néglige ; ça, c'est Mlle Cécile, la fille au boucher, une enfant impossible à marier parce qu'elle a des humeurs froides. Et elle aurait continué pendant des journées, enfilant les phrases vides, s'amusant extraordinairement à des faits coupés menus, sans aucun intérêt. Mais, dès huit heures, elle n'avait plus d'yeux que pour la fenêtre, aux vitres dépolies, où se dessinaient les ombres noires des consommateurs du cabinet. Elle y constata la scission de Charvet et de Clémence, en ne retrouvant plus sur le transparent laiteux leurs silhouettes sèches. Pas un événement ne se passait là, sans qu'elle finît par le deviner, à certaines révélations brusques de ces bras et de ces têtes qui surgissaient silencieusement. Elle devint très forte, interpréta les nez allongés, les doigts écartés, les bouches fendues, les épaules dédaigneuses, suivit de la sorte la conspiration pas à pas, à ce point qu'elle aurait pu dire chaque jour où en étaient les choses. Un soir, le dénouement brutal lui apparut. Elle aperçut l'ombre du pisto-

let de Gavard, un profil énorme de revolver, tout
noir dans la pâleur des vitres, la gueule tendue.
Le pistolet allait, venait, se multipliait. C'était les
armes dont elle avait parlé à Mme Quenu. Puis,
un autre soir, elle ne comprit plus, elle s'imagina qu'on fabriquait des cartouches, en voyant
s'allonger des bandes d'étoffe interminables. Le
lendemain, elle descendit à onze heures, sous le
prétexte de demander à Rose si elle n'avait pas
une bougie à lui céder ; et, du coin de l'œil, elle
entrevit, sur la table du cabinet, un tas de linges
rouges qui lui sembla très effrayant. Son dossier
du lendemain eut une gravité décisive.

« Je ne voudrais pas vous effrayer, madame
Quenu, dit-elle ; mais ça devient trop terrible...
J'ai peur, ma parole ! Pour rien au monde, ne
répétez ce que je vais vous confier. Ils me coupe-
raient le cou, s'ils savaient. »

Alors, quand la charcutière lui eut juré de ne
pas la compromettre, elle lui parla des linges
rouges.

« Je ne sais pas ce que ça peut être. Il y en
avait un gros tas. On aurait dit des chiffons trem-
pés dans du sang... Logre, vous savez, le bossu,
s'en était mis un sur les épaules. Il avait l'air du
bourreau... Pour sûr, c'est encore quelque mani-
gance. »

Lisa ne répondait pas, semblait réfléchir, les
yeux baissés, jouant avec le manche d'une fourchette, arrangeant les morceaux de petit salé dans
leur plat. Mlle Saget reprit doucement :

« Moi, si j'étais vous, je ne resterais pas tranquille, je voudrais savoir... Pourquoi ne montez-

vous pas regarder dans la chambre de votre beau-frère ? »

Alors, Lisa eut un léger tressaillement. Elle lâcha la fourchette, examina la vieille d'un œil inquiet, croyant qu'elle pénétrait ses intentions. Mais celle-ci continua :

« C'est permis, après tout... Votre beau-frère vous mènerait trop loin, si vous le laissiez faire... Hier, on causait de vous, chez Mme Taboureau. Vous avez là une amie bien dévouée. Mme Taboureau disait que vous étiez trop bonne, qu'à votre place elle aurait mis ordre à tout ça depuis longtemps.

— Mme Taboureau a dit cela, murmura la charcutière, songeuse.

— Certainement, et Mme Taboureau est une femme que l'on peut écouter... Tâchez donc de savoir ce que c'est que les linges rouges. Vous me le direz ensuite, n'est-ce pas ? »

Mais Lisa ne l'écoutait plus. Elle regardait vaguement les petits Gervais et les escargots, à travers les guirlandes de saucisses de l'étalage. Elle semblait perdue dans une lutte intérieure, qui creusait de deux minces rides son visage muet. Cependant, la vieille demoiselle avait mis son nez au-dessus des plats du comptoir. Elle murmurait, comme se parlant à elle-même :

« Tiens ! il y a du saucisson coupé.... Ça doit sécher, du saucisson coupé à l'avance... Et ce boudin qui est crevé. Il a reçu un coup de fourchette, bien sûr. Il faudrait l'enlever, il salit le plat. »

Lisa, toute distraite encore, lui donna le boudin et les ronds de saucisson, en disant :

« C'est pour vous, si ça vous fait plaisir. »

Le tout disparut dans le cabas. Mlle Saget était si bien habituée aux cadeaux, qu'elle ne remerciait même plus. Chaque matin, elle emportait toutes les rognures de la charcuterie. Elle s'en alla, avec l'intention de trouver son dessert chez la Sarriette et chez Mme Lecœur, en leur parlant de Gavard.

Quand elle fut seule, la charcutière s'assit sur la banquette du comptoir, comme pour prendre une meilleure décision, en se mettant à l'aise. Depuis huit jours, elle était très inquiète. Un soir, Florent avait demandé cinq cents francs à Quenu, naturellement, en homme qui a un compte ouvert. Quenu le renvoya à sa femme. Cela l'ennuya, et il tremblait un peu en s'adressant à la belle Lisa. Mais, celle-ci, sans prononcer une parole, sans chercher à connaître la destination de la somme, monta à sa chambre, lui remit les cinq cents francs. Elle lui dit seulement qu'elle les avait inscrits sur le compte de l'héritage. Trois jours plus tard, il prit mille francs.

« Ce n'était pas la peine de faire l'homme désintéressé, dit Lisa à Quenu, le soir, en se couchant. Tu vois que j'ai bien fait de garder ce compte... Attends, je n'ai pas pris note des mille francs d'aujourd'hui. »

Elle s'assit devant le secrétaire, relut la page de calculs. Puis, elle ajouta :

« J'ai eu raison de laisser du blanc. Je marquerai les acomptes en marge... Maintenant, il va tout gaspiller ainsi par petits morceaux... Il y a longtemps que j'attends ça. »

Quenu ne dit rien, se coucha de très mauvaise

humeur. Toutes les fois que sa femme ouvrait le secrétaire, le tablier jetait un cri de tristesse qui lui déchirait l'âme. Il se promit même de faire des remontrances à son frère, de l'empêcher de se ruiner avec la Méhudin ; mais il n'osa pas. Florent, en deux jours, demanda encore quinze cents francs. Logre avait dit un soir que, si l'on trouvait de l'argent, les choses iraient bien plus vite. Le lendemain, il fut ravi de voir cette parole jetée en l'air retomber dans ses mains en un petit rouleau d'or, qu'il empocha, ricanant, la bosse sautant de joie. Alors, ce furent de continuels besoins : telle section demandait à louer un local ; telle autre devait soutenir des patriotes malheureux ; et il y avait encore les achats d'armes et de munitions, les embauchements, les frais de police. Florent aurait tout donné. Il s'était rappelé l'héritage, les conseils de la Normande. Il puisait dans le secrétaire de Lisa, retenu seulement par la peur sourde qu'il avait de son visage grave. Jamais, selon lui, il ne dépenserait son argent pour une cause plus sainte. Logre, enthousiasmé, portait des cravates roses étonnantes et des bottines vernies, dont la vue assombrissait Lacaille.

« Ça fait trois mille francs en sept jours, raconta Lisa à Quenu. Qu'en dis-tu ? C'est joli, n'est-ce pas ?... S'il y va de ce train-là, ses cinquante mille francs lui feront au plus quatre mois... Et le vieux Gradelle, qui avait mis quarante ans à amasser son magot !

— Tant pis pour toi ! s'écria Quenu. Tu n'avais pas besoin de lui parler de l'héritage. »

Mais elle le regarda sévèrement, en disant :

« C'est son bien, il peut tout prendre... Ce n'est pas de lui donner cet argent qui me contrarie ; c'est de savoir le mauvais emploi qu'il doit en faire... Je te le dis depuis assez longtemps : il faudra que ça finisse.

— Agis comme tu voudras, ce n'est pas moi qui t'en empêche », finit par déclarer le charcutier, que l'avarice torturait.

Il aimait bien son frère, pourtant ; mais l'idée des cinquante mille francs mangés en quatre mois lui était insupportable. Lisa, d'après les bavardages de Mlle Saget, devinait où allait l'argent. La vieille s'étant permis une allusion à l'héritage, elle profita même de l'occasion pour faire savoir au quartier que Florent prenait sa part et la mangeait comme bon lui semblait. Ce fut le lendemain que l'histoire des linges rouges la décida. Elle resta quelques instants, luttant encore, regardant autour d'elle la mine chagrine de la charcuterie ; les cochons pendaient d'un air maussade ; Mouton, assis près d'un pot de graisse, avait le poil ébouriffé, l'œil morne d'un chat qui ne digère plus en paix. Alors, elle appela Augustine pour tenir le comptoir, elle monta à la chambre de Florent.

En haut, elle eut un saisissement, en entrant dans la chambre. La douceur enfantine du lit était toute tachée d'un paquet d'écharpes rouges qui pendaient jusqu'à terre. Sur la cheminée, entre les boîtes dorées et les vieux pots de pommade, des brassards rouges traînaient, avec des paquets de cocardes qui faisaient d'énormes gouttes de sang élargies. Puis, à tous les clous, sur le gris effacé du papier peint, des pans d'étoffe pavoisaient les murs, des drapeaux carrés, jaunes, bleus, verts, noirs, dans lesquels la charcutière reconnut les guidons des vingt sections. La puérilité de la pièce semblait tout effarée de cette décoration révolutionnaire. La grosse bêtise naïve que la fille de boutique avait laissée là, cet air blanc des rideaux et des meubles, prenait un reflet d'incendie ; tandis que la photographie d'Auguste et d'Augustine s'effarait, plus blême et plus ahurie. Lisa fit le tour, examina les guidons, les brassards, les écharpes, sans toucher à rien, comme si elle eût craint que ces affreuses loques ne l'eussent brûlée. Elle songeait qu'elle ne s'était pas trompée, que l'argent passait à ces choses. C'était là, pour elle, une abomination, un fait à peine croyable qui soulevait tout son être. Son argent, cet argent gagné si honnêtement, servant à organiser et à payer l'émeute ! Elle restait debout, voyant les fleurs ouvertes du grenadier de la terrasse, pareilles à d'autres cocardes saignantes, écoutant le chant du pinson, ainsi qu'un écho lointain de la fusillade. Alors, l'idée lui vint que l'insurrection devait éclater le lendemain, le soir peut-être. Les guidons flottaient, les écharpes défilaient, un brusque roulement de tambour éclatait à ses oreilles. Et elle descendit vivement, sans même s'attarder à lire les papiers étalés sur la table. Elle s'arrêta au premier étage, elle s'habilla.

À cette heure grave, la belle Lisa se coiffa soigneusement, d'une main calme. Elle était très résolue, sans un frisson, avec une sévérité plus grande dans les yeux. Tandis qu'elle agrafait sa robe de soie noire, en tendant l'étoffe de toute

la force de ses gros poignets, elle se rappelait les
paroles de l'abbé Roustan. Elle s'interrogeait, et sa
conscience lui répondait qu'elle allait accomplir
un devoir. Quand elle mit sur ses larges épaules
son châle tapis, elle sentit qu'elle faisait un acte de
haute honnêteté. Elle se ganta de violet sombre,
attacha à son chapeau une épaisse voilette. Avant
de sortir, elle ferma le secrétaire à double tour,
d'un air d'espoir, comme pour lui dire qu'il allait
enfin pouvoir dormir tranquille.

Quenu étalait son ventre blanc sur le seuil de
la charcuterie. Il fut surpris de la voir sortir en
grande toilette, à dix heures du matin.

« Tiens, où vas-tu donc ? » lui demanda-t-il.

Elle inventa une course avec Mme Taboureau.
Elle ajouta qu'elle passerait au théâtre de la Gaîté,
pour louer des places. Quenu courut, la rappela,
lui recommanda de prendre des places de face,
pour mieux voir. Puis, comme il rentrait, elle se
rendit à la station de voitures, le long de Saint-
Eustache, monta dans un fiacre, dont elle baissa
les stores, en disant au cocher de la conduire au
théâtre de la Gaîté. Elle craignait d'être suivie.
Quand elle eut son coupon, elle se fit mener au
Palais de Justice. Là, devant la grille, elle paya et
congédia la voiture Et, doucement, à travers les
salles et les couloirs, elle arriva à la préfecture de
police.

Comme elle s'était perdue au milieu d'un
tohu-bohu de sergents de ville et de messieurs
en grandes redingotes, elle donna dix sous à un
homme, qui la guida jusqu'au cabinet du préfet.
Mais une lettre d'audience était nécessaire pour

pénétrer auprès du préfet. On l'introduisit dans une pièce étroite, d'un luxe d'hôtel garni, où un personnage gros et chauve, tout en noir, la reçut avec une froideur maussade. Elle pouvait parler. Alors, relevant sa voilette, elle dit son nom, raconta tout, carrément, d'un seul trait. Le personnage chauve l'écoutait, sans l'interrompre, de son air las. Quand elle eut fini, il demanda, simplement :

« Vous êtes la belle-sœur de cet homme, n'est-ce pas ?

— Oui, répondit nettement Lisa. Nous sommes d'honnêtes gens... Je ne veux pas que mon mari se trouve compromis. »

Il haussa les épaules, comme pour dire que tout cela était bien ennuyeux. Puis d'un air d'impatience :

« Voyez-vous, c'est qu'on m'assomme depuis plus d'un an avec cette affaire-là. On me fait dénonciation sur dénonciation, on me pousse, on me presse. Vous comprenez que si je n'agis pas, c'est que je préfère attendre. Nous avons nos raisons... Tenez, voici le dossier. Je puis vous le montrer. »

Il mit devant elle un énorme paquet de papiers, dans une chemise bleue. Elle feuilleta les pièces. C'était comme les chapitres détachés de l'histoire qu'elle venait de conter. Les commissaires de police du Havre, de Rouen, de Vernon, annonçaient l'arrivée de Florent. Ensuite, venait un rapport qui constatait son installation chez les Quenu-Gradelle. Puis, son entrée aux Halles, sa vie, ses soirées chez M. Lebigre, pas un détail

n'était passé. Lisa, abasourdie, remarqua que les
rapports étaient doubles, qu'ils avaient dû avoir
deux sources différentes. Enfin, elle trouva un tas
de lettres, des lettres anonymes de tous les for-
mats et de toutes les écritures. Ce fut le comble.
Elle reconnut une écriture de chat, l'écriture de
Mlle Saget, dénonçant la société du cabinet vitré.
Elle reconnut une grande feuille de papier grais-
seuse, toute tachée de gros bâtons de Mme Lecœur,
et une page glacée, ornée d'une pensée jaune, couverte du griffonnage de la Sarriette et de M. Jules ;
les deux lettres avertissaient le gouvernement de
prendre garde à Gavard. Elle reconnut encore le
style ordurier de la mère Méhudin, qui répétait, en
quatre pages presque indéchiffrables, les histoires
à dormir debout qui couraient dans les Halles sur
le compte de Florent. Mais elle fut surtout émue
par une facture de sa maison, portant en tête les
mots : *Charcuterie Quenu-Gradelle*, et sur le dos de
laquelle Auguste avait vendu l'homme qu'il regardait comme un obstacle à son mariage.

L'agent avait obéi à une pensée secrète en lui
plaçant le dossier sous les yeux.

« Vous ne reconnaissez aucune de ces écritures ? » lui demanda-t-il.

Elle balbutia que non. Elle s'était levée. Elle
restait toute suffoquée par ce qu'elle venait d'apprendre, la voilette baissée de nouveau, cachant la
vague confusion qu'elle sentait monter à ses joues.
Sa robe de soie craquait ; ses gants sombres disparaissaient sous le grand châle. L'homme chauve
eut un faible sourire, en disant :

« Vous voyez, madame, que vos renseignements

viennent un peu tard... Mais on tiendra compte de votre démarche, je vous le promets. Surtout, recommandez à votre mari de ne point bouger... Certaines circonstances peuvent se produire... »

Il n'acheva pas, salua légèrement, en se levant à demi de son fauteuil. C'était un congé. Elle s'en alla. Dans l'antichambre, elle aperçut Logre et M. Lebigre qui se tournèrent vivement. Mais elle était plus troublée qu'eux. Elle traversait des salles, enfilait des corridors, était comme prise par ce monde de la police, où elle se persuadait, à cette heure, qu'on voyait, qu'on savait tout. Enfin, elle sortit par la place Dauphine. Sur le quai de l'Horloge, elle marcha lentement, rafraîchie par les souffles de la Seine.

Ce qu'elle sentait de plus net, c'était l'inutilité de sa démarche. Son mari ne courait aucun danger. Cela la soulageait, tout en lui laissant un remords. Elle était irritée contre cet Auguste et ces femmes qui venaient de la mettre dans une position ridicule. Elle ralentit encore le pas, regardant la Seine couler ; des chalands, noirs d'une poussière de charbon, descendaient sur l'eau verte, tandis que, le long de la berge, des pêcheurs jetaient leurs lignes. En somme, ce n'était pas elle qui avait livré Florent. Cette pensée qui lui vint brusquement, l'étonna. Aurait-elle donc commis une méchante action, si elle l'avait livré ? Elle resta perplexe, surprise d'avoir pu être trompée par sa conscience. Les lettres anonymes lui semblaient à coup sûr une vilaine chose. Elle, au contraire, allait carrément, se nommait, sauvait tout le monde. Comme elle songeait brusquement à l'héritage du vieux

Gradelle, elle s'interrogea, se trouva prête à jeter
cet argent à la rivière, s'il le fallait, pour guérir la
charcuterie de son malaise. Non, elle n'était pas
avare, l'argent ne l'avait pas poussée. En traversant le pont au Change, elle se tranquillisa tout à
fait, reprit son bel équilibre. Ça valait mieux que
les autres l'eussent devancée à la préfecture : elle
n'aurait pas à tromper Quenu, elle en dormirait
mieux.

« Est-ce que tu as les places ? » lui demanda
Quenu, lorsqu'elle rentra.

Il voulut les voir, se fit expliquer à quel endroit
du balcon elles se trouvaient au juste. Lisa avait
cru que la police allait accourir, dès qu'elle l'aurait prévenue, et son projet d'aller au théâtre
n'était qu'une façon habile d'éloigner son mari,
pendant qu'on arrêterait Florent. Elle comptait,
l'après-midi, le pousser à une promenade, à un
de ces congés qu'ils prenaient parfois ; ils allaient
au bois de Boulogne, en fiacre, mangeaient au
restaurant, s'oubliaient dans quelque café-concert.
Mais elle jugea inutile de sortir. Elle passa la journée comme d'habitude dans son comptoir, la mine
rose, plus gaie et plus amicale, comme au sortir
d'une convalescence.

« Quand je te dis que l'air te fait du bien ! lui
répéta Quenu. Tu vois, ta course de la matinée t'a
toute ragaillardie.

— Eh non ! finit-elle par répondre, en reprenant son air sévère. Les rues de Paris ne sont pas
si bonnes pour la santé. »

Le soir, à la Gaîté, ils virent jouer la *Grâce de
Dieu*[1]. Quenu, en redingote, ganté de gris, peigné

avec soin, n'était occupé qu'à chercher dans le programme les noms des acteurs. Lisa restait superbe, le corsage nu, appuyant sur le velours rouge du balcon ses poignets que bridaient des gants blancs trop étroits. Ils furent tous les deux très touchés par les infortunes de Marie ; le commandeur était vraiment un vilain homme, et Pierrot les faisait rire, dès qu'il entrait en scène. La charcutière pleura. Le départ de l'enfant, la prière dans la chambre virginale, le retour de la pauvre folle, mouillèrent ses beaux yeux de larmes discrètes, qu'elle essuyait d'une petite tape avec son mouchoir. Mais cette soirée devint un véritable triomphe pour elle, lorsque, en levant la tête, elle aperçut la Normande et sa mère à la deuxième galerie. Alors, elle se gonfla encore, envoya Quenu lui chercher une boîte de caramels au buffet, joua de l'éventail, un éventail de nacre, très doré. La poissonnière était vaincue ; elle baissait la tête, en écoutant sa mère qui lui parlait bas. Quand elles sortirent, la belle Lisa et la belle Normande se rencontrèrent dans le vestibule, avec un vague sourire.

Ce jour-là, Florent avait dîné de bonne heure chez M. Lebigre. Il attendait Logre qui devait lui présenter un ancien sergent, homme capable, avec lequel on causerait du plan d'attaque contre le Palais-Bourbon et l'Hôtel-de-Ville. La nuit venait, une pluie fine, qui s'était mise à tomber dans l'après-midi, noyait de gris les grandes Halles. Elles se détachaient en noir sur les fumées rousses du ciel, tandis que des torchons de nuages sales couraient, presque au ras des toitures, comme accro-

chés et déchirés à la pointe des paratonnerres.
Florent était attristé par le gâchis du pavé, par ce
ruissellement d'eau jaune qui semblait charrier
et éteindre le crépuscule dans la boue. Il regardait le monde réfugié sur les trottoirs des rues
couvertes, les parapluies filant sous l'averse, les
fiacres qui passaient plus rapides et plus sonores,
au milieu de la chaussée vide. Une éclaircie se fit.
Une lueur rouge monta au couchant. Alors, toute
une armée de balayeurs parut à l'entrée de la rue
Montmartre, poussant à coups de brosse un lac
de fange liquide.

Logre n'amena pas le sergent. Gavard était allé
dîner chez des amis, aux Batignolles. Florent en
fut réduit à passer la soirée en tête à tête avec
Robine. Il parla tout le temps, finit par se rendre
très triste ; l'autre hochait doucement la barbe,
n'allongeait le bras, à chaque quart d'heure,
que pour avaler une gorgée de bière. Florent,
ennuyé, monta se coucher. Mais Robine, resté
seul, ne s'en alla pas, le front pensif sous le chapeau, regardant sa chope. Rose et le garçon, qui
comptaient fermer de meilleure heure, puisque la
société du cabinet n'était pas là, attendirent pendant près d'une grande demi-heure qu'il voulût
bien se retirer.

Florent, dans sa chambre, eut peur de se mettre
au lit. Il était pris d'un de ces malaises nerveux qui
le traînaient parfois, durant des nuits entières, au
milieu de cauchemars sans fin. La veille, à Clamart, il avait enterré M. Verlaque, qui était mort
après une agonie affreuse. Il se sentait encore
tout attristé par cette bière étroite, descendue

dans la terre. Il ne pouvait surtout chasser l'image de Mme Verlaque, la voix larmoyante, sans une larme aux yeux ; elle le suivait, parlait du cercueil qui n'était pas payé, du convoi qu'elle ne savait de quelle façon commander, n'ayant plus un sou chez elle, parce que, la veille, le pharmacien avait exigé le montant de sa note, en apprenant la mort du malade. Florent dut avancer l'argent du cercueil et du convoi ; il donna même le pourboire aux croque-morts. Comme il allait partir, Mme Verlaque le regarda d'un air si navré, qu'il lui laissa vingt francs.

À cette heure, cette mort le contrariait. Elle remettait en question sa situation d'inspecteur. On le dérangerait, on songerait à le nommer titulaire. C'étaient là des complications fâcheuses qui pouvaient donner l'éveil à la police. Il aurait voulu que le mouvement insurrectionnel éclatât le lendemain, pour jeter à la rue sa casquette galonnée. La tête pleine de ces inquiétudes, il monta sur la terrasse, le front brûlant, demandant un souffle d'air à la nuit chaude. L'averse avait fait tomber le vent. Une chaleur d'orage emplissait encore le ciel, d'un bleu sombre, sans un nuage. Les Halles essuyées étendaient sous lui leur masse énorme, de la couleur du ciel, piquée comme lui d'étoiles jaunes, par les flammes vives du gaz.

Accoudé à la rampe de fer, Florent songeait qu'il serait puni tôt ou tard d'avoir consenti à prendre cette place d'inspecteur. C'était comme une tache dans sa vie. Il avait émargé au budget de la préfecture, se parjurant, servant l'Empire, malgré les serments faits tant de fois en exil. Le

désir de contenter Lisa, l'emploi charitable des
appointements touchés, la façon honnête dont
il s'était efforcé de remplir ses fonctions, ne lui
semblaient plus des arguments assez forts pour
l'excuser de sa lâcheté. S'il souffrait de ce milieu
gras et trop nourri, il méritait cette souffrance.
Et il revit l'année mauvaise qu'il venait de passer,
la persécution des poissonnières, les nausées des
journées humides, l'indigestion continue de son
estomac de maigre, la sourde hostilité qu'il sentait grandir autour de lui. Toutes ces choses, il les
acceptait en châtiment. Ce sourd grondement de
rancune dont la cause lui échappait, annonçait
quelque catastrophe vague, sous laquelle il pliait
d'avance les épaules, avec la honte d'une faute à
expier. Puis, il s'emporta contre lui-même, à la
pensée du mouvement populaire qu'il préparait ;
il se dit qu'il n'était plus assez pur pour le succès.

Que de rêves il avait faits, à cette hauteur, les
yeux perdus sur les toitures élargies des pavillons !
Le plus souvent, il les voyait comme des mers
grises, qui lui parlaient de contrées lointaines. Par
les nuits sans lune, elles s'assombrissaient, devenaient des lacs morts, des eaux noires, empestées
et croupies. Les nuits limpides les changeaient en
fontaines de lumière ; les rayons coulaient sur les
deux étages de toits, mouillant les grandes plaques
de zinc, débordant et retombant du bord de ces
immenses vasques superposées. Les temps froids
les roidissaient, les gelaient, ainsi que des baies
de Norvège, où glissent des patineurs ; tandis que
les chaleurs de juin les endormaient d'un sommeil
lourd. Un soir de décembre, en ouvrant sa fenêtre,

il les avait trouvées toutes blanches de neige,
d'une blancheur vierge qui éclairait le ciel couleur de rouille ; elles s'étendaient sans la souillure
d'un pas, pareilles à des plaines du Nord, à des
solitudes respectées des traîneaux ; elles avaient
un beau silence, une douceur de colosse innocent. Et lui, à chaque aspect de cet horizon changeant, s'abandonnait à des songeries tendres ou
cruelles ; la neige le calmait, l'immense drap blanc
lui semblait un voile de pureté jeté sur les ordures
des Halles ; les nuits limpides, les ruissellements
de lune, l'emportaient dans le pays féerique des
contes. Il ne souffrait que par les nuits noires, les
nuits brûlantes de juin, qui étalaient le marais
nauséabond, l'eau dormante d'une mer maudite.
Et toujours le même cauchemar revenait.

Elles étaient sans cesse là. Il ne pouvait ouvrir
sa fenêtre, s'accouder à la rampe, sans les avoir
devant lui, emplissant l'horizon. Il quittait les
pavillons, le soir, pour retrouver à son coucher
les toitures sans fin. Elles lui barraient Paris, lui
imposaient leur énormité, entraient dans sa vie
de chaque heure. Cette nuit-là, son cauchemar
s'effara encore, grossi par les inquiétudes sourdes
qui l'agitaient. La pluie de l'après-midi avait empli
les Halles d'une humidité infecte. Elles lui soufflaient à la face toutes leurs mauvaises haleines,
roulées au milieu de la ville comme un ivrogne
sous la table, à la dernière bouteille. Il lui semblait que, de chaque pavillon, montait une vapeur
épaisse. Au loin, c'étaient la boucherie et la triperie qui fumaient, d'une fumée fade de sang. Puis,
les marchés aux légumes et aux fruits exhalaient

des odeurs de choux aigres, de pommes pourries, de verdures jetées au fumier. Les beurres
empestaient, la poissonnerie avait une fraîcheur
poivrée. Et il voyait surtout, à ses pieds, le pavillon aux volailles dégager, par la tourelle de son
ventilateur, un air chaud, une puanteur qui roulait
comme une suie d'usine. Le nuage de toutes ces
haleines s'amassait au-dessus des toitures, gagnait
les maisons voisines, s'élargissait en nuée lourde
sur Paris entier. C'étaient les Halles crevant dans
leur ceinture de fonte trop étroite, et chauffant du
trop-plein de leur indigestion du soir le sommeil
de la ville gorgée.

En bas, sur le trottoir, il entendit un bruit de
voix, un rire de gens heureux. La porte de l'allée
fut refermée bruyamment. Quenu et Lisa rentraient du théâtre. Alors, Florent, étourdi, comme
ivre de l'air qu'il respirait, quitta la terrasse, avec
l'angoisse nerveuse de cet orage qu'il sentait sur sa
tête. Son malheur était là, dans ces Halles chaudes
de la journée. Il poussa violemment sa fenêtre, les
laissa vautrées au fond de l'ombre, toutes nues, en
sueur encore, dépoitraillées, montrant leur ventre
ballonné et se soulageant sous les étoiles.

VI

Huit jours plus tard, Florent crut qu'il allait enfin pouvoir passer à l'action. Une occasion suffisante de mécontentement se présentait pour lancer dans Paris les bandes insurrectionnelles. Le Corps législatif, qu'une loi de dotation avait divisé, discutait maintenant un projet d'impôt très impopulaire, qui faisait gronder les faubourgs. Le ministère, redoutant un échec, luttait de toute sa puissance. De longtemps peut-être un meilleur prétexte ne s'offrirait.

Un matin, au petit jour, Florent alla rôder autour du Palais-Bourbon. Il y oublia sa besogne d'inspecteur, resta à examiner les lieux jusqu'à huit heures, sans songer seulement que son absence devait révolutionner le pavillon de la marée. Il visita chaque rue, la rue de Lille, la rue de l'Université, la rue de Bourgogne, la rue Saint-Dominique ; il poussa jusqu'à l'esplanade des Invalides, s'arrêtant à certains carrefours, mesurant les distances en marchant à grandes enjambées. Puis, de retour sur le quai d'Orsay, assis sur le parapet, il décida que l'attaque serait

donnée de tous les côtés à la fois : les bandes du
Gros-Caillou arriveraient par le Champ de Mars ;
les sections du nord de Paris descendraient par la
Madeleine ; celles de l'ouest et du sud suivraient
les quais[1] ou s'engageraient par petits groupes
dans les rues du faubourg Saint-Germain. Mais,
sur l'autre rive, les Champs-Élysées l'inquiétaient,
avec leurs avenues découvertes ; il prévoyait qu'on
mettrait là du canon pour balayer les quais. Alors,
il modifia plusieurs détails du plan, marquant la
place de combat des sections, sur un carnet qu'il
tenait à la main. La véritable attaque aurait décidément lieu par la rue de Bourgogne et la rue de
l'Université, tandis qu'une diversion serait faite
du côté de la Seine. Le soleil de huit heures qui
lui chauffait la nuque, avait des gaietés blondes
sur les larges trottoirs et dorait les colonnes du
grand monument, en face de lui. Et il voyait déjà
la bataille, des grappes d'hommes pendues à ces
colonnes, les grilles crevées, le péristyle envahi,
puis tout en haut, brusquement, des bras maigres
qui plantaient un drapeau.

Il revint lentement, la tête basse. Un roucoule-
ment la lui fit relever. Il s'aperçut qu'il traversait
le jardin des Tuileries. Sur une pelouse, une bande
de ramiers marchait, avec des dandinements de
gorge. Il s'adossa un instant à la caisse d'un oranger, regardant l'herbe et les ramiers baignés de
soleil. En face, l'ombre des marronniers était toute
noire. Un silence chaud tombait, coupé par des
roulements continus, au loin, derrière la grille de
la rue de Rivoli. L'odeur des verdures l'attendrit
beaucoup, en le faisant songer à Mme François.

Une petite fille qui passa, courant derrière un cerceau, effraya les ramiers. Ils s'envolèrent, allèrent
se poser à la file sur le bras de marbre d'un lutteur
antique, au milieu de la pelouse, roucoulant et se
rengorgeant d'une façon plus douce.

Comme Florent rentrait aux Halles par la rue
Vauvilliers, il entendit la voix de Claude Lantier qui l'appelait. Le peintre descendait dans le
sous-sol du pavillon de la Vallée.

« Eh ! venez-vous avec moi ? cria-t-il. Je cherche
cette brute de Marjolin. »

Florent le suivit, pour s'oublier un instant
encore, pour retarder de quelques minutes son
retour à la poissonnerie. Claude disait que, maintenant, son ami Marjolin n'avait plus rien à désirer ; il était une bête. Il nourrissait le projet de le
faire poser à quatre pattes, avec son rire d'innocent. Quand il avait crevé de rage une ébauche, il
passait des heures en compagnie de l'idiot, sans
parler, tâchant d'avoir son rire.

« Il doit gaver ses pigeons, murmura-t-il.
Seulement, je ne sais pas où est la resserre de
M. Gavard. »

Ils fouillèrent toute la cave. Au centre, dans
l'ombre pâle, deux fontaines coulent. Les resserres
sont exclusivement réservées aux pigeons. Le long
des treillages, c'est un éternel gazouillement plaintif, un chant discret d'oiseaux sous les feuilles,
quand tombe le jour. Claude se mit à rire, en
entendant cette musique. Il dit à son compagnon :

« Si l'on ne jurerait pas que tous les amoureux
de Paris s'embrassent là-dedans ! »

Cependant, pas une resserre n'était ouverte, il

commençait à croire que Marjolin ne se trouvait pas dans la cave, lorsqu'un bruit de baisers, mais de baisers sonores, l'arrêta net devant une porte entrebâillée. Il l'ouvrit, il aperçut cet animal de Marjolin que Cadine avait fait agenouiller par terre, sur la paille, de façon à ce que le visage du garçon arrivât juste à la hauteur de ses lèvres. Elle l'embrassait doucement, partout. Elle écartait ses longs cheveux blonds, allait derrière les oreilles, sous le menton, le long de la nuque, revenait sur les yeux et sur la bouche, sans se presser, mangeant ce visage à petites caresses, ainsi qu'une bonne chose à elle, dont elle disposait à son gré. Lui, complaisamment, restait comme elle le posait. Il ne savait plus. Il tendait la chair, sans même craindre les chatouilles.

« Eh bien ! c'est ça, dit Claude, ne vous gênez pas !... Tu n'as pas honte, grande vaurienne, de le tourmenter dans cette saleté. Il a des ordures plein les genoux.

— Tiens ! dit Cadine effrontément, ça ne le tourmente pas. Il aime bien qu'on l'embrasse, parce qu'il a peur, maintenant, dans les endroits où il ne fait pas clair... N'est-ce pas, que tu as peur ? »

Elle l'avait relevé ; il passait les mains sur son visage, ayant l'air de chercher les baisers que la petite venait d'y mettre. Il balbutia qu'il avait peur, tandis qu'elle reprenait :

« D'ailleurs, j'étais venue l'aider ; je gavais ses pigeons. »

Florent regardait les pauvres bêtes. Sur des planches, autour de la resserre, étaient rangés des coffres sans couvercle, dans lesquels les pigeons, serrés les uns contre les autres, les pattes roidies, mettaient la bigarrure blanche et noire de leur plumage. Par moments, un frisson courait sur cette nappe mouvante ; puis, les corps se tassaient, on n'entendait plus qu'un caquetage confus. Cadine avait près d'elle une casserole, pleine d'eau et de grains ; elle s'emplissait la bouche, prenait les pigeons un à un, leur soufflait une gorgée dans le bec. Et eux, se débattaient, étouffant, retombant au fond des coffres, l'œil blanc, ivres de cette nourriture avalée de force.

« Ces innocents ! murmura Claude.

— Tant pis pour eux ! dit Cadine, qui avait fini. Ils sont meilleurs, quand on les a bien gavés... Voyez-vous, dans deux heures, on leur fera avaler de l'eau salée, à ceux-là. Ça leur donne la chair blanche et délicate. Deux heures après, on les saigne... Mais, si vous voulez voir saigner, il y en a là de tout prêts, auxquels Marjolin va faire leur affaire. »

Marjolin emportait un demi-cent de pigeons dans un des coffres. Claude et Florent le suivirent Il s'établit près d'une fontaine, par terre, posant le coffre à côté de lui, plaçant sur une sorte de caisse en zinc un cadre de bois grillé de traverses minces. Puis, il saigna. Rapidement, le couteau jouant entre les doigts, il saisissait les pigeons par les ailes, leur donnait sur la tête un coup de manche qui les étourdissait, leur entrait la pointe dans la gorge. Les pigeons avaient un court frisson, les plumes chiffonnées, tandis qu'il les rangeait à la file, la tête entre les barreaux du cadre de bois, au-dessus de la caisse de zinc, où le sang tombait goutte à goutte. Et cela d'un mouvement régulier, avec le tic-tac du manche sur les crânes qui se brisaient, le geste balancé de la main prenant, d'un côté, les bêtes vivantes et les couchant mortes, de l'autre côté. Peu à peu, cependant, Marjolin allait plus vite, s'égayait à ce massacre, les yeux luisants, accroupi comme un énorme dogue mis en joie. Il finit par éclater de rire, par chanter : « Tic-tac, tic-tac, tic-tac », accompagnant la cadence du couteau d'un claquement de langue, faisant un bruit de moulin écrasant des têtes. Les pigeons pendaient comme des linges de soie.

« Hein ! ça t'amuse, grande bête, dit Cadine qui riait aussi. Ils sont drôles, les pigeons, quand ils rentrent la tête, comme ça, entre les épaules, pour qu'on ne leur trouve pas le cou... Allez, ce n'est pas bon, ces animaux-là ; ça vous pincerait, si ça pouvait. »

Et, riant plus haut de la hâte de plus en plus fiévreuse de Marjolin, elle ajouta :

« J'ai essayé, mais je ne vais pas si vite que lui... Un jour, il en a saigné cent en dix minutes. »

Le cadre de bois s'emplissait ; on entendait les gouttes de sang tomber dans la caisse. Alors Claude, en se tournant, vit Florent tellement pâle, qu'il se hâta de l'emmener. En haut, il le fit asseoir sur une marche de l'escalier.

« Eh bien, quoi donc ! dit-il en lui tapant dans les mains. Voilà que vous vous évanouissez comme une femme.

— C'est l'odeur de la cave », murmura Florent un peu honteux.

Ces pigeons, auxquels on fait avaler du grain et de l'eau salée, qu'on assomme et qu'on égorge, lui avaient rappelé les ramiers des Tuileries, marchant avec leurs robes de satin changeant dans l'herbe jaune de soleil. Il les voyait roucoulant sur le bras de marbre du lutteur antique, au milieu du grand silence du jardin, tandis que, sous l'ombre noire des marronniers, des petites filles jouent au cerceau. Et c'était alors que cette grosse brute blonde faisant son massacre, tapant du manche et trouant de la pointe, au fond de cette cave nauséabonde, lui avait donné froid dans les os ; il s'était senti tomber, les jambes molles, les paupières battantes.

« Diable ! reprit Claude quand il fut remis, vous ne feriez pas un bon soldat... Ah bien ! ceux qui vous ont envoyé à Cayenne sont encore de jolis messieurs, d'avoir eu peur de vous. Mais, mon brave, si vous vous mettez jamais d'une émeute, vous n'oserez pas tirer un coup de pistolet ; vous aurez trop peur de tuer quelqu'un. »

Florent se leva, sans répondre. Il était devenu très sombre, avec des rides désespérées qui lui coupaient la face. Il s'en alla, laissant Claude redescendre dans la cave ; et, en se rendant à la poissonnerie, il songeait de nouveau au plan d'attaque, aux bandes armées qui envahiraient le Palais-Bourbon. Dans les Champs-Élysées, le canon gronderait ; les grilles seraient brisées ; il y aurait du sang sur les marches, des éclaboussures de cervelle contre les colonnes. Ce fut une vision rapide de bataille. Lui, au milieu, très pâle, ne pouvait regarder, se cachait la figure entre les mains.

Comme il traversait la rue du Pont-Neuf, il crut apercevoir, au coin du pavillon aux fruits, la face blême d'Auguste qui tendait le cou. Il devait guetter quelqu'un, les yeux arrondis par une émotion extraordinaire d'imbécile. Il disparut brusquement, il rentra en courant à la charcuterie.

« Qu'a-t-il donc ? pensa Florent. Est-ce que je lui fais peur ? »

Dans cette matinée, il s'était passé de très graves événements chez les Quenu-Gradelle. Au point du jour, Auguste accourut tout effaré réveiller la patronne, en lui disant que la police venait prendre M. Florent. Puis, balbutiant davantage, il lui conta confusément que celui-ci était sorti, qu'il avait dû se sauver. La belle Lisa, en camisole, sans corset, se moquant du monde, monta vivement à la chambre de son beau-frère, où elle prit la photographie de la Normande, après avoir regardé si rien ne les compromettait. Elle redescendait, lorsqu'elle rencontra les agents de police au second étage. Le commissaire la pria de les accompagner. Il l'entretint un instant à voix basse, s'installant avec ses hommes dans la chambre, lui recommandant d'ouvrir la boutique comme d'habitude, de façon à ne donner l'éveil à personne. Une souricière était tendue.

Le seul souci de la belle Lisa, en cette aventure, était le coup que le pauvre Quenu allait recevoir. Elle craignait, en outre, qu'il fît tout manquer par ses larmes, s'il apprenait que la police se trouvait là. Aussi exigea-t-elle d'Auguste le serment le plus absolu de silence. Elle revint mettre son corset, conta à Quenu endormi une histoire. Une demi-heure plus tard, elle était sur le seuil de la charcuterie, peignée, sanglée, vernie, la face rose. Auguste faisait tranquillement l'étalage. Quenu parut un instant sur le trottoir, bâillant légèrement, achevant de s'éveiller dans l'air frais du matin. Rien n'indiquait le drame qui se nouait en haut.

Mais le commissaire donna lui-même l'éveil au quartier, en allant faire une visite domiciliaire chez les Méhudin, rue Pirouette. Il avait les notes les plus précises. Dans les lettres anonymes reçues à la préfecture, on affirmait que Florent couchait le plus souvent avec la belle Normande. Peut-être s'était-il réfugié là. Le commissaire, accompagné de deux hommes, vint secouer la porte, au nom de la loi. Les Méhudin se levaient à peine. La vieille ouvrit, furieuse, puis subitement calmée et ricanant, lorsqu'elle sut de quoi il s'agissait. Elle s'était assise, rattachant ses vêtements, disant à ces messieurs :

« Nous sommes d'honnêtes gens, nous n'avons rien à craindre, vous pouvez chercher. »

Comme la Normande n'ouvrait pas assez vite la porte de sa chambre, le commissaire la fit enfoncer. Elle s'habillait, la gorge libre, montrant ses épaules superbes, un jupon entre les dents. Cette entrée brutale, qu'elle ne s'expliquait pas, l'exaspéra ; elle lâcha le jupon, voulut se jeter sur les hommes, en chemise, plus rouge de colère que de honte. Le commissaire, en face de cette grande femme nue, s'avançait, protégeant ses hommes, répétant de sa voix froide :

« Au nom de la loi ! au nom de la loi ! »

Alors, elle tomba dans un fauteuil, sanglotante, secouée par une crise, à se sentir trop faible, à ne pas comprendre ce qu'on voulait d'elle. Ses cheveux s'étaient dénoués, sa chemise ne lui venait pas aux genoux, les agents avaient des regards de côté pour la voir. Le commissaire de police lui jeta un châle qu'il trouva pendu au mur. Elle ne s'en enveloppa même pas ; elle pleurait plus fort, en regardant les hommes fouiller brutalement dans son lit, tâter de la main les oreillers, visiter les draps.

« Mais qu'est-ce que j'ai fait ? finit-elle par bégayer. Qu'est-ce que vous cherchez donc dans mon lit ? »

Le commissaire prononça le nom de Florent, et comme la vieille Méhudin était restée sur le seuil de la chambre :

« Ah ! la coquine, c'est elle ! » s'écria la jeune femme, en voulant s'élancer sur sa mère.

Elle l'aurait battue. On la retint, on l'enveloppa de force dans le châle. Elle se débattait, elle disait d'une voix suffoquée :

« Pour qui donc me prend-on !... Ce Florent n'est jamais entré ici, entendez-vous. Il n'y a rien eu entre nous. On cherche à me faire du tort dans le quartier, mais qu'on vienne me dire quelque chose en face, vous verrez. On me mettra en prison, après ; ça m'est égal... Ah bien ! Florent, j'ai mieux que lui ! Je peux épouser qui je veux, je les ferai crever de rage, celles qui vous envoient. »

Ce flot de paroles la calmait. Sa fureur se tournait contre Florent, qui était la cause de tout. Elle s'adressa au commissaire, se justifiant :

« Je ne savais pas, monsieur. Il avait l'air très doux, il nous a trompées. Je n'ai pas voulu écouter ce qu'on disait, parce qu'on est si méchant... Il venait donner des leçons au petit, puis il s'en allait. Je le nourrissais, je lui faisais souvent cadeau d'un beau poisson C'est tout... Ah ! non, par exemple, on ne me reprendra plus à être bonne comme ça !

— Mais, demanda le commissaire, il a dû vous donner des papiers à garder ?

— Non, je vous jure que non... Moi, ça me serait égal, je vous les remettrais, ces papiers. J'en ai assez, n'est-ce pas ? Ça ne m'amuse guère de vous voir tout fouiller... Allez, c'est bien inutile. »

Les agents, qui avaient visité chaque meuble, voulurent alors pénétrer dans le cabinet où Muche couchait. Depuis un instant, on entendait l'enfant, réveillé par le bruit, qui pleurait à chaudes larmes, en croyant sans doute qu'on allait venir l'égorger.

« C'est la chambre du petit », dit la Normande en ouvrant la porte.

Muche, tout nu, courut se pendre à son cou. Elle le consola, le coucha dans son propre lit. Les agents ressortirent presque aussitôt du cabinet, et le commissaire se décidait à se retirer, lorsque l'enfant, encore tout éploré, murmura à l'oreille de sa mère :

« Ils vont prendre mes cahiers... Ne leur donne pas mes cahiers...

— Ah ! c'est vrai, s'écria la Normande, il y a les cahiers... Attendez, messieurs, je vais vous remettre ça. Je veux vous montrer que je m'en moque. Tenez, vous trouverez de son écriture, là-

dedans. On peut bien le pendre, ce n'est pas moi
qui irai le décrocher. »

Elle donna les cahiers de Muche et les modèles
d'écriture. Mais le petit, furieux, se leva de nouveau,
mordant et égratignant sa mère, qui le recoucha
d'une calotte. Alors, il se mit à hurler. Sur le seuil de
la chambre, dans le vacarme, Mlle Saget allongeait
le cou ; elle était entrée, trouvant toutes les portes
ouvertes, offrant ses services à la mère Méhudin.
Elle regardait, elle écoutait, en plaignant beaucoup
ces pauvres dames, qui n'avaient personne pour
les défendre. Cependant, le commissaire lisait les
modèles d'écriture, d'un air sérieux. Les « tyranniquement », les « liberticide », les « anticonstitutionnel », les « révolutionnaire », lui faisaient froncer
les sourcils. Lorsqu'il lut la phrase : « Quand l'heure
sonnera, le coupable tombera », il donna de petites
tapes sur les papiers, en disant :

« C'est très grave, très grave. »

Il remit le paquet à un de ses agents, il s'en
alla. Claire, qui n'avait pas encore paru, ouvrit sa
porte, regardant ces hommes descendre. Puis, elle
vint dans la chambre de sa sœur, où elle n'était
pas entrée depuis un an. Mlle Saget paraissait au
mieux avec la Normande ; elle s'attendrissait sur
elle, ramenait les bouts du châle pour la mieux
couvrir, recevait avec des mines apitoyées les premiers aveux de sa colère.

« Tu es bien lâche », dit Claire en se plantant
devant sa sœur.

Celle-ci se leva, terrible, laissant glisser le châle.

« Tu mouchardes donc ! cria-t-elle. Répète donc
un peu ce que tu viens de dire.

— Tu es bien lâche », répéta la jeune fille d'une voix plus insultante.

Alors, la Normande, à toute volée, donna un soufflet à Claire, qui pâlit affreusement et qui sauta sur elle, en lui enfonçant les ongles dans le cou. Elles luttèrent un instant, s'arrachant les cheveux, cherchant à s'étrangler. La cadette, avec une force surhumaine, toute frêle qu'elle était, poussa l'aînée si violemment, qu'elles allèrent l'une et l'autre tomber dans l'armoire, dont la glace se fendit. Muche sanglotait, la vieille Méhudin criait à Mlle Saget de l'aider à les séparer. Mais Claire se dégagea, en disant :

« Lâche, lâche... Je vais aller le prévenir, ce malheureux que tu as vendu. »

Sa mère lui barra la porte. La Normande se jeta sur elle par-derrière. Et, Mlle Saget aidant, à elles trois, elles la poussèrent dans sa chambre, où elles l'enfermèrent à double tour, malgré sa résistance affolée. Elle donnait des coups de pied dans la porte, cassait tout chez elle. Puis, on n'entendit plus qu'un grattement furieux, un bruit de fer égratignant le plâtre. Elle descellait les gonds avec la pointe de ses ciseaux.

« Elle m'aurait tuée, si elle avait eu un couteau, dit la Normande, en cherchant ses vêtements pour s'habiller. Vous verrez qu'elle finira par faire un mauvais coup, avec sa jalousie... Surtout, qu'on ne lui ouvre pas la porte. Elle ameuterait le quartier contre nous. »

Mlle Saget s'était empressée de descendre. Elle arriva au coin de la rue Pirouette juste au moment où le commissaire rentrait dans l'allée

des Quenu-Gradelle. Elle comprit, elle entra à
la charcuterie, les yeux si brillants, que Lisa lui
recommanda le silence d'un geste, en lui montrant Quenu qui accrochait des bandes de petit
salé. Quand il fut retourné à la cuisine, la vieille
conta à demi-voix le drame qui venait de se passer chez les Méhudin. La charcutière, penchée
au-dessus du comptoir, la main sur la terrine du
veau piqué, écoutait, avec la mine heureuse d'une
femme qui triomphe. Puis, comme une cliente
demandait deux pieds de cochon, elle les enveloppa d'un air songeur.

« Moi, je n'en veux pas à la Normande, dit-elle
enfin à Mlle Saget, lorsqu'elles furent seules de
nouveau. Je l'aimais beaucoup, j'ai regretté qu'on
nous eût fâchées ensemble... Tenez, la preuve que
je ne suis pas méchante, c'est que j'ai sauvé ça
des mains de la police, et que je suis toute prête
à le lui rendre, si elle vient me le demander elle-
même. »

Elle sortit de sa poche le portrait-carte.
Mlle Saget le flaira, ricana en lisant : « Louise à
son bon ami Florent » ; puis, de sa voix pointue :

« Vous avez peut-être tort. Vous devriez garder ça.

— Non, non, interrompit Lisa, je veux que tous
les cancans finissent. Aujourd'hui, c'est le jour de
la réconciliation. Il y en a assez, le quartier doit
redevenir tranquille.

— Eh bien ! voulez-vous que j'aille dire à
la Normande que vous l'attendez ? demanda la
vieille.

— Oui, vous me ferez plaisir. »

Mlle Saget retourna rue Pirouette, effraya beaucoup la poissonnière, en lui disant qu'elle venait
de voir son portrait dans la poche de Lisa. Mais
elle ne put la décider tout de suite à la démarche
que sa rivale exigeait. La Normande fit ses conditions ; elle irait, seulement la charcutière s'avance-
rait pour la recevoir jusqu'au seuil de la boutique.
La vieille dut faire encore deux voyages, de l'une
à l'autre, pour bien régler les points de l'entrevue. Enfin, elle eut la joie de négocier ce raccom-
modement qui allait faire tant de bruit. Comme
elle repassait une dernière fois devant la porte de
Claire, elle entendit toujours le bruit des ciseaux,
dans le plâtre.

Puis, après avoir rendu une réponse définitive à la charcutière, elle se hâta d'aller chercher
Mme Lecœur et la Sarriette. Elles s'établirent
toutes trois au coin du pavillon de la marée, sur
le trottoir, en face de la charcuterie. Là, elles ne
pouvaient rien perdre de l'entrevue. Elles s'impatientaient, feignant de causer entre elles, guettant
la rue Pirouette, d'où la Normande devait sortir.
Dans les Halles, le bruit de la réconciliation courait déjà ; les marchandes, droites à leur banc,
se haussant, cherchaient à voir ; d'autres, plus
curieuses, quittant leur place, vinrent même se
planter sous la rue couverte. Tous les yeux des
Halles se tournaient vers la charcuterie. Le quartier était dans l'attente.

Ce fut solennel. Quand la Normande déboucha de la rue Pirouette, les respirations restèrent
coupées.

« Elle a ses brillants, murmura la Sarriette.

— Voyez donc comme elle marche, ajouta Mme Lecœur ; elle est trop effrontée. »

La belle Normande, à la vérité, marchait en reine qui daignait accepter la paix. Elle avait fait une toilette soignée, coiffée avec ses cheveux frisés, relevant un coin de son tablier pour montrer sa jupe de cachemire ; elle étrennait même un nœud de dentelle d'une grande richesse. Comme elle sentait les Halles la dévisager, elle se rengorgea encore en approchant de la charcuterie. Elle s'arrêta devant la porte.

« Maintenant, c'est au tour de la belle Lisa, dit Mlle Saget. Regardez bien. »

La belle Lisa quitta son comptoir en souriant. Elle traversa la boutique sans se presser, vint tendre la main à la belle Normande. Elle était également très comme il faut, avec son linge éblouissant, son grand air de propreté. Un murmure courut la poissonnerie ; toutes les têtes, sur le trottoir, se rapprochèrent, causant vivement. Les deux femmes étaient dans la boutique, et les crépines de l'étalage empêchaient de les bien voir. Elles semblaient causer affectueusement, s'adressaient de petits saluts, se complimentaient sans doute.

« Tiens ! reprit Mlle Saget, la belle Normande achète quelque chose... Qu'est-ce donc qu'elle achète ? C'est une andouille, je crois... Ah ! voilà ! Vous n'avez pas vu, vous autres ? La belle Lisa vient de lui rendre la photographie, en lui mettant l'andouille dans la main. »

Puis, il y eut encore des salutations. La belle Lisa, dépassant même les amabilités réglées à l'avance, voulut accompagner la belle Normande jusque sur le trottoir. Là, elles rirent toutes les deux, se montrèrent au quartier en bonnes amies. Ce fut une véritable joie pour les Halles ; les marchandes revinrent à leur banc, en déclarant que tout s'était très bien passé.

Mais Mlle Saget retint Mme Lecœur et la Sarriette. Le drame se nouait à peine. Elles couvaient toutes trois des yeux la maison d'en face, avec une âpreté de curiosité qui cherchait à voir à travers les pierres. Pour patienter, elles causèrent encore de la belle Normande.

« La voilà sans homme, dit Mme Lecœur.

— Elle a M. Lebigre, fit remarquer la Sarriette, qui se mit à rire.

— Oh ! M. Lebigre, il ne voudra plus. »

Mlle Saget haussa les épaules, en murmurant :

« Vous ne le connaissez guère. Il se moque pas mal de tout ça. C'est un homme qui sait faire ses affaires, et la Normande est riche. Dans deux mois, ils seront ensemble, vous verrez. Il y a longtemps que la mère Méhudin travaille à ce mariage.

— N'importe, reprit la marchande de beurre, le commissaire ne l'en a pas moins trouvée couchée avec ce Florent.

— Mais non, je ne vous ai pas dit ça... Le grand maigre venait de partir. J'étais là quand on a regardé dans le lit. Le commissaire a tâté avec la main. Il y avait deux places toutes chaudes... »

La vieille reprit haleine, et d'une voix indignée :

« Ah ! voyez-vous, ce qui m'a fait le plus de mal, c'est d'entendre toutes les horreurs que ce gueux apprenait au petit Muche. Non, vous ne pouvez pas croire… Il y en avait un gros paquet.

— Quelles horreurs ? demanda la Sarriette alléchée.

— Est-ce qu'on sait ! Des saletés, des cochonneries. Le commissaire a dit que ça suffisait pour le faire pendre… C'est un monstre, cet homme-là. Aller s'attaquer à un enfant, s'il est permis ! Le petit Muche ne vaut pas grand-chose, mais ce n'est pas une raison pour le fourrer avec les rouges, ce marmot, n'est-ce pas ?

— Bien sûr, répondirent les deux autres.

— Enfin, on est en train de mettre bon ordre à tout ce micmac. Je vous le disais, vous vous rappelez : « Il y a un micmac chez les Quenu qui ne sent pas bon. » Vous voyez si j'avais le nez fin… Dieu merci, le quartier va pouvoir respirer un peu. Ça demandait un fier coup de balai ; car, ma parole d'honneur, on finissait par avoir peur d'être assassiné en plein jour. On ne vivait plus. C'étaient des cancans, des fâcheries, des tueries. Et ça pour un seul homme, pour ce Florent… Voilà la belle Lisa et la belle Normande remises ; c'est très bien de leur part, elles devaient ça à la tranquillité de tous. Maintenant, le reste marchera bon train, vous allez voir… Tiens, ce pauvre M. Quenu qui rit là-bas. »

Quenu, en effet, était de nouveau sur le trottoir, débordant dans son tablier blanc, plaisantant avec la petite bonne de Mme Taboureau. Il était très gaillard, ce matin-là. Il pressait les mains de la petite bonne, lui cassait les poignets à la faire crier, dans sa belle humeur de charcutier. Lisa avait toutes les peines du monde à le renvoyer à la cuisine. Elle marchait d'impatience dans la boutique, craignant que Florent n'arrivât, appelant son mari pour éviter une rencontre.

« Elle se fait du mauvais sang, dit Mlle Saget. Ce pauvre M. Quenu ne sait rien. Rit-il comme un innocent !... Vous savez que Mme Taboureau disait qu'elle se fâcherait avec les Quenu, s'ils se déconsidéraient davantage en gardant leur Florent chez eux.

— En attendant, ils gardent l'héritage, fit remarquer Mme Lecœur.

— Eh ! non, ma bonne... L'autre a eu sa part.

— Vrai... Comment le savez-vous ?

— Pardieu ! ça se voit, reprit la vieille, après une courte hésitation, et sans donner d'autre preuve. Il a même pris plus que sa part. Les Quenu en seront pour plusieurs milliers de francs... Il faut dire qu'avec des vices, ça va vite... Ah ! vous ignorez, peut-être : il avait une autre femme...

— Ça ne m'étonne pas, interrompit la Sarriette ; ces hommes maigres sont de fiers hommes.

— Oui, et pas jeune encore, cette femme. Vous savez, quand un homme en veut, il en veut ; il en ramasserait par terre... Mme Verlaque, la femme de l'ancien inspecteur, vous la connaissez bien, cette dame toute jaune... »

Mais les deux autres se récrièrent. Ce n'était pas possible. Mme Verlaque était abominable. Alors Mlle Saget s'emporta.

« Quand je vous le dis ! Accusez-moi de mentir, n'est-ce pas... ? On a des preuves, on a trouvé des lettres de cette femme, tout un paquet de lettres, dans lesquelles elle lui demandait de l'argent, des dix et vingt francs à la fois. C'est clair, enfin... À eux deux, ils auront fait mourir le mari. »

La Sarriette et Mme Lecœur furent convaincues. Mais elles perdaient patience. Il y avait plus d'une heure qu'elles attendaient sur le trottoir. Elles disaient que, pendant ce temps, on les volait peut-être, à leurs bancs. Alors, Mlle Saget les retenait avec une nouvelle histoire. Florent ne pouvait pas s'être sauvé ; il allait revenir ; ce serait très intéressant, de le voir arrêter. Et elle donnait des détails minutieux sur la souricière, tandis que la marchande de beurre et la marchande de fruits continuaient à examiner la maison de haut en bas, épiant chaque ouverture, s'attendant à voir des tricornes de sergents de ville à toutes les fentes. La maison, calme et muette, baignait béatement dans le soleil du matin.

« Si l'on dirait que c'est plein de police ! murmura Mme Lecœur.

— Ils sont dans la mansarde, là-haut, dit la vieille. Voyez-vous, ils ont laissé la fenêtre comme ils l'ont trouvée... Ah ! regardez, il y en a un, je crois, caché derrière le grenadier, sur la terrasse. »

Elles tendirent le cou, elles ne virent rien.

« Non, c'est l'ombre, expliqua la Sarriette. Les petits rideaux eux-mêmes ne remuent pas. Ils ont dû s'asseoir tous dans la chambre et ne plus bouger. »

À ce moment, elles aperçurent Gavard qui sortait du pavillon de la marée, l'air préoccupé. Elles se regardèrent avec des yeux luisants, sans parler. Elles s'étaient rapprochées, droites dans

leurs jupes tombantes. Le marchand de volailles
vint à elles.

« Est-ce que vous avez vu passer Florent ? »
demanda-t-il.

Elles ne répondirent pas.

« J'ai besoin de lui parler tout de suite, continua
Gavard. Il n'est pas à la poissonnerie. Il doit être
remonté chez lui... Vous l'auriez vu, pourtant. »

Les trois femmes étaient un peu pâles. Elles
se regardaient toujours, d'un air profond, avec
de légers tressaillements aux coins des lèvres.
Comme son beau-frère hésitait :

« Il n'y a pas cinq minutes que nous sommes là,
dit nettement Mme Lecœur. Il aura passé auparavant.

— Alors, je monte, je risque les cinq étages »,
reprit Gavard en riant.

La Sarriette fit un mouvement, comme pour
l'arrêter ; mais sa tante lui prit le bras, la ramena,
en lui soufflant à l'oreille :

« Laisse donc, grande bête ! C'est bien fait pour
lui. Ça lui apprendra à nous marcher dessus.

— Il n'ira plus dire que je mange de la viande
gâtée », murmura plus bas encore Mlle Saget.

Puis, elles n'ajoutèrent rien. La Sarriette était
très rouge ; les deux autres restaient toutes jaunes.
Elles tournaient la tête maintenant, gênées par
leurs regards, embarrassées de leurs mains,
qu'elles cachèrent sous leurs tabliers. Leurs yeux
finirent par se lever instinctivement sur la maison, suivant Gavard à travers les pierres, le voyant
monter les cinq étages. Quand elles le crurent
dans la chambre, elles s'examinèrent de nou-

veau, avec des coups d'œil de côté. La Sarriette
eut un rire nerveux. Il leur sembla un instant que
les rideaux de la fenêtre remuaient, ce qui les fit
croire à quelque lutte. Mais la façade de la maison gardait sa tranquillité tiède ; un quart d'heure
s'écoula, d'une paix absolue, pendant lequel une
émotion croissante les prit à la gorge Elles défail-
laient, lorsqu'un homme, sortant de l'allée, courut
enfin chercher un fiacre. Cinq minutes plus tard,
Gavard descendait, suivi de deux agents. Lisa, qui
était venue sur le trottoir, en apercevant le fiacre,
se hâta de rentrer dans la charcuterie.

Gavard était blême. En haut, on l'avait fouillé,
on avait trouvé sur lui son pistolet et sa boîte de
cartouches. À la rudesse du commissaire, au mouvement qu'il venait de faire en entendant son nom,
il se jugeait perdu. C'était un dénouement terrible,
auquel il n'avait jamais nettement songé. Les Tuileries ne lui pardonneraient pas. Ses jambes flé-
chissaient, comme si le peloton d'exécution l'eût
attendu. Lorsqu'il vit la rue, pourtant, il trouva
assez de force dans sa vantardise pour marcher
droit. Il eut même un dernier sourire, en pensant
que les Halles le voyaient et qu'il mourrait bra-
vement.

Cependant, la Sarriette et Mme Lecœur étaient
accourues. Quand elles eurent demandé une explication, la marchande de beurre se mit à sangloter, tandis que la nièce, très émue, embrassait son
oncle. Il la tint serrée entre ses bras, en lui remettant une clef et en lui murmurant à l'oreille :

« Prends tout, et brûle les papiers. »

Il monta en fiacre, de l'air dont il serait monté

sur l'échafaud. Quand la voiture eut disparu au coin de la rue Pierre-Lescot, Mme Lecœur aperçut la Sarriette qui cherchait à cacher la clef dans sa poche.

« C'est inutile, ma petite, lui dit-elle les dents serrées, j'ai vu qu'il te la mettait dans la main... Aussi vrai qu'il n'y a qu'un Dieu, j'irai tout lui dire à la prison, si tu n'es pas gentille avec moi.

— Mais ma tante, je suis gentille, répondit la Sarriette avec un sourire embarrassé.

— Allons tout de suite chez lui, alors. Ce n'est pas la peine de laisser aux argousins le temps de mettre leurs pattes dans ses armoires. »

Mlle Saget qui avait écouté, avec des regards flamboyants, les suivit, courut derrière elles, de toute la longueur de ses petites jambes. Elle se moquait bien d'attendre Florent, maintenant. De la rue Rambuteau à la rue de la Cossonnerie, elle se fit très humble ; elle était pleine d'obligeance, elle offrait de parler la première à la portière, Mme Léonce.

« Nous verrons, nous verrons », répétait brièvement la marchande de beurre.

Il fallut en effet parlementer. Mme Léonce ne voulait pas laisser monter ces dames à l'appartement de son locataire. Elle avait la mine très austère, choquée par le fichu mal noué de la Sarriette. Mais quand la vieille demoiselle lui eut dit quelques mots tout bas, et qu'on lui eut montré la clef, elle se décida. En haut, elle ne livra les pièces qu'une à une, exaspérée, le cœur saignant comme si elle avait dû indiquer elle-même à des voleurs l'endroit où son argent se trouvait caché.

« Allez, prenez tout », s'écria-t-elle, en se jetant dans un fauteuil.

La Sarriette essayait déjà la clef à toutes les armoires. Mme Lecœur, d'un air soupçonneux, la suivait de si près, était tellement sur elle, qu'elle lui dit :

« Mais, ma tante, vous me gênez. Laissez-moi les bras libres, au moins. »

Enfin, une armoire s'ouvrit, en face de la fenêtre, entre la cheminée et le lit. Les quatre femmes poussèrent un soupir. Sur la planche du milieu, il y avait une dizaine de mille francs en pièces d'or, méthodiquement rangées par petites piles. Gavard, dont la fortune était prudemment déposée chez un notaire, gardait cette somme en réserve pour « le coup de chien ». Comme il le disait avec solennité, il tenait prêt son apport dans la révolution. Il avait vendu quelques titres, goûtant une jouissance particulière à regarder les dix mille francs chaque soir, les couvant des yeux, en leur trouvant la mine gaillarde et insurrectionnelle. La nuit, il rêvait qu'on se battait dans son armoire ; il y entendait des coups de fusil, des pavés arrachés et roulant, des voix de vacarme et de triomphe : c'était son argent qui faisait de l'opposition.

La Sarriette avait tendu les mains, avec un cri de joie.

« Bas les griffes ! ma petite », dit Mme Lecœur d'une voix rauque.

Elle était plus jaune encore, dans le reflet de l'or, la face marbrée par la bile, les yeux brûlés par la maladie de foie qui la minait sourdement.

Derrière elle, Mlle Saget se haussait sur la pointe des pieds, en extase, regardant jusqu'au fond de l'armoire. Mme Léonce, elle aussi, s'était levée, mâchant des paroles sourdes.

« Mon oncle m'a dit de tout prendre, reprit nettement la jeune femme.

— Et moi qui l'ai soigné, cet homme, je n'aurai rien, alors », s'écria la portière.

Mme Lecœur étouffait ; elle les repoussa, se cramponna à l'armoire, en bégayant :

« C'est mon bien, je suis sa plus proche parente, vous êtes des voleuses, entendez-vous... J'aimerais mieux tout jeter par la fenêtre. »

Il y eut un silence, pendant lequel elles se regardèrent toutes les quatre avec des regards louches. Le foulard de la Sarriette s'était tout à fait dénoué ; elle montrait la gorge, adorable de vie, la bouche humide, les narines roses. Mme Lecœur s'assombrit encore en la voyant si belle de désir.

« Écoute, lui dit-elle d'une voix plus sourde, ne nous battons pas... Tu es sa nièce, je veux bien partager... Nous allons prendre une pile, chacune à notre tour. »

Alors, elles écartèrent les deux autres. Ce fut la marchande de beurre qui commença. La pile disparut dans ses jupes. Puis, la Sarriette prit une pile également. Elles se surveillaient, prêtes à se donner des tapes sur les mains. Leurs doigts s'allongeaient régulièrement, des doigts horribles et noueux, des doigts blancs et d'une souplesse de soie. Elles s'emplirent les poches. Lorsqu'il ne resta plus qu'une pile, la jeune femme ne voulut pas que sa tante l'eût, puisque c'était elle qui avait commencé. Elle la partagea brusquement entre Mlle Saget et Mme Léonce, qui les avaient regardées empocher l'or avec des piétinements de fièvre.

« Merci, gronda la portière, cinquante francs, pour l'avoir dorloté avec de la tisane et du bouillon ! Il disait qu'il n'avait pas de famille, ce vieil enjôleur. »

Mme Lecœur, avant de fermer l'armoire, voulut la visiter de haut en bas. Elle contenait tous les livres politiques défendus à la frontière, les pamphlets de Bruxelles, les histoires scandaleuses des Bonaparte, les caricatures étrangères ridiculisant l'empereur. Un des grands régals de Gavard était de s'enfermer parfois avec un ami pour lui montrer ces choses compromettantes.

« Il m'a bien recommandé de brûler les papiers, fit remarquer la Sarriette.

— Bah ! nous n'avons pas de feu, ça serait trop long... Je flaire la police. Il faut déguerpir. »

Et elles s'en allèrent toutes quatre. Elles n'étaient pas au bas de l'escalier, que la police se présenta. Mme Léonce dut remonter, pour accompagner ces messieurs. Les trois autres, serrant les épaules, se hâtèrent de gagner la rue. Elles marchaient vite, à la file, la tante et la nièce gênées par le poids de leurs poches pleines. La Sarriette qui allait la première, se retourna, en remontant sur le trottoir de la rue Rambuteau, et dit avec son rire tendre :

« Ça me bat contre les cuisses. »

Et Mme Lecœur lâcha une obscénité, qui les amusa. Elles goûtaient une jouissance à sentir ce poids qui leur tirait les jupes, qui se pendait à elles comme des mains chaudes de caresses. Mlle Saget avait gardé les cinquante francs dans son poing fermé. Elle restait sérieuse, bâtissait un plan pour tirer encore quelque chose de ces grosses poches qu'elle suivait. Comme elles se retrouvaient au coin de la poissonnerie :

« Tiens ! dit la vieille, nous revenons au bon moment, voilà le Florent qui va se faire pincer. »

Florent, en effet, rentrait de sa longue course. Il alla changer de paletot dans son bureau, se mit à sa besogne quotidienne, surveillant le lavage des pierres, se promenant lentement le long des allées. Il lui sembla qu'on le regardait singulièrement ; les poissonnières chuchotaient sur son passage, baissaient le nez, avec des yeux sournois. Il crut à quelque nouvelle vexation. Depuis quelque temps, ces grosses et terribles femmes ne lui laissaient pas une matinée de repos. Mais comme il passait devant le banc des Méhudin, il fut très surpris d'entendre la mère lui dire d'une voix doucereuse :

« Monsieur Florent, il y a quelqu'un qui est venu vous demander tout à l'heure. C'est un monsieur d'un certain âge. Il est monté vous attendre dans votre chambre. »

La vieille poissonnière, tassée sur une chaise, goûtait, à dire ces choses, un raffinement de vengeance qui agitait d'un tremblement sa masse énorme. Florent, doutant encore, regarda la belle Normande. Celle-ci, remise complètement avec sa mère, ouvrait son robinet, tapait ses poissons, paraissait ne pas entendre.

« Vous êtes bien sûre ? demanda-t-il.

— Oh ! tout à fait sûre, n'est-ce pas, Louise ? »
reprit la vieille d'une voix plus aiguë.

Il pensa que c'était sans doute pour la grande
affaire, et il se décida à monter. Il allait sortir
du pavillon, lorsque, en se retournant machinalement, il aperçut la belle Normande qui le suivait
des yeux, la face toute grave. Il passa à côté des
trois commères.

« Vous avez remarqué, murmura Mlle Saget,
la charcuterie est vide. La belle Lisa n'est pas une
femme à se compromettre. »

C'était vrai, la charcuterie était vide. La maison gardait sa façade ensoleillée, son air béat de
bonne maison se chauffant honnêtement le ventre
aux premiers rayons. En haut, sur la terrasse, le
grenadier était tout fleuri. Comme Florent traversait la chaussée, il fit un signe de tête amical à
Logre et à M. Lebigre, qui paraissaient prendre
l'air sur le seuil de l'établissement de ce dernier.
Ces messieurs lui sourirent. Il allait s'enfoncer
dans l'allée, lorsqu'il crut apercevoir, au bout de
ce couloir étroit et sombre, le visage pâle d'Auguste qui s'évanouit brusquement. Alors, il revint,
jeta un coup d'œil dans la charcuterie, pour s'assurer que le monsieur d'un certain âge ne s'était
pas arrêté là. Mais il ne vit que Mouton, assis sur
un billot, le contemplant de ses deux gros yeux
jaunes, avec son double menton et ses grandes
moustaches hérissées de chat défiant. Quand il se
fut décidé à entrer dans l'allée, le visage de la belle
Lisa se montra au fond, derrière le petit rideau
d'une porte vitrée.

Il y eut comme un silence dans la poissonne-

rie. Les ventres et les gorges énormes retenaient
leur haleine, attendant qu'il eût disparu. Puis tout
déborda, les gorges s'étalèrent, les ventres cre-
vèrent d'une joie mauvaise. La farce avait réussi.
Rien n'était plus drôle. La vieille Méhudin riait
avec des secousses sourdes, comme une outre
pleine que l'on vide. Son histoire du monsieur d'un
certain âge faisait le tour du marché, paraissait
à ces dames extrêmement drôle. Enfin, le grand
maigre était emballé, on n'aurait plus toujours
là sa fichue mine, ses yeux de forçat. Et toutes
lui souhaitaient bon voyage, en comptant sur un
inspecteur qui fût bel homme. Elles couraient
d'un banc à l'autre, elles auraient dansé autour
de leurs pierres comme des filles échappées. La
belle Normande regardait cette joie, toute droite,
n'osant bouger de peur de pleurer, les mains sur
une grande raie pour calmer sa fièvre.

« Voyez-vous ces Méhudin qui le lâchent, quand
il n'a plus le sou, dit Mme Lecœur.

— Tiens ! elles ont raison, repondit Mlle Saget.
Puis, ma chère, c'est la fin, n'est-ce pas ? Il ne faut
plus se manger… Vous êtes contente, vous. Laissez les autres arranger leurs affaires.

— Il n'y a que les vieilles qui rient, fit remarquer la Sarriette. La Normande n'a pas l'air gai. »

Cependant, dans la chambre, Florent se laissait
prendre comme un mouton. Les agents se jetèrent
sur lui avec rudesse, croyant sans doute à une
résistance désespérée. Il les pria doucement de le
lâcher. Puis, il s'assit, pendant que les hommes
emballaient les papiers, les écharpes rouges, les
brassards et les guidons. Ce dénouement ne sem-

blait pas le surprendre ; il était un soulagement
pour lui, sans qu'il voulût se le confesser nette-
ment. Mais il souffrait, à la pensée de la haine
qui venait de le pousser dans cette chambre. Il
revoyait la face blême d'Auguste, les nez baissés
des poissonnières ; il se rappelait les paroles de
la mère Méhudin, le silence de la Normande, la
charcuterie vide ; et il se disait que les Halles
étaient complices, que c'était le quartier entier
qui le livrait. Autour de lui, montait la boue de
ces rues grasses.

Lorsque, au milieu de ces faces rondes qui
passaient dans un éclair, il évoqua tout d'un
coup l'image de Quenu, il fut pris au cœur d'une
angoisse mortelle.

« Allons, descendez », dit brutalement un agent.

Il se leva, il descendit. Au troisième étage, il
demanda à remonter ; il prétendait avoir oublié
quelque chose. Les hommes ne voulurent pas,
le poussèrent. Lui, se fit suppliant. Il leur offrit
même quelque argent qu'il avait sur lui. Deux
consentirent enfin à le reconduire à la chambre,
en le menaçant de lui casser la tête, s'il essayait
de leur jouer un mauvais tour. Ils sortirent leurs
revolvers de leur poche. Dans la chambre, il alla
droit à la cage du pinson, prit l'oiseau, le baisa
entre les deux ailes, lui donna la volée. Et il le
regarda, dans le soleil, se poser sur le toit de la
poissonnerie, comme étourdi, puis, d'un autre
vol, disparaître par-dessus les Halles, du côté du
square des Innocents. Il resta encore un instant en
face du ciel, du ciel libre, il songeait aux ramiers
roucoulants des Tuileries, aux pigeons des res-

serres, la gorge crevée par Marjolin. Alors, tout se brisa en lui, il suivit les agents qui remettaient leurs revolvers dans la poche, en haussant les épaules.

Au bas de l'escalier, Florent s'arrêta devant la porte qui ouvrait sur la cuisine de la charcuterie. Le commissaire, qui l'attendait là, presque touché par sa douceur obéissante, lui demanda :

« Voulez-vous dire adieu à votre frère ? »

Il hésita un instant. Il regardait la porte. Un bruit terrible de hachoirs et de marmites venait de la cuisine. Lisa, pour occuper son mari, avait imaginé de lui faire emballer dans la matinée le boudin qu'il ne fabriquait d'ordinaire que le soir. L'oignon chantait sur le feu. Florent entendit la voix joyeuse de Quenu qui dominait le vacarme, disant :

« Ah ! sapristi, le boudin sera bon... Auguste, passez-moi les gras ! »

Et Florent remercia le commissaire, avec la peur de rentrer dans cette cuisine chaude, pleine de l'odeur forte de l'oignon cuit. Il passa devant la porte, heureux de croire que son frère ne savait rien, hâtant le pas pour éviter un dernier chagrin à la charcuterie. Mais, en recevant au visage le grand soleil de la rue, il eut honte, il monta dans le fiacre, l'échine pliée, la figure terreuse. Il sentait en face de lui la poissonnerie triomphante, il lui semblait que tout le quartier était là qui jouissait.

« Hein ! la fichue mine, dit Mlle Saget.

— Une vraie mine de forçat pincé la main dans le sac, ajouta Mme Lecœur.

— Moi, reprit la Sarriette en montrant ses dents blanches, j'ai vu guillotiner un homme qui avait tout à fait cette figure-là. »

Elles s'étaient approchées, elles allongeaient le cou, pour voir encore, dans le fiacre. Au moment où la voiture s'ébranlait, la vieille demoiselle tira vivement les jupes des deux autres, en leur montrant Claire qui débouchait de la rue Pirouette, affolée, les cheveux dénoués, les ongles saignants. Elle avait descellé sa porte. Quand elle comprit qu'elle arrivait trop tard, qu'on emmenait Florent, elle s'élança derrière le fiacre, s'arrêta presque aussitôt avec un geste de rage impuissante, montra le poing aux roues qui fuyaient. Puis, toute rouge sous la fine poussière de plâtre qui la couvrait, elle rentra en courant rue Pirouette.

« Est-ce qu'il lui avait promis le mariage ! s'écria la Sarriette en riant. Elle est toquée, cette grande bête ! »

Le quartier se calma. Des groupes, jusqu'à la fermeture des pavillons, causèrent des événements de la matinée. On regardait curieusement dans la charcuterie. Lisa évita de paraître, laissant Augustine au comptoir. L'après-midi, elle crut devoir enfin tout dire à Quenu, de peur que quelque bavarde ne lui portât le coup trop rudement. Elle attendit d'être seule avec lui dans la cuisine sachant qu'il s'y plaisait, qu'il y pleurerait moins. Elle procéda, d'ailleurs, avec des ménagements maternels. Mais quand il connut la vérité, il tomba sur la planche à hacher, il fondit en larmes comme un veau.

« Voyons, mon pauvre gros, ne te désespère pas

comme cela, tu vas te faire du mal », lui dit Lisa
en le prenant dans ses bras.

Ses yeux coulaient sur son tablier blanc, sa
masse inerte avait des remous de douleur. Il se
tassait, se fondait. Quand il put parler :

« Non, balbutia-t-il, tu ne sais pas combien il
était bon pour moi, lorsque nous habitions rue
Royer-Collard. C'était lui qui balayait, qui faisait la cuisine... Il m'aimait comme son enfant,
vois-tu ; il revenait crotté, las à ne plus remuer ;
et moi, je mangeais bien, j'avais chaud, à la maison... Maintenant, voilà qu'on va le fusiller. »

Lisa se récria, dit qu'on ne le fusillerait pas.
Mais il secouait la tête. Il continua :

« Ça ne fait rien, je ne l'ai pas assez aimé. Je
puis bien dire ça, à cette heure. J'ai eu mauvais
cœur, j'ai hésité à lui rendre sa part de l'héritage...

— Eh ! je la lui ai offerte plus de dix fois,
s'écria-t-elle. Nous n'avons rien à nous reprocher.

— Oh ! toi, je sais bien, tu es bonne, tu lui
aurais tout donné... Moi, ça me faisait quelque
chose, que veux-tu ! Ce sera le chagrin de toute ma
vie. Je penserai toujours que si j'avais partagé avec
lui, il n'aurait pas mal tourné une seconde fois...
C'est ma faute, c'est moi qui l'ai livré. »

Elle se fit plus douce, lui dit qu'il ne fallait pas
se frapper l'esprit. Elle plaignait même Florent.
D'ailleurs, il était très coupable. S'il avait eu plus
d'argent, peut-être qu'il aurait fait davantage de
bêtises. Peu à peu, elle arrivait à laisser entendre
que ça ne pouvait pas finir autrement, que tout
le monde allait se mieux porter. Quenu pleurait
toujours, s'essuyait les joues avec son tablier,

étouffant ses sanglots pour l'écouter, puis éclatant bientôt en larmes plus abondantes. Il avait
machinalement mis les doigts dans un tas de chair
à saucisse qui se trouvait sur la planche à hacher ;
il y faisait des trous, la pétrissait rudement.

« Tu te rappelles, tu ne te sentais pas bien,
continua Lisa. C'est que nous n'avions plus nos
habitudes. J'étais très inquiète, sans te le dire ; je
voyais bien que tu baissais.

— N'est-ce pas ? murmura-t-il, en cessant un
instant de sangloter.

— Et la maison, non plus, n'a pas marché cette
année. C'était comme un sort… Va, ne pleure pas,
tu verras comme tout reprendra. Il faut pourtant
que tu te conserves pour moi et pour ta fille. Tu
as aussi des devoirs à remplir envers nous. »

Il pétrissait plus doucement la chair à saucisse.
L'émotion le reprenait, mais une émotion attendrie qui mettait déjà un sourire vague sur sa face
navrée. Lisa le sentit convaincu. Elle appela vite
Pauline qui jouait dans la boutique, la lui mit sur
les genoux, en disant :

« Pauline, n'est-ce pas que ton père doit être
raisonnable ? Demande-lui gentiment de ne plus
nous faire de la peine. »

L'enfant le demanda gentiment. Ils se regardèrent, serrés dans la même embrassade, énormes,
débordants, déjà convalescents de ce malaise
d'une année dont ils sortaient à peine ; et ils se
sourirent, de leurs larges figures rondes, tandis
que la charcutière répétait :

« Après tout, il n'y a que nous trois, mon gros,
il n'y a que nous trois. »

Deux mois plus tard, Florent était de nouveau condamné à la déportation. L'affaire fit un bruit énorme. Les journaux s'emparèrent des moindres détails, donnèrent les portraits des accusés, les dessins des guidons et des écharpes, les plans des lieux où la bande se réunissait. Pendant quinze jours, il ne fut question dans Paris que du complot des Halles. La police lançait des notes de plus en plus inquiétantes ; on finissait par dire que tout le quartier Montmartre était miné. Au Corps législatif, l'émotion fut si grande, que le centre et la droite oublièrent cette malencontreuse loi de dotation qui les avait un instant divisés, et se réconcilièrent, en votant à une majorité écrasante le projet d'impôt impopulaire, dont les faubourgs eux-mêmes n'osaient plus se plaindre, dans la panique qui soufflait sur la ville. Le procès dura toute une semaine. Florent se trouva profondément surpris du nombre considérable de complices qu'on lui donna. Il en connaissait au plus six ou sept sur les vingt et quelques, assis au banc des prévenus. Après la lecture de l'arrêt, il crut apercevoir le chapeau et le dos innocents de Robine s'en allant doucement au milieu de la foule. Logre était acquitté, ainsi que Lacaille. Alexandre avait deux ans de prison pour s'être compromis en grand enfant. Quant à Gavard, il était, comme Florent, condamné à la déportation. Ce fut un coup de massue qui l'écrasa dans ses dernières jouissances, au bout de ces longs débats qu'il avait réussi à emplir de sa personne. Il payait cher sa verve opposante de boutiquier parisien. Deux grosses larmes coulèrent sur sa face effarée de gamin en cheveux blancs.

Et, un matin d'août, au milieu du réveil des Halles, Claude Lantier, qui promenait sa flânerie dans l'arrivage des légumes, le ventre serré par sa ceinture rouge, vint toucher la main de Mme François, à la pointe Saint-Eustache. Elle était là, avec sa grande figure triste, assise sur ses navets et ses carottes. Le peintre restait sombre, malgré le clair soleil qui attendrissait déjà le velours gros vert des montagnes de choux.

« Eh bien ! c'est fini, dit-il. Ils le renvoient là-bas... Je crois qu'ils l'ont déjà expédié à Brest. »

La maraîchère eut un geste de douleur muette. Elle promena la main lentement autour d'elle, elle murmura d'une voix sourde :

« C'est Paris, c'est ce gueux de Paris.

— Non, je sais qui c'est, ce sont des misérables, reprit Claude dont les poings se serraient. Imaginez-vous, madame François, qu'il n'y a pas de bêtises qu'ils n'aient dites, au tribunal... Est-ce qu'ils ne sont pas allés jusqu'à fouiller les cahiers de devoirs d'un enfant ! Ce grand imbécile de procureur a fait là-dessus une tartine, le respect de l'enfance par-ci, l'éducation démagogique par-là... J'en suis malade. »

Il fut pris d'un frisson nerveux ; il continua, en renfonçant les épaules dans son paletot verdâtre :

« Un garçon doux comme une fille, que j'ai vu se trouver mal en regardant saigner des pigeons... Ça m'a fait rire de pitié, quand je l'ai aperçu entre deux gendarmes. Allez, nous ne le verrons plus, il restera là-bas, cette fois.

— Il aurait dû m'écouter, dit la maraîchère au bout d'un silence, venir à Nanterre, vivre là, avec

mes poules et mes lapins… Je l'aimais bien, voyez-
vous, parce que j'avais compris qu'il était bon. On
aurait pu être heureux… C'est un grand chagrin…
Consolez-vous, n'est-ce pas ? monsieur Claude. Je
vous attends, pour manger une omelette, un de
ces matins. »

Elle avait des larmes dans les yeux. Elle se leva,
en femme vaillante qui porte rudement la peine.

« Tiens ! reprit-elle, voilà la mère Chantemesse
qui vient m'acheter des navets. Toujours gaillarde,
cette grosse mère Chantemesse… »

Claude s'en alla, rôdant sur le carreau. Le
jour, en gerbe blanche, avait monté du fond de la
rue Rambuteau. Le soleil, au ras des toits, mettait des rayons roses, des nappes tombantes qui
touchaient déjà les pavés. Et Claude sentait un
réveil de gaieté dans les grandes Halles sonores,
dans le quartier empli de nourritures entassées.
C'était comme une joie de guérison, un tapage
plus haut de gens soulagés enfin d'un poids qui
leur gênait l'estomac. Il vit la Sarriette, avec une
montre d'or, chantant au milieu de ses prunes et
de ses fraises, tirant les petites moustaches de
M. Jules, vêtu d'un veston de velours. Il aperçut
Mme Lecœur et Mlle Saget qui passaient sous
une rue couverte, moins jaunes, les joues presque
roses, en bonnes amies amusées par quelque histoire. Dans la poissonnerie, la mère Méhudin, qui
avait repris son banc, tapait ses poissons, engueu-
lait le monde, clouait le bec du nouvel inspecteur, un jeune homme auquel elle avait juré de
donner le fouet ; tandis que Claire, plus molle,
plus paresseuse, ramenait, de ses mains bleuies

par l'eau des viviers, un tas énorme d'escargots
que la bave moirait de fils d'argent. À la triperie,
Auguste et Augustine venaient acheter des pieds
de cochon, avec leur mine tendre de nouveaux
mariés, et repartaient en carriole pour leur charcuterie de Montrouge. Puis, comme il était huit
heures, qu'il faisait déjà chaud, il trouva, en revenant rue Rambuteau, Muche et Pauline jouant
au cheval : Muche marchait à quatre pattes, pendant que Pauline, assise sur son dos, se tenait à
ses cheveux pour ne pas tomber. Et, sur les toits
des Halles, au bord des gouttières, une ombre qui
passa lui fit lever la tête : c'étaient Cadine et Marjolin riant et s'embrassant, brûlant dans le soleil,
dominant le quartier de leurs amours de bêtes
heureuses.

Alors, Claude leur montra le poing. Il était exas-
péré par cette fête du pavé et du ciel. Il injuriait les
Gras, il disait que les Gras avaient vaincu. Autour
de lui, il ne voyait plus que des Gras, s'arrondissant, crevant de santé, saluant un nouveau jour de
belle digestion. Comme il s'arrêtait en face de la
rue Pirouette, le spectacle qu'il eut à sa droite et
à sa gauche lui porta le dernier coup.

À sa droite, la belle Normande, la belle
Mme Lebigre, comme on la nommait maintenant,
était debout sur le seuil de sa boutique. Son mari
avait enfin obtenu de joindre à son commerce de
vin un bureau de tabac, rêve depuis longtemps
caressé, et qui s'était enfin réalisé, grâce à de
grands services rendus. La belle Mme Lebigre lui
parut superbe, en robe de soie, les cheveux frisés,
prête à s'asseoir dans son comptoir, où tous les

messieurs du quartier venaient lui acheter leurs cigares et leurs paquets de tabac. Elle était devenue distinguée, tout à fait dame. Derrière elle, la salle, repeinte, avait des pampres frais, sur un fond tendre, le zinc du comptoir luisait ; tandis que les fioles de liqueur allumaient dans la glace des feux plus vifs. Elle riait à la claire matinée.

À sa gauche, la belle Lisa, au seuil de la charcuterie, tenait toute la largeur de la porte. Jamais son linge n'avait eu une telle blancheur ; jamais sa chair reposée, sa face rose, ne s'était encadrée dans des bandeaux mieux lissés. Elle montrait un grand calme repu, une tranquillité énorme, que rien ne troublait, pas même un sourire. C'était l'apaisement absolu, une félicité complète, sans secousse, sans vie, baignant dans l'air chaud. Son corsage tendu digérait encore le bonheur de la veille ; ses mains potelées, perdues dans le tablier, ne se tendaient même pas pour prendre le bonheur de la journée, certaines qu'il viendrait à elles. Et, à côté, l'étalage avait une félicité pareille ; il était guéri, les langues fourrées s'allongeaient plus rouges et plus saines, les jambonneaux reprenaient leurs bonnes figures jaunes, les guirlandes de saucisses n'avaient plus cet air désespéré qui navrait Quenu. Un gros rire sonnait au fond, dans la cuisine, accompagné d'un tintamarre réjouissant de casseroles. La charcuterie suait de nouveau la santé, une santé grasse. Les bandes de lard entrevues, les moitiés de cochon pendues contre les marbres, mettaient là des rondeurs de ventre, tout un triomphe du ventre, tandis que Lisa, immobile, avec sa carrure digne, donnait aux

Halles le bonjour matinal, de ses grands yeux de
forte mangeuse.

Puis, toutes deux se penchèrent. La belle
Mme Lebigre et la belle Mme Quenu échangèrent
un salut d'amitié.

Et Claude, qui avait certainement oublié de
dîner la veille, pris de colère à les voir si bien por-
tantes, si comme il faut, avec leurs grosses gorges,
serra sa ceinture, en grondant d'une voix fâchée :

« Quels gredins que les honnêtes gens[1] ! »

DOSSIER

VIE D'ÉMILE ZOLA

I. L'ENFANCE ET L'ADOLESCENCE
EN PROVENCE
1840-1858

Émile Zola naît à Paris le 2 avril 1840, au 10 de la rue Saint-Joseph. Il est le fils d'un ingénieur civil d'origine vénitienne, François Zola (né en 1795 et installé en France après des travaux en Italie et en Autriche, et un séjour, en qualité d'officier, dans la Légion étrangère), et d'une jeune Beauceronne, fille d'un artisan vitrier et d'une couturière : Émilie Aubert, née en 1819.

En 1843, les Zola s'installent à Aix-en-Provence. L'ingénieur François Zola, qui a depuis plusieurs années un bureau à Marseille, va construire un barrage tout près d'Aix, dans les gorges de l'Infernet (sur le territoire du Tholonet), et un canal pour l'alimentation en eau potable de la ville d'Aix. Il crée une Société, avec plusieurs commanditaires parisiens. Les parents d'Émilie Aubert, Louis et Henriette Aubert, viennent rejoindre leurs enfants à Aix. Émile Zola fera au moins deux voyages à Paris, l'un en 1845, l'autre en 1846.

François Zola, constructeur et homme d'affaires, est créateur, entreprenant, énergique. Il a proposé à Thiers les plans d'une fortification de Paris, à la ville de Marseille ceux d'un nouveau port. Le barrage de l'Infernet sera sa première grande réalisation en France. C'est un pionnier de la politique des grands travaux. Il touche au succès, lorsque la maladie l'abat. Le 27 mars 1847, il meurt à Marseille d'une pneumonie contractée sur le chantier du barrage. C'est le malheur et la ruine pour la famille. Émilie Zola, spoliée par d'habiles spéculateurs, lutte sans succès, dans d'interminables litiges, pour sauver quelque argent. Les Zola, appauvris, doivent emprunter pour vivre ; ils changent plusieurs fois de domicile ; certains créanciers oubliés relanceront l'écrivain vingt ans plus tard, lorsqu'il aura atteint la célébrité.

Émilie Zola et sa mère veulent cependant donner à l'enfant une éducation de bonne famille. Il reçoit une instruction religieuse : en 1848, il est élève de la pension Notre-Dame, où il a pour camarades Marius Roux et Philippe Solari. Le premier devenu journaliste et le second sculpteur, ils resteront ses amis jusqu'à la fin du siècle. Les Zola traversent sans dommage les événements politiques de la période 1848-1851. En octobre 1852, Zola entre en huitième au collège Bourbon, comme pensionnaire. En 1853, il saute une classe et devient élève demi-pensionnaire de sixième. C'est au collège Bourbon que Zola fait la connaissance d'un autre duo de camarades : Jean-Baptistin Baille, fils d'un aubergiste, et Paul Cézanne, fils d'un banquier, tous deux plus avancés que lui d'un an et d'une classe. En 1854, ils assistent au défilé des troupes partant pour la Crimée. Dans les *Nouveaux Contes à Ninon*, vingt ans plus tard, Zola racontera les souvenirs de sa vie de collégien provençal. Au collège, en quatrième, puis en troisième (section latin-sciences), il remporte des succès. Il joue de la clarinette dans la fanfare du collège, assiste aux cérémonies de la Fête-Dieu, s'enthousiasme pour Hugo et Musset, va applaudir au théâtre les drames romantiques, et, l'été venu, nage et chasse dans la campagne provençale avec Baille et Cézanne. Il se lie avec d'autres jeunes gens de la bourgeoisie d'Aix, Marguery, de Julienne d'Arc, Marquezi, Houchard. De toute cette jeunesse, lui, le plus pauvre,

sera le seul à quitter la Provence pour « monter » à Paris.
Déjà, il accumule les manuscrits : des vers, surtout, mais
aussi un roman sur les croisades, et une comédie de
potache en trois actes et en vers, *Enfoncé, le pion !*. La
plupart de ces premiers écrits ont disparu. Ils portaient
sans doute la marque du lyrisme romantique. De la littérature contemporaine, Leconte de Lisle, Gautier, Nerval,
Baudelaire, Balzac, Zola ne sait encore à peu près rien.

Le 16 novembre 1857, sa grand-mère, Henriette Aubert,
meurt. Émilie Zola part pour Paris, à la recherche de
soutiens. Quelques semaines plus tard, en février 1858,
Zola la rejoint, avec son grand-père Louis Aubert. C'est
l'adieu à la Provence – et à l'insouciance. La famille loue
un petit appartement dans un quartier alors très modeste,
au 63 de la rue Monsieur-le-Prince. Le 1er mars, Émile
entre en seconde au lycée Saint-Louis, sur la recomman-
dation d'un ami de son père, avocat au Conseil d'État,
Alexandre Labot.

II. LA VIE DE BOHÈME
1858-1862

Alors commence une longue et riche correspondance
entre Zola et ses amis aixois. Seules ont été conservées ses
lettres à Baille, le polytechnicien, et à Cézanne, le peintre.
Les résultats scolaires de Zola deviennent décevants. Il
garde la nostalgie de la Provence. Il ne s'intéresse vraiment qu'à la littérature française, enseignée par Pierre
Levasseur, futur historien de renom. Dans le courant de
l'été 1858, il passe plusieurs semaines à Aix. De retour en
octobre, il tombe gravement malade : peut-être la fièvre
typhoïde. Les souvenirs de cette maladie lui inspireront
quinze ans plus tard une partie de *La Faute de l'abbé
Mouret*. Guéri, il retourne au lycée Saint-Louis, en rhé-
torique. En janvier 1859, les Zola habitent 241 rue Saint-
Jacques, encore plus près de la banlieue sud. Émile Zola

compose des vers en hommage à son père, qui paraissent dans *La Provence* (17 février 1859). Il découvre, au Carnaval, la fête nocturne dans Paris, le bal de l'Opéra. En juin, c'est l'effervescence des batailles contre l'Autriche, l'enthousiasme pour la cause italienne. Zola ne parvient ni à l'application de certains de ses condisciples, déjà préparés pour les carrières que l'Empire offre aux fils de la bourgeoisie parisienne, ni à la futilité des autres, qui serviront plus ou moins de modèles au jeune Maxime, dans *La Curée*. Pauvre, à demi étranger, déraciné, poète, idéaliste dans un monde qu'il juge cynique, il n'est pas heureux. Le 4 août 1859, il échoue au baccalauréat. Après des vacances à Aix (et des amours platoniques avec une jeune fille qu'il baptise l'Aérienne), c'est un nouvel échec, à Marseille, en novembre. Il abandonne ses études.

En 1860, son grand-père, Louis Aubert, meurt. Zola cherche du travail. La protection d'Alexandre Labot lui vaut une place d'employé à l'administration des Docks de Paris. Il y reste deux mois. Il échappe à l'ennui de la semaine par de longues randonnées dominicales, dans les villages de la banlieue, à Saint-Cloud, à Vincennes, à Vitry. Les Zola demeurent 35 rue Saint-Victor, où il a, pour lui seul, une mansarde au septième étage. Là, il reçoit de nouveaux amis, le peintre Chaillan, Georges Pajot, et des Provençaux installés comme lui à Paris. Poèmes (*Paolo*), proverbes (*Perrette*), nouvelles (*Un coup de vent*), lettres à Baille et à Cézanne : il écrit, lit les classiques, Michelet, George Sand, Shakespeare, admire Jean Goujon et Greuze. L'été venu, il quitte les Docks, se retrouve sans travail, et sans ressources. Il doit renoncer à l'idée d'aller passer à Aix les premières semaines de l'automne.

L'hiver 1860-1861 lui est très dur. On ne sait pas grand-chose de ces six mois. Zola s'enfonce dans le spleen. Il a une liaison malheureuse avec une fille galante, Berthe (qu'il transposera dans *La Confession de Claude*, commencé dès 1862 et publié en 1865). En février, il habite au 24 de la rue Neuve-Saint-Étienne-du-Mont, dans un hôtel garni. Cézanne, tant attendu, le rejoint en avril 1861. Ensemble, ils visitent le Salon de Peinture, les académies où travaillent les rapins. Zola cherche toujours un emploi, en vain, avec une amertume et un désarroi croissants. Il lit Molière et Montaigne, mais aussi Victor de Laprade. Il mène apparemment la vie de bohème. C'est la fin des soliloques idéalistes, le début des regards sur la grande ville et sur les paysages de plein air – à la manière de ses amis peintres qui cherchent le « motif ». Mais l'œuvre a toujours un temps de retard sur l'expérience : il écrit encore des vers, sans plus guère croire à son talent poétique (*L'Aérienne*). La fin de l'enfance approche. L'attente durera encore tout un hiver, dans le froid, l'oisiveté, le malaise. Le 7 décembre 1861, à la mairie du Ve arrondissement, il réclame, en qualité de fils d'étranger, né en France, la nationalité française. Bénéficiant d'un tirage au sort favorable, il est libéré du service militaire.

III. L'ÉDITION
1862-1865

Le 1er mars 1862, Émile Zola entre à la librairie Hachette, a 100 francs par mois, comme employé au bureau des expéditions, où il fait des paquets, puis au bureau de la publicité. Il découvre le monde du livre, de l'intérieur. Il habite alors 11 rue Soufflot. En avril, on le trouve 7 impasse Saint-Dominique. Se détournant désormais de la poésie, il écrit trois contes en août-septembre (trois des futurs *Contes à Ninon*). Louis Hachette s'intéresse à lui, et lui confie les tâches de ce qu'on appellerait aujourd'hui un attaché de presse. Le 31 octobre, il est naturalisé français. Nouveau déménagement : le voilà, à la fin de l'année, au 62 rue de la Pépinière, près de la barrière d'Enfer (aujourd'hui rue Daguerre). En juillet 1863, il habite avec sa mère un appartement de trois pièces 7 rue des Feuillantines.

Il s'enhardit. Ses fonctions le font entrer en contact avec les journaux et les revues, avec les écrivains liés à la librairie Hachette. L'année 1863 est celle de ses véritables premiers pas dans la presse : un proverbe en vers, _Perrette_, est refusé par la _Revue des Deux Mondes_, en février, mais deux contes paraissent dans la _Revue du Mois_, à Lille, en avril et en octobre ; en décembre, il collabore au _Journal populaire de Lille_. Conteur, chroniqueur, critique : ce sera sa marque propre, dans le journalisme de la fin du second Empire

Son départ, dans la double carrière de l'édition et des lettres, semble bien pris. En juin 1864, devenu chef de la publicité à la librairie Hachette, à 200 francs par mois, Zola s'installe avec sa mère 278 rue Saint-Jacques. Il lit Stendhal et Flaubert, fait le compte rendu, pour la _Revue de l'Instruction publique_, des conférences de la rue de la Paix sur Le Sage, Shakespeare, Aristophane, La Bruyère, Molière. Ces conférences sont un foyer de l'opposition libérale à l'Empire. Il affirme sa sympathie littéraire pour le réalisme. Il collabore au _Journal populaire de Lille_, à _L'Écho du Nord_, à _La Nouvelle Revue de Paris_, à _L'Entracte_. Le cercle de ses relations littéraires s'élargit. Il remporte « sa première victoire » avec la publication des _Contes à Ninon_, en décembre, chez Albert Lacroix, l'éditeur de Hugo. Un mois plus tard, il va demeurer 142 boulevard Montparnasse

L'année 1865 accentue ce mouvement. Il est désormais chroniqueur régulier du _Petit Journal_, du _Salut public de Lyon_. On trouve sa signature dans _La Vie parisienne_, _La Revue française_, _Le Figaro_, _Le Grand Journal_, etc. En novembre, paraît son premier roman, _La Confession de Claude_. Il écrit deux pièces de théâtre, _La Laide_ et _Madeleine_ Il a pris de l'assurance et de la confiance. Il a su exploiter à fond ses fonctions dans l'édition. Il travaille avec acharnement ; c'est au-delà de ses dix heures quotidiennes chez Hachette qu'il doit trouver le temps d'écrire Ses articles, à eux seuls, lui rapportent 200 francs par mois. Ce n'est plus tout à fait la pauvreté. Il a rencontré Gabrielle-Alexandrine Meley, qui est devenue sa maîtresse en mars et dont il ne se séparera plus. Il va prendre tous ses risques, en abandonnant la librairie pour ne plus vivre que de sa plume.

IV. LE JOURNALISME LITTÉRAIRE
1866-1868

Le 31 janvier 1866, Zola quitte la librairie Hachette. Depuis trois mois, son nom commençait à faire quelque tapage : *La Confession de Claude* a déclenché une enquête du procureur de la République ; une aigre polémique a opposé Zola à Barbey d'Aurevilly et au journal *Le Nain jaune*. Le successeur de Louis Hachette (mort en juillet 1864) a besoin d'un chef de publicité plus discret. Zola, de son côté, pense que le moment est venu de conquérir une complète disponibilité. La librairie Hachette lui commande trois ouvrages (qu'il n'écrira pas) ; la séparation semble se faire à l'amiable. Zola, le 1er février, devient courriériste littéraire de *L'Événement*, journal fondé par Hippolyte de Villemessant. Il conserve sa collaboration au *Salut public de Lyon*. Il écrit un roman-feuilleton pour *L'Événement* : *Le Vœu d'une morte* ; il donne une grande étude sur Taine à *La Revue contemporaine*, des contes à *L'Illustration*. Il proclame son admiration pour les Goncourt, pour Balzac, pour Flaubert. Son *Salon* dans *L'Événement* fait scandale : il loue Manet et Courbet, et éreinte la peinture académique. Il publie coup sur coup *Mon Salon* (juin), *Mes Haines*, recueil des principales études littéraires du *Salut public*, *Le Vœu d'une morte* (novembre). Avec Cézanne, le peintre Guillemet, et quelques autres, il découvre Bennecourt, sur les bords de la Seine, au-delà de Mantes, et. y fait plusieurs séjours. À Paris, il habite avec Alexandrine Meley, rue de l'École-de-Médecine, puis 10 rue de Vaugirard. Il écrit des lettres sereines, optimistes.

Mais l'année, fort bien commencée, se termine dans la gêne. L'année 1867 n'est pas plus favorable. _L'Événement_ a été supprimé le 15 novembre ; _Le Salut public_, après novembre, se passe des services de Zola ; _Le Figaro_, devenu quotidien pour se substituer à _L'Événement_, ne publie que de loin en loin, en 1867, des textes de Zola : des portraits littéraires, des tableaux parisiens, des études critiques. En janvier 1867, Zola affirme encore une fois hautement son estime pour Manet, dans _La Revue du xixe siècle_. Il rencontre au Café Guerbois, Grande-rue des Batignolles, les peintres de la nouvelle école (les futurs impressionnistes) Manet, Pissarro, Monet, bientôt Renoir, Fantin-Latour, Bazille, avec l'écrivain Duranty. Quelques textes ici et là (dans _La Situation_, et dans _La Rue_ de Vallès) ne le préservent pas du manque d'argent. Alexandrine fait des bandes pour la librairie Hachette. C'est une année noire. Mais c'est aussi l'année où Zola écrit son premier chef-d'œuvre, _Thérèse Raquin_, qui paraît en décembre. En même temps, il publie un roman-feuilleton dans _Le Messager de Provence_ : _Les Mystères de Marseille_. Une adaptation de ce roman pour la scène, due à Zola et à Roux, sera jouée à Marseille en octobre.

En avril 1867, les Zola se sont installés sur la rive droite, 1 rue Moncey (aujourd'hui rue Dautancourt), aux Batignolles. En avril 1868, ils vont habiter 23 rue Truffaut. Zola écrit _Madeleine Férat_, qui paraîtra en feuilleton dans _L'Événement illustré_, où il a également publié un nouveau _Salon_ et de nombreuses chroniques. Il connaît encore des périodes difficiles. À partir de juin, il collabore à _La Tribune_, un des journaux de l'opposition républicaine nés de la loi du 11 mai 1868 sur la libéralisation de la presse. En novembre, il noue des relations amicales avec les Goncourt. Il correspond avec Taine, avec Sainte-Beuve. C'est l'époque où il lit des ouvrages sur l'hérédité, sur la physiologie, et où il jette les premières idées, les premiers projets de l'_Histoire d'une famille_, en dix volumes. Il cherche à s'engager pour un long terme chez un éditeur, qui assurerait sa sécurité matérielle et lui permettrait de construire à loisir une grande œuvre, conforme à ses intuitions « naturalistes » : l'analyse, psychologique, physiologique et sociale, est pour lui la forme moderne du roman.

V. LE JOURNALISME POLITIQUE
1869-1871

L'opposition à l'Empire s'enhardit. Zola multiplie les causeries polémiques dans *La Tribune*, puis dans *Le Rappel*, journal fondé par les proches de Victor Hugo. En même temps, il donne un courrier bibliographique au *Gaulois*. L'*Histoire d'une famille* commencera au coup d'État du 2 décembre 1851, et sera pour une part la peinture satirique des groupes sociaux qui ont trouvé profit dans le régime de Napoléon III. Zola écrit le premier roman du cycle, *La Fortune des Rougon*, et prépare le second, *La Curée*, cependant qu'éclatent des troubles en province (chez les mineurs de La Ricamarie et d'Aubin) et à Paris (juin-octobre 1869). Zola s'est installé 14 rue de La Condamine, toujours dans le quartier des Batignolles. Il y accueille un jeune Aixois, Paul Alexis, qui deviendra son plus fidèle ami. L'éditeur Albert Lacroix accepte le plan des *Rougon-Macquart*, avec un contrat de cinq cents francs par mois pour l'auteur.

1870 compromet cette sécurité retrouvée. Le 31 mai, Zola a épousé Alexandrine Meley. Il continue à fréquenter Bennecourt, et à publier de vigoureux pamphlets contre l'Empire. Il collabore au *Rappel* (qui se passera de ses services après un article jugé par trop élogieux pour Balzac, le 13 mai) et à *La Cloche*, autre journal républicain. Mais le 19 juillet éclate la guerre entre la France et la Prusse. Le 4 septembre, deux jours après la défaite de Sedan, l'Empire s'effondre. L'événement sauve Zola des poursuites judiciaires que lui valait son article du 5 août, plus antibonapartiste que jamais. La publica-

tion de *La Fortune des Rougon*, qui paraissait depuis le
28 juin dans *Le Siècle*, est interrompue depuis le 10 août.
Le 7 septembre, les Zola quittent Paris pour Marseille,
afin d'échapper au siège.

Zola espère du gouvernement de la Défense nationale un poste de sous-préfet, récompensant son passage
dans les journaux républicains. Il échoue, malgré l'appui
– assez mou – des amis politiques de Gambetta. À Marseille, il fonde avec Marius Roux un journal éphémère,
La Marseillaise. Le 11 décembre, il part seul pour Bordeaux, où siège une délégation du gouvernement. Un
membre de la délégation, Glais-Bizoin, le prend comme
secrétaire. Sa femme et sa mère le rejoignent. Après l'ar-
mistice du 28 janvier 1871, une Assemblée nationale est
élue (le 8 février). Elle siège à Bordeaux. Zola propose à
La Cloche, et obtient, de devenir son chroniqueur parlementaire ; il fera le même travail pour *Le Sémaphore de
Marseille*. Le voilà aux avant-postes de l'observation politique. Le 14 mars, il rentre à Paris, car l'Assemblée siège
désormais à Versailles. Pendant la Commune, du 18 mars
au 28 mai, il réside d'abord à Paris, puis, à partir du
10 mai, à Bennecourt : sa collaboration à *La Cloche*, journal républicain modéré, suspendu à partir du 19 avril, l'a
rendu suspect à la Commune. De retour à Paris, il assiste
avec consternation à la répression versaillaise, à l'instau-
ration de « l'ordre moral ». La publication de *La Curée*,
qui paraît en feuilleton dans *La Cloche*, est interrompue
le 5 novembre sur intervention du Parquet. Après avoir
été éloigné par la Commune, Zola est désormais surveillé
par la république conservatrice.

VI. LA CONQUÊTE DU SUCCÈS
1872-1877

Zola se partage entre ses chroniques parlementaires et
son œuvre littéraire. Il quitte *La Cloche* à la fin de 1872,

mais conserve sa collaboration régulière au *Sémaphore de Marseille* jusqu'en février 1877, y publiant surtout, après 1872, des articles sur l'actualité parisienne. Un article vivement polémique contre la majorité monarchiste, dans *Le Corsaire*, en décembre, lui interdit la presse parisienne jusqu'en 1876 (sauf une brève série de critiques dramatiques dans *L'Avenir national*, en 1873). Il noue en 1872 des relations amicales avec Flaubert, Daudet, Tourgueniev. L'éditeur Georges Charpentier réédite *La Curée* et *La Fortune des Rougon*, et prend le relais de Lacroix, avec les mêmes conditions : un versement mensuel de cinq cents francs. *Le Ventre de Paris* paraît en 1873, l'année où Mac-Mahon est élu président de la République, évinçant Thiers. En juillet 1873, Zola tente sa chance au théâtre, avec *Thérèse Raquin* : échec. En 1874, il en va de même pour *Les Héritiers Rabourdin*, tandis que paraissent *La Conquête de Plassans* et les *Nouveaux Contes à Ninon*. Les Zola vont habiter au 21 rue Saint-Georges (aujourd'hui rue des Apennins). Par Manet, Zola noue amitié avec Mallarmé, par Flaubert avec Maupassant. Il suit avec sympathie les expositions impressionnistes, en 1874, 1876, 1877. Après *La Faute de l'abbé Mouret*, en 1875, il reçoit la visite admirative de J. K. Huysmans, de Henry Céard, puis de Léon Hennique. L'éditeur Charpentier lui assure désormais des droits proportionnels aux ventes. Cette année, les Zola prennent leurs vacances à la mer (à Saint-Aubin, en Normandie).

Zola collabore maintenant à une revue mensuelle de Saint-Pétersbourg, *Le Messager de l'Europe. Son Excellence Eugène Rougon* paraît en 1876. À partir d'avril 1876, *Le Bien public*, journal républicain, lui ouvre une revue dramatique et littéraire hebdomadaire, et publie en feuilleton *L'Assommoir*. La publication fait scandale ; elle devra s'achever dans une revue, *La République des lettres*. Le roman, en janvier 1877, fait enfin de Zola l'écrivain le plus lu et le plus discuté de Paris. Il amplifie son succès avec ses campagnes en faveur du naturalisme, et ses éreintements des pièces à la mode : théâtre acadé-

mique, drames historiques et pièces de boulevard. Les
Zola, maintenant à l'aise, s'installent en avril 23 rue de
Boulogne (aujourd'hui rue Ballu), et passent près de six
mois (de mai à octobre) dans un village de pêcheurs près
de Marseille, à L'Estaque. En octobre 1877, Mac-Mahon
ayant dissous une assemblée où les républicains étaient
majoritaires depuis un an, ceux-ci remportent les élections qui suivent. Trois mois plus tard, Mac-Mahon se
soumet. La république parlementaire est enfin solidement instaurée. Et de même, la fortune privée et littéraire
de Zola. Coïncidence significative, où se lit l'émergence
politique, idéologique, esthétique, d'une nouvelle bourgeoisie.

VII. LE CHEF D'ÉCOLE :
DE « L'ASSOMMOIR » À « GERMINAL »
1877-1885

Le 28 mai 1878, avec les droits d'auteur de *L'Assom-*
moir, Zola acquiert une maison à Médan, au bord de
la Seine, à une quarantaine de kilomètres à l'ouest de
Paris (pour 9 000 francs). Il y passera chaque année l'été
et l'automne et fera agrandir la demeure dès 1880. Maupassant lui apporte un bateau, baptisé Nana, du nom de
l'héroïne du roman que prépare Zola. En avril, a paru
Une page d'amour. En juillet, *Le Voltaire* se substitue
au *Bien public*, mais Zola y conserve sa chronique hebdomadaire. Il envoie au *Messager de l'Europe* de longs
articles de reportages (sur l'Exposition universelle), de
souvenirs, d'analyses sociales, de théorie littéraire. En
mai, il fait jouer *Le Bouton de Rose*, un vaudeville, au
Palais-Royal : c'est un four. Mais une adaptation de *L'As-*
sommoir, en 1879, fait les beaux soirs de l'Ambigu. On
commente, on discute, on chansonne et on caricature ses
sujets, ses personnages et ses thèses naturalistes. Celles-ci
culminent dans la publication, en 1880, du *Roman expé-*

rimental. Par ce titre, Zola rattache délibérément son inspiration idéologique au courant de la pensée scientiste et positiviste, tandis que son œuvre puise dans des thèmes mythiques permanents : thèmes de vie, la nature et l'homme en travail, le rut, la gésine, la germination, la fécondité ; thèmes de mort, l'écroulement, la dissolution, le meurtre, la bêtise, la stérilité, l'agonie, l'absurdité, avec leurs fantasmes : la machine, la bête, le sang, l'or, l'alcool, la fournaise, l'enfant qu'on tue, la femme-refuge et la femme-gouffre. Ainsi Nana, la « Mouche d'Or », dont Flaubert dit en 1880 qu'« elle tourne au mythe sans cesser d'être une femme ».

La critique académique est ahurie et scandalisée. Zola, en réponse, l'étrille dans ses articles du *Voltaire*, puis du *Figaro* (1880-1881). *Les Soirées de Médan*, en avril 1880, (avec Alexis, Céard, Huysmans, Hennique et Maupassant) font de Médan le symbole du naturalisme. Puis Zola abandonne le journalisme. En 1880, il a perdu deux amis : Duranty et Flaubert, et, le 17 octobre, sa mère. Ces disparitions lui causent un profond ébranlement affectif, dont *La Joie de vivre*, en 1884, porte la trace. Il passe mal la quarantaine. L'œuvre continue, cependant, comme une drogue ; en 1881, trois recueils critiques (*Les Romanciers naturalistes, Le Naturalisme au théâtre, Documents littéraires*) ; en 1882, *Une campagne*, recueil des articles du *Figaro*, et un roman au vitriol sur les mœurs de la bourgeoisie, *Pot-Bouille* ; en 1883, *Au Bonheur des dames*. À Paris et à Médan, les Zola reçoivent leurs amis, Daudet, Goncourt, Charpentier, Céard, Alexis, Huysmans, Cézanne. Ils passent l'été au bord de la mer, à Grand-Camp en 1881, à Bénodet en 1883. Du 23 février au 3 mars 1884, Zola enquête à Anzin, dans les mines de charbon, en pleine grève, pour son « roman ouvrier » : *Germinal* paraît en 1885, cinq ans après le retour des Communards exilés, trois ans après la formation du parti ouvrier de Jules Guesde, un an après la législation des syndicats. C'est le sommet des *Rougon-Macquart*, une œuvre où convergent le génie narratif et la puissance

prophétique, et à laquelle aucun roman contemporain ne
peut se mesurer. Zola rejoint Balzac, Stendhal, Flaubert.
Il faudra, désormais, attendre Proust.

VIII. LA FIN DES ROUGON :
DE « L'ŒUVRE » AU « DOCTEUR PASCAL »
1886-1893

Rentré d'un séjour au Mont-Dore (août 1885), Zola
mène campagne contre la censure, qui a interdit l'adaptation de *Germinal* au théâtre (septembre-octobre 1885).
La pièce ne sera jouée qu'en avril 1888, au Châtelet : trop
longue, elle échouera. *L'Œuvre*, roman sur les peintres
et sur la création artistique, est achevé en février 1886.
Cézanne, qui croit s'être reconnu dans le personnage de
Claude Lantier, cesse toute relation suivie avec Zola. La
demeure de Médan s'agrandit ; Zola est un propriétaire
heureux et gourmand ; il prend de l'embonpoint. Du
3 mai au 11 mai 1886, il voyage en Beauce pour préparer *La Terre*, dont il voudrait faire pour les paysans ce
que *Germinal* a été pour les ouvriers. *La Terre*, achevé
en août 1887, soulève de nouvelles polémiques. Anatole
France parle des « géorgiques de l'ordure » ; cinq jeunes
écrivains de l'entourage de Goncourt (Bonnetain, Des-
caves, Rosny, etc.) publient un manifeste où ils affirment
renier le naturalisme de Zola. Celui-ci passe des vacances
paisibles à Royan et, malicieusement, commence à préparer un roman mystique et faussement « convenable »,
Le Rêve.
    Il lui reste quatre romans à écrire pour clore le cycle
des *Rougon*. Il n'en sera même pas détourné par la révolution qui bouleverse sa vie privée en 1888. Il s'éprend
d'une jeune lingère bourguignonne engagée par Alexandrine Zola, et en fait sa maîtresse, en décembre. Jeanne
Rozerot lui donnera deux enfants, Denise, en 1889,
et Jacques en 1891. Ce sont pour lui, dorénavant, les

contraintes d'une double vie, qu'il réussit à vivre dans la dignité et à préserver des ragots, et qu'Alexandrine, après une crise douloureuse, acceptera. Il mincit, découvre à cinquante ans les joies de la paternité, retrouve l'énergie fougueuse de sa jeunesse. *La Bête humaine* (1890) n'en est pas moins un roman noir, hanté par des visions de violence. En septembre 1889, les Zola s'installent dans leur dernier domicile, 21 bis rue de Bruxelles, près de la place Clichy, que Zola, un peu plus tard, photographiera sous tous les angles, avec beaucoup d'autres paysages parisiens. La photographie le passionne ; il devient un excellent preneur de vues et un très bon technicien.

Le 1er mai 1890, il pose pour la première fois sa candidature à l'Académie française. Il échouera toujours, en dépit de sa persévérance ; il ne sera jamais que président de la Société des gens de lettres (1891), où il travaillera sérieusement à la protection des droits des écrivains. En 1891, paraît *L'Argent*, roman sur la Bourse et les grandes affaires. En avril 1891, Zola refait, de Châlons à Sedan, le chemin qu'avait suivi en 1870 l'armée de Châlons, avant d'être écrasée à Sedan. En juin, on joue à l'Opéra-Comique *Le Rêve*, sur une musique d'Alfred Bruneau. Zola se tourne vers le théâtre lyrique et écrit des livrets originaux, que Bruneau, devenu un fidèle de Médan, met en musique : *L'Attaque du moulin* (1893), *Lazare* (1894), *Messidor* (1897), etc. *La Débâcle* paraît en 1892. En août-septembre, les Zola voyagent à Lourdes, en Provence, en Italie : premier contact avec l'univers des *Trois Villes*. La dernière ligne du *Docteur Pascal* est écrite le 15 mai 1893. Le 21 juin, un grand banquet littéraire célèbre l'achèvement des *Rougon-Macquart* ; le 13 juillet, Zola, chevalier depuis 1888, est fait officier de la Légion d'honneur. En septembre, il est l'invité d'honneur du congrès international de la Presse, à Londres. Mais l'Académie française lui préfère José Maria de Heredia. Heureusement pour son visage futur, il n'a pas tout à fait conquis tous les honneurs...

IX. DE L'« HISTOIRE D'UNE FAMILLE »
AU CYCLE DE LA CITÉ « LES TROIS VILLES »
1894-1898

Pendant que Zola terminait *Les Rougon-Macquart*, c'était, à Lourdes, le grand marché des miracles, à Rome l'encyclique de Léon XIII sur les conflits sociaux, et à Paris, mêlés, le ralliement catholique à la République modérée de Jules Méline, le scandale de Panama, les attentats anarchistes. Une fin de siècle travaillée par l'inquiétude sociale, le nationalisme, le renouveau mystique, le malaise des foules... Zola reprend partiellement le schéma qui lui a réussi dans *Les Rougon-Macquart* : une même famille suivie de roman en roman (mais sans les multiples ramifications des Rougon-Macquart). Le prêtre Pierre Froment sera successivement le héros de *Lourdes* (1894), de *Rome* (1896) et de *Paris* (1898). Les Zola ont séjourné à Rome en 1894. Zola a été fasciné par les contrastes entre les ruines du monde antique, le baroque, la toute-puissance de la Rome papale, et la fièvre de spéculations et de plaisirs de la capitale civile. Il s'est retrouvé dans Michel-Ange. Il n'a pas rendu visite à ses lointains cousins de Vénétie...

En 1895-1896, il reprend sa plume de journaliste, pour une *Nouvelle Campagne* dans *Le Figaro* : dix-huit articles, parmi lesquels un article malheureux sur l'art moderne, et un article prémonitoire sur l'antisémitisme. *Paris*, en 1898, tentera d'interpréter les tares de la république parlementaire, l'inhumanité de la cité moderne, l'exaltation anarchiste.

X. DE L'AFFAIRE DREYFUS
AUX « QUATRE ÉVANGILES »
1898-1902

Le capitaine Alfred Dreyfus a été condamné en décembre 1894 à la déportation perpétuelle à l'île du Diable, pour avoir prétendument livré des renseignements à l'Allemagne. En 1896, le colonel Picquart a découvert le vrai coupable (le commandant Esterházy). Mais ce n'est qu'à la fin de 1897 que Zola, convaincu par Leblois, Bernard Lazare, Scheurer-Kestner, de l'innocence de Dreyfus, va mettre son nom et son talent au service du condamné. *J'accuse* (Lettre au président de la République), publié le 13 janvier 1898 dans *L'Aurore*, journal de Clemenceau, enflamme l'opinion. L'affaire Dreyfus est désormais au centre du débat politique, contre le vœu des pouvoirs et du parlement. Elle oppose le courant nationaliste et militariste à la gauche radicale et socialiste, la libre pensée à l'intégrisme catholique, les partisans du droit à ceux de l'ordre et de la raison d'État. Zola, injurié de toutes les manières par les ligues d'extrême droite, inculpé de diffamation à l'égard des officiers qu'il a dénoncés pour forfaiture, est jugé par la cour d'assises de Paris du 7 au 23 février 1898 et condamné à un an de prison et 3 000 francs d'amende. Le jugement, cassé le 2 avril, est confirmé par la cour de Versailles le 18 juillet 1898, par défaut. Sur le conseil de ses défenseurs (Labori, Albert Clemenceau) et de ses amis (l'éditeur Fasquelle, Alfred Bruneau, Fernand Desmoulins, Octave Mirbeau), Zola s'exile en Angleterre. C'est un nouveau bouleversement dans sa vie. L'écrivain paisible, honoré, fortuné, est devenu un combattant traqué, clandestin. D'Angleterre, il écrit des lettres à la fois attristées et confiantes à Alexandrine, à Jeanne Rozerot, à ses amis. Son action a déclenché un mouvement irréversible. Le 31 août 1898, le commandant Henry, principal accusateur de Dreyfus, est convaincu de faux et se suicide. Le dossier d'Alfred Dreyfus est porté devant la Cour de cassation, qui, le 3 juin, rend un arrêt de révision du procès de 1894. Les défenseurs de Dreyfus triomphent. Zola, le 5 juin, rentre en France, affrontant ouvertement le gouvernement, qui renonce à le faire poursuivre. En septembre 1899, Dreyfus, ramené en France, est de nouveau jugé, de nouveau condamné par des officiers qui se refusent à perdre la face, et aussitôt gracié. Il sera réhabilité et réintégré dans l'armée en 1906. La défaite des adversaires de Dreyfus et de Zola, en dépit de la politique d'apaisement menée par Waldeck-Rousseau, entraînera la victoire de la gauche radicale aux élections de 1902, et une diminution sensible du rôle des congrégations religieuses et des ligues nationalistes.

En Angleterre, Zola a écrit *Fécondité*, qui paraît en 1899. C'est le premier des *Quatre Évangiles*, son dernier cycle, où il cherche à deviner, à travers le destin de la lignée issue de Pierre Froment, ce que sera la société du siècle à venir ; romans longs et touffus, où passent les rêves et les mythes laïques, scientistes et socialisants de 1900. *Travail* paraît en 1901 ; *Vérité*, directement inspiré par l'Affaire, sera publié en 1903, après la mort de Zola. *Justice* est resté à l'état de notes préparatoires.

Après son retour, Zola intervient plusieurs fois dans *L'Aurore* pour hâter la réhabilitation d'Alfred Dreyfus. En 1900, il réalise un reportage photographique de l'Exposition universelle. Pour le reste, c'est de nouveau une vie familiale doublement partagée, entre Alexandrine et Jeanne, entre Paris et Médan. De nombreuses photos le montrent entouré de ses amis à Médan, ou de ses enfants dans la demeure de Jeanne à Verneuil, ou en cycliste sur les routes de campagne. Il s'est retiré à l'écart du mouvement politique et esthétique. Son vieil ami Paul Alexis meurt en 1901. Maupassant est mort en 1893, Goncourt en 1896, Daudet en 1897. Il est le dernier survivant des dîners naturalistes.

Pas pour longtemps. Dans la nuit du 28 au 29 septembre 1902, au retour de Médan, Alexandrine et Émile Zola sont asphyxiés par une cheminée qui tire mal. Seule

Alexandrine est ranimée. Accident ? Malveillance ? Zola recevait souvent des menaces de mort. L'enquête conclut à l'accident, sans certitude. Cinquante ans plus tard, un entrepreneur, sans laisser publier son nom, avouera à un journaliste avoir bouché la cheminée de Zola, « pour lui faire une farce ». Zola mort pour la Justice, titre de sa dernière œuvre ? Ce n'est pas invraisemblable.

Le 5 octobre 1902, le peuple de Paris, auquel s'est jointe une délégation des mineurs de Denain, lui fait un cortège de funérailles comme on n'en avait pas vu depuis la mort de Victor Hugo. Le 4 juin 1908, son corps sera porté au Panthéon. Plus tard, selon les vicissitudes politiques et idéologiques, l'État l'honorera ou l'oubliera. Il reste une figure plus aimée à gauche qu'à droite. Le peuple n'a jamais cessé de le lire. La critique moderne a découvert son œuvre, qu'on étudie maintenant à l'égal des classiques.

HENRI MITTERAND

NOTICE

LES ORIGINES

Le plan des *Rougon-Macquart* proposé en 1869 à l'éditeur Albert Lacroix ne fait nulle mention du futur *Ventre de Paris*. Le projet de roman sur les spéculations *(La Curée)* est immédiatement suivi d'un projet de roman sur « le monde officiel » (qui deviendra *Son Excellence Eugène Rougon*), puis d'un projet consacré aux « fièvres religieuses du moment » *(La Faute de l'abbé Mouret)*. Rien sur les Halles, rien sur les déportés de décembre 1851.

Et pourtant, dès avant la fin de l'Empire, Zola esquissait dans ses chroniques quelques-uns des thèmes que *Le Ventre de Paris* orchestrera. La série d'articles qu'il donna à *La Tribune*, du 14 juin 1868 à janvier 1870, apparaît bien à cet égard comme le creuset des premiers *Rougon-Macquart*, y compris de ceux qui surgiront dans le cycle sans avoir été annoncés. Le 3 octobre 1868, imaginant Don Quichotte et Sancho Pança au secours de la reine d'Espagne, qui vient d'être dépossédée de son trône, Zola transforme « le héros de la Manche » en courtisan gras et oublieux de ses prouesses, et Sancho en manant amaigri, qui, « aidé des manants, ses frères », conquiert l'Espagne, où il vivra libre. On voit se profiler ici le mythe des Gras – jouisseurs, amis du pouvoir – et des Maigres – revoltés et conquérants. Un an plus tard, le 19 septembre 1869, dans un article sur les poètes contemporains, il se moque des Parnassiens, que la vie ne touche plus, et appelle de ses vœux un poète « qui jetterait au feu la défroque grecque et barbare » et « marcherait droit à son époque », « accepterait la science et trouverait en elle la matière d'un champ large et puissant ». Mais « pas un n'a l'idée de me dire : J'habite Paris, j'ouvre ma fenêtre chaque matin, et je regarde devant moi ». Ces idées ne sont pas inédites sous sa plume. Elles préfigurent en tout cas les réflexions de Claude Lantier, le peintre du *Ventre de Paris*, en arrêt devant les étals colorés des Halles.

Lui-même prêche d'exemple. Sa chronique du 17 octobre 1869, écho d'un article déjà publié dans *Le Figaro* le 20 novembre 1866, est une ample évocation de la « moisson » de violettes offerte aux revendeuses, sur le carreau des Halles (ce sera le thème d'ouverture du *Ventre*), puis les tas de viande, les paniers de poisson, les montagnes de légumes qu'on entrevoit « dans la clarté pâle », et qui vont « alimenter l'orgie du jour ». Nature morte, déjà traitée avec en arrière-plan une attirance-répulsion pour « les mangeailles de la Halle », et une sorte de haut-le-cœur moral devant ce lieu où s'étalent avec une totale impudeur toutes les sollicitations de l'appétit. Gros mangeur et déjà gastronome à cette époque, Zola ne sait pas succomber à la tentation sans tourment…

Le Ventre de Paris sera une manière de réponse à ce tourment. On ne jouit pas sans essayer de compenser, de racheter, dans cette génération qui ne va plus à la messe, mais qui n'en a pas fini avec le péché originel. Spectacle formidable, fabuleusement naturel, charnel, irréligieux aussi, que celui des Halles. Voilà bien un grand et puissant motif pour la véritable poésie contemporaine, qui est celle de la prose descriptive, concurrente de la peinture. Peindre des « sujets modernes », peindre Paris, avec des mots, comme le font, avec des couleurs matérielles, ses amis de la nouvelle école de peinture, qu'on ne baptisera impressionnistes qu'en 1874 : voilà son désir, déjà exprimé en 1865 à propos de Courbet, en 1866 à propos

de Manet, en 1868 – et encore en 1872 – à propos de
Pissarro, de Monet ou de Jongkind.

Mais il faut aussi, d'une part, écrire un roman, d'autre
part, dégager de ce spectacle, du plaisir trouble et profond qu'on éprouve à contempler le grouillement des
Halles, une haute leçon. C'est peut-être ainsi qu'il faut
expliquer l'amalgame contradictoire sur lequel repose la
composition du *Ventre de Paris* : la peinture complaisante
et démesurée du temple de la bouffe, et l'histoire d'un
proscrit ascétique, à sa manière nouveau Christ persécuté
par les marchands.

Ce croisement n'apparaît nulle part sous la plume de
Zola avant 1871. Cela ne veut pas dire qu'il n'avait pas
pensé auparavant consacrer un roman à l'univers des
Halles. Au contraire, les chroniques que je viens de citer
montrent la naissance, puis la présence insistante d'une
rêverie sur cette matière. Ce qu'on constate, c'est que
les deux discours, le discours sur le ventre et le discours
sur la proscription politique, jusqu'en 1871 au moins
demeurent séparés.

Comment se sont-ils rejoints ? Il faut sans doute poser,
à l'origine de leur convergence, l'évolution des événements et des discours politiques de 1868 à 1871. Entre
1868 et 1870, après la relative libéralisation du régime de
la presse, les journaux de l'opposition avaient inlassablement reproché au régime de Napoléon III les fusillades
du 4 décembre 1851 sur le boulevard Montmartre, et
la déportation à Cayenne des résistants républicains :
ce seront deux épisodes capitaux dans le passé de Florent. En 1869, *Le Rappel* avait publié des lettres de Louis
Blanc, écrites en 1856, sur la condition des « transportés » en Guyane. Dans le même temps, Charles Delescluze publiait un ouvrage dont Zola allait utiliser les
données pour son roman : *De Paris à Cayenne, Journal
d'un transporté*. Hugo faisait paraître dans *Le Rappel*, le
5 décembre 1869, son « Souvenir de la nuit du 4 ». Des
feuilletons surgissaient, dans *Le Rappel* et dans *La Cloche*,
racontant des souvenirs de déportation. C'était là un des

grands thèmes de l'opprobre républicain contre l'Empire. Il n'avait pu passer inaperçu de Zola, qui collaborait à ces journaux, et qui avait lui-même présenté dans *Le Gaulois*, en janvier 1869, l'ouvrage de Taxile Delord, républicain antibonapartiste, l'*Histoire du Second Empire*.

L'axe le long duquel s'orientaient *Les Rougon-Macquart*, dans leur projet, privilégiait la ligne d'irruption des appétits et des profits, la dynamique des ambitions et des puissances bourgeoises, plutôt que la ligne de fuite des générosités et des sacrifices, la démarche d'échec des rêves et des idéaux républicains. Dans le brouillon de préface qu'il avait rédigé pour *La Fortune des Rougon* avant la chute de l'Empire, il écrivait : « Les Rougon-Macquart, le groupe, la famille que je me propose d'étudier, a pour caractéristique le débordement des appétits, le large soulèvement de notre âge qui se rue aux jouissances. » Le siècle est celui de la « curée ». Les images fortes, dominantes, sont celles de la fortune, de la curée, du ventre. Mais déjà *La Fortune des Rougon* opposait les gras et les maigres, les nantis et les pauvres, les cyniques et les généreux, les tortionnaires et les torturés, Pierre Rougon et Silvère Mouret. Le destin de ce dernier – en plus tragique – annonce celui de Florent. Dans l'imaginaire narratif de Zola, le personnage de la victime équilibre, en mineur, celui du bourreau, dès avant 1870.

La Commune et la répression versaillaise ne démentiront pas à ses yeux la validité de ce schéma. À Satory, après mai 1871, de nouveau on fusille et on déporte. De nouveau, comme après décembre 1851, la bourgeoisie respire. De nouveau, le grand règlement de comptes entre les Gras et les Maigres a tourné au profit des Gras. Zola n'a rien à changer à la problématique et à la thématique des *Rougon-Macquart*, ni même à la lettre de ses préfaces. Dans les articles qu'il donne à *La Cloche* et au *Corsaire*, en 1871 et 1872, il s'en prend, avec vigueur, aux monarchistes et aux bonapartistes. Mais l'ébauche du *Ventre* ne fera pas le détail, et ne distinguera pas entre la bourgeoisie monarchiste et la bourgeoisie républicaine :

c'est « la bourgeoisie » tout court, qui est imaginée « digérant, ruminant, cuvant en paix ses joies et ses honnêtetés
moyennes ».

Roman d'un symbole biologique et sociologique – « le
ventre de Paris », les Halles où la nourriture afflue, pour
rayonner sur les quartiers divers –, roman, aussi, d'un
symbole moral, la troisième œuvre du cycle des *Rougon-
Macquart* devenait ainsi, par la force des événements, le
roman d'un symbole politique. Refoulé par le triomphe
des Gras, le Maigre revient, comme un reproche et aussi
comme une nouvelle menace : il sera une nouvelle fois
expulsé, comme viennent de l'être les Communards de
1871. Le sens du *Ventre de Paris* s'est joué ainsi sur trois
ans, entre le retour en force de la parole républicaine
et démocrate, après 1868, et son extinction réitérée, en
1871. Le personnage de Charles Delescluze est sur ce
point tout à fait symbolique : déporté en 1851, porte-
parole de l'opposition antibonapartiste en 1869-1870 (il
dirige *Le Réveil*), communard, il est abattu par les Versaillais au dernier jour de la Semaine sanglante : voix à deux
reprises éteinte par la violence bourgeoise, et la deuxième
fois pour l'éternité. Dans ces conditions, et compte tenu
des prudences thématiques, structurales et stylistiques
auxquelles l'auteur est contraint par l'ordre versaillais, ne
pourrait-on pas lire le projet du *Ventre de Paris* comme
une parabole d'histoire contemporaine ?

LA PRÉPARATION

De là, le parallélisme entre l'inspiration des pages préparatoires du roman et celle des articles qu'écrit Zola
pendant l'année 1872. Tout se passe comme s'il essayait
dans le journal les motifs du roman. Le 26 mai 1872,
paraît un article sur les squares de Paris ; parmi ceux-ci
le square des Innocents, lieu central du *Ventre*. Le 29 mai,
Zola revient sur les fusillades de décembre 1851, dans un

article qui retrace les « étapes criminelles » du « dernier des Césars » et de ses acolytes : « Ils se jetèrent, par une nuit noire, sur la ville endormie, avec la sauvagerie d'une bande de chauffeurs envahissant une ferme. Ils prirent les uns à la gorge, massacrèrent les autres, fusillèrent des femmes et des enfants sur les trottoirs. La ville fut surprise, violée, assassinée et jetée toute tiède et toute sanglante dans le coin de l'alcôve princière. » Le 6 juillet, les parlementaires de la droite reçoivent le même paquet, et déjà on entend ici les discours de Claude Lantier sur les « honnêtes gens » : « Ce sont de terribles gens que les "honnêtes gens". Les membres de la droite, les membres du centre droit, tous "honnêtes gens". Et ces messieurs commettent, dans l'ordre moral, les choses les plus délicates et les plus surprenantes. » Le 24 juin, Zola oppose l'architecture des Halles de Baltard, « avec leur légère dentelle de fer », à la « masse lourde » du Conseil d'État. Le 18 août, enfin, voici une reprise de la grande page qu'il avait écrite sur les Halles dans *La Tribune*, le 17 octobre 1869. La description est cependant plus précise, plus colorée. Visiblement Zola est retourné sur place : les Halles ne sont pas loin du 5 de la rue Coq-Héron, où se trouvent les bureaux de *La Cloche*. Il a chargé son regard d'images neuves ; il tient également son symbole dominant : « Aux Halles, le vacarme est grand. C'est l'office colossal où s'engouffre la nourriture de Paris endormi. Quand il ouvrira les yeux, il aura déjà le ventre plein. Dans les clartés frissonnantes du matin, au milieu du grouillement de la foule, s'entassent des quartiers rouges de viande, des paniers de poissons qui luisent avec des éclairs d'argent ; des montagnes de légumes piquant l'ombre de taches blanches et vertes. C'est un éboulement de mangeailles, des charrettes vidées sur le pavé, des caisses éventrées et laissant couler leur contenu, un flot montant de salades, d'œufs, de fruits, de volailles, qui menace de gagner les rues voisines et d'inonder Paris entier. »

Zola a signé la préface de *La Curée* le 15 novembre 1871.

Toute l'année 1872 semble vouée à la préparation du *Ventre de Paris*. Préparation assez lente, sans doute, car Zola, dans le même temps – jusqu'à la fin d'avril 1872 –, va presque tous les jours à Versailles pour suivre les débats parlementaires, dont il rend compte dans *La Cloche* et dans *Le Sémaphore de Marseille*. « Relevé de la longue et pénible faction qu'il fait depuis un an face à face avec l'Assemblée », selon ses propres termes, il continue, du 3 mai jusqu'à la fin de l'année, à collaborer assidûment à ces deux journaux : entre le 4 mai et le 20 décembre, il publie dans *La Cloche* environ cent dix « Lettres Parisiennes ». Toutes ne sont pas inédites : certaines ont paru avant 1870 dans divers journaux. Mais cette tâche journalistique est néanmoins écrasante : vingt articles, pour *La Cloche* seule, en juin, vingt-cinq en juillet, quinze en août. Au surplus, tenté par la scène, il construit une adaptation de *Thérèse Raquin* pour le théâtre (qui sera jouée un an plus tard, sans succès, au Théâtre de la Renaissance). Il n'est pas étonnant que Zola n'ait pu commencer à rédiger *Le Ventre de Paris* qu'au début de l'automne, après plusieurs mois de réflexions et d'enquêtes documentaires.

Le 3 juin 1872, il a déjeuné chez Edmond de Goncourt, et celui-ci commente aussitôt dans son *Journal* le travail acharné de son hôte, dans lequel il veut bien voir, avec quelque condescendance, un disciple : « Malingre et névrosifié comme il l'est, Zola travaille tous les jours de neuf heures à midi et demi et de trois heures à huit heures. C'est ce qu'il faut dans ce moment, avec du talent et presque un nom, pour gagner sa vie… Tout en taillant une pièce dans *Thérèse Raquin*, il est en train de chercher un roman sur les Halles, tenté de peindre le plantureux de ce monde. »

Lorsqu'il a commencé à jeter les premières notes préparatoires, sa méthode était désormais rodée ; elle ne changera plus guère : une Ébauche, qui lance le thème, construit une intrigue sommaire, imagine des personnages, critique et modifie le tout, sème des idées d'épisodes secondaires, bâtit, en somme, le premier modèle de l'œuvre ; des notes et des dossiers documentaires, choses vues ou choses lues, qui commencent à s'accumuler parallèlement à l'Ébauche et qui aident celle-ci à progresser ou à se transformer ; des fiches-personnages, qui dessinent les physionomies et les caractères ; des plans détaillés, qui établissent, généralement en deux phases successives, le découpage terminal.

L'Ébauche du *Ventre de Paris* date sans doute des premiers mois de 1872. En quelques lignes, Zola dégage le sens de l'œuvre et sa parenté avec celles qui la précèdent dans la série : « L'idée générale est : le ventre, – *Le Ventre de Paris*, les Halles... – le ventre de l'humanité et par extension la bourgeoisie digérant, ruminant, cuvant en paix ses joies et honnêtetés moyennes ; – enfin le ventre dans l'Empire, non pas l'éréthisme fou de Saccard lancé à la chasse des millions [...] mais le contentement solide et large de la faim, la bête broyant le foin au râtelier, la bourgeoisie appuyant solidement l'Empire, parce que l'Empire lui donne sa pâtée, [...] la bedaine pleine et heureuse se ballonnant au soleil... » « ... Mes Rougon et mes Macquart sont des appétits. J'ai eu dans *La Fortune des Rougon* toute une naissance d'appétits. Dans *La Curée*, branche des Rougon, appétit nerveux du million. Dans *Le Ventre*, branche des Macquart, appétit sanguin des beaux légumes et des beaux quartiers de viande rouge... J'appuie surtout sur la place de l'œuvre dans la série. Elle complète *La Curée*, elle est la curée des classes moyennes » (Ms. 10.338, f°s 48-49).

Au point de départ, un thème symbolique : le ventre ; un espace : les Halles. Il faut un personnage, ayant à sa manière la même signification, incarnant le même symbole. Ce sera Lisa, la charcutière. En vertu de la règle généalogique qui articule entre eux les romans du cycle, c'est « une Macquart, une fille d'Antoine », personnage de *La Fortune des Rougon*. « Elle est belle, saine, suant le bonheur. Il me la faut à trente-deux ans, dans tout l'épanouissement de sa nature... Devant l'État, elle a le respect des sergents de ville, des candidats officiels ; elle appuie le gouvernement qui triomphe, le soutient quand

il branle, lui garde la reconnaissance du ventre, de tous
les morceaux de bœuf qu'elle a mangés ou qu'elle a ven-
dus, et sous le prétexte de maintenir l'ordre, de défendre
la société, elle pousse son mari à toutes les lâchetés
sociales. » Ce portrait, charge féroce contre la petite
bourgeoisie, révèle l'acuité critique du regard que Zola,
éternellement mal-pensant, porte sur les mœurs et caractères de son temps. Les textes des Ébauches, non destinés
à la publication, plus ramassés, plus denses que ceux
des romans achevés, sont aussi, souvent, plus chargés
de vitriol, et décapent de manière plus cruelle la surface
des apparences sociales.

C'est donc autour de Lisa que se construisent l'intrigue et le système des personnages du *Ventre*. Zola a
songé un moment à y introduire Gervaise, la sœur de
Lisa, à laquelle celle-ci « conseille le travail », puis qu'elle
« abandonne le jour où elle se sent compromise par elle ».
Gervaise, finalement, restera à l'écart, à peine évoquée
par son fils Claude, le peintre. De même, après avoir
pensé donner à Lisa et à son mari deux enfants, Zola ne
leur laisse qu'une fille, figure d'attente pour un roman à
venir. Les deux personnages de premier plan, aux côtés
de Lisa, sont Quenu (qui s'appelait d'abord, dans un
premier état de l'intrigue, Louis Gontard), son mari, et
Florent, le demi-frère de Quenu, le déporté (tout d'abord
prénommé Charles). Encore Quenu n'est-il appelé qu'à
jouer un second rôle, dans la dépendance de sa femme.
Au contraire, Florent reçoit un emploi capital qui assure
l'équilibre du roman. Face à Lisa, il représente le trouble,
la rupture – involontaire – de l'ordre familial et social
construit et défendu par Lisa et la mise en question du
régime politique et social qu'elle défend parce qu'il est
à ses yeux la condition de son bien-être. Le roman sera
l'histoire de la progressive élimination, du rejet lent, mais
inéluctable, de ce corps pathogène venu compromettre
la sécurité florissante du petit monde de la Halle. Zola
retrouve ici un schéma classique, indéfiniment réutilisé
par les romanciers en toutes sortes de variantes, et qu'il

renouvelle en lui fournissant un cadre inédit et en actuali-
sant sa signification politique : « Le drame doit être dans
les Halles et tenir à l'Empire. »

Au fur et à mesure que l'Ébauche progresse, le personnage de Lisa perd un peu de sa noirceur, comme si Zola
estompait sa propre exaspération. Florent, entraîné dans
une conspiration de quartier par des irresponsables et des
provocateurs, sera livré à la police par sa belle-sœur. Mais
« il ne faut pas la faire si agissante dans le mal. Elle subit
plutôt. L'idée de *laisser* compromettre Charles [Florent]
ne lui vient que peu à peu ».

Il fallait peupler le quartier des Halles, non seulement
avec une foule anonyme, mais avec des personnages
individualisés, reparaissant de chapitre en chapitre, et
représentant des catégories sociales typiques. Chaque
personnage, on le sait, apporte avec lui, dans un roman
de Zola, le prétexte à décrire un décor, un métier, les
comportements d'une catégorie entière. Ainsi se constitue, de proche en proche, une société romanesque sur
le fond de laquelle se détache ce que Zola appelle « le
drame ». Paradoxalement – mais ce n'est qu'un appa-
rent paradoxe – celui-ci imagina en premier lieu le
plus symbolique et le plus marginal de ces personnages
secondaires : Jacques Duval – futur Marjolin –, sorte de
« dieu de la Halle », « création tombée des voûtes de la
Halle », « taillé en pleine chair bien portante, fort, beau,
sain, un peu brute » : il sera aux Halles de Paris ce que
Quasimodo était à Notre-Dame, comme les Halles sont
à la société de « digestion épaisse et satisfaite » ce que
Notre-Dame était à la société des temps mystiques. Lisa
sera son Esmeralda... mais l'affaire tournera en dérision
tragique : serrée de trop près par son soupirant dans
les caves d'un pavillon de Baltard, elle l'assommera et le
laissera à moitié idiot. À ses côtés, la future Cadine, sa
compagne de vie naturelle et sans entraves. Puis viennent
les autres personnages : le marchand de volailles – l'opposant mêle-tout, artisan de la seconde arrestation de
Florent ; sa belle-sœur, et sa nièce ; une marchande de

poissons, d'abord baptisée Nanette, « belle femme, très
riche, la *rivale* de Lisa ». « Cela me donnera un thème
assez important pour étaler la poissonnerie en face de
la charcuterie. »

On voit ici Zola partagé entre deux soucis, sinon absolument contradictoires, au moins en état de belligérance
larvée : construire un drame, « l'histoire d'un complot,
une trahison, le tout dans le cadre des Halles, de la bourgeoisie repue », et décrire, en observateur, en reporter,
en anthropologue, oserait-on dire, les formes de vie, les
aspects les plus pittoresques d'une société restreinte. En
tout cas, les rivalités qui opposent toutes ces femmes,
assez uniformément représentées comme bavardes,
curieuses, envieuses, vindicatives, fourniront à la fois le
moteur et le contrepoint de l'action principale. Car leurs
bavardages jouent un rôle dans le destin de Florent et
ils contribuent d'autre part à créer la couleur sociale et
locale du roman. Leur réconciliation finale assurera « le
triomphe absolu et colossal du *Ventre*, au-dessus de la
maigreur de Charles vaincue et condamnée aux galères ».

Après avoir posé quelques autres types secondaires
– un cafetier indicateur de police, une vieille fille fure-
teuse et commère, une maraîchère (celle qui amènera
Florent sur le carreau des Halles, au début du roman),
Zola laissa en l'état son Ébauche et se mit en quête d'informations précises sur le milieu qu'il voulait dépeindre.
Après avoir livré sa copie à *La Cloche*, rue Coq-Héron,
Zola s'en allait flâner sur le carreau des Halles : « Un
crayon à la main, écrit son ami Paul Alexis en 1880,
Zola venait par tous les temps, par la pluie, le soleil,
le brouillard, la neige, et à toutes les heures, le matin,
l'après-midi, le soir, afin de noter les différents aspects.
Puis, une fois, il y passa la nuit entière, pour assister au
grand arrivage de la nourriture de Paris... Il s'aboucha
même avec un gardien-chef, qui le fit descendre dans
les caves et qui le promena sur les toitures élancées des
pavillons » *(Émile Zola, notes d'un ami)*. En même temps
qu'il explorait les pavillons de Baltard et les boutiques

typiques du quartier, il consulta des sources imprimées :
le *Paris* de Maxime Du Camp (qui avait déjà servi pour
la description de la Morgue dans *Thérèse Raquin*), l'*Histoire du Second Empire* de Taxile Delord, le *Journal d'un
transporté*, de Charles Delescluze, *Les Aventures d'Hercule
Hardi ou la Guyane en 1772*, d'Eugène Sue.

Enrichi de ces scènes vues et de cette documentation
économique, administrative et historique, le roman se dessinait plus nettement. Zola construisit un plan en six chapitres, dont chacun associe des séquences narratives et de
grands tableaux descriptifs : une nuit aux Halles, la charcuterie et l'installation de Florent, la confection du boudin et le récit de Cayenne, la promenade aux champs, la
conspiration, l'arrestation. Plan ample et simple, à larges
sections, dont il ne devait pas se départir, changeant seulement la place de quelques éléments et annonçant de plus
loin la conspiration. Il s'attacha également à ajuster et à
polir le rôle de certains personnages, à rendre vraisemblable la situation de Florent dans les Halles, à renforcer
l'opposition symbolique des Maigres et des Gras. Les deux
éléments d'intrigue qui exigèrent le plus de tâtonnements
et de mises au point successives furent la conspiration
et le couple Marjolin-Cadine. Ayant décidé de faire de
Florent un inspecteur de la marée, il lui fallait recueillir
sur ce sujet des informations exactes. Elles lui furent fournies par un chef de service de l'Administration de Paris,
nommé Mathieu, qui lui expliqua le fonctionnement de la
vente à la criée et le rôle des inspecteurs et des porteurs.
Dans un rapport du directeur de l'Administration générale, Pelletier, il trouva des indications détaillées sur la
vente du poisson et sur l'histoire des pavillons de Baltard.

Une de ses dernières enquêtes documentaires le conduisit à Neuilly. C'est là que demeurait Maurice Dreyfous,
associé de Charpentier, le nouvel éditeur de Zola depuis
cette année même. Les deux hommes assistèrent, sur le
pont de Neuilly, au passage des maraîchers de la banlieue ouest. Ils les suivirent jusqu'à l'octroi, puis jusqu'aux
Halles pour observer les opérations de déchargement et

d'installation. Maurice Dreyfous, dans le récit qu'il a
laissé de cette nuit, rapporte qu'à son retour tardif, au
petit matin, Zola trouva sa femme Alexandrine en proie
à une grande inquiétude...

Après l'Ébauche, un « agencement général » et une liste
de personnages (répartis en « maigres » et en « gras »),
Zola composa deux plans détaillés, découpés chacun en
six chapitres. Dans le premier plan, chaque chapitre porte
un titre et est suivi de notes suggérant des idées de scènes
ou de descriptions, et de références à l'Ébauche ou aux
dossiers documentaires. Le deuxième plan intègre le tout
dans un découpage détaillé et à peu près définitif. Entre
le premier et le deuxième plan, le « savoir » géographique
et technique de Zola s'est encore gonflé : il a établi une
topographie précise des rues des Halles, une description
de l'église Saint-Eustache, une nomenclature détaillée
des marchandises vendues dans les pavillons, un état du
matériel et du fonctionnement diurne et nocturne des
pavillons, des boutiques, des étals et des resserres, pour
toutes les sortes de produits, le statut administratif et
juridique des lieux et des personnels ; bref, une petite
encyclopédie du ventre de Paris. La fonction du deuxième plan détaillé est d'en ventiler, d'en distribuer tous
les contenus à travers la diégèse romanesque, de telle
manière que toujours l'apparition du texte documentaire
soit justifiée, appelée, « embrayée » par une péripétie de
l'action : l'entrée d'un personnage dans un lieu nouveau,
l'arrêt étonné d'un autre devant un spectacle dont il n'est
pas familier (ainsi Florent débarquant de Cayenne au
beau milieu des choux-fleurs et des saucisses...), ou le
déclenchement d'une scène au sein de son décor naturel.

LA RÉDACTION ET LA PUBLICATION

Ces travaux préparatoires achevés, Zola rédigea *Le
Ventre de Paris* pendant l'automne et l'hiver 1872-1873.

Le 22 octobre 1872, il écrivait à Maurice Dreyfous : « Je suis tellement enfoncé dans *Le Ventre de Paris* que je vous avoue ne pas m'être occupé encore de *La Fortune des Rougon*. » Il s'agissait de la réédition, à la Bibliothèque Charpentier, du roman publié chez Lacroix en 1871. Même aveu dans une lettre du 6 novembre à un confrère non identifié : « Je suis jusqu'au cou dans un travail où je perds pied. » Le roman ne fut sans doute achevé que dans les premières semaines de 1873.

La Cloche, qui avait publié en feuilleton *La Curée*, annonça le 11 novembre 1872 sa transformation, puis disparut le 21 décembre. En même temps qu'à *La Cloche*, Zola collaborait au *Corsaire*, journal dirigé par Édouard de Portalis : il lui donnait en feuilleton une reprise des *Mystères de Marseille*, sous le titre *Un duel social*, et en signant du pseudonyme d'Agrippa. À partir du 3 décembre, il y publia une « Causerie du dimanche », hebdomadaire. Il avait pressenti Portalis pour la publication du *Ventre*. Mais sa causerie du 21 décembre, intitulée « Le lendemain de la crise », très hostile au duc de Broglie et à ses amis politiques, écrite dans un ton pamphlétaire, opposant la misère des familles ouvrières à l'avidité des monarchistes, fit interdire le journal, pour « excitation à la haine et au mépris des citoyens les uns contre les autres ». Zola venait de scier la branche sur laquelle il prétendait s'asseoir. « J'y perds quelque argent, écrivit-il à Roux, le 25 décembre, mais j'y gagne un terrible tapage. » *Le Corsaire* devait reparaître le 25 février 1873, après une suspension de deux mois. Cependant, malgré la protestation de Portalis, Zola, qui, sans doute, tenait à ce que son roman profite au plus tôt du bruit fait autour de son nom, le porta au journal qui succédait à *La Cloche* : *L'État*. Il n'était plus question que l'auteur du *Ventre de Paris*, devenu aux yeux des patrons de presse un journaliste dangereux, continuât dans *L'État* la publication des « Lettres parisiennes », pourtant annoncée dans les prospectus du nouveau journal dès la fin de 1872. Il restait au moins les profits du feuilleton. *Le Ventre de Paris*, expurgé de quelques phrases qui auraient pu

inquiéter les dévots et les pudibonds, ou même les pouvoirs publics, parut du 12 janvier au 17 mars 1873. Moins
de deux mois plus tard, *L'État* disparaissait à son tour.

L'ACCUEIL DE LA CRITIQUE

Publié en librairie le 19 avril 1873, *Le Ventre de Paris*
fut réédité un mois plus tard. Il suscita assez peu d'échos.
Dans *Le Figaro* (18 janvier), Francis Magnard en avait
relevé « le réalisme poétique assez curieux ». Georges
Stenne lança l'image de la « symphonie des fromages »,
souvent utilisée par les commentateurs ultérieurs. Barbey
d'Aurevilly, dans *Le Constitutionnel* du 14 juillet, traita
Zola de « rapin, tout au plus enragé » : « Il croit dire le
dernier mot de l'art en faisant du boudin, M. Zola... L'entourage est trop fort : comme les fromages, le sublime
tragique a coulé. Je crois bien que le talent de M. Zola
fera comme ces fromages. » Même ton, avec moins
de « maestria », sous la plume de Firmin Boissin, qui,
dans *Polybiblion*, s'en prend à « la littérature démocra-
tique », qu'illustre, selon lui, le roman de Zola. Enfin,
Paul Bourget, avec qui Zola nouera de durables relations
de sympathie, note, dans la *Revue des Deux Mondes*, le
15 juillet, que Zola « ignore absolument ce que peut être
le dessin » : c'est le reproche même que la critique d'art
contemporaine fait aux peintres impressionnistes. Mais il
admet que « ses descriptions sont des manières d'hymne
à la vie », et il leur reconnaît de la puissance.

Les correspondants de Zola furent plus chaleureux.
Daudet loua « ce terrible livre » et son « intensité de vie
étonnante ». Flaubert le trouva « atroce et beau, fort, très
fort » et il félicita Zola pour son « fier talent ». Edmond
de Goncourt fut cependant plus réservé, dans une lettre
du 8 juillet : « D'après moi, le populaire, dans le roman, à
moins d'avoir vécu dans son intimité des années, ne doit
donner que des lignes et des actes tragiques. »

Plus tardivement, deux amis de Zola, eux-mêmes narra-
teurs de premier plan, Huysmans et Maupassant, jugèrent
à leur tour *Le Ventre de Paris*. Dans une brochure écrite
à propos de *L'Assommoir* en 1877, Huysmans rappela
que *Le Ventre de Paris* l'avait fait « démesurément exul-
ter ». « Le lever de soleil sur les Halles, avec les légumes
qui s'éveillent, les mastroquets qui flamboient derrière la
buée des vitres, tout le fourmillement, tout le hourvari
des foules, est enlevé avec une furie de couleurs vraiment
incroyable ! Telles de ses natures mortes qui emplissent
le carreau des pavillons, sont peintes avec la fougue et
la couleur forcenée d'un Rubens ! Et comme tous ses
personnages sont dessinés de pied en cap, curieusement
analysés, saisis quand ils bougent, avec le geste qui leur
est habituel, avec la riposte qui leur vient aux lèvres !
[...] Dans ce volume, le noyau est à peine visible, mais
la chair, la pulpe, ont une saveur inconnue jusqu'alors ;
la peau a revêtu une richesse de tons qui semble dérobée
à l'éblouissante palette des grands maîtres flamands »
(« Émile Zola et *L'Assommoir* »). Et c'est avec la même
sensualité critique que Maupassant écrira, en 1883, dans
une brochure consacrée à Zola : « Ce livre sent la marée
comme les bateaux pêcheurs qui rentrent au port, et les
plantes potagères avec leur saveur de terre, leurs parfums
fades et champêtres. »

En 1886, William Busnach, qui avait adapté pour la
scène *L'Assommoir*, *Nana*, *Pot-Bouille* et *Germinal*, sug-
géra à Zola de porter *Le Ventre de Paris* au théâtre. Zola
se laissa tenter. Busnach modifia considérablement
l'intrigue et la répartition des personnages. Ainsi, dans
la pièce – drame en cinq actes dont le texte est perdu,
mais dont on connaît le plan par les comptes rendus critiques qui ont suivi la première représentation –, Florent
avait de Louise Méhudin un fils, qu'elle avait confié à
un maraîcher, le père François. Robine, amoureux de la
belle poissonnière et jaloux de Florent, avait livré celui-ci
à la police. Revenu de Cayenne, Florent est dénoncé par
la mère Méhudin. Mais le père François ramène l'en-

fant de Florent et de Louise sur le carreau des Halles, et, attendrie, la vieille Méhudin empêche la police d'arrêter de nouveau Florent, en suscitant une empoignade générale qui lui coupe la route. Florent peut ainsi s'échapper.

Créée au Théâtre de Paris (aujourd'hui Théâtre de la Ville, ex-Sarah-Bernhardt) le 25 février 1887, la pièce eut cent vingt-cinq représentations, et déclencha une polémique sur l'esthétique dramatique entre Francisque Sarcey et Zola, qui avait collaboré d'assez près à l'adaptation de Busnach, et qui entendait assumer sa part de responsabilité dans le texte. À propos de la scène de l'enfant, Zola répliqua à Sarcey, dans *Le Figaro* du 2 mars : « Jamais moyens plus simples ne sont arrivés à une pareille intensité d'émotion. Cela est très grand et je le dis. » La postérité, pour une fois, n'a pas ratifié son jugement.

LE TEXTE

Le manuscrit et le dossier préparatoire :

— Manuscrit autographe : Bibliothèque nationale, département des Manuscrits, Nouvelles Acquisitions françaises, n° 10335 : f°s 1 à 454, précédés d'un f° A, portant un texte de présentation publié avec la première livraison du roman en feuilleton.

— Dossier préparatoire : Bibliothèque nationale, département des Manuscrits, Nouvelles Acquisitions françaises, n° 10338 : f°s 1 à 316. Ce dossier comporte une Ébauche, des notes documentaires sur les Halles, sur Cayenne, sur la Guyane hollandaise, sur le coup d'État de décembre à Paris, des plans de chapitres.

La publication en feuilleton :

Le Ventre de Paris parut dans le quotidien *L'État*, en soixante et une livraisons du 12 janvier au 17 mars 1873.

Cette édition pré-originale, qui porte des corrections pour la publication en librairie, est conservée à la Bibliothèque nationale, département des Manuscrits, Nouvelles Acquisitions françaises, n° 10336 (f°s 1 à 249) et 10337 (f°s 250 à 432).

Les principales éditions :

— L'édition originale, 1 vol., in-18, 362 p., Paris, Librairie Charpentier, 3,50 fr. Bibliothèque Charpentier. Enregistré dans la *Bibliographie de la France* le 10 mai 1873, sous le n° 4326, avec pour date de publication le 19 avril 1873.

— La première édition illustrée, 1 vol., avec des gravures de Gill, Bellenger, Garnier, etc. Éditions C. Marpon et E. Flammarion, 1879.

— L'édition Bernouard, en 1928, avec des notes et commentaires de Maurice Le Blond.

— L'édition de la Bibliothèque de la Pléiade (*Les Rougon-Macquart*, tome I, Paris, Éditions Gallimard, 1960), avec une étude et des notes de Henri Mitterand. C'est le texte que nous reprenons ici, après révision. Le texte de la Pléiade reproduisait celui de la dernière édition publiée du vivant de Zola, qui présentait quelques différences par rapport à celui de l'édition originale, sans qu'on puisse savoir si ces différences étaient le fait d'inadvertances typographiques postérieures à l'impression originale, de corrections d'auteur, ou d'initiatives de correcteurs. Dans quelques dizaines de cas, nous avons rétabli le texte ou la ponctuation de l'édition originale.

— L'édition Rencontre (Lausanne, 1961), avec une préface de Henri Guillemin.

— L'édition du Cercle du Livre Précieux (*Œuvres complètes* de Zola, Paris, 1967, sous la direction de Henri Mitterand), tome II, avec une préface de Robert Abirached.

— L'édition critique établie par Marc Baroli (avec une introduction, des variantes, des notes, des appendices et une bibliographie), Paris, Lettres modernes, Minard, 1969.

— L'édition de l'Intégrale (*Les Rougon-Macquart*, Paris, Éditions du Seuil, 1970), avec une introduction de Pierre Cogny.

— L'édition Garnier-Flammarion (Paris, 1971), avec une introduction de Robert A. Jouanny.

H. M.

BIBLIOGRAPHIE

PRINCIPAUX OUVRAGES
AYANT SERVI DE SOURCE À ZOLA :

DELESCLUZE Charles. *De Paris à Cayenne, Journal d'un transporté*, Paris, Le Chevalier, 1869.

DELORD Taxile. *Histoire du Second Empire*, Paris, Baillière, 1869.

DU CAMP Maxime. *Paris, ses organes, ses fonctions et sa vie, dans la seconde moitié du XIXᵉ siècle*, Paris, Hachette, 1870.

PELLETIER. *Rapport au Préfet de la Seine*, Paris, Mourgues, 1871.

SUE Eugène. *Les Aventures d'Hercule Hardi ou la Guyane en 1772.*

PRINCIPAUX ARTICLES
AYANT SERVI DE SOURCE À ZOLA

La Tribune, août-septembre 1868 (les fusillades de décembre 1851) ; *Le Rappel*, novembre 1869 (lettres de Louis Blanc sur les transportés) ; *La Cloche*, janvier-mars 1870 (articles de L. Pascal sur les bagnes de Cayenne).

CHOIX D'ÉTUDES
SUR *LE VENTRE DE PARIS*

Barbey d'Aurevilly Jules. « Le Ventre de Paris », *Le Constitutionnel*, 14 juillet 1873 (repris dans *Les Œuvres et les hommes*, 3ᵉ série, vol. II : *Le Roman contemporain*, p. 197-239).

Bourget Paul. « Le roman réaliste et le roman piétiste », *Revue des Deux Mondes*, 15 juillet 1873.

Huysmans Joris-Karl. « Émile Zola et *L'Assommoir* », *L'Actualité de Bruxelles*, 11, 18, 25 mars et 1ᵉʳ avril 1877 (repris dans *En Marge*, Paris, 1927).

Alexis Paul. *Émile Zola, notes d'un ami*, Paris, Charpentier, 1882.

de Maupassant Guy. *Célébrités contemporaines, É. Zola*, Paris, Quantin, 1883.

Bergerat Émile. *Souvenirs d'un enfant de Paris*, Paris, 1912.

Dreyfous Maurice. « Entre mémorialistes. Théophile Gautier et Émile Zola », *Bulletin de l'Association Émile Zola*, 1912, n° 7.

Dreyfous Maurice. *Ce qu'il me reste à dire*, Paris, 1913.

Girard Marcel. « Naturalisme et symbolisme », *Cahiers de l'Association internationale des études françaises*, juillet 1954, p. 97-106.

Matthews J. H. « Things in the Naturalist Novel », *French Studies*, juillet 1960, p. 212-223.

Matthews J. H. « L'impressionnisme chez Zola : *Le Ventre de Paris* », *Le Français moderne*, juillet 1961, p. 199-205.

Engler Winfried. « Idyllen bei Zola und Vailland », *Zeitschrift für französische Sprache und Literatur*, octobre 1962, p. 147-154.

Baguley David. « Le supplice de Florent : à propos du *Ventre de Paris* », *Europe*, avril-mai 1968, p. 91-96.

Etkind Efim. « Émile Zola : Beschreibung und symphonismus (der Roman *Le Ventre de Paris*) », *Beiträge zur romanischen Philologie*, 1968, p. 205-222.

NEWTON Joy. « Zola et l'expressionisme : le point de vue hallucinatoire », *Les Cahiers Naturalistes*, n° 41, 1971, p. 1-14.

DROIXHE Daniel. « La graisse, l'eau, la terre dans *Le Ventre de Paris* de Zola », *Analele Universitatii Bucuresti. Literatura universala si comparata*, 1973, p. 91-93.

GERHARDI Gerhard C. « Zola's biological vision of politics : Revolutionary figures in *La Fortune des Rougon* and *Le Ventre de Paris* », *Nineteenth Century French Studies*, printemps-été 1974, p. 164-180.

TABART Claude-André. « *Le Ventre de Paris*, Étude de texte », *L'École des Lettres*, 15 juin 1983, p. 37-42.

DEZALAY Auguste. « Ceci dira cela. Remarques sur les antécédents du *Ventre de Paris* », *Les Cahiers Naturalistes*, n° 58, 1984, p. 33-42.

WOODWARD Servanne. « Un tableau du *Ventre de Paris* », *L'École des Lettres II*, 15 décembre 1989, p. 43-50.

MARTIN Paul. « Au-dessus des Halles. L'ultime veillée de Florent », *L'Information littéraire*, mai-juin 1992, p. 17-27.

BOULANOUAR Nadine. « La tentation de Florent : lecture durandienne du *Ventre de Paris* », *Recherches sur l'imaginaire, cahier XXIV*, 1993, p. 179-191.

CARLES Patricia et DESGRANGES Béatrice. *Le Ventre de Paris*, Paris, Nathan, 1993.

PRENDERGAST Christopher. « Le panorama, la peinture et la faim : le début du *Ventre de Paris* », *Les Cahiers Naturalistes*, n° 67, 1993, p. 65-71.

BESSE Laurence. « "Le feu aux graisses" : la chair sarcastique dans *Le Ventre de Paris* », *Romantisme*, n° 91, 1996, p. 35-42.

GURAL-MIGDAL Anna. « Rythme et montage filmique dans *Le Ventre de Paris* », *Excavatio*, IX, 1997, p. 183-193.

WOOLLEN Geoff. « Les transportés dans l'œuvre de Zola », *Les Cahiers Naturalistes*, n° 72, 1998, p. 317-333.

JOUSSET Philippe. « Une poétique de la nature morte. Sur

la pratique descriptive dans *Le Ventre de Paris* », *Les Cahiers Naturalistes*, n° 72, 1998, p 337-350.

LAVIELLE Émile. *Émile Zola*, Le Ventre de Paris, Paris, Bréal, 1999.

MARIN Mihaela. « La bucolique des Halles : symbole et paysage dans *Le Ventre de Paris* », *Excavatio*, XII, 1999, p. 92-99.

SCARPA Marie. *Le Carnaval des Halles. Une ethnocritique du* Ventre de Paris *de Zola*, Paris, CNRS Éditions, 2000.

WOOLLEN Geoff. « Zola's Halles, a Grande Surface before their time », *Romance Studies*, XVIII, n° 1, juin 2000, p. 21-30.

GURAL-MIGDAL Anna. « Représentation utopique et ironie dans *Le Ventre de Paris* », *Les Cahiers Naturalistes*, n° 74, 2000, p. 145-161.

SCARPA Marie. « Des avant-textes au roman : l'exemple du *Ventre de Paris*. Approche génétique et ethnocritique », *Pratiques*, n° 107-108, décembre 2000, p. 71-87.

NOTES

Page 39.

1. On comparera à cette page les notes que Zola a prises au retour d'une promenade de nuit dans l'avenue de Neuilly :

« L'entrée des maraîchers. *Avenue de Neuilly. Je ferai tomber Florent après le pont, à la hauteur de la rue de Longchamp, au bord d'un trottoir (larges trottoirs, grands arbres, maisons basses) avec Paris monstrueux, deviné dans le silence, dans le désert devant lui tout en haut, au bout de la file régulière des lumières (l'idée de monter, d'aller au bout de cette ligne de feu). Vers deux heures du matin, très noir, – des enfoncements noirs produits par les ruelles, des places noires, entre les becs de gaz. Paysage très plat, avec grand ciel. Avant la route, le pont, la Seine, avec les lumières au loin se reflétant, la lanterne rouge sur l'eau. Les voitures des maraîchers, carrées, à 2 roues, bords à claires-voies, avec un seul cheval, train assez lent. Légumes débordant, sans bâche. Navets, gros bouquets blancs. La lanterne, carrée, est à droite, jette une lueur très faible. L'homme couché, limousine, ou contre planchette. L'homme est assis de côté, tient les guides en dormant. Par file de 5 ou 6, ou isolée. À la barrière, encombrement, les gabelous sondant. Le bruit des cahots dans le grand silence, avec échos contre les maisons, sur la bande de pavés. »* (Ms. 10338, f° 245.)

Page 41.

1. L'auberge, construite au XVIᵉ siècle, occupait les nᵒˢ 64 à 72 de la rue Montorgueil. Dans une vaste cour, se trouvait un grand hangar où les maraîchers remisaient leurs voitures.

Page 42.

1. C'étaient les pavillons construits par l'architecte Baltard à partir de 1851. Les pavillons des primeurs, des beurres et fromages, de la marée, avaient été ouverts en 1857, ceux des fruits et légumes et des fleurs en 1858. En 1860, sera ouvert le pavillon de la boucherie, en 1866, celui des volailles, en 1869, celui de la charcuterie.

Tous ont été démolis vers 1970, après que les Halles de Paris eurent été transférées à Rungis, au sud-est de Paris. Un seul a été préservé : démonté, il a été reconstruit à Nogent-sur-Marne.

L'action du roman est censée commencer en septembre 1858.

2. C'était le carrefour formé par la rencontre des rues de Turbigo, Montmartre, Montorgueil et Rambuteau.

Page 43.

1. La Vallée était le nom donné au pavillon de la volaille et du gibier ; parce que autrefois ce marché se tenait sur le quai de la Mégisserie, appelé la Vallée de la Misère, ou la Vallée.

La Halle au blé, construite en 1811, se trouvait entre la rue du Louvre et la rue Vauvilliers.

Page 46.

1. La plupart des détails de ce récit sont empruntés à l'*Histoire illustrée du Second Empire*, de Taxile Delord. La suite est inspirée des souvenirs de Charles Delescluze : *De Paris à Cayenne, Journal d'un transporté*. Ces deux ouvrages ont été publiés en 1869.

Page 48.

1. Ces marchands au petit tas s'installaient en plein vent, sur les trottoirs, autour des pavillons. Ils payaient une taxe d'emplacement beaucoup moins élevée qu'à l'intérieur des pavillons.

Page 54.

1. Par plusieurs traits (la grosse tête, la barbe, le nez fin, le chapeau de feutre, le paletot délavé), le personnage de Claude ressemble à Paul Cézanne, que Zola, à l'époque où il écrit *Le Ventre de Paris*, n'a pas cessé de fréquenter, depuis leurs années communes de lycée. – En revanche, le caractère de Claude, et aussi ses curiosités de peintre, se différencient sensiblement de ceux de Cézanne. L'attirance de Claude pour les levers de soleil aux Halles est plutôt à mettre au compte de Zola lui-même. Celui-ci avait signé du pseudonyme de Claude son Salon de 1866, et, un an auparavant, avait choisi le même prénom, pour le personnage, partiellement autobiographique, de *La Confession de Claude*.

Le personnage de Claude réapparaîtra, au premier plan, dans *L'Œuvre*, en 1886.

Page 55.

1. La rue Pirouette était un des restes de l'ancien Paris, demeurés debout autour des nouvelles Halles. Elle a aujourd'hui presque entièrement disparu.

Page 58.

1. Voir Maxime Du Camp, *Paris, ses organes, ses fonctions et sa vie dans la seconde moitié du XIXe siècle*, Paris, Hachette, 1870 : « Grâce à leurs larges chapeaux enduits de blanc d'Espagne et à leur colletin en très gros velours d'Utrecht, qui empêchent les fardeaux de glisser, ils ont les mains libres et gardent une agilité de mouvement qui semble doubler leur puissance. »

Page 60.

1. Voir Edmond Lepelletier, *Émile Zola* : « Entre modernistes, lorsque nous nous préoccupions de rechercher et de signaler les monuments, les œuvres susceptibles d'affirmer la grandeur et la poésie du présent, nous parlions souvent des Halles... Avec Zola nous parlions souvent de la beauté intrinsèque de cet art tout récent. »

Page 64.

1. Un marché aux herbes et aux légumes avait été installé en 1785 sur le terrain de l'ancien cimetière des Innocents. Il disparut lorsque les nouvelles Halles furent construites, et on créa sur cet emplacement le square des Innocents.

Page 66.

1. Zola avait voulu faire de ce personnage le « Quasimodo de la Halle » : « Il y demeurera, n'en sortira jamais, en sera le génie familier » (Ms. 10338, f° 62).

Page 70.

1. Tous ces détails sont authentifiés par d'autres témoignages d'époque. Zola mêle ici les choses vues et les choses lues. Voir Maxime Du Camp, *op. cit.*, p. 167 : « Des sous-officiers escortés de soldats portant de larges sacs tournent autour des monceaux de légumes et choisissent les denrées de l'ordinaire ; des religieuses, des cuisiniers de collèges, des propriétaires de petits restaurants, viennent, marchandant, liardant, se disputant, faire les provisions du jour. »

Page 86.

1. Le personnage ressemble aux pièces de viande de porc dont il fait commerce. Zola utilisera le même effet de mimétisme à propos des poissonnières, et, bien entendu, à propos de Lisa Macquart. Ici, la relation métonymique naturelle entre le personnage et son décor se transforme en relation métaphorique : le personnage devient l'image

et l'indice du décor. Ce n'est plus la fantaisie romantique de Granville, animalisant la physionomie de ses
personnages, mais un pas vers l'expressionnisme : c'est
un envahissement, un modelage de l'humain par l'animal,
sans pour autant que les traits pertinents de l'humanité
disparaissent. Il s'agit moins d'une substitution fabuleuse
des traits de l'un à ceux de l'autre, mais des marques
d'une régression de l'humain vers l'animal. Dans le cas
de Quenu et de Lisa, cette régression est en fin de compte
affectée de négativité. Mais il n'en est pas de même des
poissonnières, ou, dans *La Faute de l'abbé Mouret*, de
Désirée Mouret.

Page 93.

1. Zola s'est souvenu de la différence qui séparait Jean-
Baptistin Baille, son ami de jeunesse, polytechnicien et
ingénieur, et le frère de ce dernier, qui était cuisinier. Il a
noté, dans son dossier préparatoire : « Baille et son frère,
l'un savant, l'autre cuisinier » (Ms. 10338, f° 56).

Page 95.

1. Zola a bien connu lui-même ces quartiers, qu'il a
habités (en changeant fréquemment de domicile), entre
1858 et 1865.

Page 99.

1. Lisa est la fille d'Antoine Macquart et de Fine Gavau-
dan. D'après l'Arbre généalogique des *Rougon-Macquart*,
établi en 1878, elle est née en 1827. Elle a pour sœur Gervaise (la future héroïne de *L'Assommoir*, mère du peintre
Claude Lantier) et pour frère Jean Macquart (personnage
principal de *La Terre*).

Page 108.

1. Zola, après avoir observé les charcuteries du quartier des Halles, avait rédigé quatorze pages de notes, d'où
sont issues les descriptions de la charcuterie Quenu-
Gradelle (Ms. 10338, f°s 184 à 197).

Page 109.

1. Zola fait ici communiquer *Le Ventre de Paris* et *La Curée*, dont Aristide Saccard, financier, spéculateur sur les grands travaux d'Haussmann, est le principal personnage.

2. Pauline Quenu sera l'héroïne de *La Joie de vivre*.

Page 110.

1. Des faits semblables furent rapportés par Louis Blanc dans la presse anglaise en 1855 et 1856. – C'est à l'île du Diable que le capitaine Dreyfus sera déporté, en 1895.

Page 121.

1. Allusion à la guerre de Crimée, qui dura de mars 1854 à mars 1856.

Page 124.

1. Notes de Zola sur la rue Vauvilliers : « Étroite, noire, humide, puante, marchands de vin et petits restaurants pour les hommes de peine. Une maison publique au n° 3, numéro jaune sur enseigne verte, maison ignoble. La rue, le long des Halles, est convenable, toujours étranglée, en contrebas, le grand restaurant du "Pied-de-mouton". »

Page 157.

1. Ce récit est emprunté aux souvenirs de Charles Delescluze. Mais le tableau de la Guyane hollandaise a pour source, comme l'a découvert M. Marc Baroli, un roman d'Eugène Sue, *Les Aventures d'Hercule Hardi*.

Page 170.

1. Zola avait indiqué, dans ses plans détaillés : « En somme ce chapitre est entièrement donné à la charcuterie. Histoire d'abord ; puis la boutique avec les cochonneries et les allées et venues ; puis le laboratoire le soir. L'étalage a été décrit vers la fin du chapitre précédent. »

Page 171.

1. On apprendra, au chapitre v, que la préfecture de police, renseignée sur l'arrivée de Florent, préférait le surveiller discrètement depuis son débarquement, jusqu'à ce qu'une imprudence le remette entre ses mains.

2. Sur la rive nord de l'île de la Cité, entre la tour de l'Horloge et le Pont-Neuf. À cette époque, les services de la préfecture de police se trouvaient au Palais de justice.

Page 179.

1. Fourrure en forme de pèlerine couvrant le cou et les épaules (du nom de la princesse Palatine, qui la mit à la mode en 1676).

Page 184.

1. Un café existait à cet endroit en 1872. La description de Zola est conforme au modèle.

Page 189.

1. Le discours du Trône était prononcé en réalité en janvier.

2. On lit dans les *Notes Pelletier* (Ms. 10338, f° 223) : « Les Facteurs sont les antiques jurés vendeurs. Toutes les ventes, en gros par eux, sur le carreau des Halles. Ils se trouvent intermédiaires entre l'acheteur et l'expéditeur et d'autre part, ils perçoivent les droits de la Ville sur les ventes en gros. Ils sont rémunérés par un prélèvement de tant pour cent. »

Page 190.

1. Café froid servi dans un verre, et auquel on ajoutait de l'eau.

2. Du nom de Hébert, rédacteur du *Père Duchesne* et chef de file des « enragés » en 1794, partisan d'un régime communautaire remettant en cause le droit de propriété Guillotiné avant Thermidor. Clémence peut faire penser au personnage de Louise Michel.

Page 212.

1. D'après le *Dictionnaire de la langue verte*, de Delvau, *muche* signifiait « excellent ».

Page 223.

1. Ce détail est emprunté du livre de Maxime Du Camp, qui indique qu'en 1842 la préfecture de la Seine avait refusé de construire des abris pour les maraîchers, sous prétexte que « le mauvais temps ne nuirait pas sensiblement aux légumes sur le marché » (*Paris*, t. II, p. 162).

Page 273.

1. Construite de 1547 à 1549 par Jean Goujon (elle fut inaugurée lors de l'entrée d'Henri II à Paris), la fontaine des Innocents comprenait à l'origine trois arcades adossées à l'église du même nom. Lors de la destruction de l'église et du charnier, à la veille de la Révolution, elle fut démontée et reconstituée par Pajou qui construisit la quatrième arcade et surmonta l'ensemble d'un dôme, cependant que Houdon ajoutait trois naïades aux cinq existantes. Elle occupait alors le centre du marché aux herbes et légumes. Lorsque ce marché fut supprimé, à la suite de la construction des pavillons de Baltard, elle fut à nouveau démontée par Davioud et Duban et installée sur la place actuelle.

Page 293.

1. Boulettes de hachis faites avec de la rouelle de veau, de la graisse de rognon de bœuf et des œufs.

Page 295.

1. Dans un premier état de la préparation du roman, Zola avait pensé à faire finir Cadine dans la peau d'une cocotte. Le personnage aurait alors préfiguré Nana. Il a abandonné cette idée.

Page 297.

1. Dans son livre sur *Émile Zola* (p. 96), Paul Alexis

écrit : « Une fois, en nous en allant, arrivés à un certain endroit de la rue Montmartre, il me dit tout à coup : "Retournez-vous et regardez." C'était extraordinaire : vues de cet endroit, les toitures des Halles avaient un aspect saisissant. Dans le grandissement de la nuit tombante, on eût dit un entassement de palais babyloniens empilés les uns sur les autres. Il prit note de cet effet, qui se trouve décrit quelque part dans son livre. »

Toutes ces descriptions, depuis la démolition des Halles, ont acquis un intérêt quasi archéologique.

Page 321.

1. Ce restaurant, rue Montorgueil, déjà célèbre vers 1840, existe encore.

Page 334.

1. L'action des deux derniers chapitres (sauf les pages rétrospectivement consacrées à l'enfance de Marjolin et de Cadine) s'est passée au printemps qui a suivi l'arrivée de Florent dans les Halles : c'est-à-dire, selon la chronologie fictive du roman, vers mai 1859.

Zola a peut-être choisi 1859 parce que cette année-là eut lieu l'attentat d'Orsini contre l'Empereur. Il ne dit mot, cependant, de cet attentat dans le roman. Au surplus, le prétendu complot des Halles, dans lequel Florent est compromis, ne se produira en réalité qu'au début de 1870.

Page 335.

1. Ici s'amorce un thème qui fait l'objet de plusieurs articles dans *La Cloche*, en 1872, et qui sera plus largement orchestré dans *La Conquête de Plassans* : l'empire, sur les femmes, de l'Église catholique, qui, par elles, gouverne la vie des ménages, et, au-delà, leur comportement politique.

De plus, le chapitre va utiliser les notes que Zola a prises sur l'église Saint-Eustache (Ms. 10338, f°s 144-145).

Page 345.

1. En réalité, c'est seulement en 1861 que s'est faite la division de Paris en vingt arrondissements (après le rattachement à Paris des communes de la proche périphérie : Auteuil, Passy, Belleville. etc.).

Page 398.

1. En 1869-1870, des manifestants à blouses blanches mêlés aux défilés populaires qui protestaient contre la politique sociale du régime se livrèrent à toutes sortes de déprédations. Les milieux républicains les tinrent pour des provocateurs, qui fournissaient à la police le prétexte d'une répression rigoureuse.

Page 420.

1. Drame en cinq actes de D'Ennery et Lemoine, représenté pour la première fois en 1841 au théâtre de la Gaieté, et repris à la Porte Saint-Martin en 1861.

Page 428.

1. Les grands travaux ordonnés par Haussmann, préfet de la Seine sous le Second Empire, avaient eu pour objet de percer de grandes avenues à travers Paris, afin, en particulier, de juguler plus aisément d'éventuelles insurrections. En juin 1848, l'insurrection populaire avait multiplié les barricades dans les petites rues du centre de Paris, auprès des Halles précisément.

Page 466.

1. Ce mot se trouve déjà à deux reprises dans les articles que Zola a donnés à *La Cloche* en 1872 : le 6 juillet et le 23 août.

H. M.

DU MÊME AUTEUR

✦

Dans la même collection

Composition Nord Compo
Impression Novoprint
à Barcelone, le 26 avril 2021
Dépôt légal: avril 2021
1er dépôt légal dans la collection : avril 1979
ISBN 978-2-07-037107-7 / Imprimé en Espagne.

395775